고등 수학의 **첫 걸음**

풍산자

미적분

쉽고 정확한 개념 학습은 **자신감**으로
개념–문제 연계 학습은 **실력**으로 쌓이는 **풍산자**입니다.

시작은 그 일의 가장 중요한 부분이다.
- 플라톤 -

읽으면서 이해하는 **개념 학습 비법서**

풍산자

교재 활용 로드맵

문제와 유기적으로
개념을 익히는
**예제와 유제 및
풍산자 비법**

개념 확인 및 응용을
익힐 수 있는
**필수
확인 문제**

풍산자식으로
핵심 내용을 정리한
**중단원
마무리**

실전형 문제를
2단계로 제시한
**실전
연습문제**

주제별 짧은 흐름으로
이해하기 쉬운
**명쾌하고 간결한
개념 설명**

주제별 개념 정리와 명쾌한 추가 설명	풍산자만의 명료하고 유쾌한 개념 설명과 짜임새 있는 해설
개념 이해를 위해 엄선된 예제와 유제	문제 해결의 핵심을 개념과 문제를 연결하여 짚어주는 풍산자 日, 풍산자 비법
개념 확인과 응용 연습에 최적인 엄선된 문제	개념 확인과 응용, 시험 대비에 꼭 필요한 필수 확인 문제, 실전 연습문제

풍산자

미적분

머리말

수학 공부는 어떻게 해야 할까요?

먼저 개념을 익혀야 합니다.

개념 학습은 문제와 융합된 형태로 이루어져야 합니다.

풍산자는 개념과 문제를 유기적으로 결합하여

개념 공부가 문제 공부이고 문제 공부가 개념 공부인

시스템을 지향하며 만들었습니다.

개념과 문제를 하나의 흐름으로 공부하되

직관적인 그림과 비유를 통한 구어체 설명으로

개념은 좀 더 쉽고 빠르게 익히고,

문제 풀이는 단계별로 짧게 구성하여

어려운 문제도 명쾌하게 이해할 수 있도록 하였습니다.

골치 아픈 수학이지만 풍산자로 공부하면서

때로는 소설책을 읽는 듯한 재미와 통쾌함도 느끼고

고향 같은 푸근함도 느끼면서 수학의 기초를 든든하게

닦을 수 있기를 바랍니다.

풍산자수학연구소

구성과 특징

풍산자만의 매력

1 **학습자의 눈높이에 맞는 개념서**

개념 설명이 아무리 자세하더라도 여러분의 눈높이에 맞지 않다면 아무 소용이 없습니다. 풍산자는 궁금해 하는 부분만을 바로 옆에서 콕콕 짚어 설명해 주는 과외 선생님같은 개념서입니다.

2 **지루하지 않고 재미있는 개념서**

딱딱하고 어려운 용어 때문에 수학이 지루하고 재미없게 느껴졌나요? 풍산자 특유의 유쾌하고 명쾌한 설명으로 지루할 틈 없이 수학을 쉽고 재미있게 공부할 수 있습니다.

3 **짧은 호흡으로 간결하게 읽는 개념서**

많은 양의 개념을 한 번에 읽고 문제를 풀려면 그 개념을 문제에 어떻게 적용해야 할지 몰라 어렵게 느껴집니다. 풍산자는 개념 설명을 읽고 그 개념을 바로 문제에 적용하도록 구성하여 짧은 호흡으로 공부할 수 있습니다.

미니 단원

개념을 주제별로 나누어 짧은 호흡으로 익힐 수 있도록 구성하였습니다.

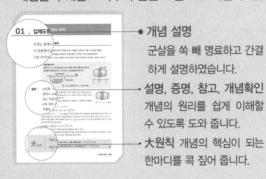

- **개념 설명**
  군살을 쏙 빼 명료하고 간결하게 설명하였습니다.
- **설명, 증명, 참고, 개념확인**
  개념의 원리를 쉽게 이해할 수 있도록 도와 줍니다.
- **大원칙** 개념의 핵심이 되는 한마디를 콕 짚어 줍니다.

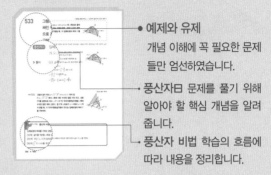

- **예제와 유제**
  개념 이해에 꼭 필요한 문제들만 엄선하였습니다.
- **풍산자日** 문제를 풀기 위해 알아야 할 핵심 개념을 알려 줍니다.
- **풍산자 비법** 학습의 흐름에 따라 내용을 정리합니다.

필수 확인 문제

개념의 확인과 응용을 위해 스스로 풀어 볼 문제를 수록하였습니다.

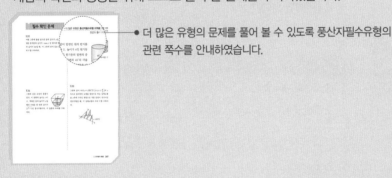

- 더 많은 유형의 문제를 풀어 볼 수 있도록 풍산자필수유형의 관련 쪽수를 안내하였습니다.

중단원 마무리

단원별 핵심 내용을 한눈에 살펴볼 수 있도록 표로 정리하였습니다.

실전 연습문제

실전에 꼭 필요한 문제들을 2단계로 나누어 수록하였습니다.

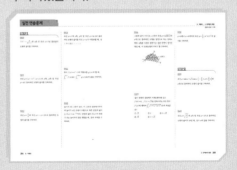

차례

I 수열의 극한

CONTENTS

II 미분법

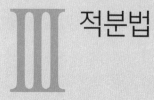

Ⅲ 적분법

I

수열의 극한

극한 개념의 역사

유클리드는 입체 도형의 부피를 구하는 데
극한을 이용하였다.
또한 원의 넓이는
반지름의 길이의 제곱에 비례한다는 것을
극한을 이용하여 증명하였다.
이러한 방법은 아르키메데스가
도형의 넓이나 부피를 계산하기 위하여 사용하였는데,
여전히 극한의 개념은 초보적인 것이었다.

이론적인 극한의 개념은
미적분학의 창시자 뉴턴에 의하여 도입되었으며
오일러, 볼차노, 코시 등에 의하여
학문적 체계를 갖추게 되었다.
특히 코시는 극한의 개념을 명확히 하여
수열의 극한과 급수의 수렴에 대하여
엄밀한 정의를 함으로써
극한의 개념을 체계화하였다.

수열의 극한

자연수 n이 한없이 커질 때
a_n의 값이 어떻게 변화하는지 살펴보는 것이 바로 수열의 극한.

1 수열의 극한

2 등비수열의 극한

$$\lim_{n \to \infty} a_n = \alpha$$

$$\lim_{n \to \infty} r^n$$

1 수열의 극한

01 | 수열의 수렴과 발산

[수학Ⅱ]에서는 함수의 극한을 배웠다. [미적분]에서는 수열의 극한을 배운다.

수열 $\{a_n\}$의 극한이란 a_n이 가까이 가는 수.

기호로는 $\lim\limits_{n \to \infty} a_n = A$ ➡ n의 값이 한없이 커질 때, a_n의 값은 A에 한없이 가까워진다.

함수의 극한과 수열의 극한이 뭐가 다른가?

외관상의 차이점은 크게 다음 둘.

첫째, 즐겨쓰는 문자가 다르다.

함수의 극한은 x를 쓴다. ➡ $\lim\limits_{x \to \infty} \dfrac{1}{x}$

수열의 극한은 n을 쓴다. ➡ $\lim\limits_{n \to \infty} \dfrac{1}{n}$

둘째, 함수의 극한은 $x \to a$, $x \to \infty$, $x \to -\infty$가 있지만

수열의 극한은 $n \to \infty$만 있다.

함수의 극한 중 $x \to \infty$일 때는 수열의 극한과 별 차이가 없다. 단지, 함수의 극한에서 x는 실수로 증가하지만 수열의 극한에서 n은 자연수로 증가한다는 것 뿐.

> **수열의 수렴**
>
> 수열 $\{a_n\}$에서 n의 값이 한없이 커질 때, 일반항 a_n의 값이 일정한 값 α에 한없이 가까워지면 수열 $\{a_n\}$은 α에 수렴한다고 하고 α를 수열 $\{a_n\}$의 **극한값** 또는 **극한**이라 하며 다음과 같이 나타낸다.
>
> $$\lim_{n \to \infty} a_n = \alpha \quad \text{또는} \quad n \to \infty \text{일 때 } a_n \to \alpha$$
>
> 특히, 수열 $\{a_n\}$에서 모든 자연수 n에 대하여 $a_n = c$ (c는 상수)일 때, 수열 $\{a_n\}$은 c에 수렴한다고 하고 다음과 같이 나타낸다.
>
> $$\lim_{n \to \infty} a_n = \lim_{n \to \infty} c = c$$

| **설명** | 수열 $\{a_n\}$: $1, \dfrac{1}{2}, \dfrac{1}{3}, \cdots, \dfrac{1}{n}, \cdots$은 점점 0에 가까워진다.

이때 0을 이 수열의 극한이라 한다.

이것을 조금 다듬어서 수학의 언어로 묘사하면 다음과 같다.

다섯 가지 모두 같은 소리다.

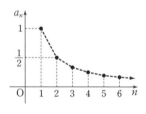

① $\lim\limits_{n \to \infty} \dfrac{1}{n} = 0$ ② $n \to \infty$일 때 $\dfrac{1}{n} \to 0$

③ 수열 $\left\{\dfrac{1}{n}\right\}$의 극한값은 0이다.   ④ 수열 $\left\{\dfrac{1}{n}\right\}$은 0에 수렴한다.

⑤ n의 값이 한없이 커질 때 $\dfrac{1}{n}$의 값은 0에 한없이 가까워진다.

수열의 발산

수열이 수렴하지 않을 때 발산한다고 한다. 수열이 발산할 때 극한값은 없다.

수열의 발산은 다음 세 가지 경우로 구분할 수 있다.

(1) **양의 무한대로 발산**: 수열 $\{a_n\}$에서 n의 값이 한없이 커질 때, 일반항 a_n의 값도 한없이 커지는 경우

$$\lim_{n \to \infty} a_n = \infty \text{ 또는 } n \to \infty \text{일 때 } a_n \to \infty$$

(2) **음의 무한대로 발산**: 수열 $\{a_n\}$에서 n의 값이 한없이 커질 때, 일반항 a_n의 값이 음수이면서 그 절댓값이 한없이 커지는 경우

$$\lim_{n \to \infty} a_n = -\infty \text{ 또는 } n \to \infty \text{일 때 } a_n \to -\infty$$

(3) **진동**: 수열이 수렴하지도 않고 양의 무한대나 음의 무한대로 발산하지도 않는 경우

| 설명 | 다음의 간단한 세 수열을 이용하여 수열의 발산을 이해해 보자.

모두 발산하는 수열이다.

$\{a_n\}$: $1, 2, 3, \cdots, n, \cdots$

$\{b_n\}$: $-1, -2, -3, \cdots, -n, \cdots$

$\{c_n\}$: $-1, 1, -1, 1, \cdots, (-1)^n, \cdots$

이 수열을 좌표평면 위에 나타내면 각각 다음과 같다.

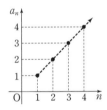 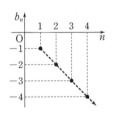 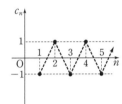

① 수열 $\{a_n\}$은 n의 값이 커지면 하늘 높이 치솟는다.

이런 경우를 양의 무한대로 발산한다고 하며, $\lim_{n \to \infty} a_n = \infty$로 나타낸다.

② 수열 $\{b_n\}$은 n의 값이 커지면 땅속으로 내려간다.

이런 경우를 음의 무한대로 발산한다고 하며, $\lim_{n \to \infty} b_n = -\infty$로 나타낸다.

③ 수열 $\{c_n\}$은 n의 값이 커지면 하늘 높이 치솟거나 땅속으로 내려가지도 않고, 수렴하지도 않는다.

이런 경우를 진동한다고 한다.

| 참고 | ∞와 $-\infty$는 발산의 특수한 경우로 수렴이 아님.

수렴이란 특정한 수에 가까이 가는 것.

∞는 수가 아닌 한없이 커지는 상태를 의미함.

大 원칙 수열의 극한 $\begin{cases} \text{수렴: 극한값 } \alpha \text{를 갖는다.} & \Rightarrow \lim_{n \to \infty} a_n = \alpha \\ \text{발산} \begin{cases} \text{양의 무한대로 발산} & \Rightarrow \lim_{n \to \infty} a_n = \infty \\ \text{음의 무한대로 발산} & \Rightarrow \lim_{n \to \infty} a_n = -\infty \\ \text{진동} \end{cases} \end{cases}$

001 다음 수열의 수렴과 발산을 조사하고, 수렴하면 그 극한값을 구하여라.

(1) $\left\{1+\dfrac{1}{n}\right\}$

(2) $\{n+1\}$

(3) $\left\{\dfrac{(-1)^n}{n}\right\}$

(4) $\{(-2)^n\}$

풍산자티 수열 $\{a_n\}$에서 n에 $1,\ 2,\ 3,\ \cdots,\ 10,\ \cdots,\ 100,\ \cdots,\ 1000,\ \cdots$을 차례로 대입해 보자. a_n의 값이 어떤 수에 가까워지는가?

▶풀이 (1) n의 값이 한없이 커질 때, $1+\dfrac{1}{n}$의 값은 1에 한없이 가까워지므로 수열 $\left\{1+\dfrac{1}{n}\right\}$은 **수렴**하고, 그 극한값은 1이다.

$$\therefore \lim_{n\to\infty}\left(1+\dfrac{1}{n}\right)=1$$

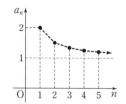

(2) n의 값이 한없이 커질 때, $n+1$의 값은 한없이 커지므로 수열 $\{n+1\}$은 양의 무한대로 **발산**한다.

$$\therefore \lim_{n\to\infty}(n+1)=\infty\,(극한값은 없다.)$$

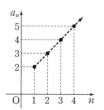

(3) n의 값이 한없이 커질 때, $\dfrac{(-1)^n}{n}$의 값은 $-1,\ \dfrac{1}{2},\ -\dfrac{1}{3},$ $\dfrac{1}{4},\ \cdots$과 같이 0에 한없이 가까워지므로 수열 $\left\{\dfrac{(-1)^n}{n}\right\}$은 수렴하고, 그 극한값은 0이다. $\therefore \lim_{n\to\infty}\dfrac{(-1)^n}{n}=0$

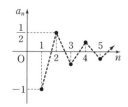

(4) n의 값이 한없이 커질 때, $(-2)^n$의 값은 $-2,\ 4,\ -8,\ 16,$ $\cdots$과 같이 일정한 수에 수렴하지도 않고, 양의 무한대 또는 음의 무한대로 발산하지도 않으므로 진동한다. 따라서 이 수열은 **발산**하므로 극한값은 없다.

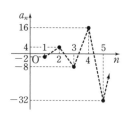

정답과 풀이 **2**쪽

유제 002 다음 수열의 수렴과 발산을 조사하고, 수렴하면 그 극한값을 구하여라.

(1) $\left\{\dfrac{n-1}{n}\right\}$

(2) $\{-2n+1\}$

(3) $\left\{\left(-\dfrac{1}{2}\right)^n\right\}$

(4) $\{2\times(-1)^n\}$

02 | 극한값의 계산

함수의 극한 중 $x \to \infty$일 때는 수열의 극한과 별 차이가 없다고 했다. 따라서

함수의 극한에 관한 성질 $\Rightarrow$ 수열의 극한에 관한 성질

함수의 극한값을 구하는 방법 $\Rightarrow$ 수열의 극한값을 구하는 방법

함수의 극한의 대소 관계 $\Rightarrow$ 수열의 극한의 대소 관계

와 같이 생각할 수 있다. (엄밀하게는 같지 않지만 같다고 생각해도 된다.)

수열의 극한에 관한 성질 중요

두 수열 $\{a_n\}$, $\{b_n\}$이 수렴하고, $\lim\limits_{n \to \infty} a_n = \alpha$, $\lim\limits_{n \to \infty} b_n = \beta$ (α, β는 실수)일 때

(1) $\lim\limits_{n \to \infty} k a_n = k \lim\limits_{n \to \infty} a_n = k\alpha$ (단, k는 상수)

(2) $\lim\limits_{n \to \infty} (a_n \pm b_n) = \lim\limits_{n \to \infty} a_n \pm \lim\limits_{n \to \infty} b_n = \alpha \pm \beta$ (복부호 동순)

(3) $\lim\limits_{n \to \infty} a_n b_n = \lim\limits_{n \to \infty} a_n \times \lim\limits_{n \to \infty} b_n = \alpha\beta$

(4) $\lim\limits_{n \to \infty} \dfrac{a_n}{b_n} = \dfrac{\lim\limits_{n \to \infty} a_n}{\lim\limits_{n \to \infty} b_n} = \dfrac{\alpha}{\beta}$ (단, $b_n \neq 0$, $\beta \neq 0$)

| **설명** | 실제로 수렴하는 두 수열을 가지고 계산을 해 보면 사실 매우 당연한 얘기들이다.

예를 들어 $a_n = 2 + \dfrac{1}{n}$, $b_n = 3 + \dfrac{1}{n}$인 두 수열 $\{a_n\}$, $\{b_n\}$에 대하여 위의 성질이 성립함을 쉽게 확인할 수 있다. 각자 해 보도록 하자.

이때 주의해야 할 점은 2가지다.

[주의 1] 수렴하는 수열에 대해서만 통한다.

예를 들어 $a_n = n + 1$, $b_n = n$이라 하면

$\lim\limits_{n \to \infty} a_n = \infty$, $\lim\limits_{n \to \infty} b_n = \infty$

$\lim\limits_{n \to \infty} (a_n - b_n) = \lim\limits_{n \to \infty} (n + 1 - n) = \lim\limits_{n \to \infty} 1 = 1$

$\therefore \lim\limits_{n \to \infty} (a_n - b_n) \neq \lim\limits_{n \to \infty} a_n - \lim\limits_{n \to \infty} b_n$

[주의 2] 분모가 0이 아닐 때만 통한다.

예를 들어 $a_n = \dfrac{2}{n}$, $b_n = \dfrac{1}{n}$이라 하면

$\lim\limits_{n \to \infty} a_n = 0$, $\lim\limits_{n \to \infty} b_n = 0$

$\lim\limits_{n \to \infty} \dfrac{a_n}{b_n} = \lim\limits_{n \to \infty} \dfrac{\frac{2}{n}}{\frac{1}{n}} = \lim\limits_{n \to \infty} 2 = 2$

$\therefore \lim\limits_{n \to \infty} \dfrac{a_n}{b_n} \neq \dfrac{\lim\limits_{n \to \infty} a_n}{\lim\limits_{n \to \infty} b_n}$

| **참고** | $\lim\limits_{n \to \infty} \dfrac{1}{n} = 0$이므로 $\lim\limits_{n \to \infty} \dfrac{1}{n^2} = \lim\limits_{n \to \infty} \left(\dfrac{1}{n} \times \dfrac{1}{n} \right) = \lim\limits_{n \to \infty} \dfrac{1}{n} \times \lim\limits_{n \to \infty} \dfrac{1}{n} = 0 \times 0 = 0$

같은 방법으로 $\lim\limits_{n \to \infty} \dfrac{1}{n^3} = 0$, $\lim\limits_{n \to \infty} \dfrac{1}{n^4} = 0$, $\cdots$, $\lim\limits_{n \to \infty} \dfrac{k}{n^p} = 0$ (단, k는 상수, p는 양수)

수열의 극한값을 구하는 방법 중요!!

(1) $\dfrac{\infty}{\infty}$ 꼴의 극한: 분모의 최고차항으로 분모, 분자를 각각 나눈다.

  ① (분모의 차수)＝(분자의 차수) ➡ 극한값은 $\dfrac{(분자의\ 최고차항의\ 계수)}{(분모의\ 최고차항의\ 계수)}$

  ② (분모의 차수)＞(분자의 차수) ➡ 극한값은 0

  ③ (분모의 차수)＜(분자의 차수) ➡ ∞ 또는 $-\infty$로 발산

(2) $\infty-\infty$ 꼴의 극한

  ① 무리식의 극한: $\infty-\infty$의 꼴을 유리화한다.

  ② 다항식의 극한: 최고차항으로 묶어낸다.

| 참고 | $\dfrac{\infty}{\infty}$ 꼴과 $\infty-\infty$ 꼴을 제외하고, 나머지 ∞를 포함한 극한은 다음과 같이 생각하면 된다.

$\infty\times\infty=\infty$, $\infty+\infty=\infty$, $\infty-2=\infty$, $2-\infty=-\infty$, $2\times\infty=\infty$, $(-2)\times\infty=-\infty$

수열의 극한의 대소 관계

두 수열 $\{a_n\}$, $\{b_n\}$이 수렴할 때

(1) 극한과 부등식: 모든 자연수 n에 대하여 $a_n\leq b_n$이면 $\lim\limits_{n\to\infty}a_n\leq\lim\limits_{n\to\infty}b_n$

(2) 샌드위치 정리: 수열 $\{c_n\}$이 모든 자연수 n에 대하여 $a_n\leq c_n\leq b_n$이고

  $\lim\limits_{n\to\infty}a_n=\lim\limits_{n\to\infty}b_n=\alpha$이면 $\lim\limits_{n\to\infty}c_n=\alpha$

| 설명 | (1)에서 모든 자연수 n에 대하여 $a_n<b_n$이지만 두 수열의 극한값이 같은 경우, 즉 $\alpha=\beta$인 경우도 있다.

예를 들어 $a_n=\dfrac{1}{n}$, $b_n=\dfrac{2}{n}$이면 $a_n<b_n$이지만 $\lim\limits_{n\to\infty}a_n=\lim\limits_{n\to\infty}b_n=0$이다.

마찬가지로 (2)에서도 $a_n<c_n<b_n$이지만 $\lim\limits_{n\to\infty}a_n=\lim\limits_{n\to\infty}b_n=\lim\limits_{n\to\infty}c_n$인 경우가 있다.

| 수열의 극한에 관한 성질 |

003 두 수열 $\{a_n\}$, $\{b_n\}$에 대하여 $\lim\limits_{n\to\infty}a_n=2$, $\lim\limits_{n\to\infty}b_n=-1$일 때, $\lim\limits_{n\to\infty}\dfrac{a_n+3}{a_nb_n+1}$의 값을 구하여라.

풍산자TIP 두 수열 $\{a_n\}$, $\{b_n\}$이 수렴하면 수열의 극한에 관한 성질이 성립한다.

▶ 풀이 $\lim\limits_{n\to\infty}\dfrac{a_n+3}{a_nb_n+1}=\dfrac{\lim\limits_{n\to\infty}a_n+3}{\lim\limits_{n\to\infty}a_n\times\lim\limits_{n\to\infty}b_n+1}=\dfrac{2+3}{2\times(-1)+1}=-5$

정답과 풀이 **2**쪽

유제 **004** 두 수열 $\{a_n\}$, $\{b_n\}$에 대하여 $\lim\limits_{n\to\infty}a_n=1$, $\lim\limits_{n\to\infty}b_n=3$일 때, $\lim\limits_{n\to\infty}\dfrac{(b_n)^2}{2a_n-1}$의 값을 구하여라.

005 다음 극한을 조사하여라.

(1) $\displaystyle\lim_{n\to\infty}\frac{3n^2-2n+1}{2n^2+n+2}$ (2) $\displaystyle\lim_{n\to\infty}\frac{n+1}{2n^2-n+1}$

(3) $\displaystyle\lim_{n\to\infty}\frac{3n^2+n+1}{n+2}$ (4) $\displaystyle\lim_{n\to\infty}\frac{\sqrt{n^2+1}+n}{n+1}$

풍산자팁 $\frac{\infty}{\infty}$ 꼴의 극한 ➡ 분모의 최고차항으로 분모, 분자를 각각 나눈다.

> **풀이** (1) n^2으로 분모, 분자를 각각 나누면

$$(\text{주어진 식})=\lim_{n\to\infty}\frac{3-\dfrac{2}{n}+\dfrac{1}{n^2}}{2+\dfrac{1}{n}+\dfrac{2}{n^2}}$$

$$=\frac{3-0+0}{2+0+0}=\frac{3}{2}\ \ \Longleftarrow\ (\text{분모의 차수})=(\text{분자의 차수})$$

(2) n^2으로 분모, 분자를 각각 나누면

$$(\text{주어진 식})=\lim_{n\to\infty}\frac{\dfrac{1}{n}+\dfrac{1}{n^2}}{2-\dfrac{1}{n}+\dfrac{1}{n^2}}$$

$$=\frac{0+0}{2-0+0}=0\ \ \Longleftarrow\ (\text{분모의 차수})>(\text{분자의 차수})$$

(3) n으로 분모, 분자를 각각 나누면

$$(\text{주어진 식})=\lim_{n\to\infty}\frac{3n+1+\dfrac{1}{n}}{1+\dfrac{2}{n}}$$

$$=\frac{\infty+1+0}{1+0}=\infty\ \ \Longleftarrow\ (\text{분모의 차수})<(\text{분자의 차수})$$

(4) n으로 분모, 분자를 각각 나누면

$$(\text{주어진 식})=\lim_{n\to\infty}\frac{\sqrt{1+\dfrac{1}{n^2}}+1}{1+\dfrac{1}{n}}$$

$$=\frac{\sqrt{1+0}+1}{1+0}=2$$

정답과 풀이 **2**쪽

유제 **006** 다음 극한을 조사하여라.

(1) $\displaystyle\lim_{n\to\infty}\frac{3n^3+4n-5}{-n^3+2n^2-4}$ (2) $\displaystyle\lim_{n\to\infty}\frac{5n^2-6}{2n^3-n^2+1}$

(3) $\displaystyle\lim_{n\to\infty}\frac{-n^2+n+1}{n+1}$ (4) $\displaystyle\lim_{n\to\infty}\frac{6n}{\sqrt{n^2+3}+n}$

007 다음 극한값을 구하여라.

(1) $\displaystyle\lim_{n\to\infty}\frac{1^2+2^2+3^2+\cdots+n^2}{n^3}$

(2) $\displaystyle\lim_{n\to\infty}\left[\left\{\left(1-\frac{1}{2}\right)\left(1-\frac{1}{3}\right)\left(1-\frac{1}{4}\right)\cdots\left(1-\frac{1}{n}\right)\right\}^2\times(1+2+3+\cdots+n)\right]$

(3) $\displaystyle\lim_{n\to\infty}\{\log(10n^2-n)-\log(n^2+2)\}$

풍산자티 자연수의 거듭제곱의 합 공식이나 로그의 성질을 이용하여 일단 식을 간단히 정리한 후 다시 보면 익숙한 $\frac{\infty}{\infty}$ 꼴의 극한 문제가 된다.

➤ 풀이

(1) $1^2+2^2+3^2+\cdots+n^2=\dfrac{n(n+1)(2n+1)}{6}$ 이므로

$$\frac{1^2+2^2+3^2+\cdots+n^2}{n^3}=\frac{2n^3+3n^2+n}{6n^3}$$

$$\therefore\ (\text{주어진 식})=\lim_{n\to\infty}\frac{2n^3+3n^2+n}{6n^3}=\boldsymbol{\frac{1}{3}}$$

(2) $1+2+3+\cdots+n=\dfrac{n(n+1)}{2}$ 이므로

$$(\text{주어진 식})=\lim_{n\to\infty}\left\{\left(\frac{1}{2}\times\frac{2}{3}\times\frac{3}{4}\times\cdots\times\frac{n-2}{n-1}\times\frac{n-1}{n}\right)^2\times\frac{n(n+1)}{2}\right\}$$

$$=\lim_{n\to\infty}\left\{\left(\frac{1}{n}\right)^2\times\frac{n^2+n}{2}\right\}$$

$$=\lim_{n\to\infty}\frac{n^2+n}{2n^2}=\boldsymbol{\frac{1}{2}}$$

(3) $(\text{주어진 식})=\displaystyle\lim_{n\to\infty}\log\frac{10n^2-n}{n^2+2}$

$$=\lim_{n\to\infty}\log\frac{10-\dfrac{1}{n}}{1+\dfrac{2}{n^2}}$$

$$=\log10=\boldsymbol{1}$$

정답과 풀이 **2**쪽

유제 008 다음 극한값을 구하여라.

(1) $\displaystyle\lim_{n\to\infty}\frac{1+2+3+\cdots+n}{n^2}$

(2) $\displaystyle\lim_{n\to\infty}\left\{\left(1-\frac{1}{2^2}\right)\left(1-\frac{1}{3^2}\right)\left(1-\frac{1}{4^2}\right)\cdots\left(1-\frac{1}{n^2}\right)\right\}$

(3) $\displaystyle\lim_{n\to\infty}\{\log(n+3)-\log(n+2)\}$

009 다음 극한을 조사하여라.

(1) $\lim\limits_{n \to \infty} (\sqrt{n+3} - \sqrt{n})$

(2) $\lim\limits_{n \to \infty} (\sqrt{n^2+n} - n)$

(3) $\lim\limits_{n \to \infty} \dfrac{4}{\sqrt{n+2} - \sqrt{n-2}}$

(4) $\lim\limits_{n \to \infty} (3 + 2n^2 - n^3)$

풍산자曰 (1), (2)와 같은 ∞ − ∞ 꼴의 무리식의 극한값을 구할 때에는 분모를 1로 생각하고, 분자를 유리화한다.

(3)은 분모를 유리화하고, (4)는 최고차항으로 묶어낸다.

▶ 풀이

(1) 분모를 1로 보고 분자를 유리화하면

$$(주어진\ 식) = \lim_{n \to \infty} \frac{\sqrt{n+3} - \sqrt{n}}{1}$$
$$= \lim_{n \to \infty} \frac{(\sqrt{n+3} - \sqrt{n})(\sqrt{n+3} + \sqrt{n})}{\sqrt{n+3} + \sqrt{n}}$$
$$= \lim_{n \to \infty} \frac{3}{\sqrt{n+3} + \sqrt{n}} = \mathbf{0}$$

(2) 분모를 1로 보고 분자를 유리화하면

$$(주어진\ 식) = \lim_{n \to \infty} \frac{\sqrt{n^2+n} - n}{1}$$
$$= \lim_{n \to \infty} \frac{(\sqrt{n^2+n} - n)(\sqrt{n^2+n} + n)}{\sqrt{n^2+n} + n}$$
$$= \lim_{n \to \infty} \frac{n}{\sqrt{n^2+n} + n} \qquad \Leftarrow \frac{\infty}{\infty}\ 꼴: 분모, 분자를\ n으로\ 각각\ 나눈다.$$
$$= \lim_{n \to \infty} \frac{1}{\sqrt{1 + \dfrac{1}{n}} + 1} = \mathbf{\dfrac{1}{2}}$$

(3) 분모가 ∞ − ∞ 꼴의 무리식이므로 분모를 유리화하면

$$(주어진\ 식) = \lim_{n \to \infty} \frac{4(\sqrt{n+2} + \sqrt{n-2})}{(\sqrt{n+2} - \sqrt{n-2})(\sqrt{n+2} + \sqrt{n-2})}$$
$$= \lim_{n \to \infty} (\sqrt{n+2} + \sqrt{n-2}) = \boldsymbol{\infty}$$

(4) 최고차항인 n^3으로 묶어내면

$$(주어진\ 식) = \lim_{n \to \infty} n^3 \left(\frac{3}{n^3} + \frac{2}{n} - 1 \right) = \infty \times (-1) = \boldsymbol{-\infty}$$

정답과 풀이 **2**쪽

유제 010 다음 극한을 조사하여라.

(1) $\lim\limits_{n \to \infty} (\sqrt{n+1} - \sqrt{n-1})$

(2) $\lim\limits_{n \to \infty} (\sqrt{n^2+2n} - \sqrt{n^2-2n})$

(3) $\lim\limits_{n \to \infty} \dfrac{1}{\sqrt{n+1} - \sqrt{n}}$

(4) $\lim\limits_{n \to \infty} (2n^3 - 3n + 4)$

011 $\lim\limits_{n\to\infty}\dfrac{an^2+bn+1}{2n+3}=4$일 때, 상수 a, b의 합 $a+b$의 값을 구하여라.

풍산자팁 분수식의 극한에서 0이 아닌 값에 수렴하려면 일단 분모, 분자의 차수가 같아야 한다.

> **풀이** $\lim\limits_{n\to\infty}\dfrac{an^2+bn+1}{2n+3}$에서 $a\neq0$이면 발산하므로 $a=0$

$$(좌변)=\lim_{n\to\infty}\dfrac{bn+1}{2n+3}=\lim_{n\to\infty}\dfrac{b+\dfrac{1}{n}}{2+\dfrac{3}{n}}$$

$$=\dfrac{b}{2}=4$$

$$\therefore b=8$$
$$\therefore a+b=8$$

정답과 풀이 **3**쪽

유제 **012** $\lim\limits_{n\to\infty}\dfrac{an^2+bn-3}{5n+2}=2$일 때, 상수 a, b의 합 $a+b$의 값을 구하여라.

013 $\lim\limits_{n\to\infty}(\sqrt{n^2+an}-\sqrt{n^2+2})=5$일 때, 상수 a의 값을 구하여라.

풍산자팁 좌변이 $\infty-\infty$ 꼴의 무리식이므로 분모를 1로 생각하고, 분자를 유리화한다.

> **풀이** $(좌변)=\lim\limits_{n\to\infty}\dfrac{(\sqrt{n^2+an}-\sqrt{n^2+2})(\sqrt{n^2+an}+\sqrt{n^2+2})}{\sqrt{n^2+an}+\sqrt{n^2+2}}$

$$=\lim_{n\to\infty}\dfrac{an-2}{\sqrt{n^2+an}+\sqrt{n^2+2}}$$

$$=\lim_{n\to\infty}\dfrac{a-\dfrac{2}{n}}{\sqrt{1+\dfrac{a}{n}}+\sqrt{1+\dfrac{2}{n^2}}}$$

$$=\dfrac{a}{2}=5$$

$$\therefore a=10$$

정답과 풀이 **3**쪽

유제 **014** $\lim\limits_{n\to\infty}(\sqrt{n^2+an}-n)=8$일 때, 상수 a의 값을 구하여라.

015 수열 $\{a_n\}$이 모든 자연수 n에 대하여 $\dfrac{3n+1}{n+2}<a_n<\dfrac{3n+2}{n+1}$를 만족시킬 때,

$\lim\limits_{n\to\infty} a_n$의 값을 구하여라.

풍산자티 모든 자연수 n에 대하여 $a_n\leq c_n\leq b_n$이고 $\lim\limits_{n\to\infty} a_n=\lim\limits_{n\to\infty} b_n=\alpha$이면 $\lim\limits_{n\to\infty} c_n=\alpha$

▶ **풀이** $\dfrac{3n+1}{n+2}<a_n<\dfrac{3n+2}{n+1}$에서 $\lim\limits_{n\to\infty}\dfrac{3n+1}{n+2}=3$, $\lim\limits_{n\to\infty}\dfrac{3n+2}{n+1}=3$이므로

수열의 극한의 대소 관계에 의하여 $\lim\limits_{n\to\infty} a_n=3$

정답과 풀이 **3쪽**

유제 **016** 수열 $\{a_n\}$이 모든 자연수 n에 대하여 $\dfrac{2n+3}{n+5}<a_n<\dfrac{2n+4}{n+5}$를 만족시킬 때, $\lim\limits_{n\to\infty} a_n$의 값을 구하여라.

017 수열 $\{a_n\}$이 모든 자연수 n에 대하여 $3n^2-5n-1<a_n<3n^2+n+2$를 만족시킬 때,

$\lim\limits_{n\to\infty}\dfrac{a_n}{n^2+2n+2}$의 값을 구하여라.

풍산자티 구하는 식을 포함하도록 주어진 부등식의 각 변을 n^2+2n+2로 나누면 된다.

▶ **풀이** 주어진 부등식의 각 변을 n^2+2n+2로 나누면

$$\dfrac{3n^2-5n-1}{n^2+2n+2}<\dfrac{a_n}{n^2+2n+2}<\dfrac{3n^2+n+2}{n^2+2n+2}$$

이때 $\lim\limits_{n\to\infty}\dfrac{3n^2-5n-1}{n^2+2n+2}=3$, $\lim\limits_{n\to\infty}\dfrac{3n^2+n+2}{n^2+2n+2}=3$이므로

수열의 극한의 대소 관계에 의하여 $\lim\limits_{n\to\infty}\dfrac{a_n}{n^2+2n+2}=3$

정답과 풀이 **3쪽**

유제 **018** 수열 $\{a_n\}$이 모든 자연수 n에 대하여 $\dfrac{1}{n+3}<a_n<\dfrac{1}{n+1}$을 만족시킬 때, $\lim\limits_{n\to\infty} na_n$의 값을 구하여라.

풍산자 비법

• $\dfrac{\infty}{\infty}$ 꼴의 극한 ➡ 분모의 최고차항으로 분모, 분자를 각각 나눈다.
• $\infty-\infty$ 꼴의 극한 ➡ 유리화 또는 최고차항으로 묶어내기.

019

다음 수열의 수렴과 발산을 조사하여라.

(1) $\{1+(-1)^n\}$

(2) $\{n-n^2\}$

(3) $\left\{\dfrac{n^2}{n+1}\right\}$

020

두 수열 $\{a_n\}$, $\{b_n\}$에 대하여

$$a_n=\frac{3}{n}-2,\ b_n=3-\frac{2}{n+1}$$

일 때, $\lim\limits_{n\to\infty} a_n(3a_n-2b_n)$의 값을 구하여라.

021

$\lim\limits_{n\to\infty}\dfrac{(n+3)(n+4)-n^2}{(n+1)(n+2)-n^2}$의 값을 구하여라.

022

$\lim\limits_{n\to\infty}\dfrac{an^2-bn+1}{6n+2}=\dfrac{5}{3}$가 성립하도록 상수 a, b

의 값을 정할 때, $a+b$의 값을 구하여라.

023

$\lim\limits_{n\to\infty}(\sqrt{n^2+an}-\sqrt{n^2-an})=4$를 만족시키는 상

수 a의 값을 구하여라.

024

수열 $\{a_n\}$이 모든 자연수 n에 대하여

$$\frac{9n^2+1}{n^2+3}<\frac{na_n}{2n+4}<\frac{9n^2+10}{n^2+3}$$

을 만족시킬 때, $\lim\limits_{n\to\infty} a_n$의 값을 구하여라.

2 등비수열의 극한

01 | 등비수열의 수렴과 발산

앞 단원에서는 일반적인 수열의 수렴과 발산을 조사하고, 수렴하는 수열의 극한값을 구하는 방법에 대하여 배웠다. 여기서는 등비수열의 수렴과 발산에 대하여 배운다.

> **등비수열 $\{r^n\}$의 수렴과 발산**
> (1) $r>1$일 때, $\lim\limits_{n\to\infty} r^n=\infty$ (발산) (2) $r=1$일 때, $\lim\limits_{n\to\infty} r^n=1$ (수렴)
> (3) $|r|<1$일 때, $\lim\limits_{n\to\infty} r^n=0$ (수렴) (4) $r\le-1$일 때, 수열 $\{r^n\}$은 진동한다. (발산)

| 설명 | (1) 지수형 수열의 극한

이 단원에서 다루는 수열의 일반항은 모두 지수형이고, 지수형 수열의 극한에는 크게 다음 네 가지 기본형이 있다. 이때 밑의 절댓값이 1보다 크면 발산하고 1보다 작으면 0으로 수렴함을 관찰할 수 있다.

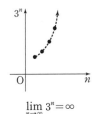

$$\lim_{n\to\infty} 3^n=\infty \qquad \lim_{n\to\infty}(-3)^n\text{의 값은 없다.} \qquad \lim_{n\to\infty}\left(\frac{1}{3}\right)^n=0 \qquad \lim_{n\to\infty}\left(-\frac{1}{3}\right)^n=0$$

(2) 등비수열의 극한

등비수열 $\{r^n\}$은 공비 r가 오른쪽 수직선 위의 어느 범위에 속하느냐에 따라 수렴하기도 하고, 발산하기도 한다.
이것을 r의 구체적인 값에서 조사해 보면 다음과 같다.

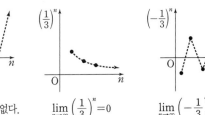

(i) $r>1$일 때, $\lim\limits_{n\to\infty} 2^n=\infty$ ➡ 발산 (ii) $r=1$일 때, $\lim\limits_{n\to\infty} 1^n=1$ ➡ 수렴

(iii) $|r|<1$일 때, $\lim\limits_{n\to\infty}\left(\frac{1}{2}\right)^n=0$ ➡ 수렴 (iv) $r=-1$일 때, $\lim\limits_{n\to\infty}(-1)^n$ ➡ 진동

(v) $r<-1$일 때, $\lim\limits_{n\to\infty}(-2)^n$ ➡ 진동

> **등비수열의 수렴 조건** 중요
> (1) 수열 $\{r^n\}$이 수렴하기 위한 조건 ➡ $-1<r\le1$
> (2) 수열 $\{ar^{n-1}\}$이 수렴하기 위한 조건 ➡ $a=0$ 또는 $-1<r\le1$

| 설명 | 수열 $\{ar^{n-1}\}$에서
(i) $a=0$일 때는 $0,\ 0,\ 0,\ \cdots$과 같이 모든 항이 0인 수열이 되므로 당연히 수렴한다.
(ii) $a\ne0$이어도 앞에서 조사해 본 것처럼 $-1<r\le1$이면 수렴한다.

025 다음 수열의 수렴과 발산을 조사하여라.

(1) $\{(1.03)^n\}$ (2) $\{(-0.8)^n\}$

풍산자티 수열 $\{r^n\}$이 수렴하기 위한 조건은 $-1 < r \le 1$이다.

그렇다면 발산하기 위해서는? ➡ 수열 $\{r^n\}$이 수렴할 조건의 여집합이다.

즉, $r \le -1$ 또는 $r > 1$일 때 발산한다.

➤ 풀이 (1) $r = 1.03$에서 $r > 1$이므로 $\lim\limits_{n \to \infty}(1.03)^n = \infty$ ∴ **발산**

(2) $r = -0.8$에서 $-1 < r \le 1$이므로 $\lim\limits_{n \to \infty}(-0.8)^n = 0$ ∴ **수렴**

정답과 풀이 **4**쪽

유제 026 다음 수열의 수렴과 발산을 조사하여라.

(1) $\left\{\left(\dfrac{2}{3}\right)^n\right\}$ (2) $\left\{\left(-\dfrac{3}{2}\right)^n\right\}$

027 다음 극한을 조사하여라.

(1) $\lim\limits_{n \to \infty}\dfrac{5^n - 3^n}{5^n + 2^n}$ (2) $\lim\limits_{n \to \infty}\dfrac{4^{n+1} + 2^n}{4^n - 3^{n+1}}$ (3) $\lim\limits_{n \to \infty}(2^n - 3^n)$

풍산자티 $\dfrac{a^n + b^n}{c^n + d^n}$ 꼴의 극한 ➡ 분모에서 밑의 절댓값이 가장 큰 항으로 분모, 분자를 각각 나눈다.

$a^n - b^n$ 꼴의 극한 ➡ 밑의 절댓값이 가장 큰 항으로 묶어낸다.

➤ 풀이 (1) 5^n으로 분모, 분자를 각각 나누면

$$(\text{주어진 식}) = \lim_{n \to \infty}\frac{1 - \left(\dfrac{3}{5}\right)^n}{1 + \left(\dfrac{2}{5}\right)^n} = \frac{1 - 0}{1 + 0} = \mathbf{1}$$

(2) 4^n으로 분모, 분자를 각각 나누면

$$(\text{주어진 식}) = \lim_{n \to \infty}\frac{4 + \left(\dfrac{2}{4}\right)^n}{1 - 3 \times \left(\dfrac{3}{4}\right)^n} = \frac{4 + 0}{1 - 0} = \mathbf{4}$$

(3) 3^n으로 묶어내면

$$(\text{주어진 식}) = \lim_{n \to \infty}3^n\left\{\left(\dfrac{2}{3}\right)^n - 1\right\} = \infty \times (-1) = \mathbf{-\infty}$$

정답과 풀이 **4**쪽

유제 028 다음 극한을 조사하여라.

(1) $\lim\limits_{n \to \infty}\dfrac{3^n + 4^n}{5^n}$ (2) $\lim\limits_{n \to \infty}\dfrac{4 \times 3^{n+1}}{5 \times 2^n - 3^n}$ (3) $\lim\limits_{n \to \infty}(6^n - 5^n)$

029 수열 $\left\{\dfrac{1-r^n}{1+r^n}\right\}$의 극한값을 r의 값의 범위에 따라 구하여라. (단, $r \neq -1$)

풍산자탑 r^n을 포함한 식의 극한 ➡ $|r|<1$, $r=1$, $r=-1$, $|r|>1$의 경우로 나누어서 생각.

▶ 풀이 (i) $|r|<1$일 때, $\lim\limits_{n\to\infty} r^n=0$이므로 $\lim\limits_{n\to\infty} \dfrac{1-r^n}{1+r^n}=\dfrac{1-0}{1+0}=\mathbf{1}$

(ii) $r=1$일 때, $\lim\limits_{n\to\infty} r^n=1$이므로 $\lim\limits_{n\to\infty} \dfrac{1-r^n}{1+r^n}=\dfrac{1-1}{1+1}=\mathbf{0}$

(iii) $|r|>1$일 때, $\lim\limits_{n\to\infty} \dfrac{1}{r^n}=0$이므로 $\lim\limits_{n\to\infty} \dfrac{1-r^n}{1+r^n}=\lim\limits_{n\to\infty} \dfrac{\dfrac{1}{r^n}-1}{\dfrac{1}{r^n}+1}=\dfrac{0-1}{0+1}=\mathbf{-1}$

정답과 풀이 **4**쪽

유제 030 수열 $\left\{\dfrac{r^n}{1+r^n}\right\}$의 극한값을 r의 값의 범위에 따라 구하여라. (단, $r \neq -1$)

031 다음 등비수열이 수렴하도록 하는 x의 값의 범위를 구하여라.

(1) $\{(2x-1)^n\}$ (2) $\{(x+1)(x-1)^{n-1}\}$

풍산자탑 (1) 등비수열 $\{r^n\}$이 수렴할 조건 ➡ $-1<r\leq 1$

(2) 등비수열 $\{ar^{n-1}\}$이 수렴할 조건 ➡ $a=0$ 또는 $-1<r\leq 1$

▶ 풀이 (1) 공비가 $2x-1$이므로 수렴하려면

$-1<2x-1\leq 1$, $0<2x\leq 2$ ∴ $\mathbf{0<x\leq 1}$

(2) 첫째항이 $x+1$, 공비가 $x-1$이므로 수렴하려면

$x+1=0$ 또는 $-1<x-1\leq 1$

∴ $\mathbf{x=-1}$ 또는 $\mathbf{0<x\leq 2}$

정답과 풀이 **4**쪽

유제 032 다음 등비수열이 수렴하도록 하는 x의 값의 범위를 구하여라.

(1) $\{(x+3)^n\}$ (2) $\{(x+2)(3x-2)^{n-1}\}$

🧙 **풍산자 비법**

• 수열 $\{r^n\}$이 수렴하기 위한 조건 ➡ $-1<r\leq 1$

$r=1$일 때는 $\lim\limits_{n\to\infty} r^n=1$, $-1<r<1$일 때는 $\lim\limits_{n\to\infty} r^n=0$

• 수열 $\{ar^{n-1}\}$이 수렴하기 위한 조건 ➡ $a=0$ 또는 $-1<r\leq 1$

＊더 많은 유형은 **풍산자필수유형 미적분** 007쪽

정답과 풀이 5쪽

033

자연수 n에 대하여 다항식 $f(x)=2^n x^2+3^n x+1$을 $x-1$, $x-2$로 나눈 나머지를 각각 a_n, b_n이라 할 때, $\lim\limits_{n\to\infty} \dfrac{a_n}{b_n}$의 값을 구하여라.

034

함수 $f(x)$를 $f(x)=\lim\limits_{n\to\infty} \dfrac{x^{n+1}+3}{x^n+1}$으로 정의할 때, $f(-3)+f\left(\dfrac{1}{3}\right)+f(1)$의 값을 구하여라.

035

등비수열 $\left\{\left(\dfrac{2x-1}{4}\right)^n\right\}$이 수렴하기 위한 정수 x의 개수를 구하여라.

036

등비수열 $\{(x^2-x-1)^n\}$이 수렴하도록 하는 모든 정수 x의 값의 곱을 구하여라.

037

자연수 n에 대하여 36^n의 양의 약수의 총합을 $f(n)$이라 할 때, $\lim\limits_{n\to\infty} \dfrac{f(n)}{36^n}$의 값을 구하여라.

038

수열 $\{a_n\}$이 모든 자연수 n에 대하여

$$a_1=3,\ a_2=15,\ \frac{a_{n+1}}{a_n}=\frac{a_{n+2}}{a_{n+1}}$$

를 만족시킬 때, $\lim\limits_{n\to\infty} \dfrac{-2^{n+1}+a_{n+1}}{2^n-a_n}$의 값을 구하여라.

중단원 마무리

▶ **수열의 수렴과 발산**

수렴	극한값 α를 가진다. ⇒ $\displaystyle\lim_{n\to\infty} a_n = \alpha$
발산	(1) 양의 무한대로 발산 ⇒ $\displaystyle\lim_{n\to\infty} a_n = \infty$ (2) 음의 무한대로 발산 ⇒ $\displaystyle\lim_{n\to\infty} a_n = -\infty$ (3) 진동

▶ **극한값의 계산**

극한의 기본 성질	두 수열 $\{a_n\}$, $\{b_n\}$이 수렴하고, $\displaystyle\lim_{n\to\infty} a_n = \alpha$, $\displaystyle\lim_{n\to\infty} b_n = \beta$ (α, β는 실수)일 때 (1) $\displaystyle\lim_{n\to\infty} k a_n = k\alpha$ (단, k는 상수) (2) $\displaystyle\lim_{n\to\infty} (a_n \pm b_n) = \alpha \pm \beta$ (복부호 동순) (3) $\displaystyle\lim_{n\to\infty} a_n b_n = \alpha\beta$ (4) $\displaystyle\lim_{n\to\infty} \frac{a_n}{b_n} = \frac{\alpha}{\beta}$ (단, $b_n \neq 0$, $\beta \neq 0$)
극한값 구하기	(1) $\dfrac{\infty}{\infty}$ 꼴: 분모의 최고차항으로 분모, 분자를 각각 나누기 (2) $\infty - \infty$ 꼴의 극한 ⇒ $\infty - \infty$ 꼴을 유리화 또는 최고차항으로 묶기
대소 관계	수열 $\{a_n\}$, $\{b_n\}$이 수렴하고 (1) 모든 자연수 n에 대하여 $a_n \leq b_n$ ⇒ $\displaystyle\lim_{n\to\infty} a_n \leq \lim_{n\to\infty} b_n$ (2) 수열 $\{c_n\}$이 모든 자연수 n에 대하여 $a_n \leq c_n \leq b_n$, $\displaystyle\lim_{n\to\infty} a_n = \lim_{n\to\infty} b_n = \alpha$ ⇒ $\displaystyle\lim_{n\to\infty} c_n = \alpha$

▶ **등비수열의 수렴과 발산**

등비수열의 수렴, 발산	등비수열 $\{ar^{n-1}\}$에 대하여 (1) $a=0$이면 수렴 (2) $a \neq 0$이면 ⇒ ① $r>1$일 때, 발산 ② $r=1$일 때, a로 수렴 ③ $\lvert r \rvert < 1$일 때, 0으로 수렴 ④ $r \leq -1$일 때, 발산

실전 연습문제

STEP1

039

수렴하는 수열 $\{a_n\}$에 대하여 $\displaystyle\lim_{n\to\infty}\frac{2a_n+3}{a_n-1}=3$일

때, $\displaystyle\lim_{n\to\infty}a_n$의 값을 구하여라.

040

두 수열 $\{a_n\}$, $\{b_n\}$이 각각 수렴하고

$$\lim_{n\to\infty}(a_n+b_n)=1,\ \lim_{n\to\infty}(2a_n-3b_n)=12$$

일 때, $\displaystyle\lim_{n\to\infty}\frac{4a_n}{b_n}$의 값은? (단, $b_n\neq0$)

① -6　　② -4　　③ -2

④ 4　　　⑤ 6

041

자연수 n에 대하여 $\sqrt{n^2+4n+2}$의 소수 부분을

a_n이라 할 때, $\displaystyle\lim_{n\to\infty}a_n$의 값은?

① -1　　② 1　　③ 3

④ 5　　　⑤ 7

042

수열 $\{a_n\}$이 모든 자연수 n에 대하여

$n\leq a_n\leq n+2$를 만족시킬 때,

$\displaystyle\lim_{n\to\infty}\frac{n^2}{a_1+a_2+\cdots+a_n}$의 값은?

① 0　　　② 2　　　③ 4

④ 8　　　⑤ 10

043

$r>0$일 때, $\displaystyle\lim_{n\to\infty}\frac{r^{n+1}+r+1}{r^n+1}=\frac{5}{3}$를 만족시키는

모든 r의 값의 합은?

① 1　　② $\dfrac{4}{3}$　　③ $\dfrac{5}{3}$

④ 2　　⑤ $\dfrac{7}{3}$

044

두 수열 $\{x^{2n}\}$, $\{(x+1)(2x-1)^{n-1}\}$이 동시에

수렴하도록 하는 모든 정수 x의 값의 합은?

① -2　　② -1　　③ 0

④ 1　　　⑤ 2

STEP2

045

n이 자연수일 때, 이차방정식
$x^2-x+n-\sqrt{n^2+n}=0$의 두 근을 α_n, β_n이라
하자. $\displaystyle\lim_{n\to\infty}\left(\dfrac{1}{\alpha_n}+\dfrac{1}{\beta_n}\right)$의 값을 구하여라.

046

등차수열 $\{a_n\}$이 $\displaystyle\lim_{n\to\infty}\dfrac{a_n}{5n+3}=2$를 만족시킬 때,
수열 $\{a_n\}$의 공차는?

① 5   ② 10   ③ 15

④ 20   ⑤ 25

047

두 수열 $\{a_n\}$, $\{b_n\}$에 대하여
$$\lim_{n\to\infty}a_n=\infty,\ \lim_{n\to\infty}(5a_n-2b_n)=1$$
이 성립할 때, $\displaystyle\lim_{n\to\infty}\dfrac{4a_n+8b_n}{7a_n-4b_n}$의 값은?

① -16 ② -14 ③ -12

④ -10 ⑤ -8

048

수열 $\{a_n\}$의 첫째항부터 제n항까지의 합 S_n이
$S_n=2n+2^n$일 때, $\displaystyle\lim_{n\to\infty}\dfrac{a_n}{2^n}$의 값을 구하여라.

049

첫째항이 3, 공비가 2인 등비수열 $\{a_n\}$에 대하여
$\displaystyle\lim_{n\to\infty}\dfrac{a_1+a_2+a_3+\cdots+a_n}{a_n+a_{n+1}}$의 값을 구하여라.

050

수열 $\left\{\dfrac{r^{2n-1}+2}{r^{2n}+1}\right\}$가 수렴할 때, 다음 중 그 극한
값이 될 수 없는 것은? (단, r는 실수)

① $-\dfrac{1}{3}$ ② $\dfrac{1}{2}$ ③ $\dfrac{3}{2}$

④ 2   ⑤ 3

2 급수

급수는 무한수열의 합의 극한.
수열의 극한에서 일반항이 첫째항부터 제n항까지의
합이 되었을 뿐이다.

1 급수의 수렴과 발산

$$\sum_{n=1}^{\infty} a_n$$

2 등비급수

$$\sum_{n=1}^{\infty} ar^{n-1} = \frac{a}{1-r}$$

1 급수의 수렴과 발산

01 | 급수의 수렴과 발산

수열 $\{a_n\}$의 각 항을 덧셈 기호 $+$로 연결한 식 $a_1+a_2+a_3+\cdots+a_n+\cdots$을 **급수**라 하고, $\sum$를 써서 $\sum\limits_{n=1}^{\infty} a_n$과 같이 나타낸다.

또, 급수 $\sum\limits_{n=1}^{\infty} a_n$에서 첫째항부터 제$n$항까지의 합 S_n을 이 급수의 제n항까지의 **부분합**이라 한다.

예를 들어 첫째항부터 제5항까지의 합은 제5항까지의 부분합이고, 첫째항부터 제6항까지의 합은 제6항까지의 부분합이다.

그럼 첫째항부터 무한대 항까지의 합은? 바로 이것이 급수.

한 마디로 급수란 수열의 각 항을 모조리 더한 것!

> **급수의 수렴과 발산**
>
> (1) 부분합의 수열 $\{S_n\}$이 S에 수렴할 때, 즉 $\lim\limits_{n\to\infty} S_n=S$일 때 급수 $\sum\limits_{n=1}^{\infty} a_n$은 S에 **수렴**한다고 하며, S를 이 **급수의 합**이라 하고, 다음과 같이 나타낸다.
>
> $$a_1+a_2+a_3+\cdots+a_n+\cdots=S \ \text{ 또는 } \sum_{n=1}^{\infty} a_n=S$$
>
> (2) 부분합의 수열이 발산하면 급수는 발산한다고 한다.
>
> 급수가 발산하면 급수의 합은 생각하지 않는다.

| **설명** | 급수는 첫째항부터 무한대 항까지의 합이다. 이것을 계산하려면 첫째항부터 제n항까지의 합을 구한 후, n을 무한대로 보내면 된다. 즉, 급수의 합을 구하려면 다음 두 단계를 거치면 된다.

[1단계] S_n을 구한다. ➡ [2단계] $\lim\limits_{n\to\infty}$를 취한다.

| **참고** | 항의 부호가 교대로 $+$, $-$로 바뀌는 급수의 수렴과 발산은 짝수 번째 항까지의 부분합 S_{2n}과 홀수 번째 항까지의 부분합 S_{2n-1}에 대하여

(1) $\lim\limits_{n\to\infty} S_{2n}=\lim\limits_{n\to\infty} S_{2n-1}$이면 주어진 급수는 수렴한다.

(2) $\lim\limits_{n\to\infty} S_{2n}\neq\lim\limits_{n\to\infty} S_{2n-1}$이면 주어진 급수는 발산한다.

즉, 항의 부호가 교대로 바뀌는 급수의 수렴, 발산을 판정하려면 $\lim\limits_{n\to\infty} S_{2n}$과 $\lim\limits_{n\to\infty} S_{2n-1}$이 같은 값에 수렴하는지 조사하면 된다.

大 원칙
- 수열의 수렴과 발산을 알기 위해서는 ➡ $\lim\limits_{n\to\infty} a_n$을 조사
- 급수의 수렴과 발산을 알기 위해서는 ➡ $\lim\limits_{n\to\infty} S_n$을 조사

051 다음 급수의 수렴과 발산을 조사하고, 수렴하면 그 합을 구하여라.

(1) $\dfrac{1}{2}+\left(\dfrac{1}{2}\right)^2+\left(\dfrac{1}{2}\right)^3+\cdots+\left(\dfrac{1}{2}\right)^n+\cdots$

(2) $1+2+3+\cdots+n+\cdots$

풍산자티 먼저 제n항까지의 부분합 S_n을 구한 후, 극한값 $\lim\limits_{n\to\infty}S_n$을 구한다.

> **풀이** (1) [1단계] S_n을 구한다.

주어진 급수는 첫째항이 $\dfrac{1}{2}$, 공비가 $\dfrac{1}{2}$인 등비수열의 합이므로

제n항까지의 부분합을 S_n이라 하면

$$S_n=\dfrac{\dfrac{1}{2}\left\{1-\left(\dfrac{1}{2}\right)^n\right\}}{1-\dfrac{1}{2}}=1-\left(\dfrac{1}{2}\right)^n$$

[2단계] $\lim\limits_{n\to\infty}$를 취한다.

$$\therefore \lim_{n\to\infty}S_n=\lim_{n\to\infty}\left\{1-\left(\dfrac{1}{2}\right)^n\right\}=1$$

따라서 주어진 급수는 **수렴**하고, 그 합은 **1**이다.

(2) [1단계] S_n을 구한다.

주어진 급수의 제n항까지의 부분합을 S_n이라 하면

$$S_n=\dfrac{n(n+1)}{2}$$

[2단계] $\lim\limits_{n\to\infty}$를 취한다.

$$\therefore \lim_{n\to\infty}S_n=\lim_{n\to\infty}\dfrac{n(n+1)}{2}=\infty$$

따라서 주어진 급수는 양의 무한대로 **발산**한다.

| **참고** | (1)에서 $\dfrac{1}{2}+\left(\dfrac{1}{2}\right)^2+\left(\dfrac{1}{2}\right)^3+\cdots=1$이다.

그런데 가만히 생각해 보면 좀 이상하다. 좌변은 계속 더해 가는 식이므로 비록 적은 양이지만 계속 증가한다. 이것이 1에 수렴한다는 것은 직관적으로 당연하지 않다. 그래서 극한의 개념이 정립되지 않았던 옛날 사람들은 이렇게 더해 가면 그 값이 한없이 커질 것이라고 생각했다.

그러면 왜 1에 수렴할까? 이유는 오른쪽 그림을 보면 명확해진다.

계속 증가하긴 한다. 그러나 증가하는 양이 반씩 줄어든다.

그래서 아무리 더해도 1을 넘진 못한다.

1에 한없이 가까이 갈 뿐이다. 즉, 1에 수렴하는 것이다.

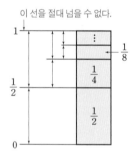

이 선을 절대 넘을 수 없다.

정답과 풀이 **8**쪽

유제 052 다음 급수의 수렴과 발산을 조사하고, 수렴하면 그 합을 구하여라.

(1) $1+\dfrac{1}{3}+\left(\dfrac{1}{3}\right)^2+\cdots+\left(\dfrac{1}{3}\right)^{n-1}+\cdots$

(2) $3+3+3+\cdots+3+\cdots$

053 다음 급수의 수렴과 발산을 조사하고, 수렴하면 그 합을 구하여라.

(1) $\dfrac{1}{1 \times 2} + \dfrac{1}{2 \times 3} + \dfrac{1}{3 \times 4} + \cdots$

(2) $\displaystyle\sum_{n=1}^{\infty} \dfrac{1}{\sqrt{n+1}+\sqrt{n}}$

풍산자曰 다음과 같이 변형하면 연쇄적으로 소거되는 소거형이 된다.

(1) $\dfrac{1}{AB} = \dfrac{1}{B-A}\left(\dfrac{1}{A} - \dfrac{1}{B}\right)$

(2) 분모를 유리화

> 풀이 (1) 주어진 급수의 제n항까지의 부분합을 S_n이라 하면

$$S_n = \sum_{k=1}^{n} \frac{1}{k(k+1)}$$
$$= \sum_{k=1}^{n}\left(\frac{1}{k} - \frac{1}{k+1}\right)$$
$$= \left(1 - \frac{1}{2}\right) + \left(\frac{1}{2} - \frac{1}{3}\right) + \left(\frac{1}{3} - \frac{1}{4}\right) + \cdots + \left(\frac{1}{n} - \frac{1}{n+1}\right)$$
$$= 1 - \frac{1}{n+1}$$
$$\therefore \lim_{n \to \infty} S_n = \lim_{n \to \infty}\left(1 - \frac{1}{n+1}\right) = 1$$

따라서 주어진 급수는 **수렴**하고, 그 합은 **1**이다.

(2) 주어진 급수의 제n항까지의 부분합을 S_n이라 하면

$$S_n = \sum_{k=1}^{n} \frac{1}{\sqrt{k+1}+\sqrt{k}}$$
$$= \sum_{k=1}^{n} \frac{\sqrt{k+1}-\sqrt{k}}{(\sqrt{k+1}+\sqrt{k})(\sqrt{k+1}-\sqrt{k})}$$
$$= \sum_{k=1}^{n} (\sqrt{k+1}-\sqrt{k})$$
$$= (\sqrt{2}-1) + (\sqrt{3}-\sqrt{2}) + (\sqrt{4}-\sqrt{3}) + \cdots + (\sqrt{n+1}-\sqrt{n})$$
$$= \sqrt{n+1} - 1$$
$$\therefore \lim_{n \to \infty} S_n = \lim_{n \to \infty} (\sqrt{n+1}-1) = \infty$$

따라서 주어진 급수는 양의 무한대로 **발산**한다.

정답과 풀이 **8**쪽

유제 054 다음 급수의 수렴과 발산을 조사하고, 수렴하면 그 합을 구하여라.

(1) $\dfrac{1}{1 \times 3} + \dfrac{1}{3 \times 5} + \dfrac{1}{5 \times 7} + \cdots$

(2) $\displaystyle\sum_{n=1}^{\infty} (\sqrt{n+2} - \sqrt{n+1})$

055 급수 $\sum\limits_{n=2}^{\infty} \log \dfrac{n^2-1}{n^2}$ 의 합을 구하여라.

풍산자탑 $\sum$를 풀어 전개한 후 로그의 성질을 이용해 진수의 곱셈으로 고치면 연쇄적으로 소거되는 소거형이 된다.

▶ **풀이**
$$S_n = \sum_{k=2}^{n} \log \frac{k^2-1}{k^2} = \sum_{k=2}^{n} \log \left(\frac{k-1}{k} \times \frac{k+1}{k} \right)$$
$$= \log \left(\frac{1}{2} \times \frac{3}{2} \right) + \log \left(\frac{2}{3} \times \frac{4}{3} \right) + \log \left(\frac{3}{4} \times \frac{5}{4} \right) + \cdots + \log \left(\frac{n-1}{n} \times \frac{n+1}{n} \right)$$
$$= \log \left\{ \left(\frac{1}{2} \times \frac{3}{2} \right) \left(\frac{2}{3} \times \frac{4}{3} \right) \left(\frac{3}{4} \times \frac{5}{4} \right) \cdots \left(\frac{n-1}{n} \times \frac{n+1}{n} \right) \right\}$$
$$= \log \frac{n+1}{2n}$$
$$\therefore (\text{주어진 식}) = \lim_{n \to \infty} S_n = \lim_{n \to \infty} \log \frac{n+1}{2n} = \log \frac{1}{2} = -\mathbf{\log 2}$$

정답과 풀이 **8**쪽

유제 **056** 급수 $\sum\limits_{n=2}^{\infty} \log \dfrac{n^2}{n^2-1}$ 의 합을 구하여라.

057 첫째항이 $\dfrac{9}{2}$, 공차가 3인 등차수열 $\{a_n\}$의 첫째항부터 제n항까지의 합을 S_n이라고 할 때, $\lim\limits_{n \to \infty} \sum\limits_{k=1}^{n} \dfrac{1}{S_k}$ 의 값을 구하여라.

풍산자탑 등차수열의 합 공식을 이용해 S_n을 구해 놓고 보면 결국 익숙한 소거형의 급수가 된다.

▶ **풀이**
$$S_n = \frac{n\left\{ 2 \times \frac{9}{2} + (n-1) \times 3 \right\}}{2} = \frac{3}{2}n(n+2) \text{이므로}$$
$$\sum_{k=1}^{n} \frac{1}{S_k} = \frac{2}{3} \sum_{k=1}^{n} \frac{1}{k(k+2)} = \frac{2}{3} \sum_{k=1}^{n} \frac{1}{2} \left(\frac{1}{k} - \frac{1}{k+2} \right)$$
$$= \frac{1}{3} \left\{ \left(\frac{1}{1} - \frac{1}{3} \right) + \left(\frac{1}{2} - \frac{1}{4} \right) + \left(\frac{1}{3} - \frac{1}{5} \right) + \cdots + \left(\frac{1}{n-1} - \frac{1}{n+1} \right) + \left(\frac{1}{n} - \frac{1}{n+2} \right) \right\}$$
$$= \frac{1}{3} \left(1 + \frac{1}{2} - \frac{1}{n+1} - \frac{1}{n+2} \right) = \frac{1}{3} \left(\frac{3}{2} - \frac{1}{n+1} - \frac{1}{n+2} \right)$$
$$\therefore \lim_{n \to \infty} \sum_{k=1}^{n} \frac{1}{S_k} = \lim_{n \to \infty} \frac{1}{3} \left(\frac{3}{2} - \frac{1}{n+1} - \frac{1}{n+2} \right) = \frac{1}{3} \times \frac{3}{2} = \mathbf{\frac{1}{2}}$$

정답과 풀이 **8**쪽

유제 **058** 첫째항이 2, 공차가 2인 등차수열 $\{a_n\}$의 첫째항부터 제n항까지의 합을 S_n이라 할 때, $\lim\limits_{n \to \infty} \sum\limits_{k=1}^{n} \dfrac{1}{S_k}$ 의 값을 구하여라.

059 다음 급수의 수렴과 발산을 조사하고, 수렴하면 그 합을 구하여라.

(1) $\left(\dfrac{1}{2}-\dfrac{2}{3}\right)+\left(\dfrac{2}{3}-\dfrac{3}{4}\right)+\left(\dfrac{3}{4}-\dfrac{4}{5}\right)+\cdots$

(2) $\dfrac{1}{2}-\dfrac{2}{3}+\dfrac{2}{3}-\dfrac{3}{4}+\dfrac{3}{4}-\dfrac{4}{5}+\cdots$

풍산자티 (1)과 (2)는 완전히 다른 급수다. 왜냐?

(1)의 첫째항은 $\dfrac{1}{2}-\dfrac{2}{3}$ 이고, (2)의 첫째항은 $\dfrac{1}{2}$ 이니까.

▶풀이 주어진 급수의 제n항까지의 부분합을 S_n이라 하면

(1) $S_n=\left(\dfrac{1}{2}-\dfrac{2}{3}\right)+\left(\dfrac{2}{3}-\dfrac{3}{4}\right)+\left(\dfrac{3}{4}-\dfrac{4}{5}\right)+\cdots+\left(\dfrac{n}{n+1}-\dfrac{n+1}{n+2}\right)$

$\qquad=\dfrac{1}{2}-\dfrac{n+1}{n+2}$

$\qquad\therefore \lim_{n\to\infty} S_n=\lim_{n\to\infty}\left(\dfrac{1}{2}-\dfrac{n+1}{n+2}\right)=\dfrac{1}{2}-1=-\dfrac{1}{2}$

따라서 주어진 급수는 **수렴**하고, 그 합은 $-\dfrac{1}{2}$ 이다.

(2) $S_1=\dfrac{1}{2}$, $S_2=\dfrac{1}{2}-\dfrac{2}{3}$

$\qquad S_3=\dfrac{1}{2}$, $S_4=\dfrac{1}{2}-\dfrac{3}{4}$

$\qquad S_5=\dfrac{1}{2}$, $S_6=\dfrac{1}{2}-\dfrac{4}{5}$

$\qquad\qquad\qquad\vdots$

$\qquad S_{2n-1}=\dfrac{1}{2}$, $S_{2n}=\dfrac{1}{2}-\dfrac{n+1}{n+2}$

$\qquad\therefore \lim_{n\to\infty} S_{2n-1}=\dfrac{1}{2}$

$\qquad\quad\lim_{n\to\infty} S_{2n}=\lim_{n\to\infty}\left(\dfrac{1}{2}-\dfrac{n+1}{n+2}\right)=\dfrac{1}{2}-1=-\dfrac{1}{2}$

따라서 $\lim_{n\to\infty} S_{2n-1}\neq\lim_{n\to\infty} S_{2n}$이므로 주어진 급수는 **발산**한다.

정답과 풀이 **8**쪽

유제 060 다음 급수의 수렴과 발산을 조사하고, 수렴하면 그 합을 구하여라.

(1) $\left(1-\dfrac{1}{2}\right)+\left(\dfrac{1}{2}-\dfrac{1}{3}\right)+\left(\dfrac{1}{3}-\dfrac{1}{4}\right)+\cdots$

(2) $1-\dfrac{1}{2}+\dfrac{1}{2}-\dfrac{1}{3}+\dfrac{1}{3}-\dfrac{1}{4}+\cdots$

 풍산자 비법

수렴하는 급수의 합은 다음 순서로 구한다.

➜ [1단계] S_n을 구한다.　　　　　　　　[2단계] $\lim_{n\to\infty}$ 를 취한다.

02 | 수열의 극한과 급수 사이의 관계

수열의 극한이란 $\lim\limits_{n\to\infty} a_n$, 급수란 $\sum\limits_{n=1}^{\infty} a_n$.

수열이란 오른쪽 그림과 같은 숫자의 나열.

$\lim\limits_{n\to\infty} a_n$이란 저 멀리에 있는 알갱이.

$\sum\limits_{n=1}^{\infty} a_n$이란 모든 알갱이들의 합.

이 둘 사이에 다음과 같은 놀라운 관계가 있다.

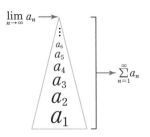

수열의 극한과 급수 사이의 관계 중요

(1) 급수 $\sum\limits_{n=1}^{\infty} a_n$이 수렴하면 $\lim\limits_{n\to\infty} a_n = 0$이다. (역은 성립하지 않는다.)

(2) $\lim\limits_{n\to\infty} a_n \neq 0$이면 급수 $\sum\limits_{n=1}^{\infty} a_n$은 발산한다. ⬅ (1)의 대우

| **증명** | 급수 $\sum\limits_{n=1}^{\infty} a_n$이 S에 수렴할 때, 제n항까지의 부분합을 S_n이라 하면

$a_n = S_n - S_{n-1}(n \geq 2)$이고 $\lim\limits_{n\to\infty} S_n = S$, $\lim\limits_{n\to\infty} S_{n-1} = S$이므로

$\lim\limits_{n\to\infty} a_n = \lim\limits_{n\to\infty}(S_n - S_{n-1}) = \lim\limits_{n\to\infty} S_n - \lim\limits_{n\to\infty} S_{n-1} = S - S = 0$

| **설명** | 수열의 극한과 급수의 관계는 직관적으로 아주 당연한 얘기.

급수란 알갱이들을 끝없이 더해 가는 것.

더해 가는 알갱이가 점점 작아져야 급수는 수렴할 수 있다.

더해 가는 알갱이가 0으로 작아지지 않으면 급수는 ∞로 발산한다.

$1 + 1 + 1 + \cdots = \infty$ ➡ 1을 계속 더해 가면 한없이 큰 수가 된다.

$1 + 2 + 3 + \cdots = \infty$ ➡ 더 빨리 ∞로 간다.

그럼 더해 가는 알갱이가 0으로 작아지면 급수는 반드시 수렴할까?

아니다. 역은 성립하지 않는다.

| **참고** | (1) 역 '$\lim\limits_{n\to\infty} a_n = 0$이면 급수 $\sum\limits_{n=1}^{\infty} a_n$은 수렴한다.'는 일반적으로 성립하지 않는다.

예를 들어 $\lim\limits_{n\to\infty} \dfrac{1}{\sqrt{n+1}+\sqrt{n}} = 0$이지만 $\sum\limits_{n=1}^{\infty} \dfrac{1}{\sqrt{n+1}+\sqrt{n}} = \infty$이다. (053−(2) 참조)

(2) 대우는 급수가 발산함을 보일 때 요긴하게 활용할 수 있다.

즉, 급수 $\sum\limits_{n=1}^{\infty} a_n$이 발산함을 보이려면 $\lim\limits_{n\to\infty} a_n \neq 0$임을 보이면 된다.

大 원칙 | 급수 $\sum\limits_{n=1}^{\infty} a_n$의 수렴, 발산 ➡ $\lim\limits_{n\to\infty} a_n$의 값을 구해본다.

061 급수 $\displaystyle\sum_{n=1}^{\infty} \frac{n}{n+1}$ 이 발산함을 증명하여라.

풍산자탭 급수가 발산함을 보이려면 수열의 극한이 0이 아님을 보이면 된다.

▶ 풀이 $\displaystyle\sum_{n=1}^{\infty} \frac{n}{n+1}$ 에서 $a_n = \dfrac{n}{n+1}$ 이라 하면

$$\lim_{n\to\infty} a_n = \lim_{n\to\infty} \frac{n}{n+1} = \lim_{n\to\infty} \frac{1}{1+\dfrac{1}{n}} = 1$$

따라서 $\displaystyle\lim_{n\to\infty} \frac{n}{n+1} \neq 0$ 이므로 주어진 급수는 **발산**한다.

정답과 풀이 9쪽

유제 062 급수 $\displaystyle\sum_{n=1}^{\infty} \frac{n}{2n-1}$ 이 발산함을 증명하여라.

063 급수 $\displaystyle\sum_{n=1}^{\infty} \left(a_n + \frac{6n+1}{3n+1} \right)$ 이 수렴할 때, $\displaystyle\lim_{n\to\infty} a_n$ 의 값을 구하여라.

풍산자탭 '급수가 수렴하면 ➡ 수열의 극한은 0'임을 이용하면 된다.

▶ 풀이 급수 $\displaystyle\sum_{n=1}^{\infty} \left(a_n + \frac{6n+1}{3n+1} \right)$ 이 수렴하므로

$$\lim_{n\to\infty} \left(a_n + \frac{6n+1}{3n+1} \right) = 0$$

$$\begin{aligned}
\therefore \lim_{n\to\infty} a_n &= \lim_{n\to\infty} \left\{ \left(a_n + \frac{6n+1}{3n+1} \right) - \frac{6n+1}{3n+1} \right\} \\
&= \lim_{n\to\infty} \left(a_n + \frac{6n+1}{3n+1} \right) - \lim_{n\to\infty} \frac{6n+1}{3n+1} \\
&= 0 - 2 = \mathbf{-2}
\end{aligned}$$

정답과 풀이 9쪽

유제 064 급수 $\displaystyle\sum_{n=1}^{\infty} \left(a_n - \frac{n}{2n+1} \right)$ 이 수렴할 때, $\displaystyle\lim_{n\to\infty} a_n$ 의 값을 구하여라.

풍산자 비법

$\displaystyle\sum_{n=1}^{\infty} a_n$ 이 수렴하면 $\displaystyle\lim_{n\to\infty} a_n = 0 \iff \lim_{n\to\infty} a_n \neq 0$ 이면 $\displaystyle\sum_{n=1}^{\infty} a_n$ 은 발산

➡ 시그마가 수렴하면 리미트는 0이다. 리미트가 0이 아니면 시그마는 발산한다.

03 | 급수의 성질

급수는 $\sum\limits_{k=1}^{\infty} a_k = \lim\limits_{n \to \infty} \sum\limits_{k=1}^{n} a_k$와 같이 시그마에 극한을 취한 것이다.

그럼 수열의 극한에서 성립했던 성질이 시그마에 극한을 취한 급수에서도 성립할까?

수렴하는 급수에 대하여 다음 성질이 성립한다.

> **급수의 성질**
>
> 두 급수 $\sum\limits_{n=1}^{\infty} a_n$, $\sum\limits_{n=1}^{\infty} b_n$이 각각 수렴하면
>
> (1) $\sum\limits_{n=1}^{\infty} ka_n = k \sum\limits_{n=1}^{\infty} a_n$ (단, k는 상수)
>
> (2) $\sum\limits_{n=1}^{\infty} (a_n \pm b_n) = \sum\limits_{n=1}^{\infty} a_n \pm \sum\limits_{n=1}^{\infty} b_n$ (복부호 동순)

| 참고 | $\sum\limits_{n=1}^{\infty} a_n b_n \neq \sum\limits_{n=1}^{\infty} a_n \times \sum\limits_{n=1}^{\infty} b_n$, $\sum\limits_{n=1}^{\infty} \dfrac{a_n}{b_n} \neq \dfrac{\sum\limits_{n=1}^{\infty} a_n}{\sum\limits_{n=1}^{\infty} b_n}$ 임에 유의한다.

| 급수의 성질 |

---

065 두 급수 $\sum\limits_{n=1}^{\infty} a_n$, $\sum\limits_{n=1}^{\infty} b_n$에 대하여 $\sum\limits_{n=1}^{\infty} a_n = 8$, $\sum\limits_{n=1}^{\infty} (a_n - 2b_n) = 2$일 때, 급수 $\sum\limits_{n=1}^{\infty} b_n$의 합을 구하여라.

풍산자팁 두 급수가 수렴하면? 두 급수의 덧셈과 뺄셈은 일반적인 다항식의 계산처럼 사용할 수 있다.

▶ 풀이 $a_n - 2b_n = c_n$으로 놓으면 $2b_n = a_n - c_n$

$$\therefore b_n = \frac{1}{2} a_n - \frac{1}{2} c_n$$

주어진 조건에서 $\sum\limits_{n=1}^{\infty} a_n = 8$, $\sum\limits_{n=1}^{\infty} c_n = 2$이므로

$$\sum\limits_{n=1}^{\infty} b_n = \sum\limits_{n=1}^{\infty} \left(\frac{1}{2} a_n - \frac{1}{2} c_n \right) = \frac{1}{2} \sum\limits_{n=1}^{\infty} a_n - \frac{1}{2} \sum\limits_{n=1}^{\infty} c_n$$

$$= \frac{1}{2} \times 8 - \frac{1}{2} \times 2 = \mathbf{3}$$

정답과 풀이 **9**쪽

유제 066 두 급수 $\sum\limits_{n=1}^{\infty} a_n$, $\sum\limits_{n=1}^{\infty} b_n$에 대하여 $\sum\limits_{n=1}^{\infty} b_n = -2$, $\sum\limits_{n=1}^{\infty} (3a_n - 2b_n) = 10$일 때, 급수 $\sum\limits_{n=1}^{\infty} a_n$의 합을 구하여라.

067

급수 $\displaystyle\sum_{n=1}^{\infty} \frac{1}{(3n-1)(3n+2)}$ 의 합이 $\dfrac{b}{a}$ 일 때, $a+b$의 값을 구하여라.

(단, a, b는 서로소인 자연수이다.)

068

다음 급수의 합을 구하여라.

(1) $1 + \dfrac{1}{1+2} + \dfrac{1}{1+2+3} + \dfrac{1}{1+2+3+4} + \cdots$

(2) $\dfrac{1}{2^2-1} + \dfrac{1}{4^2-1} + \dfrac{1}{6^2-1} + \dfrac{1}{8^2-1} + \cdots$

069

다음 급수 중에서 수렴하는 것은?

① $1-1+1-1+1-1+\cdots$

② $1+3+5+7+\cdots$

③ $1 + \dfrac{1}{2} + \dfrac{1}{4} + \dfrac{1}{8} + \cdots$

④ $\dfrac{1}{2} + \dfrac{2}{3} + \dfrac{3}{4} + \dfrac{4}{5} + \cdots$

⑤ $(\sqrt{4}-\sqrt{2}) + (\sqrt{6}-\sqrt{4}) + (\sqrt{8}-\sqrt{6}) + \cdots$

070

수열 $\{a_n\}$에 대하여 $a_1=2$이고 $\displaystyle\lim_{n\to\infty} a_n=10$일 때, 급수 $\displaystyle\sum_{n=1}^{\infty} (a_{n+1}-a_n)$의 합을 구하여라.

071

수열 $\{a_n\}$의 첫째항부터 제n항까지의 합 S_n이 $S_n=n^2$일 때, 급수 $\displaystyle\sum_{n=1}^{\infty} \dfrac{1}{a_n a_{n+1}}$의 합을 구하여라.

072

두 급수 $\displaystyle\sum_{n=1}^{\infty} a_n$, $\displaystyle\sum_{n=1}^{\infty} b_n$이 모두 수렴하고,

$$\sum_{n=1}^{\infty} (2a_n+b_n)=10, \quad \sum_{n=1}^{\infty} (3a_n+2b_n)=33$$

일 때, 급수 $\displaystyle\sum_{n=1}^{\infty} (a_n-b_n)$의 합을 구하여라.

2 | 등비급수

01 | 등비급수의 수렴과 발산

등비수열 $\{ar^{n-1}\}$의 급수 $\sum\limits_{n=1}^{\infty} ar^{n-1}$을 첫째항이 a, 공비가 r인 **등비급수**라 한다.

모든 급수 문제는 크게 보아 '수렴하는가?'와 '수렴하면 합은 얼마인가?'라는 두 가지 질문으로 요약할 수 있다.

급수 중에서 등비급수가 특히 중요한 이유 중의 하나는 이 두 가지 질문을 해결하는 다음과 같은 명쾌한 공식이 있기 때문이다.

> **등비급수의 수렴과 발산** 중요
>
> 등비급수 $\sum\limits_{n=1}^{\infty} ar^{n-1} = a + ar + ar^2 + \cdots + ar^{n-1} + \cdots (a \neq 0)$에 대하여 다음이 성립한다.
>
> (1) $|r| < 1$일 때 수렴하고, 그 합은 $\dfrac{a}{1-r}$이다.
>
> (2) $|r| \geq 1$일 때 발산한다.

| 설명 | $a=0$일 때는 각 항이 모두 0이므로 당연히 0에 수렴한다. 따라서 $a \neq 0$인 경우를 살펴보자.

등비수열의 합 공식에 의하여 $r \neq 1$일 때 $S_n = \dfrac{a(1-r^n)}{1-r}$, $r=1$일 때 $S_n = na$

(i) $|r| < 1$일 때, $\lim\limits_{n \to \infty} r^n = 0$이므로

$$\sum_{n=1}^{\infty} ar^{n-1} = \lim_{n \to \infty} \sum_{k=1}^{n} ar^{k-1} = \lim_{n \to \infty} \frac{a(1-r^n)}{1-r} = \frac{a}{1-r} \;\Rightarrow\; 수렴$$

(ii) $r=1$일 때, $\lim\limits_{n \to \infty} ar^{n-1} = \lim\limits_{n \to \infty} a = a \neq 0$이므로 $\sum\limits_{n=1}^{\infty} ar^{n-1}$은 발산한다.

(iii) $r>1$일 때, $\lim\limits_{n \to \infty} ar^{n-1} \neq 0$이므로 $\sum\limits_{n=1}^{\infty} ar^{n-1}$은 발산한다.

(iv) $r \leq -1$일 때, $\lim\limits_{n \to \infty} ar^{n-1} \neq 0$이므로 $\sum\limits_{n=1}^{\infty} ar^{n-1}$은 발산한다.

> **등비급수의 수렴 조건**
>
> (1) 등비급수 $\sum\limits_{n=1}^{\infty} r^n$이 수렴하기 위한 조건 $\;\Rightarrow\; -1 < r < 1$
>
> (2) 등비급수 $\sum\limits_{n=1}^{\infty} ar^{n-1}$이 수렴하기 위한 조건 $\;\Rightarrow\; a=0$ 또는 $-1 < r < 1$

| 참고 | 등비수열의 수렴 조건과 등비급수의 수렴 조건 사이에는 미묘한 차이가 있다. 바로 $r=1$인 경우이다.

등비수열 $\{ar^{n-1}\}$이 수렴하기 위한 조건 $\;\Rightarrow\; a=0$ 또는 $-1 < r \leq 1$

등비급수 $\sum\limits_{n=1}^{\infty} ar^{n-1}$이 수렴하기 위한 조건 $\;\Rightarrow\; a=0$ 또는 $-1 < r < 1$

> **大** 원칙 | 등비급수의 합 $\;\Rightarrow\; -1 < r < 1$일 때 $\sum\limits_{n=1}^{\infty} ar^{n-1} = \dfrac{a}{1-r}$

073 다음 등비급수의 수렴과 발산을 조사하고, 수렴하면 그 합을 구하여라.

(1) $2 - 1 + \dfrac{1}{2} - \dfrac{1}{4} + \cdots$　　　　　　(2) $1 + \dfrac{3}{2} + \dfrac{9}{4} + \dfrac{27}{8} + \cdots$

풍산자티 등비급수 $\displaystyle\sum_{n=1}^{\infty} ar^{n-1}\,(a \neq 0)$은 $-1 < r < 1$일 때만 수렴하고, 그 합은 $S = \dfrac{a}{1-r}$이다.

▶ 풀이 (1) $a = 2$, $r = -\dfrac{1}{2}$에서 $-1 < r < 1$이므로 **수렴**하고, 그 합은 $\dfrac{2}{1 - \left(-\dfrac{1}{2}\right)} = \dfrac{4}{3}$

(2) $r = \dfrac{3}{2}$에서 $r > 1$이므로 **발산**한다.

정답과 풀이 **11**쪽

유제 **074** 다음 등비급수의 수렴과 발산을 조사하고, 수렴하면 그 합을 구하여라.

(1) $1 + \dfrac{1}{3} + \dfrac{1}{9} + \dfrac{1}{27} + \cdots$　　　　　(2) $1 - \sqrt{2} + 2 - 2\sqrt{2} + \cdots$

075 다음 급수의 합을 구하여라.

(1) $\displaystyle\sum_{n=1}^{\infty} \left(\dfrac{1}{4}\right)^n$　　　　(2) $\displaystyle\sum_{n=1}^{\infty} \left(\dfrac{1}{2}\right)^{n+1}\left(\dfrac{8}{5}\right)^n$　　　　(3) $\displaystyle\sum_{n=1}^{\infty} \dfrac{2^n + 3^n}{6^n}$

풍산자티 일단 $\displaystyle\sum_{n=1}^{\infty} r^n$의 꼴로 고친 후 ➡ 첫째항은 r, 공비는 r임을 이용하면 된다.

▶ 풀이 (1) (주어진 식) $= \dfrac{1}{4} + \left(\dfrac{1}{4}\right)^2 + \left(\dfrac{1}{4}\right)^3 + \cdots = \dfrac{\dfrac{1}{4}}{1 - \dfrac{1}{4}} = \dfrac{1}{3}$

(2) (주어진 식) $= \displaystyle\sum_{n=1}^{\infty} \dfrac{1}{2}\left(\dfrac{1}{2}\right)^n\left(\dfrac{8}{5}\right)^n = \dfrac{1}{2}\displaystyle\sum_{n=1}^{\infty}\left(\dfrac{4}{5}\right)^n = \dfrac{1}{2} \times \dfrac{\dfrac{4}{5}}{1 - \dfrac{4}{5}} = 2$

(3) (주어진 식) $= \displaystyle\sum_{n=1}^{\infty}\left\{\left(\dfrac{2}{6}\right)^n + \left(\dfrac{3}{6}\right)^n\right\} = \displaystyle\sum_{n=1}^{\infty}\left(\dfrac{1}{3}\right)^n + \displaystyle\sum_{n=1}^{\infty}\left(\dfrac{1}{2}\right)^n$

$= \dfrac{\dfrac{1}{3}}{1 - \dfrac{1}{3}} + \dfrac{\dfrac{1}{2}}{1 - \dfrac{1}{2}} = \dfrac{1}{2} + 1 = \dfrac{3}{2}$

정답과 풀이 **11**쪽

유제 **076** 다음 급수의 합을 구하여라.

(1) $\displaystyle\sum_{n=1}^{\infty}\left(\dfrac{6}{7}\right)^n$　　　　(2) $\displaystyle\sum_{n=1}^{\infty} 3^{n-1}\left(\dfrac{1}{4}\right)^n$　　　　(3) $\displaystyle\sum_{n=1}^{\infty} \dfrac{5^n - 2^n}{10^n}$

077 등비급수 $x(x-1)+x(x-1)^2+x(x-1)^3+\cdots$이 수렴할 때, 실수 x의 값의 범위를 구하여라.

풍산자 첫째항이 a, 공비가 r인 등비급수가 수렴할 조건 ➡ $a=0$ 또는 $-1<r<1$

▶ 풀이 주어진 등비급수의 첫째항은 $x(x-1)$, 공비는 $x-1$이므로 수렴하려면
$x(x-1)=0$ 또는 $-1<x-1<1$
(ⅰ) $x(x-1)=0$에서 $x=0$ 또는 $x=1$
(ⅱ) $-1<x-1<1$에서 $0<x<2$
따라서 구하는 x의 값의 범위는 (ⅰ)과 (ⅱ)의 합집합이므로
$0 \leq x < 2$

정답과 풀이 **11**쪽

유제 **078** 등비급수 $x+x(1-2x)+x(1-2x)^2+\cdots$이 수렴할 때, 실수 x의 값의 범위를 구하여라.

079 첫째항이 3인 등비급수 $\sum\limits_{n=1}^{\infty} a_n$의 합이 6일 때, 등비급수 $\sum\limits_{n=1}^{\infty} (a_n)^2$의 합을 구하여라.

풍산자 첫째항이 a, 공비가 r인 등비급수의 합은 $\dfrac{a}{1-r}$ (단, $-1<r<1$일 때)

▶ 풀이 등비수열 $\{a_n\}$의 공비를 r라 하면 $a_n=3\times r^{n-1}$이므로
$$\sum_{n=1}^{\infty} a_n = \sum_{n=1}^{\infty}(3\times r^{n-1}) = \frac{3}{1-r} = 6$$
$$\therefore r = \frac{1}{2}$$
수열 $\{(a_n)^2\}$의 첫째항은 $(a_1)^2=9$, 공비는 $r^2=\left(\dfrac{1}{2}\right)^2=\dfrac{1}{4}$이므로
$$\sum_{n=1}^{\infty}(a_n)^2 = \sum_{n=1}^{\infty}\left\{9\times\left(\frac{1}{4}\right)^{n-1}\right\} = \frac{9}{1-\dfrac{1}{4}} = 12$$

정답과 풀이 **11**쪽

유제 **080** 첫째항이 2인 등비급수 $\sum\limits_{n=1}^{\infty} a_n$의 합이 3일 때, 등비급수 $\sum\limits_{n=1}^{\infty} (a_n)^2$의 합을 구하여라.

02 | 등비급수의 활용

수학의 어느 단원도 무시할 곳은 없다.

하지만 가장 중요한 단원을 딱 하나만 고르라면?

주저없이 본 단원을 꼽는 사람이 많다.

왜냐? 시험에 잘 나오니까.

단일한 문제 유형으로 이 정도의 출제 빈도를 갖는 단원은 어디에도 없다.

무한소수 중에서 $\frac{1}{3}=0.333\cdots$과 같이 같은 숫자의 모임이 한없이 반복되는 소수를 순환소수라 하고, 순환소수를 분수로 고칠 수 있음을 중학교에서 배웠다.

여기서는 순환소수를 등비급수로 나타낼 수 있고, 등비급수의 합의 공식을 이용하면 순환소수를 분수로 고칠 수도 있음을 배운다.

등비급수를 이용해 순환소수를 분수로 고치는 방법

(1) $0.\dot{1}\dot{3}=0.131313\cdots=0.13+0.0013+0.000013+\cdots$

이것은 첫째항이 0.13, 공비가 0.01인 등비급수이므로

$$0.\dot{1}\dot{3}=\frac{0.13}{1-0.01}=\frac{0.13}{0.99}=\frac{13}{99}$$

(2) $0.2\dot{5}=0.2555\cdots=0.2+0.05+0.005+0.0005+\cdots$

밑줄 그은 급수는 첫째항이 0.05, 공비가 0.1인 등비급수이므로

$$0.2\dot{5}=0.2+\frac{0.05}{1-0.1}=\frac{2}{10}+\frac{0.05}{0.9}=\frac{18}{90}+\frac{5}{90}=\frac{23}{90}$$

| 설명 | 순환소수를 분수로 고치는 방법은 중학교에서 배운 방법이 훨씬 간단하고 쉽다.

여기서는 순환소수를 등비급수의 합을 이용하여 분수로 나타낼 수 있다는 것만 알아두도록 하자.

닮은꼴이 반복되는 그림 문제는 항상 등비급수의 문제.

등비급수는 첫째항과 공비만 알면 완전히 결정된다. 이때 $r=\frac{a_2}{a_1}$이다.

따라서 다음과 같은 결론을 얻는다.

닮은꼴이 무한히 반복되는 그림 문제

➡ 수단과 방법을 가리지 말고 처음 두 항을 구해 낸다.

| 설명 | 닮은꼴이 반복되는 그림 문제에서 반복되는 규칙을 찾으려고 헛수고 하지 말라.

찾아봤자 등비수열이다. 첫째항과 둘째항 구하는 데 집중하라.

大원칙 | 등비급수의 활용 문제 ➡ 첫째항과 공비를 구한다.

081 등비급수를 이용하여 다음 순환소수를 기약분수로 나타내어라.

(1) $0.\dot{2}\dot{3}$ (2) $0.3\dot{2}$

풍산자티 등비급수를 이용하면 순환소수를 분수로 고칠 수 있다. $\dfrac{a}{1-r}$ 를 이용하자.

▶ **풀이** (1) $0.\dot{2}\dot{3} = 0.23 + 0.0023 + 0.000023 + \cdots = \dfrac{0.23}{1-0.01} = \dfrac{0.23}{0.99} = \dfrac{23}{99}$

(2) $0.3\dot{2} = 0.3 + 0.02 + 0.002 + 0.0002 + \cdots = 0.3 + \dfrac{0.02}{1-0.1} = \dfrac{3}{10} + \dfrac{2}{90} = \dfrac{29}{90}$

정답과 풀이 **11**쪽

유제 **082** 등비급수를 이용하여 다음 순환소수를 기약분수로 나타내어라.

(1) $0.\dot{1}9\dot{2}$ (2) $0.6\dot{1}\dot{7}$

083 한 변의 길이가 4인 정사각형이 있다. 오른쪽 그림과 같이 이 정사각형의 내부에 각 변의 중점을 이어 두 번째 정사각형을 만든다. 다시 두 번째 정사각형의 각 변의 중점을 이어 세 번째 정사각형을 만든다. 이와 같은 과정을 무한히 반복할 때, 모든 정사각형의 넓이의 총합을 구하여라.

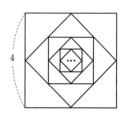

풍산자티 닮은꼴이 무한히 반복되는 그림 문제 ➡ 등비급수 문제

따라서 첫째항과 공비를 구해 등비급수의 합의 공식을 이용한다.

▶ **풀이** 첫 번째 정사각형의 넓이는 한 변의 길이가 4이므로 $4^2 = 16$

오른쪽 그림에서 두 번째 정사각형의 넓이는 첫 번째 정사각형의

넓이의 $\dfrac{1}{2}$ 이므로 $16 \times \dfrac{1}{2} = 8$

같은 방법으로 생각하면 세 번째 정사각형의 넓이는 두 번째

정사각형의 넓이의 $\dfrac{1}{2}$ 이므로 $8 \times \dfrac{1}{2} = 4$

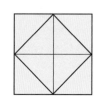

따라서 모든 정사각형의 넓이의 총합은 $16 + 8 + 4 + \cdots = \dfrac{16}{1-\dfrac{1}{2}} = 32$

정답과 풀이 **11**쪽

유제 **084** 넓이가 8인 삼각형 A_1이 있다. 오른쪽 그림과 같이 이 삼각형의 내부에 각 변의 중점을 이어 두 번째 삼각형 A_2를 만든다. 다시 삼각형 A_2의 각 변의 중점을 이어 세 번째 삼각형 A_3을 만든다. 이와 같은 과정을 무한히 반복할 때, 삼각형 A_1, A_2, A_3, $\cdots$의 넓이의 총합을 구하여라.

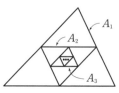

085 좌표평면 위에서 원점 O를 출발한 동점 P가 오른쪽 그림과
같이 P_1, P_2, P_3, …으로 움직인다.

$\overline{OP_1}=1$, $\overline{P_1P_2}=\dfrac{1}{2}\overline{OP_1}$, $\overline{P_2P_3}=\dfrac{1}{2}\overline{P_1P_2}$, …일 때, 점

P_n이 한없이 가까워지는 점의 좌표를 구하여라.

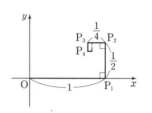

풍산자目 좌표평면에서 점의 좌표를 구하는 문제는 x좌표 따로, y좌표 따로 생각하면 된다.

x좌표란 오른쪽 − 왼쪽을 의미하고, y좌표란 위쪽 − 아래쪽을 의미한다.

▶ 풀이 [1단계] x좌표 ➡ 오른쪽, 왼쪽의 변화만 관찰한다.

오른쪽으로 1만큼 전진 ➡ $\dfrac{1}{4}$만큼 후진 ➡ $\dfrac{1}{16}$만큼 전진 ➡ …

$\therefore (x$좌표$)=1-\dfrac{1}{4}+\dfrac{1}{16}-\cdots$

$=\dfrac{1}{1-\left(-\dfrac{1}{4}\right)}=\dfrac{4}{5}$

[2단계] y좌표 ➡ 위쪽, 아래쪽의 변화만 관찰한다.

위쪽으로 $\dfrac{1}{2}$만큼 상승 ➡ $\dfrac{1}{8}$만큼 하강 ➡ $\dfrac{1}{32}$만큼 상승 ➡ …

$\therefore (y$좌표$)=\dfrac{1}{2}-\dfrac{1}{8}+\dfrac{1}{32}-\cdots$

$=\dfrac{\dfrac{1}{2}}{1-\left(-\dfrac{1}{4}\right)}=\dfrac{2}{5}$

따라서 구하는 점의 좌표는 $\left(\dfrac{4}{5},\ \dfrac{2}{5}\right)$이다.

정답과 풀이 **12**쪽

유제 086 좌표평면 위에서 원점 O를 출발한 동점 P가 오른쪽 그림과 같이
P_1, P_2, P_3, …으로 움직인다.

$\overline{OP_1}=1$, $\overline{P_1P_2}=\dfrac{2}{3}\overline{OP_1}$, $\overline{P_2P_3}=\dfrac{2}{3}\overline{P_1P_2}$, …일 때, 점 P_n이

한없이 가까워지는 점의 좌표를 구하여라.

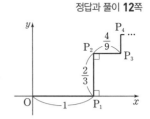

풍산자 비법

한없이 반복되는 도형에서의 합 ➡ 등비급수의 합으로 계산

087

공비가 $\dfrac{1}{5}$인 등비수열 $\{a_n\}$에 대하여 $\displaystyle\sum_{n=1}^{\infty} a_n = 15$일 때, 첫째항 a_1의 값을 구하여라.

088

이차함수 $y = 2x^2 + x - 4$의 그래프가 x축과 만나는 두 점의 x좌표를 각각 α, β라 할 때, 급수 $\displaystyle\sum_{n=1}^{\infty} \left(\dfrac{1}{\alpha} + \dfrac{1}{\beta} \right)^n$의 합을 구하여라.

089

급수 $\displaystyle\sum_{n=1}^{\infty} (x^2 - x + 1)^n$이 수렴하도록 하는 실수 x의 값의 범위를 구하여라.

090

급수 $\displaystyle\sum_{n=1}^{\infty} \left(\dfrac{2x-1}{3} \right)^n$이 수렴하도록 하는 정수 x의 개수를 구하여라.

091

모든 항이 양수이고, 첫째항이 $0.\dot{2}$, 제3항이 $0.00\dot{8}$인 등비급수의 합을 구하여라.

092

그림과 같이 반지름의 길이가 2인 원 위에 세 꼭짓점을 갖는 정삼각형 $A_1B_1C_1$의 넓이를 S_1이라 하자. 삼각형 $A_1B_1C_1$에 내접하는 원을 그리고 그 내접원 위에 세 꼭짓점을 갖는 정삼각형 $A_2B_2C_2$의 넓이를 S_2라 하자.

이와 같은 과정을 계속하여 n번째 얻은 정삼각형의 넓이를 S_n이라 할 때, $\displaystyle\sum_{n=1}^{\infty} S_n$의 값을 구하여라.

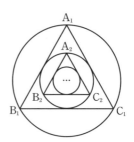

중단원 마무리

▶ **급수의 수렴과 발산**

급수	$a_1+a_2+a_3+\cdots=\sum\limits_{n=1}^{\infty} a_n=\lim\limits_{n\to\infty}\sum\limits_{k=1}^{n} a_k=\lim\limits_{n\to\infty} S_n$
급수의 수렴과 발산	(1) $\lim\limits_{n\to\infty} S_n=S$이면 $\sum\limits_{n=1}^{\infty} a_n$은 S에 수렴 즉, $a_1+a_2+a_3+\cdots+a_n+\cdots=S$ 또는 $\sum\limits_{n=1}^{\infty} a_n=S$ (2) 부분합의 수열이 발산하면 급수는 발산. 이때 급수의 합은 생각하지 않는다.
수열의 극한과 급수 사이의 관계	$\sum\limits_{n=1}^{\infty} a_n$이 수렴하면 $\lim\limits_{n\to\infty} a_n=0 \iff \lim\limits_{n\to\infty} a_n\neq0$이면 $\sum\limits_{n=1}^{\infty} a_n$은 발산 ➡ 시그마가 수렴하면 리미트는 0이다. 리미트가 0이 아니면 시그마는 발산한다.
급수의 성질	두 급수 $\sum\limits_{n=1}^{\infty} a_n$, $\sum\limits_{n=1}^{\infty} b_n$이 각각 수렴하면 (1) $\sum\limits_{n=1}^{\infty} ka_n=k\sum\limits_{n=1}^{\infty} a_n$ (단, k는 상수) (2) $\sum\limits_{n=1}^{\infty} (a_n+b_n)=\sum\limits_{n=1}^{\infty} a_n+\sum\limits_{n=1}^{\infty} b_n$ (3) $\sum\limits_{n=1}^{\infty} (a_n-b_n)=\sum\limits_{n=1}^{\infty} a_n-\sum\limits_{n=1}^{\infty} b_n$

▶ **등비급수**

등비급수의 수렴과 발산	등비급수 $\sum\limits_{n=1}^{\infty} ar^{n-1}=a+ar+ar^2+\cdots+ar^{n-1}+\cdots$ $(a\neq0)$에 대하여 (1) $|r|<1$일 때 수렴하고, 그 합은 $\dfrac{a}{1-r}$ 이다. (2) $|r|\geq1$일 때 발산한다.
등비급수	(1) 등비급수 $\sum\limits_{n=1}^{\infty} r^n$이 수렴하기 위한 조건 ➡ $-1<r<1$ (2) 등비급수 $\sum\limits_{n=1}^{\infty} ar^{n-1}$이 수렴하기 위한 조건 ➡ $a=0$ 또는 $-1<r<1$
순환소수 고치기	순환마디에서 공비 r를 찾기! ➡ $\dfrac{a}{1-r}$를 이용하면 간단!
닮은 꼴이 반복되는 그림 문제	첫째항과 공비를 구하여 등비급수의 합의 공식을 이용한다.

실전 연습문제

STEP1

093

급수 $\sum\limits_{n=1}^{\infty}\left(\dfrac{a_n}{n}-4\right)$가 수렴할 때, $\lim\limits_{n\to\infty}\dfrac{2n+a_n}{7n-a_n}$의

값을 구하여라.

094

급수 $\sum\limits_{n=1}^{\infty}(2a_n-3)$이 수렴할 때,

$\lim\limits_{n\to\infty}\left(\dfrac{n^2+3n+1}{3n^2+n}\right)a_n$의 값을 구하여라.

095

등비수열 $\left\{\left(\dfrac{2r-1}{3}\right)^n\right\}$이 수렴할 때, 〈보기〉에서

반드시 수렴하는 것만을 있는 대로 고른 것은?

〈보기〉

ㄱ. $\sum\limits_{n=1}^{\infty}\left(\dfrac{1-r}{2}\right)^{2n-1}$

ㄴ. $\sum\limits_{n=1}^{\infty}\left(\dfrac{1+r}{3}\right)^n$

ㄷ. $\sum\limits_{n=1}^{\infty}\left(\dfrac{1}{1+r}\right)^n$

① ㄱ　　　② ㄱ, ㄴ　　　③ ㄱ, ㄷ

④ ㄴ, ㄷ　　　⑤ ㄱ, ㄴ, ㄷ

096

등비수열 $\left\{\left(\dfrac{2x-1}{3}\right)^{2n-1}\right\}$과 등비급수

$$1+\dfrac{(1-x)^2}{4}+\dfrac{(1-x)^4}{16}+\dfrac{(1-x)^6}{64}+\cdots$$

을 모두 수렴하도록 하는 정수 x의 개수는?

① 1　　　② 2　　　③ 3

④ 4　　　⑤ 5

097

두 수열 $\{a_n\}$, $\{b_n\}$에 대한 설명으로 〈보기〉에서

옳은 것만을 있는 대로 고른 것은?

〈보기〉

ㄱ. $\lim\limits_{n\to\infty}|a_n|=0$이면 $\lim\limits_{n\to\infty}a_n=0$이다.

ㄴ. 등비수열 $\{a_n\}$에 대하여 $\sum\limits_{n=1}^{\infty}a_{2n}$이 수렴하

　　면 $\sum\limits_{n=1}^{\infty}a_n$은 수렴한다.

ㄷ. $\sum\limits_{n=1}^{\infty}a_nb_n$이 수렴하면 $\lim\limits_{n\to\infty}a_n=0$ 또는

　　$\lim\limits_{n\to\infty}b_n=0$이다.

① ㄱ　　　② ㄴ　　　③ ㄷ

④ ㄱ, ㄴ　　　⑤ ㄱ, ㄴ, ㄷ

098

7^n의 일의 자리 숫자를 a_n이라 할 때, $\displaystyle\sum_{n=1}^{\infty}\frac{a_{2n-1}}{3^n}$의 값을 구하여라.

099

a_0 %의 설탕물 300 g에서 60 g을 따라내고 여기에 물 40 g과 설탕 20 g을 넣는 시행을 n회 반복하였을 때, a_n %의 설탕물이 되었다고 한다. 이때 $\displaystyle\lim_{n\to\infty}a_n$의 값은?

① $\dfrac{121}{3}$ ② $\dfrac{100}{3}$ ③ $\dfrac{41}{2}$

④ $\dfrac{101}{6}$ ⑤ $\dfrac{97}{6}$

100

낙하한 거리의 $\dfrac{1}{2}$만큼 튀어 오르는 공을 지상에서 10 m 높이의 지점에서 수직으로 떨어뜨렸다. 공이 땅에 정지할 때까지 움직인 거리를 구하여라.

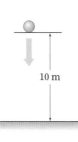

10 m

STEP2

101

〈보기〉에서 옳은 것만을 있는 대로 고른 것은?

┌보기┐

ㄱ. $\dfrac{1}{2}-\dfrac{1}{2}+\dfrac{1}{3}-\dfrac{1}{3}+\dfrac{1}{4}-\dfrac{1}{4}+\cdots=0$

ㄴ. $\dfrac{1}{2}-\dfrac{1}{2}+\dfrac{2}{3}-\dfrac{2}{3}+\dfrac{3}{4}-\dfrac{3}{4}+\cdots=0$

ㄷ. $\displaystyle\sum_{n=1}^{\infty}\left(\sqrt{\dfrac{n-1}{n}}-\sqrt{\dfrac{n}{n+1}}\right)=-1$

① ㄱ   ② ㄴ   ③ ㄱ, ㄴ

④ ㄱ, ㄷ   ⑤ ㄴ, ㄷ

102

수열 $\{a_n\}$에 대하여 급수

$$\left(a_1-\frac{2}{1^2}\right)+\left(a_2-\frac{2+4}{3^2}\right)+\cdots$$
$$+\left\{a_n-\frac{2+4+6+\cdots+2n}{(2n-1)^2}\right\}+\cdots$$

이 수렴할 때, $\displaystyle\lim_{n\to\infty}a_n$의 값을 구하여라.

103

급수 $\displaystyle\sum_{n=1}^{\infty} \dfrac{1+3+3^2+\cdots+3^n}{9^n}$ 의 합을 구하여라.

104

등비수열 $\{a_n\}$에 대하여 $\displaystyle\sum_{n=1}^{\infty} a_n = 2$, $\displaystyle\sum_{n=1}^{\infty} (a_n)^2 = \dfrac{4}{3}$ 일 때, $\displaystyle\sum_{n=1}^{\infty} (a_n)^3$의 값을 구하여라.

105

등비수열 $\left\{\left(\dfrac{r-2}{3}\right)^{2n}\right\}$과 등비급수 $\displaystyle\sum_{n=1}^{\infty}\left(\dfrac{r+5}{9}\right)^{2n}$ 이 모두 수렴하도록 하는 정수 r의 개수를 구하여라.

106

그림과 같이 반지름의 길이가 1인 원 O에 내접하고 두 꼭짓점 A_1, A_4가 x축 위에 있는 정육각형 $A_1A_2A_3A_4A_5A_6$이 있다. 자연수 n에 대하여 $A_{n+6}=A_n$을 만족하고 점 A_n의 x좌표를 a_n이라 할 때, 급수 $\displaystyle\sum_{n=1}^{\infty} \dfrac{a_{2n}}{4^n}$의 값을 구하여라.

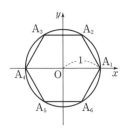

107

그림과 같이 $\overline{OA}=\overline{OB}=6$이고 $\angle O=90°$인 직각삼각형 OAB에 대하여 중심이 O이고 선분 AB에 접하는 원이 선분 OA, OB와 만나는 점을 각각 A_1, B_1이라 하자. 같은 방법으로 중심이 O이고 선분 A_nB_n에 접하는 원이 선분 OA, OB와 만나는 점을 각각 A_{n+1}, B_{n+1}이라 하자. 삼각형 OAB 내부의 호 A_nB_n의 길이를 l_n이라 할 때, $\displaystyle\sum_{n=1}^{\infty} l_n$의 값을 구하여라.

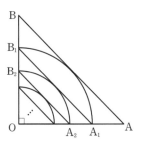

Ⅱ

미분법

미분이란 무엇인가?

인류가 만든 가장 위대한 계산법이라는
찬사를 듣는 미분과 적분.
미적분이 없다면 현대 과학도 없다.
모든 자연 현상은 미분으로 묘사되고
적분으로 해석된다.

미분은 접선의 기울기이다.
접선의 기울기는 변화량의 비율이다.
공을 던지면 공은 얼마나 빠르게 움직이는지
주식을 언제 사고 언제 팔아야 하는지
물이 어떤 속도로 흘러가는지
공기는 어떻게 퍼져 나가는지
움직임을 분석하여 규칙을 찾으려면
변화량에 주목할 수밖에.

여러 가지 함수의 미분

미분이란 접선의 기울기.
어떤 환상도 갖지 말라.
미분은 단지 접선의 기울기일 뿐이다.

1 지수함수와 로그함수의 미분

$$(e^x)' = e^x, \ (\ln x)' = \frac{1}{x}$$

2 삼각함수의 덧셈정리

$$\sin(\alpha \pm \beta) = \sin \alpha \cos \beta \pm \cos \alpha \sin \beta$$
$$\cos(\alpha \pm \beta) = \cos \alpha \cos \beta \mp \sin \alpha \sin \beta$$
$$\tan(\alpha \pm \beta) = \frac{\tan \alpha \pm \tan \beta}{1 \mp \tan \alpha \tan \beta}$$

3 삼각함수의 미분

$$(\sin x)' = \cos x, \ (\cos x)' = -\sin x$$

1 | 지수함수와 로그함수의 미분

01 | 지수함수와 로그함수의 극한

우리는 이미 [수학Ⅱ]에서 함수의 극한에 대해서 배웠다.

지수함수와 로그함수의 경우는 어떨까?

지수함수와 로그함수는 밑의 범위에 따라 극한이 다르다.

밑의 범위에 따른 그래프를 그려 보면 쉽게 극한을 확인할 수 있다.

지수함수의 극한

(1) $a>1$일 때, $\displaystyle\lim_{x\to\infty} a^x=\infty$, $\displaystyle\lim_{x\to-\infty} a^x=0$

(2) $0<a<1$일 때, $\displaystyle\lim_{x\to\infty} a^x=0$, $\displaystyle\lim_{x\to-\infty} a^x=\infty$

| 설명 | (1) $a>1$

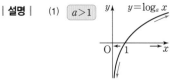

➡ $\begin{cases} x\to\infty\text{일 때, } y\text{의 값은 한없이 커진다. 즉, } \displaystyle\lim_{x\to\infty} a^x=\infty \\ x\to-\infty\text{일 때, } y\text{의 값은 0에 한없이 가까워진다. 즉, } \displaystyle\lim_{x\to-\infty} a^x=0 \end{cases}$

(2) $0<a<1$

➡ $\begin{cases} x\to\infty\text{일 때, } y\text{의 값은 0에 한없이 가까워진다. 즉, } \displaystyle\lim_{x\to\infty} a^x=0 \\ x\to-\infty\text{일 때, } y\text{의 값은 한없이 커진다. 즉, } \displaystyle\lim_{x\to-\infty} a^x=\infty \end{cases}$

로그함수의 극한

(1) $a>1$일 때, $\displaystyle\lim_{x\to 0+} \log_a x=-\infty$, $\displaystyle\lim_{x\to\infty} \log_a x=\infty$

(2) $0<a<1$일 때, $\displaystyle\lim_{x\to 0+} \log_a x=\infty$, $\displaystyle\lim_{x\to\infty} \log_a x=-\infty$

| 설명 | (1) $a>1$

➡ $\begin{cases} x\to\infty\text{일 때, } y\text{의 값은 한없이 커진다. 즉, } \displaystyle\lim_{x\to\infty} \log_a x=\infty \\ x\to 0+\text{일 때, } y\text{의 값은 한없이 작아진다. 즉, } \displaystyle\lim_{x\to 0+} \log_a x=-\infty \end{cases}$

(2) $0<a<1$

➡ $\begin{cases} x\to\infty\text{일 때, } y\text{의 값은 한없이 작아진다. 즉, } \displaystyle\lim_{x\to\infty} \log_a x=-\infty \\ x\to 0+\text{일 때, } y\text{의 값은 한없이 커진다. 즉, } \displaystyle\lim_{x\to 0+} \log_a x=\infty \end{cases}$

108 다음 극한을 조사하여라.

(1) $\displaystyle\lim_{x\to\infty}\frac{3^x-2^x}{3^x+2^x}$　　　(2) $\displaystyle\lim_{x\to\infty}(5^x-2^x)$　　　(3) $\displaystyle\lim_{x\to-\infty}\frac{5^x-5^{-x}}{5^x+5^{-x}}$

풍산자 Tip (1) $\dfrac{\infty}{\infty}$의 꼴 ➡ 분모에서 밑이 가장 큰 항으로 분모, 분자를 각각 나눈다.

　　　　➡ 분모, 분자를 3^x으로 나눈다.

(2) $\infty-\infty$의 꼴 ➡ 밑이 가장 큰 항으로 묶는다.

　　　　➡ 5^x으로 묶는다.

(3) 분모, 분자에 각각 5^x을 곱하여 5^{-x}을 없애고 본다.

▶ 풀이 (1) $\displaystyle\lim_{x\to\infty}\frac{3^x-2^x}{3^x+2^x}=\lim_{x\to\infty}\frac{1-\left(\dfrac{2}{3}\right)^x}{1+\left(\dfrac{2}{3}\right)^x}=\frac{1-0}{1+0}=1$

$$\left(\because \lim_{x\to\infty}\left(\frac{2}{3}\right)^x\text{에서 } \frac{2}{3}<1\text{이므로} \lim_{x\to\infty}\left(\frac{2}{3}\right)^x=0\right)$$

(2) $\displaystyle\lim_{x\to\infty}(5^x-2^x)=\lim_{x\to\infty}5^x\left\{1-\left(\frac{2}{5}\right)^x\right\}=\infty\times(1-0)=\infty$

(3) 분자, 분모에 각각 5^x을 곱하면

$$\lim_{x\to-\infty}\frac{5^x-5^{-x}}{5^x+5^{-x}}=\lim_{x\to-\infty}\frac{5^{2x}-1}{5^{2x}+1}=\frac{0-1}{0+1}=-1$$

$$\left(\because \lim_{x\to-\infty}5^{2x}\text{에서 } x\to-\infty\text{이고 } 5>1\text{이므로} \lim_{x\to-\infty}5^{2x}=0\right)$$

▶ 다른 풀이 (3) $-x=t$로 치환한다. 이때 $x\to-\infty$이면 $t\to\infty$이므로

$$\lim_{x\to-\infty}\frac{5^x-5^{-x}}{5^x+5^{-x}}=\lim_{t\to\infty}\frac{5^{-t}-5^{t}}{5^{-t}+5^{t}}$$

분자, 분모를 각각 5^t으로 나누면

$$\lim_{t\to\infty}\frac{5^{-2t}-1}{5^{-2t}+1}=\lim_{t\to\infty}\frac{\left(\dfrac{1}{5}\right)^{2t}-1}{\left(\dfrac{1}{5}\right)^{2t}+1}=\frac{0-1}{0+1}=-1$$

정답과 풀이 **17**쪽

유제 109 다음 극한을 조사하여라.

(1) $\displaystyle\lim_{x\to\infty}\frac{3^x}{2^{2x}}$

(2) $\displaystyle\lim_{x\to\infty}\frac{3^x}{3-3^x}$

(3) $\displaystyle\lim_{x\to\infty}\frac{4^x+3^x}{4^x-3^x}$

(4) $\displaystyle\lim_{x\to\infty}(3^x-2^x)$

(5) $\displaystyle\lim_{x\to-\infty}\frac{7^x}{7^x+7^{-x}}$

(6) $\displaystyle\lim_{x\to-\infty}\frac{2^x-2^{-x}}{2^x+2^{-x+1}}$

110 다음 극한을 조사하여라.

(1) $\lim_{x \to 1+} \log_2 (x-1)$

(2) $\lim_{x \to \infty} \{\log_2 (4x+3) - \log_2 (2x+1)\}$

(3) $\lim_{x \to 6} (\log_3 |x^2-9| - \log_3 |x-3|)$

풍산자 팁 (1) $x-1=t$로 놓고 $\lim_{t \to 0+} \log_2 t$의 꼴로 고친 다음 생각한다.

(2) $\log_2 (4x+3) - \log_2 (2x+1) = \log_2 \dfrac{4x+3}{2x+1}$ 으로 고친 다음 생각한다.

(3) $\log_3 |x^2-9| - \log_3 |x-3| = \log_3 \dfrac{|x^2-9|}{|x-3|}$ 로 고친 다음 생각한다.

▶ 풀이 (1) $x-1=t$로 놓으면 $x \to 1+$일 때, $t \to 0+$이므로

$$\lim_{x \to 1+} \log_2 (x-1) = \lim_{t \to 0+} \log_2 t = -\infty$$

(2) $\lim_{x \to \infty} \{\log_2 (4x+3) - \log_2 (2x+1)\} = \lim_{x \to \infty} \log_2 \dfrac{4x+3}{2x+1} = \lim_{x \to \infty} \log_2 \dfrac{4+\frac{3}{x}}{2+\frac{1}{x}}$$

$$= \log_2 2 = \mathbf{1}$$

(3) $\lim_{x \to 6} (\log_3 |x^2-9| - \log_3 |x-3|) = \lim_{x \to 6} \log_3 \dfrac{|x^2-9|}{|x-3|} = \lim_{x \to 6} \log_3 \left| \dfrac{x^2-9}{x-3} \right|$

$$= \lim_{x \to 6} \log_3 \left| \dfrac{(x-3)(x+3)}{x-3} \right| = \lim_{x \to 6} \log_3 |x+3|$$

$$= \log_3 9 = \mathbf{2}$$

▶ 참고 로그함수의 극한에서 $\lim_{x \to r} \{\log_a f(x)\} = \log_a \{\lim_{x \to r} f(x)\}$가 성립함이 알려져 있다. 이를 이용하면 $\lim_{x \to r} \{\log_a f(x)\}$의 값을 구할 수 있다.

(2) $\lim_{x \to \infty} \{\log_2 (4x+3) - \log_2 (2x+1)\} = \lim_{x \to \infty} \log_2 \dfrac{4x+3}{2x+1} = \log_2 \left(\lim_{x \to \infty} \dfrac{4x+3}{2x+1} \right)$

$$= \log_2 2 = 1$$

정답과 풀이 **17**쪽

유제 111 다음 극한을 조사하여라.

(1) $\lim_{x \to 3+} \log_{\frac{1}{3}} (x-3)$

(2) $\lim_{x \to \infty} \{\log_3 (9x^2-5) - \log_3 (x^2+2)\}$

(3) $\lim_{x \to \infty} \{\log_2 3^x - \log_2 (3^x+1)\}$

(4) $\lim_{x \to 1} (\log_5 |x^3-1| - \log_5 |x^2-1|)$

풍산자 비법

• 지수함수의 극한에서 $\frac{\infty}{\infty}$의 꼴 또는 $\infty - \infty$의 꼴이 나오면? ➡ 기준은 밑이 가장 큰 항.

• 로그함수의 극한은? ➡ 일단 로그의 성질을 이용해 식을 간단히 정리한다.

• $x \to \infty$, $x \to -\infty$, $x \to \pm 0$일 때의 극한은 그래프를 그려 생각한다.

02 | 무리수 e와 자연로그

[1] 무리수 e

π, i에 이어서 e가 처음으로 등장했다. e는 도대체 무엇일까?

e는 수학적으로 π와 함께 매우 중요한 무리수이며 그 값은 대략 2.718이다.

자연 현상을 모델링 해 계산하다 보면 자연스럽게 e를 만나게 된다.

> **무리수 e의 정의**
>
> x의 값이 0에 한없이 가까워질 때, $(1+x)^{\frac{1}{x}}$의 값은 일정한 값에 수렴하며 그 값을 e라 한다.
> e는 무리수이며 그 값은 $2.7182818\cdots$임이 알려져 있다.
>
> (1) $\displaystyle\lim_{x \to 0}(1+x)^{\frac{1}{x}}=e$ (2) $\displaystyle\lim_{x \to \infty}\left(1+\frac{1}{x}\right)^{x}=e$

| 설명 | $\displaystyle\lim_{x \to 0}(1+x)^{\frac{1}{x}}=e$와 $\displaystyle\lim_{x \to \infty}\left(1+\frac{1}{x}\right)^{x}=e$는 사실 완벽하게 같은 식이다.

$t=\dfrac{1}{x}$일 때, $\displaystyle\lim_{x \to 0}x=\lim_{t \to \infty}\dfrac{1}{t}$이므로

$$\lim_{x \to 0}(1+x)^{\frac{1}{x}}=\lim_{t \to \infty}\left(1+\frac{1}{t}\right)^{t}=\lim_{x \to \infty}\left(1+\frac{1}{x}\right)^{x}$$

한편, $\displaystyle\lim_{\bigstar \to 0}(1+\bigstar)^{\frac{1}{\bigstar}}=e$에서 $\bigstar$ 안에 다른 문자가 들어가도 그 값은 e이다.

> ① 이 둘은 역수 관계
>
> $$\lim_{\bigstar \to 0}(1+\bigstar)^{\frac{1}{\bigstar}}=e$$
>
> ② 이 놈은 0으로 가야 한다.

[2] 자연로그

자연로그는 밑을 e로 가지는 로그일 뿐이다.

그렇기 때문에 기존의 로그의 성질이 모두 성립한다.

생긴 것이 다르다고 해서 겁먹을 이유가 전혀 없다! 포장지에 속지 말 것!

> **자연로그의 정의**
>
> 무리수 e를 밑으로 하는 로그 $\log_e x$를 **자연로그**라 하며 간단히 $\ln x$로 나타낸다.
> 즉, $\log_e x=\ln x$

| 설명 | 밑이 10인 로그 $\log_{10} x$를 상용로그라 하고 밑을 생략하여 $\log x$로 나타낸다.

마찬가지로 $\log_e x$ 역시 밑을 생략하고 $\ln x$로 나타낸다.

자연로그는 로그의 특수한 경우이므로 로그의 성질이 그대로 성립한다.

$x>0$, $y>0$일 때

(1) $\ln 1=0$, $\ln e=1$ (2) $\ln xy=\ln x+\ln y$

(3) $\ln \dfrac{x}{y}=\ln x-\ln y$ (4) $\ln x^n=n \ln x$ (단, n은 실수이다.)

112 다음 극한값을 구하여라.

(1) $\lim\limits_{x \to 0} (1+2x)^{\frac{1}{3x}}$

(2) $\lim\limits_{x \to \infty} \left(1+\dfrac{3}{x}\right)^{x}$

(3) $\lim\limits_{x \to -\infty} \left(1-\dfrac{1}{x}\right)^{3x}$

(4) $\lim\limits_{x \to 1} x^{\frac{2}{x-1}}$

풍산자티 $\lim\limits_{\text{☆} \to 0} (1+\text{☆})^{\frac{1}{\text{☆}}} = e$ ➡ ( ) 안의 ☆과 지수 $\dfrac{1}{\text{☆}}$ 이 역수 관계가 되도록 변형

➡ $\lim\limits_{\blacksquare \to 0} (1+\blacksquare)^{\frac{1}{\blacksquare}} = e$, $\lim\limits_{\bullet \to \infty} \left(1+\dfrac{1}{\bullet}\right)^{\bullet} = e$

➤ 풀이

(1) $\lim\limits_{x \to 0} (1+2x)^{\frac{1}{3x}} = \lim\limits_{x \to 0} \left\{ (1+2x)^{\frac{1}{2x}} \right\}^{\frac{2}{3}} = \boldsymbol{e^{\frac{2}{3}}}$

(2) $\lim\limits_{x \to \infty} \left(1+\dfrac{3}{x}\right)^{x} = \lim\limits_{x \to \infty} \left\{ \left(1+\dfrac{3}{x}\right)^{\frac{x}{3}} \right\}^{3} = \boldsymbol{e^3}$

(3) $-x = t$로 놓으면 $x \to -\infty$일 때 $t \to \infty$이므로

$\lim\limits_{x \to -\infty} \left(1-\dfrac{1}{x}\right)^{3x} = \lim\limits_{t \to \infty} \left(1+\dfrac{1}{t}\right)^{-3t} = \lim\limits_{t \to \infty} \left\{ \left(1+\dfrac{1}{t}\right)^{t} \right\}^{-3} = e^{-3} = \boldsymbol{\dfrac{1}{e^3}}$

(4) $x-1 = t$로 놓으면 $x \to 1$일 때 $t \to 0$이고, $x = 1+t$이므로

$\lim\limits_{x \to 1} x^{\frac{2}{x-1}} = \lim\limits_{t \to 0} (1+t)^{\frac{2}{t}} = \lim\limits_{t \to 0} \left\{ (1+t)^{\frac{1}{t}} \right\}^{2} = \boldsymbol{e^2}$

➤ 다른 풀이 (3) $x \to -\infty$일 때, $-\dfrac{1}{x} \to 0$ ➡ ( ) 안의 ☆과 지수 $\dfrac{1}{\text{☆}}$ 이 역수 관계이면 끝!

∴ $\lim\limits_{x \to -\infty} \left(1-\dfrac{1}{x}\right)^{3x} = \lim\limits_{x \to -\infty} \left[\left\{ 1 + \left(\dfrac{1}{-x}\right) \right\}^{-x} \right]^{-3} = e^{-3} = \dfrac{1}{e^3}$

정답과 풀이 **17**쪽

유제 113 다음 극한값을 구하여라.

(1) $\lim\limits_{x \to 0} (1+3x)^{\frac{3}{2x}}$

(2) $\lim\limits_{x \to \infty} \left(1+\dfrac{5}{x}\right)^{x}$

(3) $\lim\limits_{x \to \infty} \left(\dfrac{x+1}{x}\right)^{\frac{x}{2}}$

(4) $\lim\limits_{x \to 0} (1-4x)^{\frac{1}{x}}$

(5) $\lim\limits_{x \to \infty} \left(1-\dfrac{1}{2x}\right)^{x}$

(6) $\lim\limits_{x \to 1} x^{\frac{1}{1-x}}$

03 | 지수함수와 로그함수의 극한 공식

무리수 e의 정의를 이용하면 지수함수와 로그함수의 극한값을 구할 수 있다.
대표적인 공식 네 개를 소개한다.

> **지수함수와 로그함수의 극한 4대 공식** 중요
>
> (1) $\lim\limits_{x \to 0} \dfrac{\ln (1+x)}{x} = 1$
>
> (2) $\lim\limits_{x \to 0} \dfrac{e^x - 1}{x} = 1$
>
> (3) $\lim\limits_{x \to 0} \dfrac{\log_a (1+x)}{x} = \dfrac{1}{\ln a}$
>
> (4) $\lim\limits_{x \to 0} \dfrac{a^x - 1}{x} = \ln a$

| 증명 |

(1) $\lim\limits_{x \to 0} \dfrac{\ln (1+x)}{x} = \lim\limits_{x \to 0} \dfrac{1}{x} \ln (1+x) = \lim\limits_{x \to 0} \ln (1+x)^{\frac{1}{x}}$

이때 $\lim\limits_{x \to 0} (1+x)^{\frac{1}{x}} = e$이므로 $\lim\limits_{x \to 0} \ln (1+x)^{\frac{1}{x}} = \ln e = 1$

(2) $e^x - 1 = t$로 치환하면 (1)과 거의 흡사하다.

$e^x = 1 + t$에서 $x = \ln (1+t)$

$x \to 0$일 때 $t \to 0$이므로

$\lim\limits_{x \to 0} \dfrac{e^x - 1}{x} = \lim\limits_{t \to 0} \dfrac{t}{\ln (1+t)} = \lim\limits_{t \to 0} \dfrac{1}{\dfrac{\ln (1+t)}{t}} = \dfrac{1}{\ln e} = 1$

(3) $\lim\limits_{x \to 0} \dfrac{\log_a (1+x)}{x} = \lim\limits_{x \to 0} \dfrac{1}{x} \log_a (1+x) = \lim\limits_{x \to 0} \log_a (1+x)^{\frac{1}{x}} = \log_a e$

이때 로그의 밑 변환 공식에 의하여 $\log_a e = \dfrac{\log_e e}{\log_e a} = \dfrac{1}{\ln a}$

(4) (2)와 마찬가지로 치환을 하면 쉽다.

$a^x - 1 = t$로 치환하면

$a^x - 1 = t$에서 $a^x = 1 + t$ $\quad \therefore x = \log_a (1+t)$

$x \to 0$일 때 $t \to 0$이므로

$\lim\limits_{x \to 0} \dfrac{a^x - 1}{x} = \lim\limits_{t \to 0} \dfrac{t}{\log_a (1+t)} = \lim\limits_{t \to 0} \dfrac{1}{\dfrac{\log_a (1+t)}{t}} = \dfrac{1}{\log_a e} = \ln a$

| 개념확인 |

다음 극한값을 구하여라.

(1) $\lim\limits_{x \to 0} \dfrac{\ln (1+3x)}{x}$

(2) $\lim\limits_{x \to 0} \dfrac{e^{2x} - 1}{x}$

(3) $\lim\limits_{x \to 0} \dfrac{\log_5 (1+x)}{x}$

(4) $\lim\limits_{x \to 0} \dfrac{2^x - 1}{x}$

➤ 풀이

(1) $\lim\limits_{x \to 0} \dfrac{\ln (1+3x)}{x} = \lim\limits_{x \to 0} \dfrac{\ln (1+3x)}{3x} \times 3 = 1 \times 3 = \mathbf{3}$

(2) $\lim\limits_{x \to 0} \dfrac{e^{2x} - 1}{x} = \lim\limits_{x \to 0} \dfrac{e^{2x} - 1}{2x} \times 2 = 1 \times 2 = \mathbf{2}$

(3) $\lim\limits_{x \to 0} \dfrac{\log_5 (1+x)}{x} = \dfrac{\mathbf{1}}{\mathbf{\ln 5}}$

(4) $\lim\limits_{x \to 0} \dfrac{2^x - 1}{x} = \mathbf{\ln 2}$

114 다음 극한값을 구하여라.

(1) $\lim_{x \to 0} \dfrac{\ln(1+2x)}{3x}$

(2) $\lim_{x \to 0} \dfrac{e^{5x}-1}{2x}$

(3) $\lim_{x \to 0} \dfrac{\log_3(1+2x)}{x}$

(4) $\lim_{x \to 0} \dfrac{3^x-2^x}{x}$

풍산자티 지수함수와 로그함수의 극한의 4대 공식을 이용한다.

▷ **풀이**

(1) $\lim_{x \to 0} \dfrac{\ln(1+2x)}{3x} = \lim_{x \to 0} \dfrac{\ln(1+2x)}{2x} \times \dfrac{2}{3} = 1 \times \dfrac{2}{3} = \dfrac{2}{3}$

(2) $\lim_{x \to 0} \dfrac{e^{5x}-1}{2x} = \lim_{x \to 0} \dfrac{e^{5x}-1}{5x} \times \dfrac{5}{2} = 1 \times \dfrac{5}{2} = \dfrac{5}{2}$

(3) $\lim_{x \to 0} \dfrac{\log_3(1+2x)}{x} = \lim_{x \to 0} \dfrac{\log_3(1+2x)}{2x} \times 2 = \dfrac{1}{\ln 3} \times 2 = \dfrac{2}{\ln 3}$

(4) $\lim_{x \to 0} \dfrac{3^x-2^x}{x} = \lim_{x \to 0} \dfrac{(3^x-1)-(2^x-1)}{x} = \lim_{x \to 0} \left(\dfrac{3^x-1}{x} - \dfrac{2^x-1}{x} \right) = \ln 3 - \ln 2$

정답과 풀이 17쪽

유제 **115** 다음 극한값을 구하여라.

(1) $\lim_{x \to 0} \dfrac{\ln(1+4x)}{7x}$

(2) $\lim_{x \to 0} \dfrac{e^{3x}-e^{2x}}{x}$

(3) $\lim_{x \to 0} \dfrac{\ln(1+2x)}{e^{5x}-1}$

(4) $\lim_{x \to 0} \dfrac{\log_2(1+5x)}{3x}$

116 다음 극한값을 구하여라.

(1) $\lim_{x \to 1} \dfrac{\ln x}{x-1}$

(2) $\lim_{x \to -1} \dfrac{e^{x+1}-x^2}{x+1}$

풍산자티 $x \to a$일 때는 $x-a=t$로 치환하여 공식을 이용한다.

▷ **풀이**

(1) $x-1=t$로 놓으면 $x \to 1$일 때 $t \to 0$이고, $x=1+t$이므로

$\lim_{x \to 1} \dfrac{\ln x}{x-1} = \lim_{t \to 0} \dfrac{\ln(1+t)}{t} = 1$

(2) $x+1=t$로 놓으면 $x \to -1$일 때 $t \to 0$이고, $x=t-1$이므로

$\lim_{x \to -1} \dfrac{e^{x+1}-x^2}{x+1} = \lim_{t \to 0} \dfrac{e^t-(t-1)^2}{t} = \lim_{t \to 0} \dfrac{e^t-(t^2-2t+1)}{t}$

$\qquad = \lim_{t \to 0} \left\{ \dfrac{e^t-1}{t} + (-t+2) \right\} = 1+2 = 3$

정답과 풀이 18쪽

유제 **117** 다음 극한값을 구하여라.

(1) $\lim_{x \to 1} \dfrac{e^{x-1}-x^2}{x-1}$

(2) $\lim_{x \to \infty} x\{\ln(x+2) - \ln x\}$

118 $\lim_{x\to 0}\dfrac{e^{ax+b}-1}{\ln(1+3x)}=2$를 만족시키는 상수 a, b의 값을 구하여라.

풍산자日 극한값이 존재하고 분모의 극한값이 0이 된다면! ➡ 반드시 분자의 극한값도 0이어야 한다.

극한에서 이런 중요한 성질을 배웠다.

➡ 두 함수 $f(x)$, $g(x)$에 대하여 $\lim_{x\to a}\dfrac{f(x)}{g(x)}=\alpha$ (α는 실수)일 때

(1) $\lim_{x\to a}g(x)=0$이면 $\lim_{x\to a}f(x)=0$이다.

(2) $\lim_{x\to a}f(x)=0$이고 $\alpha\neq 0$이면 $\lim_{x\to a}g(x)=0$이다.

> 풀이 극한값이 존재하고 $x\to 0$일 때 (분모) $\to 0$이므로 (분자) $\to 0$이어야 한다.

즉, $\lim_{x\to 0}(e^{ax+b}-1)=e^b-1=0$ $\therefore \boldsymbol{b=0}$

$\lim_{x\to 0}\dfrac{e^{ax+b}-1}{\ln(1+3x)}=\lim_{x\to 0}\left\{\dfrac{3x}{\ln(1+3x)}\times\dfrac{e^{ax}-1}{ax}\times\dfrac{a}{3}\right\}$

이때 $\lim_{x\to 0}\dfrac{3x}{\ln(1+3x)}=1$이고 $\lim_{x\to 0}\dfrac{e^{ax}-1}{ax}=1$이므로

$\lim_{x\to 0}\left\{\dfrac{3x}{\ln(1+3x)}\times\dfrac{e^{ax}-1}{ax}\times\dfrac{a}{3}\right\}=\dfrac{a}{3}=2$

$\therefore \boldsymbol{a=6}$

정답과 풀이 **18**쪽

유제 **119** 다음 등식을 만족시키는 상수 a, b의 값을 구하여라.

(1) $\lim_{x\to 0}\dfrac{2x}{e^{ax}-b}=\dfrac{1}{2}$

(2) $\lim_{x\to 0}\dfrac{\ln(a+3x)}{e^{10x}-1}=b$

풍산자 비법

• 무리수 e의 정의 ➡ $\lim_{x\to 0}(1+x)^{\frac{1}{x}}=e$ 또는 $\lim_{x\to\infty}\left(1+\dfrac{1}{x}\right)^{x}=e$

• e의 정의를 이용하면 지수함수와 로그함수의 극한값을 구할 수 있다.

➡ $\lim_{x\to 0}\dfrac{\ln(1+ax)}{ax}=\lim_{x\to 0}\dfrac{\ln(1+x)}{x}=1$

➡ $\lim_{x\to 0}\dfrac{e^{ax}-1}{ax}=\lim_{x\to 0}\dfrac{e^x-1}{x}=1$

➡ $\lim_{x\to 0}\dfrac{\ln(1+bx)}{ax}=\lim_{x\to 0}\dfrac{\ln(1+bx)}{bx}\times\dfrac{b}{a}=\dfrac{b}{a}$

➡ $\lim_{x\to 0}\dfrac{e^{bx}-1}{ax}=\lim_{x\to 0}\dfrac{e^{bx}-1}{bx}\times\dfrac{b}{a}=\dfrac{b}{a}$

04 | 지수함수의 도함수

앞서 e는 특별하다고 했다. 이제 그 특별한 힘을 발휘할 시간.

지수함수의 밑이 e일 때, 즉 $y=e^x$은 미분해도 그대로, 변하지 않는다.

하여 세상에서 가장 쉬운 미분.

그러나 밑이 e가 아닐 때는 $\ln a$가 붙는다.

> **지수함수의 도함수** 중요
> (1) $y=e^x$일 때, $y'=e^x$
> (2) $y=a^x$일 때, $y'=a^x \ln a$ (단, $a>0$, $a\neq1$)

| 증명 |　(1) $y=e^x$의 도함수 ➡ 도함수의 정의와 공식 $\lim\limits_{☆\to0}\dfrac{e^☆-1}{☆}=1$을 이용한다.

$$y'=\lim_{h\to0}\frac{e^{x+h}-e^x}{h}=\lim_{h\to0}\frac{e^x(e^h-1)}{h}=e^x\lim_{h\to0}\frac{e^h-1}{h}=e^x$$

결론적으로 $y=e^x$의 도함수는 $y'=e^x$이다. 몇 번을 미분해도 변치 않는다.

(2) $y=a^x$의 도함수 ➡ 도함수의 정의와 공식 $\lim\limits_{☆\to0}\dfrac{a^☆-1}{☆}=\ln a$를 이용한다.

$$y'=\lim_{h\to0}\frac{a^{x+h}-a^x}{h}=\lim_{h\to0}\frac{a^x(a^h-1)}{h}=a^x\lim_{h\to0}\frac{a^h-1}{h}=a^x\ln a$$

| 밑이 e인 지수함수의 도함수 |

120　다음 함수의 도함수를 구하여라.

(1) $y=e^{x+2}$ 　　　　　　　　　　(2) $y=xe^x$

풍산자팁　미분법의 기본 공식을 떠올려 본다.

　　$y=cf(x)$(c는 상수)일 때, $y'=cf'(x)$　⬅ 상수 곱은 그대로 곱한다.

　　$y=f(x)g(x)$일 때, $y'=f'(x)g(x)+f(x)g'(x)$　⬅ 곱은 한 번씩 차례로 미분한다.

➤ 풀이　(1) $y=e^{x+2}=e^2\times e^x$이므로 e^2을 상수로 생각하면

　　$y'=e^2\times(e^x)'=e^2\times e^x=\boldsymbol{e^{x+2}}$

(2) $y'=(x)'e^x+x(e^x)'=e^x+xe^x=\boldsymbol{e^x(1+x)}$

정답과 풀이 **18**쪽

유제 121　다음 함수의 도함수를 구하여라.

(1) $y=\dfrac{e^{x-1}}{3}$ 　　　　　　　　　(2) $y=xe^{-x}$

122 다음 함수의 도함수를 구하여라.

(1) $y=3^{2x}$

(2) $y=e^{2x}$

(3) $y=3^x(x-2)$

(4) $y=2^{3x-1}$

풍산자팁 지수가 x가 아니라고 해서 당황하지 말자. 지수를 x로 맞추어 도함수를 구한다.

▶ **풀이** (1) $y=3^{2x}=9^x$이므로 $y'=\mathbf{9^x \ln 9}$

(2) $y=e^{2x}=(e^2)^x$이므로 $y'=e^{2x}\times\ln e^2=\mathbf{2e^{2x}}$

(3) $y'=(3^x)'(x-2)+3^x(x-2)'=3^x\ln 3\times(x-2)+3^x=\mathbf{3^x\{(x-2)\ln 3+1\}}$

(4) $y=2^{3x-1}=2^{-1}\times 2^{3x}=\dfrac{1}{2}\times 8^x$이므로

$$y'=\frac{1}{2}\times 8^x\ln 8=2^{-1}\times 2^{3x}\ln 2^3=\mathbf{3\times 2^{3x-1}\ln 2}$$

정답과 풀이 **18**쪽

유제 **123** 다음 함수의 도함수를 구하여라.

(1) $y=3^{2x+1}$

(2) $y=e^{3x}+5^x$

(3) $y=2^x(3x+1)$

(4) $y=(x^2+2)\left(\dfrac{1}{3}\right)^x$

124 함수 $f(x)=5^x$에 대하여 $\displaystyle\lim_{h\to 0}\dfrac{f(1+h)-f(1-3h)}{h}$의 값을 구하여라.

풍산자팁 주어진 식을 살짝 건드려 $\displaystyle\lim_{☆\to 0}\dfrac{f(a+☆)-f(a)}{☆}$의 꼴로 변형하면 이 값은 $f'(a)$가 된다.

▶ **풀이** $\displaystyle\lim_{h\to 0}\dfrac{f(1+h)-f(1-3h)}{h}=\lim_{h\to 0}\dfrac{f(1+h)-f(1)-\{f(1-3h)-f(1)\}}{h}$

$$=\lim_{h\to 0}\frac{f(1+h)-f(1)}{h}-\lim_{h\to 0}\frac{f(1-3h)-f(1)}{-3h}\times(-3)$$

$$=f'(1)+3f'(1)=4f'(1)$$

$f(x)=5^x$에서 $f'(x)=5^x\ln 5$

$\therefore 4f'(1)=4\times 5^1\ln 5=\mathbf{20\ln 5}$

정답과 풀이 **19**쪽

유제 **125** 함수 $f(x)=3^x$에 대하여 $\displaystyle\lim_{h\to 0}\dfrac{f(3+h)-f(3)}{3h}$의 값을 구하여라.

05 | 로그함수의 도함수

지수함수의 경우와 마찬가지로 밑이 e인 로그함수 $y=\ln x$의 도함수가 훨씬 더 간단하다. $y=\ln x$를 미분하면 신기하게도 로그는 사라지고 x는 남아 분모로 가서 $y'=\dfrac{1}{x}$이 된다. 밑이 e가 아닐 때는 $\dfrac{1}{\ln a}$을 곱해 주어야 한다.

> **로그함수의 도함수** 중요
> (1) $y=\ln x$일 때, $\boldsymbol{y'=\dfrac{1}{x}}$
> (2) $y=\log_a x$일 때, $\boldsymbol{y'=\dfrac{1}{x \ln a}}$ (단, $a>0$, $a \neq 1$)

| 증명 | (1) $y=\ln x$의 도함수 ➡ 도함수의 정의와 공식 $\lim\limits_{\star \to 0}(1+\star)^{\frac{1}{\star}}=e$를 이용한다.

$$y'=\lim_{h \to 0} \frac{\ln(x+h)-\ln x}{h}=\lim_{h \to 0}\frac{1}{h}\ln\left(\frac{x+h}{x}\right)=\lim_{h \to 0}\frac{1}{h}\ln\left(1+\frac{h}{x}\right)=\lim_{h \to 0}\ln\left(1+\frac{h}{x}\right)^{\frac{1}{h}}$$

$$=\lim_{h \to 0}\ln\left\{\left(1+\frac{h}{x}\right)^{\frac{x}{h}}\right\}^{\frac{1}{x}} \impliedby \text{지수를 같은 꼴로 맞추어 } \lim_{\star \to 0}(1+\star)^{\frac{1}{\star}}=e\text{를 이용한다.}$$

$$=\ln e^{\frac{1}{x}}=\frac{1}{x}\ln e=\frac{1}{x}$$

(2) $y=\log_a x$의 도함수 ➡ $\log_a x=\dfrac{\ln x}{\ln a}$임을 이용한다.

$$y'=(\log_a x)'=\left(\frac{\ln x}{\ln a}\right)'=\frac{1}{\ln a}(\ln x)'=\frac{1}{\ln a}\times\frac{1}{x}=\frac{1}{x \ln a}$$

| 밑이 e인 로그함수의 도함수 |

---

126 다음 함수의 도함수를 구하여라.
(1) $y=\ln x^3$　　　　　　　　　　(2) $y=x \ln 2x$

풍산자티 $y=\ln x^a=a \ln x$, $y=\ln ax=\ln a+\ln x$임을 이용해 식을 변형하여 미분한다.

➤ 풀이 (1) $y=\ln x^3=3 \ln x$이므로 $y'=\dfrac{3}{x}$

(2) $y=x \ln 2x=x(\ln 2+\ln x)$이므로
$$y'=(x)'(\ln 2+\ln x)+x(\ln 2+\ln x)'=1\times(\ln 2+\ln x)+x\times\frac{1}{x}=\boldsymbol{\ln 2x+1}$$

정답과 풀이 **19**쪽

유제 127 다음 함수의 도함수를 구하여라.
(1) $y=\dfrac{\ln x^9}{3}$　　　　　　(2) $y=\ln(4x)^5$　　　　　　(3) $y=(3x^2-1)\ln x^2$

128 다음 함수의 도함수를 구하여라.

(1) $y = \ln x^4 + \log_2 x$ 　　　　　　　　　(2) $y = x^2 \log_3 5x$

풍산자탑 밑이 e가 아닐 때는 $\dfrac{1}{\ln a}$을 곱해 주어야 한다.

▶ 풀이 (1) $y = \ln x^4 + \log_2 x = 4 \ln x + \log_2 x$이므로 $y' = \dfrac{4}{x} + \dfrac{1}{x \ln 2}$

(2) $y = x^2 \log_3 5x = x^2 (\log_3 5 + \log_3 x)$이므로

$$y' = (x^2)'(\log_3 5 + \log_3 x) + x^2 (\log_3 5 + \log_3 x)'$$

$$= 2x \times (\log_3 5 + \log_3 x) + x^2 \times \dfrac{1}{x \ln 3}$$

$$= 2x \log_3 5x + \dfrac{x}{\ln 3}$$

정답과 풀이 **19**쪽

유제 129 다음 함수의 도함수를 구하여라.

(1) $y = \log_5 25x$ 　　　　(2) $y = (2x+1) \log_3 4x$ 　　　　(3) $y = 3^x \log_2 x$

130 함수 $f(x) = x \ln x + x^3$에 대하여 $\displaystyle\lim_{h \to 0} \dfrac{f(1+2h) - f(1)}{h}$의 값을 구하여라.

풍산자탑 주어진 식을 살짝 건드려 $\displaystyle\lim_{☆ \to 0} \dfrac{f(a+☆) - f(a)}{☆}$의 꼴로 변형하면 이 값은 $f'(a)$가 된다.

▶ 풀이 $\displaystyle\lim_{h \to 0} \dfrac{f(1+2h) - f(1)}{h} = \lim_{h \to 0} \dfrac{f(1+2h) - f(1)}{2h} \times 2 = 2f'(1)$

$f(x) = x \ln x + x^3$에서 $f'(x) = \ln x + x \times \dfrac{1}{x} + 3x^2 = \ln x + 1 + 3x^2$

$\therefore 2f'(1) = 2(\ln 1 + 1 + 3) = 8$

정답과 풀이 **19**쪽

유제 131 함수 $f(x) = e^x \ln x$에 대하여 $\displaystyle\lim_{x \to 1} \dfrac{f(x^2) - f(1)}{x-1}$의 값을 구하여라.

132 함수 $f(x)=\begin{cases} ax^2+1 & (x\leq 1) \\ \ln bx & (x>1) \end{cases}$ 가 $x=1$에서 미분가능할 때, 상수 a, b의 값을 구하여라.

> **풍산자日** $f(x)=\begin{cases} g(x) & (x\leq 1) \\ h(x) & (x>1) \end{cases}$ 일 때, $f'(x)=\begin{cases} g'(x) & (x<1) \\ h'(x) & (x>1) \end{cases}$
>
> 함수 $f(x)$가 $x=1$에서 미분가능하면
>
> (i) $x=1$에서 연속이므로 ➡ $g(1)=h(1)$ ← 그냥 같다.
>
> (ii) $f'(1)$이 존재하므로 ➡ $g'(1)=h'(1)$ ← 미분해서 같다.

> **풀이** $f(x)=\begin{cases} ax^2+1 & (x\leq 1) \\ \ln b+\ln x & (x>1) \end{cases}$ ······ ㉠ 이므로 $f'(x)=\begin{cases} 2ax & (x<1) \\ \dfrac{1}{x} & (x>1) \end{cases}$ ······ ㉡
>
> 함수 $f(x)$가 $x=1$에서 미분가능하므로 $x=1$에서 연속이고,
>
> $x=1$에서의 미분계수 $f'(1)$이 존재한다.
>
> (i) $x=1$에서 연속이므로 ㉠에서 $a+1=\ln b$
>
> $\therefore b=e^{a+1}$ ······ ㉢
>
> (ii) $f'(1)$이 존재하므로 ㉡에서 $2a=\dfrac{1}{1}$
>
> $\therefore a=\dfrac{1}{2}$ ······ ㉣
>
> ㉣을 ㉢에 대입하면 $b=e^{\frac{1}{2}+1}=e^{\frac{3}{2}}$
>
> $\therefore a=\dfrac{1}{2},\ b=e^{\frac{3}{2}}$

정답과 풀이 **19**쪽

유제 **133** 함수 $f(x)=\begin{cases} 3+a\ln x & (0<x\leq 1) \\ bx+2 & (x>1) \end{cases}$ 가 $x=1$에서 미분가능할 때, 상수 a, b의 값을 구하여라.

풍산자 비법

• 밑이 e일 때는 지수함수와 로그함수의 미분이 무척 간결하다.

결과만 외우기보다는 정확하게 도함수를 구하는 방법을 알아두어야 한다.

• 지수함수의 도함수

① $y=e^x$일 때, $y'=e^x$ ② $y=a^x$일 때, $y=a^x\ln a$ (단, $a>0$, $a\neq 1$)

• 로그함수의 도함수

① $y=\ln x$일 때, $y'=\dfrac{1}{x}$ ② $y=\log_a x$일 때, $y'=\dfrac{1}{x\ln a}$ (단, $a>0$, $a\neq 1$)

134

극한값이 e인 것만을 〈보기〉에서 있는 대로 골라라.

┌ 보기 ┐

ㄱ. $\lim\limits_{x \to \infty} \left(1 + \dfrac{2}{x}\right)^{\frac{x}{2}}$　　ㄴ. $\lim\limits_{x \to 0} (1 - x)^{\frac{1}{x}}$

ㄷ. $\lim\limits_{x \to -\infty} \left(\dfrac{x - 1}{x}\right)^{-x}$

135

$\lim\limits_{x \to 1} \dfrac{4^{x-1} - 1}{x^2 - 1} = \ln a$일 때, 양수 a의 값을 구하여라.

136

$\lim\limits_{x \to 0} \dfrac{\ln(ax + 1)}{x^2 + 5x} = 4$일 때, $\lim\limits_{x \to 0} \dfrac{\ln(2x + 1)}{ax}$의 값을 구하여라. (단, a는 상수이다.)

137

함수 $f(x) = (x^3 + 2)3^{2x-1}$에 대하여 $f'(0)$의 값을 구하여라.

138

함수 $f(x) = x^3 \ln x^2$에 대하여

$$\lim_{h \to 0} \frac{f(e + h) - f(e - h)}{h}$$

의 값을 구하여라.

139

함수 $f(x) = ax - bx \ln x$에 대하여

$$\lim_{x \to 1} \frac{f(x) - 3}{x - 1} = 5$$

일 때, $f(e)$의 값을 구하여라.

(단, a, b는 상수이다.)

2 | 삼각함수의 덧셈정리

01 | 코시컨트함수, 시컨트함수, 코탄젠트함수

사인함수, 코사인함수, 탄젠트함수에 이어 다음 세 가지의 삼각함수를 정의한다.
이름은 조금 낯설지만 사인함수, 코사인함수, 탄젠트함수의 역수일 뿐이다.

> **코시컨트함수, 시컨트함수, 코탄젠트함수**
> 반지름의 길이가 r인 원 위의 점 $P(x, y)$에 대하여 동경 OP가 나타
> 내는 일반각의 크기를 θ라 할 때
> $$\csc \theta = \frac{r}{y} = \frac{1}{\sin \theta}, \ \sec \theta = \frac{r}{x} = \frac{1}{\cos \theta}, \ \cot \theta = \frac{x}{y} = \frac{1}{\tan \theta}$$

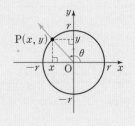

| 설명 | 위에서 정의한 함수를 차례로 θ에 대한 시컨트함수, 코시컨트함수, 코탄젠트함수라 한다.

또한, $\tan \theta = \dfrac{\sin \theta}{\cos \theta}$이므로 $\cot \theta = \dfrac{1}{\tan \theta} = \dfrac{\cos \theta}{\sin \theta}$로 나타낼 수 있다.

| 각이 주어질 때 삼각함수의 값 |

140 $\theta = -\dfrac{\pi}{3}$일 때, $\csc \theta$, $\sec \theta$, $\cot \theta$의 **값을 각각 구하여라.**

풍산자팁 $\csc \theta = \dfrac{1}{\sin \theta}$, $\sec \theta = \dfrac{1}{\cos \theta}$, $\cot \theta = \dfrac{1}{\tan \theta}$임을 이용한다.

▶풀이 그림과 같이 반지름의 길이가 1인 원에서 $\theta = -\dfrac{\pi}{3}$의 동경과 이 원의
교점을 P, 점 P에서 x축에 내린 수선의 발을 H라 하면 직각삼각형
POH에서 $\angle POH = \dfrac{\pi}{3}$이므로 점 P의 좌표는 $\left(\dfrac{1}{2}, -\dfrac{\sqrt{3}}{2} \right)$이다.

$$\therefore \csc \theta = -\frac{2\sqrt{3}}{3}, \ \sec \theta = 2, \ \cot \theta = -\frac{\sqrt{3}}{3}$$

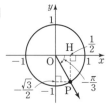

정답과 풀이 **20**쪽

유제 **141** $\theta = \dfrac{7}{6}\pi$일 때, $\csc \theta$, $\sec \theta$, $\cot \theta$의 **값을 각각 구하여라.**

02 | 삼각함수 사이의 관계

지금까지 삼각함수에서 가장 많이 쓰인 관계식은 바로 $\sin^2\theta+\cos^2\theta=1$이다.

이제 방금 배운 코시컨트함수, 시컨트함수, 코탄젠트함수 사이의 관계식을 살펴보자.

삼각함수 사이의 관계 중요!

(1) $\sin^2\theta+\cos^2\theta=1$

(2) $1+\tan^2\theta=\sec^2\theta$

(3) $1+\cot^2\theta=\csc^2\theta$

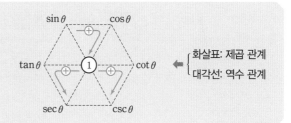

화살표: 제곱 관계
대각선: 역수 관계

| 증명 | 오른쪽 그림과 같이 각 θ를 나타내는 동경과 원 $x^2+y^2=1$의 교점을
$\mathrm{P}(x,\ y)$라 하면

$\sin\theta=\dfrac{y}{1}=y,\ \cos\theta=\dfrac{x}{1}=x,\ \tan\theta=\dfrac{y}{x}\ (x\neq0)$

(1) $\sin^2\theta+\cos^2\theta=1$의 증명

$x^2+y^2=1$이므로 $\cos^2\theta+\sin^2\theta=1$　　$\therefore\ \sin^2\theta+\cos^2\theta=1$

(2) $1+\tan^2\theta=\sec^2\theta$의 증명

$\sin^2\theta+\cos^2\theta=1$의 양변을 $\cos^2\theta\ (\cos\theta\neq0)$로 나누면 $\dfrac{\sin^2\theta}{\cos^2\theta}+1=\dfrac{1}{\cos^2\theta}$

$\tan^2\theta+1=\sec^2\theta$　　$\therefore\ 1+\tan^2\theta=\sec^2\theta$

(3) $1+\cot^2\theta=\csc^2\theta$의 증명

$\sin^2\theta+\cos^2\theta=1$의 양변을 $\sin^2\theta\ (\sin\theta\neq0)$로 나누면 $1+\dfrac{\cos^2\theta}{\sin^2\theta}=\dfrac{1}{\sin^2\theta}$

$\therefore\ 1+\cot^2\theta=\csc^2\theta$

| 참고 | 삼각함수는 독립된 값이 아니라 직각삼각형을 통하여 서로 유기적으로 연관된 값이다.
따라서 이 중 하나만 주어지면 다른 모든 삼각함수의 값을 구할 수 있다.
단, 관계식을 알아야 가능한 것. [수학 I]에서 배운 두 가지 식은 특히 중요하다!

(1) $\tan x=\dfrac{\sin x}{\cos x}$ 　　　　　　　　(2) $\sin^2\theta+\cos^2\theta=1$

大 원칙

절대 까먹지 않을 암기법을 소개한다.

$1+\tan^2\theta=\sec^2\theta$ ➡ 한번 타면 새카매지고

$1+\cot^2\theta=\csc^2\theta$ ➡ 한번 코가 타면 코가 새카매진다.

142 $\dfrac{\sin\theta}{\sec\theta+\tan\theta}+\dfrac{\sin\theta}{\sec\theta-\tan\theta}$ 를 간단히 하여라.

풍산자티 분모를 먼저 통분해 준 뒤 $1+\tan^2\theta=\sec^2\theta$를 이용하자.

▶ 풀이

$$\dfrac{\sin\theta}{\sec\theta+\tan\theta}+\dfrac{\sin\theta}{\sec\theta-\tan\theta}=\dfrac{\sin\theta(\sec\theta-\tan\theta)+\sin\theta(\sec\theta+\tan\theta)}{(\sec\theta+\tan\theta)(\sec\theta-\tan\theta)}$$

$$=\dfrac{2\sin\theta\sec\theta}{\sec^2\theta-\tan^2\theta}$$

$$=\dfrac{2\sin\theta\sec\theta}{(1+\tan^2\theta)-\tan^2\theta}\qquad \Leftarrow\ \sec^2\theta=1+\tan^2\theta$$

$$=2\sin\theta\sec\theta$$

$$=2\sin\theta\times\dfrac{1}{\cos\theta}$$

$$=\mathbf{2\tan\theta}\qquad \Leftarrow\ \tan\theta=\dfrac{\sin\theta}{\cos\theta}$$

정답과 풀이 **21**쪽

유제 **143** $\dfrac{\cos\theta}{\csc\theta+\cot\theta}+\dfrac{\cos\theta}{\csc\theta-\cot\theta}$ 를 간단히 하여라.

144 $\sin\theta-\cos\theta=-\dfrac{1}{3}$일 때, $\sec\theta-\csc\theta$의 값을 구하여라.

풍산자티 $\sin^2\theta+\cos^2\theta=1$을 이용한다.

▶ 풀이 $\sin\theta-\cos\theta=-\dfrac{1}{3}$의 양변을 제곱하면

$$\sin^2\theta+\cos^2\theta-2\sin\theta\cos\theta=\dfrac{1}{9}$$

$$1-2\sin\theta\cos\theta=\dfrac{1}{9}\quad \therefore\ \sin\theta\cos\theta=\dfrac{4}{9}$$

$$\therefore\ \sec\theta-\csc\theta=\dfrac{1}{\cos\theta}-\dfrac{1}{\sin\theta}=\dfrac{\sin\theta-\cos\theta}{\cos\theta\sin\theta}=\dfrac{-\dfrac{1}{3}}{\dfrac{4}{9}}=-\dfrac{3}{4}$$

정답과 풀이 **21**쪽

유제 **145** $\tan\theta+\cot\theta=3$일 때, $\sin\theta-\cos\theta$의 값을 구하여라. (단, $\sin\theta>\cos\theta$)

03 | 삼각함수의 덧셈정리

$\sin(\alpha+\beta)$는 어떻게 계산해야 할까?

$\sin(\alpha+\beta)=\sin\alpha+\sin\beta$라 하면 될까?

그렇게 계산이 된다면 더할 나위 없이 좋겠지만 아쉽게도 그렇게 되지 않는다.

예를 들어 $\sin 30°+\sin 30°=\dfrac{1}{2}+\dfrac{1}{2}=1$이지만 $\sin 60°=\dfrac{\sqrt{3}}{2}$이므로

$\sin(30°+30°)\neq\sin 30°+\sin 30°$임을 알 수 있다.

그럼 $\sin(\alpha+\beta)$는 어떻게 계산하면 될까?

여기에서 등장하는 공식이 바로 삼각함수의 덧셈정리.

삼각함수의 덧셈정리 중요

(1) $\sin(\alpha+\beta)=\sin\alpha\cos\beta+\cos\alpha\sin\beta$
  $\sin(\alpha-\beta)=\sin\alpha\cos\beta-\cos\alpha\sin\beta$
← 암기법: 싸고 풀고 싸

(2) $\cos(\alpha+\beta)=\cos\alpha\cos\beta-\sin\alpha\sin\beta$
  $\cos(\alpha-\beta)=\cos\alpha\cos\beta+\sin\alpha\sin\beta$
← 암기법: 코코 마 싸싸

(3) $\tan(\alpha+\beta)=\dfrac{\tan\alpha+\tan\beta}{1-\tan\alpha\tan\beta}$
← 암기법: 일마탄탄분의 탄프탄

  $\tan(\alpha-\beta)=\dfrac{\tan\alpha-\tan\beta}{1+\tan\alpha\tan\beta}$

| 참고 | 삼각함수의 덧셈정리는 '두 각의 합에 대한 삼각함수의 값'을 '각각의 각에 대한 삼각함수의 값들의 곱'으로 표현한 식이다.

즉, 모르는 삼각함수의 값도 알고 있는 삼각함수의 적당한 각의 합으로 쪼개면 구할 수 있다는 것이다.

따라서 기본적인 삼각함수의 값을 암기하고 있어야 한다.

특수각들의 삼각함수의 값을 암기하지 않으면 삼각함수의 덧셈정리를 알아도 계산을 할 수 없다.

반드시 암기하도록 하자.

	$0°(0)$	$30°\left(\dfrac{\pi}{6}\right)$	$45°\left(\dfrac{\pi}{4}\right)$	$60°\left(\dfrac{\pi}{3}\right)$	$90°\left(\dfrac{\pi}{2}\right)$
$\sin\theta$	0	$\dfrac{1}{2}$	$\dfrac{\sqrt{2}}{2}$	$\dfrac{\sqrt{3}}{2}$	1
$\cos\theta$	1	$\dfrac{\sqrt{3}}{2}$	$\dfrac{\sqrt{2}}{2}$	$\dfrac{1}{2}$	0
$\tan\theta$	0	$\dfrac{\sqrt{3}}{3}$	1	$\sqrt{3}$	∞

大 원칙

덧셈정리는 꼭 암기해야 한다. 반복해서 쓰다 보면 저절로 외워진다.

그래도 잘 안 외워진다면 암기법을 크게 외쳐 보자.

사인은 싸고 풀고 싸! 코사인은 코코 마 싸싸! 탄젠트는 일마탄탄분의 탄프탄!

삼각함수의 덧셈정리의 증명

[그림 1]에서 $A(\cos \alpha, \sin \alpha)$, $B(\cos \beta, \sin \beta)$

$\therefore \overline{AB}^2 = (\cos \alpha - \cos \beta)^2 + (\sin \alpha - \sin \beta)^2$

$\qquad = 2 - 2(\cos \alpha \cos \beta + \sin \alpha \sin \beta)$

원점 O를 중심으로 $\triangle OAB$를 $-\beta$만큼 회전하면

[그림 2]에서 $C(\cos (\alpha - \beta), \sin (\alpha - \beta))$, $D(1, 0)$

$\therefore \overline{CD}^2 = \{1 - \cos (\alpha - \beta)\}^2 + \sin^2 (\alpha - \beta) = 2 - 2\cos (\alpha - \beta)$

이때 $\overline{AB} = \overline{CD}$이므로 $\cos (\alpha - \beta) = \cos \alpha \cos \beta + \sin \alpha \sin \beta$ $\qquad \cdots\cdots$ ㉠

㉠에 β 대신 $-\beta$를 대입하면

$\cos (\alpha + \beta) = \cos \alpha \cos (-\beta) + \sin \alpha \sin (-\beta) = \cos \alpha \cos \beta - \sin \alpha \sin \beta$ $\qquad \cdots\cdots$ ㉡

한편 $\sin \theta = \cos \left(\dfrac{\pi}{2} - \theta \right)$이므로

$\sin (\alpha + \beta) = \cos \left\{ \dfrac{\pi}{2} - (\alpha + \beta) \right\} = \cos \left\{ \left(\dfrac{\pi}{2} - \alpha \right) - \beta \right\}$

$\qquad = \cos \left(\dfrac{\pi}{2} - \alpha \right) \cos \beta + \sin \left(\dfrac{\pi}{2} - \alpha \right) \sin \beta = \sin \alpha \cos \beta + \cos \alpha \sin \beta$ $\qquad \cdots\cdots$ ㉢

㉢에 β 대신 $-\beta$를 대입하여 정리하면 $\sin (\alpha - \beta) = \sin \alpha \cos \beta - \cos \alpha \sin \beta$

또, ㉡, ㉢으로부터

$\tan (\alpha + \beta) = \dfrac{\sin (\alpha + \beta)}{\cos (\alpha + \beta)} = \dfrac{\sin \alpha \cos \beta + \cos \alpha \sin \beta}{\cos \alpha \cos \beta - \sin \alpha \sin \beta} = \dfrac{\tan \alpha + \tan \beta}{1 - \tan \alpha \tan \beta}$ $\qquad \cdots\cdots$ ㉣

㉣에 β 대신 $-\beta$를 대입하여 정리하면 $\tan (\alpha - \beta) = \dfrac{\tan \alpha - \tan \beta}{1 + \tan \alpha \tan \beta}$

| 삼각함수의 덧셈정리를 이용한 계산 (1) |

146 다음 삼각함수의 값을 구하여라.

(1) $\sin 105°$ (2) $\cos 75°$ (3) $\tan 15°$

풍산자티 주어진 각을 $30°$, $45°$, $60°$의 합과 차로 변형하여 삼각함수의 덧셈정리를 적용한다.

▶ 풀이 (1) $\sin 105° = \sin (60° + 45°) = \sin 60° \cos 45° + \cos 60° \sin 45°$

$\qquad\qquad = \dfrac{\sqrt{3}}{2} \times \dfrac{\sqrt{2}}{2} + \dfrac{1}{2} \times \dfrac{\sqrt{2}}{2} = \dfrac{\sqrt{6} + \sqrt{2}}{4}$

$\qquad$ (2) $\cos 75° = \cos (45° + 30°) = \cos 45° \cos 30° - \sin 45° \sin 30°$

$\qquad\qquad = \dfrac{\sqrt{2}}{2} \times \dfrac{\sqrt{3}}{2} - \dfrac{\sqrt{2}}{2} \times \dfrac{1}{2} = \dfrac{\sqrt{6} - \sqrt{2}}{4}$

$\qquad$ (3) $\tan 15° = \tan (45° - 30°) = \dfrac{\tan 45° - \tan 30°}{1 + \tan 45° \tan 30°} = \dfrac{1 - \dfrac{1}{\sqrt{3}}}{1 + 1 \times \dfrac{1}{\sqrt{3}}} = \dfrac{\sqrt{3} - 1}{\sqrt{3} + 1} = \mathbf{2 - \sqrt{3}}$

정답과 풀이 **21**쪽

유제 **147** 다음 삼각함수의 값을 구하여라.

(1) $\sin 15°$ (2) $\cos 105°$ (3) $\tan 75°$

148 다음 식의 값을 구하여라.

(1) $\sin 25° \cos 20° + \cos 25° \sin 20°$

(2) $\cos 55° \cos 10° + \sin 55° \sin 10°$

(3) $\dfrac{\tan 70° - \tan 10°}{1 + \tan 70° \tan 10°}$

풍산자티 기본 공식을 역으로 이용하면 쉽게 풀 수 있다.

> **풀이**　(1) (주어진 식) $= \sin(25° + 20°) = \sin 45° = \dfrac{\sqrt{2}}{2}$

(2) (주어진 식) $= \cos(55° - 10°) = \cos 45° = \dfrac{\sqrt{2}}{2}$

(3) (주어진 식) $= \tan(70° - 10°) = \tan 60° = \sqrt{3}$

정답과 풀이 **21**쪽

유제 **149** 다음 식의 값을 구하여라.

(1) $\sin 110° \cos 80° - \cos 110° \sin 80°$

(2) $\cos 35° \cos 25° - \sin 35° \sin 25°$

(3) $\dfrac{\tan 20° + \tan 10°}{1 - \tan 20° \tan 10°}$

150 이차방정식 $x^2 - 6x + 7 = 0$의 두 근이 $\tan \alpha$, $\tan \beta$일 때, $\tan(\alpha + \beta)$의 값을 구하여라.

풍산자티 이차방정식 $ax^2 + bx + c = 0$의 두 근을 α, β라 하면 $\alpha + \beta = -\dfrac{b}{a}$, $\alpha\beta = \dfrac{c}{a}$임을 이용한다.

> **풀이**　이차방정식의 근과 계수의 관계에 의해

$\tan \alpha + \tan \beta = 6$, $\tan \alpha \tan \beta = 7$

$\therefore \tan(\alpha + \beta) = \dfrac{\tan \alpha + \tan \beta}{1 - \tan \alpha \tan \beta} = \dfrac{6}{1 - 7} = -1$

정답과 풀이 **21**쪽

유제 **151** 이차방정식 $2x^2 - 5x - 3 = 0$의 두 근이 $\tan \alpha$, $\tan \beta$일 때, $\tan(\alpha + \beta)$의 값을 구하여라.

152 $\frac{\pi}{2}<\alpha<\pi$, $\pi<\beta<\frac{3}{2}\pi$이고 $\sin\alpha=\frac{3}{5}$, $\cos\beta=-\frac{12}{13}$일 때, 다음 값을 구하여라.

(1) $\sin(\alpha+\beta)$　　　　(2) $\cos(\alpha-\beta)$　　　　(3) $\tan(\alpha+\beta)$

> **풍산자타** 하나의 삼각함수의 값이 주어지면 $\sin^2\theta+\cos^2\theta=1$, $\tan\theta=\dfrac{\sin\theta}{\cos\theta}$임을 이용하여 다른 삼각함수의 값도 구할 수 있다.
>
> 이때 주어진 삼각함수의 각이 제몇 사분면의 각인지 확인하여 부호를 붙여 주는 것도 잊으면 안 된다.
>
> 필요한 삼각함수의 값을 구했다면 이제 삼각함수의 덧셈정리에 적용시키기만 하면 된다.

> **풀이** $\frac{\pi}{2}<\alpha<\pi$, $\pi<\beta<\frac{3}{2}\pi$에서 $\cos\alpha<0$, $\sin\beta<0$이고
>
> $\sin^2\theta+\cos^2\theta=1$이므로
>
> $\cos\alpha=-\sqrt{1-\sin^2\alpha}=-\sqrt{1-\left(\frac{3}{5}\right)^2}=-\frac{4}{5}$
>
> $\sin\beta=-\sqrt{1-\cos^2\beta}=-\sqrt{1-\left(-\frac{12}{13}\right)^2}=-\frac{5}{13}$
>
> $\tan\theta=\dfrac{\sin\theta}{\cos\theta}$이므로
>
> $\tan\alpha=\dfrac{\sin\alpha}{\cos\alpha}=\dfrac{\frac{3}{5}}{-\frac{4}{5}}=-\frac{3}{4}$, $\tan\beta=\dfrac{\sin\beta}{\cos\beta}=\dfrac{-\frac{5}{13}}{-\frac{12}{13}}=\frac{5}{12}$
>
> (1) $\sin(\alpha+\beta)=\sin\alpha\cos\beta+\cos\alpha\sin\beta=\frac{3}{5}\times\left(-\frac{12}{13}\right)+\left(-\frac{4}{5}\right)\times\left(-\frac{5}{13}\right)=-\dfrac{\mathbf{16}}{\mathbf{65}}$
>
> (2) $\cos(\alpha-\beta)=\cos\alpha\cos\beta+\sin\alpha\sin\beta=\left(-\frac{4}{5}\right)\times\left(-\frac{12}{13}\right)+\frac{3}{5}\times\left(-\frac{5}{13}\right)=\dfrac{\mathbf{33}}{\mathbf{65}}$
>
> (3) $\tan(\alpha+\beta)=\dfrac{\tan\alpha+\tan\beta}{1-\tan\alpha\tan\beta}=\dfrac{-\frac{3}{4}+\frac{5}{12}}{1-\left(-\frac{3}{4}\right)\times\frac{5}{12}}=-\dfrac{\mathbf{16}}{\mathbf{63}}$

> **참고** α, β를 예각으로 가정하여 각각 x, y라 하면
>
> $\sin x=\frac{3}{5}$, $\cos y=\frac{12}{13}$를 만족시키는 직각삼각형은 그림과 같다.
>
>
>
> $\cos x=\frac{4}{5}$, $\tan x=\frac{3}{4}$, $\sin y=\frac{5}{13}$, $\tan y=\frac{5}{12}$
>
> 이때 α는 제2사분면의 각이므로 $\sin$만 양수, β는 제3사분면의 각이므로 $\tan$만 양수이다.
>
> $\therefore\cos\alpha=-\frac{4}{5}$, $\tan\alpha=-\frac{3}{4}$, $\sin\beta=-\frac{5}{13}$, $\tan\beta=\frac{5}{12}$

정답과 풀이 **21**쪽

유제 153 $0<\alpha<\frac{\pi}{2}$, $\frac{\pi}{2}<\beta<\pi$이고, $\sin\alpha=\frac{1}{3}$, $\cos\beta=-\frac{1}{4}$일 때, 다음 값을 구하여라.

(1) $\sin(\alpha-\beta)$　　　　(2) $\cos(\alpha+\beta)$　　　　(3) $\tan(\alpha-\beta)$

154 두 직선 $y=-2x+1$, $y=3x+1$이 이루는 예각의 크기를 구하여라.

풍산자티 오른쪽 그림과 같이 두 직선 $y=mx+n$, $y=m'x+n'$이
x축의 양의 방향과 이루는 각의 크기를 각각 α, β라 하면
$\tan \alpha=m$, $\tan \beta=m'$
이때 두 직선이 이루는 예각 θ는 $\theta=\alpha-\beta$이므로
$$\tan \theta=|\tan (\alpha-\beta)|=\left|\frac{\tan \alpha-\tan \beta}{1+\tan \alpha \tan \beta}\right|=\left|\frac{m-m'}{1+mm'}\right| \ (\text{단, } mm'\neq-1)$$

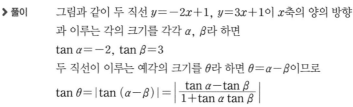

▶ 풀이 그림과 같이 두 직선 $y=-2x+1$, $y=3x+1$이 x축의 양의 방향
과 이루는 각의 크기를 각각 α, β라 하면
$\tan \alpha=-2$, $\tan \beta=3$
두 직선이 이루는 예각의 크기를 θ라 하면 $\theta=\alpha-\beta$이므로
$$\tan \theta=|\tan (\alpha-\beta)|=\left|\frac{\tan \alpha-\tan \beta}{1+\tan \alpha \tan \beta}\right|$$
$$=\left|\frac{-2-3}{1+(-2)\times 3}\right|=1$$
$$\therefore \theta=\frac{\pi}{4}$$

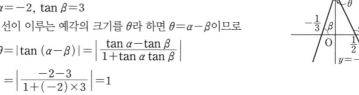

▶ 다른 풀이 식을 이용하면 $m=-2$, $m'=3$이므로
$$\tan \theta=\left|\frac{m-m'}{1+mm'}\right|=\left|\frac{-2-3}{1+(-2)\times 3}\right|=1$$
$$\therefore \theta=\frac{\pi}{4}$$

정답과 풀이 **22**쪽

유제 155 두 직선 $y=\frac{1}{2}x+1$, $y=-\frac{1}{3}x+2$가 이루는 예각의 크기를 구하여라.

풍산자 비법

· 주어진 각이 특수각이 아니라면? ➡ 특수각의 합과 차로 나누어 본다.

· 삼각함수에 제곱이 붙어 있다면? ➡ 삼각함수의 관계식을 떠올린다.
$\sin^2 \theta+\cos^2 \theta=1$, $1+\tan^2 \theta=\sec^2 \theta$, $1+\cot^2 \theta=\csc^2 \theta$

[1] 삼각함수의 배각의 공식

덧셈정리에서 $\alpha = \beta$인 경우가 바로 배각의 공식이다.

바꿔 말하면 구하고자 하는 삼각함수의 각을 2개의 크기가 같은 각의 삼각함수들로 표현할 수 있다.

> **삼각함수의 배각의 공식**
>
> (1) $\sin 2\alpha = 2\sin\alpha\cos\alpha$
>
> (2) $\cos 2\alpha = \cos^2\alpha - \sin^2\alpha = 2\cos^2\alpha - 1 = 1 - 2\sin^2\alpha$
>
> (3) $\tan 2\alpha = \dfrac{2\tan\alpha}{1-\tan^2\alpha}$

│ 증명 │
(1) $\sin 2\alpha = \sin(\alpha+\alpha) = \sin\alpha\cos\alpha + \cos\alpha\sin\alpha = 2\sin\alpha\cos\alpha$

(2) $\cos 2\alpha = \cos(\alpha+\alpha) = \cos\alpha\cos\alpha - \sin\alpha\sin\alpha = \cos^2\alpha - \sin^2\alpha$

이때 $\sin^2\alpha + \cos^2\alpha = 1$을 이용하면

$\sin^2\alpha = 1 - \cos^2\alpha \Rightarrow \cos^2\alpha - \sin^2\alpha = 2\cos^2\alpha - 1$

$\cos^2\alpha = 1 - \sin^2\alpha \Rightarrow \cos^2\alpha - \sin^2\alpha = 1 - 2\sin^2\alpha$

(3) $\tan 2\alpha = \tan(\alpha+\alpha) = \dfrac{\tan\alpha+\tan\alpha}{1-\tan\alpha\tan\alpha} = \dfrac{2\tan\alpha}{1-\tan^2\alpha}$

[2] 삼각함수의 반각의 공식

반각의 공식 역시 새로운 공식이 아니다.

위에서 보여준 배각의 공식을 다른 형태로 정리했을 뿐.

> **삼각함수의 반각의 공식**
>
> (1) $\sin^2\dfrac{\alpha}{2} = \dfrac{1-\cos\alpha}{2}$　　　(2) $\cos^2\dfrac{\alpha}{2} = \dfrac{1+\cos\alpha}{2}$　　　(3) $\tan^2\dfrac{\alpha}{2} = \dfrac{1-\cos\alpha}{1+\cos\alpha}$

│ 증명 │
(1) $\cos 2\alpha = 1 - 2\sin^2\alpha$에서 $\sin^2\alpha = \dfrac{1-\cos 2\alpha}{2}$

이때 α 대신 $\dfrac{1}{2}\alpha$를 대입하면 $\sin^2\alpha = \dfrac{1-\cos 2\alpha}{2} \Rightarrow \sin^2\dfrac{\alpha}{2} = \dfrac{1-\cos\alpha}{2}$

(2) $\cos 2\alpha = 2\cos^2\alpha - 1$에서 $\cos^2\alpha = \dfrac{1+\cos 2\alpha}{2}$

이때 α 대신 $\dfrac{1}{2}\alpha$를 대입하면 $\cos^2\alpha = \dfrac{1+\cos 2\alpha}{2} \Rightarrow \cos^2\dfrac{\alpha}{2} = \dfrac{1+\cos\alpha}{2}$

(3) $\tan\alpha = \dfrac{\sin\alpha}{\cos\alpha}$이므로 $\tan^2\dfrac{\alpha}{2} = \dfrac{\sin^2\dfrac{\alpha}{2}}{\cos^2\dfrac{\alpha}{2}} = \dfrac{\dfrac{1-\cos\alpha}{2}}{\dfrac{1+\cos\alpha}{2}} = \dfrac{1-\cos\alpha}{1+\cos\alpha}$

156 $\sin\theta=\dfrac{4}{5}$일 때, $\sin2\theta$, $\cos2\theta$, $\tan2\theta$의 값을 각각 구하여라. $\left(\text{단, } \dfrac{\pi}{2}<\theta<\pi\right)$

풍산자티 $\sin^2\theta+\cos^2\theta=1$임을 이용하여 $\cos\theta$의 값을 구한 후 배각의 공식을 이용한다.

▶ 풀이 $\dfrac{\pi}{2}<\theta<\pi$에서 $\cos\theta<0$이므로

$$\cos\theta=-\sqrt{1-\sin^2\theta}=-\sqrt{1-\left(\dfrac{4}{5}\right)^2}=-\dfrac{3}{5}$$

$$\therefore \sin2\theta=2\sin\theta\cos\theta=2\times\dfrac{4}{5}\times\left(-\dfrac{3}{5}\right)=-\dfrac{24}{25}$$

$$\cos2\theta=1-2\sin^2\theta=1-2\times\left(\dfrac{4}{5}\right)^2=-\dfrac{7}{25}$$

$$\tan2\theta=\dfrac{\sin2\theta}{\cos2\theta}=\dfrac{-\dfrac{24}{25}}{-\dfrac{7}{25}}=\dfrac{24}{7}$$

정답과 풀이 **22**쪽

유제 **157** $\cos\theta=-\dfrac{1}{3}$일 때, $\sin2\theta$, $\cos2\theta$, $\tan2\theta$의 값을 각각 구하여라. $\left(\text{단, } \pi<\theta<\dfrac{3}{2}\pi\right)$

158 $\sin\theta+\cos\theta=\dfrac{1}{2}$일 때, 다음 값을 구하여라.

(1) $\sin2\theta$ (2) $\sin^3\theta+\cos^3\theta$

풍산자티 $\sin\theta\pm\cos\theta=a$로 주어지면 일단 양변을 제곱하고 본다.

이때 $\sin^2\theta+\cos^2\theta=1$, $\sin2\theta=2\sin\theta\cos\theta$이므로

$(\sin\theta\pm\cos\theta)^2=\sin^2\theta\pm2\sin\theta\cos\theta+\cos^2\theta=1\pm\sin2\theta$임을 이용한다.

▶ 풀이 (1) $\sin\theta+\cos\theta=\dfrac{1}{2}$의 양변을 제곱하면 $\sin^2\theta+2\sin\theta\cos\theta+\cos^2\theta=\dfrac{1}{4}$

$$1+\sin2\theta=\dfrac{1}{4} \qquad \therefore \sin2\theta=-\dfrac{3}{4}$$

(2) $\sin2\theta=2\sin\theta\cos\theta=-\dfrac{3}{4}$이므로 $\sin\theta\cos\theta=-\dfrac{3}{8}$

$$\therefore \sin^3\theta+\cos^3\theta=(\sin\theta+\cos\theta)(\sin^2\theta-\sin\theta\cos\theta+\cos^2\theta)$$
$$=\dfrac{1}{2}\left\{1-\left(-\dfrac{3}{8}\right)\right\}=\dfrac{11}{16}$$

정답과 풀이 **22**쪽

유제 **159** $\sin\theta-\cos\theta=\dfrac{1}{3}$일 때, 다음 값을 구하여라.

(1) $\sin2\theta$ (2) $\sin^3\theta-\cos^3\theta$

160 $\tan \theta = \dfrac{4}{3}$일 때, $\sin \dfrac{\theta}{2}$, $\cos \dfrac{\theta}{2}$, $\tan \dfrac{\theta}{2}$의 값을 각각 구하여라. $\left(\text{단, } \pi < \theta < \dfrac{3}{2}\pi\right)$

풍산자팁 $\sec^2 \theta = 1 + \tan^2 \theta$임을 이용하여 $\cos \theta$의 값을 구한 후 반각의 공식을 이용한다.

반각의 공식은 다음과 같은 형태로 기억해 둔다.

➡ $\sin^2 \bigstar = \dfrac{1 - \cos 2\bigstar}{2}$, $\cos^2 \bigstar = \dfrac{1 + \cos 2\bigstar}{2}$

이때 반각의 공식에서 좌변은 제곱이므로 마무리 계산에서 제곱을 없앨 때 부호에 주의해야 한다.

▶ 풀이 $\sec^2 \theta = 1 + \tan^2 \theta = 1 + \left(\dfrac{4}{3}\right)^2 = \dfrac{25}{9}$이므로 $\cos^2 \theta = \dfrac{9}{25}$

이때 $\pi < \theta < \dfrac{3}{2}\pi$에서 $\cos \theta < 0$이므로 $\cos \theta = -\dfrac{3}{5}$

또, $\dfrac{\pi}{2} < \dfrac{\theta}{2} < \dfrac{3}{4}\pi$이므로 $\sin \dfrac{\theta}{2} > 0$, $\cos \dfrac{\theta}{2} < 0$, $\tan \dfrac{\theta}{2} < 0$

$\sin^2 \dfrac{\theta}{2} = \dfrac{1 - \cos \theta}{2} = \dfrac{1 - \left(-\dfrac{3}{5}\right)}{2} = \dfrac{4}{5}$ $\therefore \sin \dfrac{\theta}{2} = \dfrac{2\sqrt{5}}{5}$

$\cos^2 \dfrac{\theta}{2} = \dfrac{1 + \cos \theta}{2} = \dfrac{1 + \left(-\dfrac{3}{5}\right)}{2} = \dfrac{1}{5}$ $\therefore \cos \dfrac{\theta}{2} = -\dfrac{\sqrt{5}}{5}$

$\tan^2 \dfrac{\theta}{2} = \dfrac{1 - \cos \theta}{1 + \cos \theta} = \dfrac{1 - \left(-\dfrac{3}{5}\right)}{1 + \left(-\dfrac{3}{5}\right)} = 4$ $\therefore \tan \dfrac{\theta}{2} = -2$

정답과 풀이 **22**쪽

유제 **161** $\sin \theta = \dfrac{3}{5}$일 때, $\sin \dfrac{\theta}{2}$, $\cos \dfrac{\theta}{2}$, $\tan \dfrac{\theta}{2}$의 값을 각각 구하여라. $\left(\text{단, } \dfrac{\pi}{2} < \theta < \pi\right)$

풍산자 비법

배각도 반각도 기억이 안 날 땐?

➔ 덧셈정리에 $\beta = \alpha$를 대입해서 배각의 공식 유도.

➔ 배각의 공식으로부터 반각의 공식도 유도 가능!

즉, 덧셈정리는 반드시 암기하여야 한다.

05 | 삼각함수의 합성

$0 \le \theta \le \dfrac{\pi}{2}$의 범위에서 $\sin\theta + \cos\theta$의 값을 예측해 보자.

$\sin\theta$와 $\cos\theta$ 모두 주어진 범위에서 양수이므로 $\sin\theta + \cos\theta$는 양수이다.

하지만 주어진 범위에서 $\sin\theta$는 증가하고 $\cos\theta$는 감소하므로 둘의 합이 어떤 식으로 증가할 것인지에 대해서 예측하기란 쉽지 않다.

이렇듯 서로 다른 삼각함수의 합이나 차의 결과를 예측하기 위해서는

두 삼각함수를 한 종류의 삼각함수로 통일시킬 필요가 있다.

---

(1) 사인합성

$$a\sin x + b\cos x = r\sin(x+\alpha) \left(\text{단, } r=\sqrt{a^2+b^2}, \ \sin\alpha=\frac{b}{r}, \ \cos\alpha=\frac{a}{r}\right)$$

(2) 코사인합성

$$a\sin x + b\cos x = r\cos(x-\beta) \left(\text{단, } r=\sqrt{a^2+b^2}, \ \sin\beta=\frac{a}{r}, \ \cos\beta=\frac{b}{r}\right)$$

| 설명 |
- 사인함수로 합성할 때는 사인함수의 덧셈정리를 써야 하므로 곱해지는 삼각함수를 다르게 만든다.

$$a\sin x + b\cos x = r\left(\frac{a}{r}\sin x + \frac{b}{r}\cos x\right) \qquad \Longleftarrow \ r=\sqrt{a^2+b^2}\text{으로 묶는다.}$$
$$= r(\cos\alpha\sin x + \sin\alpha\cos x) \qquad \Longleftarrow \ \frac{a}{r}, \frac{b}{r}\text{를 삼각함수로 고친다.}$$
$$= r\sin(x+\alpha) \qquad \Longleftarrow \ \text{덧셈정리 - 싸고 풀고 싸}$$

- 코사인함수로 합성할 때는 코사인함수의 덧셈정리를 써야 하므로 곱해지는 삼각함수를 같게 만든다.

$$a\sin x + b\cos x = r\left(\frac{a}{r}\sin x + \frac{b}{r}\cos x\right) \qquad \Longleftarrow \ r=\sqrt{a^2+b^2}\text{으로 묶는다.}$$
$$= r(\sin\beta\sin x + \cos\beta\cos x) \qquad \Longleftarrow \ \frac{a}{r}, \frac{b}{r}\text{를 삼각함수로 고친다.}$$
$$= r\cos(x-\beta) \qquad \Longleftarrow \ \text{덧셈정리}$$

- $\sin(x+\alpha) = \cos\left\{\dfrac{\pi}{2} - (x+\alpha)\right\} = \cos\left\{-x + \left(\dfrac{\pi}{2} - \alpha\right)\right\}$

$\cos(-x) = \cos x$이므로 $\cos\left\{-x + \left(\dfrac{\pi}{2} - \alpha\right)\right\} = \cos\left\{x - \left(\dfrac{\pi}{2} - \alpha\right)\right\}$

오른쪽 그림에서 $\beta = \dfrac{\pi}{2} - \alpha$이므로

$r\sin(x+\alpha) = r\cos(x-\beta)$

즉, 사인합성과 코사인합성은 형태는 다르지만 같은 값을 나타낸다.

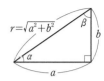

162 $\sin x+\sqrt{3}\cos x$를 $r\sin(x+\alpha)$, $r\cos(x-\beta)$의 꼴로 나타내어라. (단, $r>0$)

풍산자日 r와 α, β를 먼저 설정하자!

사인합성과 코사인합성에 따라서 식의 형태를 서로 다르거나 같게 변환해야 한다.

▶풀이 $y=a\sin x+b\cos x$에서 $r=\sqrt{a^2+b^2}$이므로 $r=\sqrt{1^2+(\sqrt{3})^2}=2$

(i) 사인합성: 사인함수의 덧셈정리를 쓴다.

$$\sin x+\sqrt{3}\cos x=2\left(\frac{1}{2}\sin x+\frac{\sqrt{3}}{2}\cos x\right)=2\left(\cos\frac{\pi}{3}\sin x+\sin\frac{\pi}{3}\cos x\right)$$

$$=2\sin\left(x+\frac{\pi}{3}\right)$$

(ii) 코사인합성: 코사인함수의 덧셈정리를 쓴다.

$$\sin x+\sqrt{3}\cos x=2\left(\frac{1}{2}\sin x+\frac{\sqrt{3}}{2}\cos x\right)=2\left(\sin\frac{\pi}{6}\sin x+\cos\frac{\pi}{6}\cos x\right)$$

$$=2\cos\left(x-\frac{\pi}{6}\right)$$

정답과 풀이 **23**쪽

유제 **163** 다음 식을 $r\sin(x+\alpha)$, $r\cos(x-\beta)$의 꼴로 나타내어라. (단, $r>0$)

(1) $\sqrt{3}\sin x+\cos x$ (2) $\sin x+\cos x$

164 $2\sin\left(x+\frac{\pi}{6}\right)-2\cos x$를 $r\sin(x+\alpha)$의 꼴로 나타내어라. (단, $r>0$)

풍산자日 각이 다르면 합성할 수 없으므로 먼저 삼각함수의 덧셈정리를 이용하여 $\sin\left(x+\frac{\pi}{6}\right)$를 $\sin x$, $\cos x$에 대한 식으로 변형하고 본다.

▶풀이 $\sin\left(x+\frac{\pi}{6}\right)=\sin x\cos\frac{\pi}{6}+\cos x\sin\frac{\pi}{6}=\frac{\sqrt{3}}{2}\sin x+\frac{1}{2}\cos x$이므로

$2\sin\left(x+\frac{\pi}{6}\right)-2\cos x=2\left(\frac{\sqrt{3}}{2}\sin x+\frac{1}{2}\cos x\right)-2\cos x=\sqrt{3}\sin x-\cos x$

따라서 $r=\sqrt{(\sqrt{3})^2+(-1)^2}=2$이므로

(주어진 식)$=2\left(\frac{\sqrt{3}}{2}\sin x-\frac{1}{2}\cos x\right)=2\left(\cos\frac{\pi}{6}\sin x-\sin\frac{\pi}{6}\cos x\right)$

$$=2\sin\left(x-\frac{\pi}{6}\right)$$

정답과 풀이 **23**쪽

유제 **165** $2\cos\left(x-\frac{\pi}{4}\right)-2\sqrt{2}\sin x$를 $r\sin(x+\alpha)$의 꼴로 나타내어라. (단, $r>0$)

06 | 삼각함수 $y=a \sin x + b \cos x$의 주기와 최대, 최소

삼각함수의 형태가 $y=a \sin x + b \cos x$일 때, 합성을 하면 삼각함수의 기본 성질에 의해 쉽게 주기와 최댓값, 최솟값을 구할 수 있다.

> **삼각함수 $y=a \sin x + b \cos x$의 주기와 최댓값, 최솟값**
>
> (1) 주기: 2π (2) 최댓값: $\sqrt{a^2+b^2}$ (3) 최솟값: $-\sqrt{a^2+b^2}$

| 설명 | $y=a \sin x + b \cos x = \sqrt{a^2+b^2} \sin(x+\alpha)$의 꼴이므로 주기는 2π이다.

또 $-1 \leq \sin(x+\alpha) \leq 1$이므로

$$-\sqrt{a^2+b^2} \leq \sqrt{a^2+b^2} \sin(x+\alpha) \leq \sqrt{a^2+b^2}$$

따라서 $y=a \sin x + b \cos x$의 최댓값은 $\sqrt{a^2+b^2}$, 최솟값은 $-\sqrt{a^2+b^2}$이다.

| 참고 |

삼각함수	최댓값	최솟값	주기
$y=a \sin(bx+c)+d$	$\lvert a \rvert + d$	$-\lvert a \rvert + d$	$\dfrac{2\pi}{\lvert b \rvert}$
$y=a \cos(bx+c)+d$	$\lvert a \rvert + d$	$-\lvert a \rvert + d$	$\dfrac{2\pi}{\lvert b \rvert}$
$y=a \tan(bx+c)+d$	없다.	없다.	$\dfrac{\pi}{\lvert b \rvert}$

| 개념확인 | 다음 함수의 주기와 최댓값, 최솟값을 구하여라.

(1) $y=\sin x - \sqrt{3} \cos x$ (2) $y=2 \sin x - 2 \cos x$

> **풀이** (1) $y=\sin x - \sqrt{3} \cos x = 2\left(\dfrac{1}{2} \sin x - \dfrac{\sqrt{3}}{2} \cos x\right)$
>
> $\qquad = 2\left(\cos \dfrac{\pi}{3} \sin x - \sin \dfrac{\pi}{3} \cos x\right)$
>
> $\qquad = 2 \sin\left(x - \dfrac{\pi}{3}\right)$
>
> 따라서 **최댓값은 2, 최솟값은 -2, 주기는 2π**이다.
>
> (2) $y=2 \sin x - 2 \cos x = 2\sqrt{2}\left(\dfrac{\sqrt{2}}{2} \sin x - \dfrac{\sqrt{2}}{2} \cos x\right)$
>
> $\qquad = 2\sqrt{2}\left(\cos \dfrac{\pi}{4} \sin x - \sin \dfrac{\pi}{4} \cos x\right)$
>
> $\qquad = 2\sqrt{2} \sin\left(x - \dfrac{\pi}{4}\right)$
>
> 따라서 **최댓값은 $2\sqrt{2}$, 최솟값은 $-2\sqrt{2}$, 주기는 2π**이다.

166 다음 함수의 최댓값, 최솟값, 주기를 각각 구하여라.

(1) $y=\cos\left(2x+\dfrac{\pi}{6}\right)+\sqrt{3}\sin\left(2x+\dfrac{\pi}{6}\right)$

(2) $y=2\cos x-2\sin\left(x+\dfrac{\pi}{6}\right)$

풍산자티 (1) 각이 x가 아닐 때는 치환한 후 합성한다.

이때 반드시 원래의 변수 x로 회복시킨 후 주기를 구해야 한다.

(2) 각이 다르면 합성할 수 없다. ➡ 덧셈정리로 전개한 후 합성한다.

▶ 풀이 (1) $2x+\dfrac{\pi}{6}=\theta$로 치환한 후 합성하면

$$y=\cos\theta+\sqrt{3}\sin\theta$$
$$=2\left(\dfrac{1}{2}\cos\theta+\dfrac{\sqrt{3}}{2}\sin\theta\right)=2\left(\sin\dfrac{\pi}{6}\cos\theta+\cos\dfrac{\pi}{6}\sin\theta\right)$$
$$=2\sin\left(\theta+\dfrac{\pi}{6}\right)=2\sin\left(2x+\dfrac{\pi}{3}\right)$$

따라서 **최댓값은 2, 최솟값은 −2, 주기는 π**이다.

(2) (i) $\sin\left(x+\dfrac{\pi}{6}\right)=\sin x\cos\dfrac{\pi}{6}+\cos x\sin\dfrac{\pi}{6}=\dfrac{\sqrt{3}}{2}\sin x+\dfrac{1}{2}\cos x$이므로

$$y=2\cos x-2\sin\left(x+\dfrac{\pi}{6}\right)=2\cos x-2\left(\dfrac{\sqrt{3}}{2}\sin x+\dfrac{1}{2}\cos x\right)$$
$$=\cos x-\sqrt{3}\sin x$$

(ii) 합성하면

$$y=\cos x-\sqrt{3}\sin x=2\left(\dfrac{1}{2}\cos x-\dfrac{\sqrt{3}}{2}\sin x\right)$$
$$=2\left(\sin\dfrac{\pi}{6}\cos x-\cos\dfrac{\pi}{6}\sin x\right)=2\sin\left(\dfrac{\pi}{6}-x\right)$$

따라서 **최댓값은 2, 최솟값은 −2, 주기는 2π**이다.

정답과 풀이 **23**쪽

유제 **167** 다음 함수의 최댓값, 최솟값, 주기를 각각 구하여라.

(1) $y=3\cos\left(3x+\dfrac{\pi}{3}\right)+\sqrt{3}\sin\left(3x+\dfrac{\pi}{3}\right)$

(2) $y=2\sqrt{3}\sin\left(x+\dfrac{\pi}{6}\right)-4\sin x$

풍산자 비법

• 사인함수와 코사인함수의 합은 하나의 삼각함수로 통일할 수 있다.

➡ $a\sin x+b\cos x=r\sin(x+\alpha)=r\cos(x-\beta)$

• $y=a\sin x+b\cos x$의 꼴의 최댓값, 최솟값 및 주기는 합성한 후 구한다.

168

다음 식을 간단히 하여라.

$$(\sin\theta+\csc\theta)^2+(\cos\theta+\sec\theta)^2$$
$$-(\tan\theta+\cot\theta)^2$$

169

$\sin\alpha=\dfrac{1}{\sqrt{5}}$, $\cos\beta=\dfrac{2}{\sqrt{5}}$ 일 때,

$\sin(\alpha-\beta)+\cos(\alpha+\beta)$의 값을 구하여라.

$$\left(\text{단},\ \frac{\pi}{2}<\alpha<\pi,\ 0<\beta<\frac{\pi}{2}\right)$$

170

이차방정식 $3x^2+kx-7=0$의 두 근이 $\tan\alpha$, $\tan\beta$이고 $\tan(\alpha+\beta)=\dfrac{1}{2}$일 때, 상수 k의 값을 구하여라.

171

$\tan\theta=2$일 때, $\tan 2\theta$, $\cos 2\theta$, $\sin 2\theta$의 값을 각각 구하여라.

172

$\sin^2\dfrac{\theta}{2}=\dfrac{1}{5}$일 때, $\cos 2\theta$의 값을 구하여라.

173

$4\sin x+3\cos x=r\sin(x+\alpha)$를 만족시키는 양수 r와 각의 크기 α에 대하여 $r\tan\alpha$의 값을 구하여라.

174

함수 $y=2\sin\left(x+\dfrac{\pi}{3}\right)-2\sqrt{3}\cos x$의 주기는 $a\pi$이고 최솟값은 b일 때, $a-b$의 값을 구하여라.

3 | 삼각함수의 미분

01 | 삼각함수의 극한

극한의 기본을 한마디로 설명하자면 '대입'이다.

만약 대입을 했는데 뭔가 탈이 생기면 다른 생각을 하도록 한다.

삼각함수의 극한

임의의 실수 a에 대하여 삼각함수 $y=\sin x$, $y=\cos x$, $y=\tan x$의 극한은 다음과 같다.

(1) $\lim\limits_{x \to a} \sin x = \sin a$　　　　　　　　(2) $\lim\limits_{x \to a} \cos x = \cos a$

(3) $\lim\limits_{x \to a} \tan x = \tan a$ $\left(단, a \neq n\pi + \dfrac{\pi}{2},\ n은\ 정수\right)$

| 설명 |　$x \to \infty$ 또는 $x \to -\infty$일 때, 함수 $y=\sin x$, $y=\cos x$, $y=\tan x$의 값은 일정한 값에 가까워지지 않으므로

$\lim\limits_{x \to \infty} \sin x$, $\lim\limits_{x \to \infty} \cos x$, $\lim\limits_{x \to \infty} \tan x$, $\lim\limits_{x \to -\infty} \sin x$, $\lim\limits_{x \to -\infty} \cos x$, $\lim\limits_{x \to -\infty} \tan x$

의 값은 존재하지 않는다.

대입해서 극한값을 구할 수 있는 경우와 대입해서 탈이 생기는 경우를 알아보자.

예를 들어 다음 세 가지 극한값을 구해 보자.

(1) $\lim\limits_{x \to \pi} \dfrac{\sin x}{x}$ ➡ 대입하니 분모가 0이 아니다. 쉬운 문제. 대입하면 끝난다.

$\lim\limits_{x \to \pi} \dfrac{\sin x}{x} = \dfrac{\sin \pi}{\pi} = \dfrac{0}{\pi} = 0$

(2) $\lim\limits_{x \to \infty} \dfrac{\sin x}{x}$ ➡ ∞를 x에 대입할 수 없다. 어려운 척 하는 문제.

기본 아이디어는 $\sin x$의 범위.

$-1 \leq \sin x \leq 1$이므로 분모는 엄청나게 커지지만 분자는 항상 -1과 1 사이에서 깔짝거린다.

즉, $-\dfrac{1}{\infty} \leq \lim\limits_{x \to \infty} \dfrac{\sin x}{x} \leq \dfrac{1}{\infty}$

$\therefore \lim\limits_{x \to \infty} \dfrac{\sin x}{x} = 0$

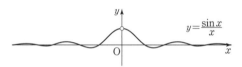

(3) $\lim\limits_{x \to 0} \dfrac{\sin x}{x}$ ➡ 대입하니 분모가 0이 된다. 어려운 문제.

이 문제는 결코 만만한 상대가 아니다.

이 극한값을 구해 응용하는 것이 삼각함수의 극한의 핵심.

결론부터 말하면 극한값은 1이다. 이에 관해서는 86쪽에서 배운다.

175 다음 극한값을 구하여라.

(1) $\lim\limits_{x \to 0} \dfrac{\sin 3x - \sin x}{\cos 2x}$ (2) $\lim\limits_{x \to 0} \dfrac{\sin^2 x}{1 - \cos x}$ (3) $\lim\limits_{x \to \frac{\pi}{4}} \dfrac{\tan^2 x - 1}{\sin x - \cos x}$

풍산자目 일단 대입부터 하고 본다.

대입해서 안 되면 $\sin^2 \theta + \cos^2 \theta = 1$, $\tan \theta = \dfrac{\sin \theta}{\cos \theta}$ 를 이용하여 주어진 식을 변형해 본다.

❯ 풀이 (1) $\lim\limits_{x \to 0} \dfrac{\sin 3x - \sin x}{\cos 2x} = \dfrac{\sin 0 - \sin 0}{\cos 0} = \dfrac{0}{1} = \mathbf{0}$

(2) $\sin^2 x = 1 - \cos^2 x$임을 이용하여 인수분해한 후 약분한다.

$$\lim_{x \to 0} \frac{\sin^2 x}{1 - \cos x} = \lim_{x \to 0} \frac{1 - \cos^2 x}{1 - \cos x}$$
$$= \lim_{x \to 0} \frac{(1 - \cos x)(1 + \cos x)}{1 - \cos x}$$
$$= \lim_{x \to 0} (1 + \cos x)$$
$$= 1 + \cos 0 = 1 + 1 = \mathbf{2}$$

(3) $\tan x = \dfrac{\sin x}{\cos x}$임을 이용하여 $\sin x$, $\cos x$로 통일한다.

$$\lim_{x \to \frac{\pi}{4}} \frac{\tan^2 x - 1}{\sin x - \cos x} = \lim_{x \to \frac{\pi}{4}} \frac{\left(\dfrac{\sin x}{\cos x}\right)^2 - 1}{\sin x - \cos x}$$
$$= \lim_{x \to \frac{\pi}{4}} \frac{\dfrac{\sin^2 x - \cos^2 x}{\cos^2 x}}{\sin x - \cos x}$$
$$= \lim_{x \to \frac{\pi}{4}} \frac{(\sin x - \cos x)(\sin x + \cos x)}{(\sin x - \cos x)\cos^2 x}$$
$$= \lim_{x \to \frac{\pi}{4}} \frac{\sin x + \cos x}{\cos^2 x}$$
$$= \frac{\sin \dfrac{\pi}{4} + \cos \dfrac{\pi}{4}}{\cos^2 \dfrac{\pi}{4}}$$
$$= \frac{\dfrac{\sqrt{2}}{2} + \dfrac{\sqrt{2}}{2}}{\left(\dfrac{\sqrt{2}}{2}\right)^2} = \mathbf{2\sqrt{2}}$$

정답과 풀이 **25**쪽

유제 176 다음 극한값을 구하여라.

(1) $\lim\limits_{x \to 0} \dfrac{\sin x - \cos x}{1 - \sin x}$ (2) $\lim\limits_{x \to \frac{\pi}{2}} \dfrac{\cos^2 x}{1 - \sin x}$ (3) $\lim\limits_{x \to \frac{\pi}{2}} (\tan x - \sec x)$

02 | 삼각함수의 극한의 공식

[1] 삼각함수의 극한의 기본 공식

극한 문제 대부분은 이른바 $\dfrac{0}{0}$의 꼴을 얼마나 자유자재로 다루느냐에 달려 있다.

지금 배울 공식이 $\dfrac{0}{0}$의 꼴의 극한을 잡는 핵심으로, 삼각함수 극한과 미적분 공식의 뿌리가 된다.

> **삼각함수의 극한의 4대 공식** 〈중요〉
>
> x의 단위가 라디안일 때, 다음이 성립한다.
>
> (1) $\displaystyle\lim_{x \to 0} \frac{\sin x}{x} = 1$
> (2) $\displaystyle\lim_{x \to 0} \frac{x}{\sin x} = 1$
>
> (3) $\displaystyle\lim_{x \to 0} \frac{\tan x}{x} = 1$
> (4) $\displaystyle\lim_{x \to 0} \frac{x}{\tan x} = 1$

[2] 삼각함수의 극한의 변형 공식

조금 유치해 보이더라도 기호 ☆을 사용할 것이다.

이 유치하고 단순한 변형이 다양한 공식을 암기해야 하는 압박감에서 여러분들을 해방시켜 줄 것이다.

> **삼각함수의 극한의 변형 공식**
>
> (1) $\displaystyle\lim_{☆ \to 0} \frac{\sin ☆}{☆} = 1$
> (2) $\displaystyle\lim_{☆ \to 0} \frac{☆}{\sin ☆} = 1$
>
> (3) $\displaystyle\lim_{☆ \to 0} \frac{\tan ☆}{☆} = 1$
> (4) $\displaystyle\lim_{☆ \to 0} \frac{☆}{\tan ☆} = 1$

| 개념확인 | 다음 극한값을 구하여라.

(1) $\displaystyle\lim_{x \to 0} \frac{\sin 4x}{2x}$ (2) $\displaystyle\lim_{x \to 0} \frac{\sin 9x}{\tan 3x}$ (3) $\displaystyle\lim_{x \to 0} \frac{\sin^2 4x}{4x^2}$

> **풀이**
>
> (1) $\displaystyle\lim_{x \to 0} \frac{\sin 4x}{2x} = \lim_{x \to 0} \frac{\sin 4x}{4x} \times \frac{4}{2}$
> $\qquad\qquad\quad = 1 \times \dfrac{4}{2} = \mathbf{2}$
>
> (2) $\displaystyle\lim_{x \to 0} \frac{\sin 9x}{\tan 3x} = \lim_{x \to 0} \left(\frac{\sin 9x}{9x} \times \frac{3x}{\tan 3x} \times \frac{9}{3} \right)$
> $\qquad\qquad\qquad = 1 \times 1 \times \dfrac{9}{3} = \mathbf{3}$
>
> (3) $\displaystyle\lim_{x \to 0} \frac{\sin^2 4x}{4x^2} = \lim_{x \to 0} \left(\frac{\sin 4x}{4x} \right)^2 \times 4$
> $\qquad\qquad\qquad = 1^2 \times 4 = \mathbf{4}$

| 참고 | 그럼 이제 이런 문제들을 쉽고 빠르게 푸는 비법을 공개하겠다.

진작 알려 주지 왜 이제 알려 주냐고? 정통 풀이를 게을리 할까봐.

수학에서 정통 풀이는 답을 얻는 것 말고도 근본 원리를 깨닫게 해 주므로 꼭 익혀야 한다.

[비법] ☆ → 0일 때, sin ☆을 ☆로, tan ☆을 ☆로 바꿔치기 한다.

왜 이런 방법이 통할까? 이유는 기본 공식에 물어 보면 알 수 있다.

$$\lim \frac{\sin A}{B} = \lim \left(\frac{\sin A}{A} \times \frac{A}{B} \right) = \lim \frac{A}{B} \ (단, \ A \to 0, \ B \to 0일 때 성립)$$

앞의 개념확인 문제들을 다시 풀어 보자.

(1) $\displaystyle\lim_{x \to 0} \frac{\sin 4x}{2x} = \lim_{x \to 0} \frac{4x}{2x} = 2$　(2) $\displaystyle\lim_{x \to 0} \frac{\sin 9x}{\tan 3x} = \lim_{x \to 0} \frac{9x}{3x} = 3$　(3) $\displaystyle\lim_{x \to 0} \frac{\sin^2 4x}{4x^2} = \lim_{x \to 0} \frac{(4x)^2}{4x^2} = 4$

한걸음 더

삼각함수의 극한의 4대 공식의 증명

(1) $\displaystyle\lim_{x \to 0} \frac{\sin x}{x} = 1$ ➡ $x = 0$에서의 좌극한과 우극한이 모두 1임을 보인다.

(ⅰ) $0 < x < \dfrac{\pi}{2}$일 때

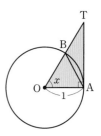

그림과 같이 중심이 O, 반지름의 길이가 1인 원에서 ∠AOB의 크기를 x 라디안이라 하고, 점 A에서 원 O에 그은 접선과 선분 OB의 연장선의 교점을 T라 하자.

△OAB < (부채꼴 OAB의 넓이) < △OAT,

$\overline{AT} = \tan x$이므로

$$\frac{1}{2} \sin x < \frac{1}{2} x < \frac{1}{2} \tan x$$

$$\therefore \sin x < x < \tan x$$

$\sin x > 0$이므로 각 변을 $\sin x$로 나누면

$$1 < \frac{x}{\sin x} < \frac{1}{\cos x}$$

각 변에 역수를 취하면 $1 > \dfrac{\sin x}{x} > \cos x$

이때 $\displaystyle\lim_{x \to 0+} 1 = \lim_{x \to 0+} \cos x = 1$이므로 $\displaystyle\lim_{x \to 0+} \frac{\sin x}{x} = 1$

(ⅱ) $-\dfrac{\pi}{2} < x < 0$일 때

$x = -t$로 놓으면 $0 < t < \dfrac{\pi}{2}$이고 $x \to 0-$일 때 $t \to 0+$이므로

$$\lim_{x \to 0-} \frac{\sin x}{x} = \lim_{t \to 0+} \frac{\sin(-t)}{-t} = \lim_{t \to 0+} \frac{\sin t}{t} = 1 \ (\because \sin(-t) = -\sin t)$$

(ⅰ), (ⅱ)에서 $\displaystyle\lim_{x \to 0} \frac{\sin x}{x} = 1$

(2) $\displaystyle\lim_{x \to 0} \frac{x}{\sin x} = \lim_{x \to 0} \frac{1}{\frac{\sin x}{x}} = 1 \left(\because \text{(1)에 의해} \lim_{x \to 0} \frac{\sin x}{x} = 1 \right)$

(3) $\displaystyle\lim_{x \to 0} \frac{\tan x}{x} = 1$의 증명 ➡ $\tan x = \dfrac{\sin x}{\cos x}$임을 이용한다.

$\tan x = \dfrac{\sin x}{\cos x}$이므로

$$\lim_{x \to 0} \frac{\tan x}{x} = \lim_{x \to 0} \left(\frac{1}{x} \times \tan x \right) = \lim_{x \to 0} \left(\frac{1}{x} \times \frac{\sin x}{\cos x} \right) = \lim_{x \to 0} \left(\frac{\sin x}{x} \times \frac{1}{\cos x} \right) = 1 \times \frac{1}{1} = 1$$

(4) $\displaystyle\lim_{x \to 0} \frac{x}{\tan x} = \lim_{x \to 0} \frac{1}{\frac{\tan x}{x}} = 1 \left(\because \text{(3)에 의해} \lim_{x \to 0} \frac{\tan x}{x} = 1 \right)$

177 다음 극한값을 구하여라.

(1) $\lim\limits_{x \to 0} \dfrac{9x}{\tan 3x}$

(2) $\lim\limits_{x \to 0} \dfrac{\sin(\sin 4x)}{\tan(\tan 2x)}$

(3) $\lim\limits_{x \to 0} \dfrac{2\sin 2x - \sin x}{x}$

(4) $\lim\limits_{x \to 0} \dfrac{2\sin x - \sin 2x}{x \sin^2 x}$

풍산자日 [방법1] $\lim\limits_{☆ \to 0} \dfrac{\sin ☆}{☆}=1,\ \lim\limits_{☆ \to 0} \dfrac{☆}{\sin ☆}=1,\ \lim\limits_{☆ \to 0} \dfrac{\tan ☆}{☆}=1,\ \lim\limits_{☆ \to 0} \dfrac{☆}{\tan ☆}=1$을 이용한다.

[방법2] ☆ → 0일 때, sin ☆을 ☆로, tan ☆을 ☆로 바꿔치기 한다.

▶ **풀이**

(1) $\lim\limits_{x \to 0} \dfrac{9x}{\tan 3x}=\lim\limits_{x \to 0} \dfrac{3x}{\tan 3x} \times 3 = 1 \times 3 = \mathbf{3}$

(2) $\lim\limits_{x \to 0} \dfrac{\sin(\sin 4x)}{\tan(\tan 2x)}=\lim\limits_{x \to 0}\left\{ \dfrac{\sin(\sin 4x)}{\sin 4x} \times \dfrac{\tan 2x}{\tan(\tan 2x)} \times \dfrac{\sin 4x}{\tan 2x}\right\}$

$\qquad = \lim\limits_{x \to 0} \dfrac{\sin 4x}{\tan 2x}=\lim\limits_{x \to 0}\left(\dfrac{\sin 4x}{4x} \times \dfrac{2x}{\tan 2x} \times \dfrac{4}{2}\right)$

$\qquad = 1 \times 1 \times \dfrac{4}{2} = \mathbf{2}$

(3) $\lim\limits_{x \to 0} \dfrac{2\sin 2x - \sin x}{x}=\lim\limits_{x \to 0}\left(\dfrac{2\sin 2x}{x} - \dfrac{\sin x}{x}\right)=\lim\limits_{x \to 0}\left(\dfrac{4\sin 2x}{2x} - \dfrac{\sin x}{x}\right)$

$\qquad = 4 \times 1 - 1 = \mathbf{3}$

(4) $\lim\limits_{x \to 0} \dfrac{2\sin x - \sin 2x}{x \sin^2 x}=\lim\limits_{x \to 0} \dfrac{2\sin x - 2\sin x \cos x}{x(1-\cos^2 x)}$

$\qquad = \lim\limits_{x \to 0} \dfrac{2\sin x(1-\cos x)}{x(1+\cos x)(1-\cos x)}$

$\qquad = \lim\limits_{x \to 0} \dfrac{2\sin x}{x(1+\cos x)}$

$\qquad = \lim\limits_{x \to 0}\left(\dfrac{\sin x}{x} \times \dfrac{2}{1+\cos x}\right)$

$\qquad = 1 \times \dfrac{2}{1+1} = \mathbf{1}$

▶ **다른 풀이**

(1) (주어진 식)$=\lim\limits_{x \to 0} \dfrac{9x}{3x}=3$

(2) (주어진 식)$=\lim\limits_{x \to 0} \dfrac{\sin 4x}{\tan 2x}=\lim\limits_{x \to 0} \dfrac{4x}{2x}=2$

(3) (주어진 식)$=\lim\limits_{x \to 0} \dfrac{2 \times 2x - x}{x}=3$

정답과 풀이 **25**쪽

유제 **178** 다음 극한값을 구하여라.

(1) $\lim\limits_{x \to 0} \dfrac{\sin 10x}{\sin 2x}$

(2) $\lim\limits_{x \to 0} \dfrac{\sin x}{x + \tan x}$

(3) $\lim\limits_{x \to 0} \dfrac{\sin 9x}{\sin x + \sin 3x + \sin 5x}$

(4) $\lim\limits_{x \to 0} \dfrac{\sin(3x^3 + 5x^2 + 4x)}{2x^3 + 2x^2 + x}$

179 다음 극한값을 구하여라.

(1) $\lim\limits_{x \to 0} \dfrac{1-\cos x}{x^2}$

(2) $\lim\limits_{x \to 0} \dfrac{1-\cos 4x}{x^2}$

풍산자日 $1-\cos x$가 있는 꼴 ➡ 분자, 분모에 각각 $1+\cos x$를 곱한다. ➡ $1-\cos^2 x = \sin^2 x$

▶ 풀이

(1) $\lim\limits_{x \to 0} \dfrac{1-\cos x}{x^2} = \lim\limits_{x \to 0} \dfrac{(1-\cos x)(1+\cos x)}{x^2(1+\cos x)} = \lim\limits_{x \to 0} \dfrac{1-\cos^2 x}{x^2(1+\cos x)}$

$= \lim\limits_{x \to 0} \dfrac{\sin^2 x}{x^2(1+\cos x)} = \lim\limits_{x \to 0} \left\{ \left(\dfrac{\sin x}{x} \right)^2 \times \dfrac{1}{1+\cos x} \right\} = 1^2 \times \dfrac{1}{1+1} = \dfrac{1}{2}$

(2) $\lim\limits_{x \to 0} \dfrac{1-\cos 4x}{x^2} = \lim\limits_{x \to 0} \dfrac{(1-\cos 4x)(1+\cos 4x)}{x^2(1+\cos 4x)} = \lim\limits_{x \to 0} \dfrac{1-\cos^2 4x}{x^2(1+\cos 4x)}$

$= \lim\limits_{x \to 0} \dfrac{\sin^2 4x}{x^2(1+\cos 4x)} = \lim\limits_{x \to 0} \left\{ \left(\dfrac{\sin 4x}{4x} \times 4 \right)^2 \times \dfrac{1}{1+\cos 4x} \right\}$

$= 4^2 \times \dfrac{1}{1+1} = 8$

정답과 풀이 **25**쪽

유제 **180** 다음 극한값을 구하여라.

(1) $\lim\limits_{x \to 0} \dfrac{x \sin x}{1-\cos x}$

(2) $\lim\limits_{x \to 0} \dfrac{x^2}{1-\cos 2x}$

181 다음 극한값을 구하여라.

(1) $\lim\limits_{x \to \pi} \dfrac{\sin x}{\pi - x}$

(2) $\lim\limits_{x \to 1} \dfrac{\cos \frac{\pi}{2} x}{1-x^2}$

풍산자日 $x \to 0$이 아니라 $x \to a\,(a \neq 0)$이면

➡ $x-a=t$로 치환하여 $t \to 0$이 되도록 변형한 후 $\lim\limits_{\Leftrightarrow \to 0} \dfrac{\sin \Leftrightarrow}{\Leftrightarrow} = 1$을 이용한다.

▶ 풀이

(1) $x-\pi=t$로 치환하면 $x \to \pi$일 때 $t \to 0$이고, $x=\pi+t$이므로

$\lim\limits_{x \to \pi} \dfrac{\sin x}{\pi - x} = \lim\limits_{t \to 0} \dfrac{\sin(\pi+t)}{-t} = \lim\limits_{t \to 0} \dfrac{-\sin t}{-t} = \lim\limits_{t \to 0} \dfrac{\sin t}{t} = 1$

(2) $x-1=t$로 치환하면 $x \to 1$일 때 $t \to 0$이고, $x=1+t$이므로

$\lim\limits_{x \to 1} \dfrac{\cos \frac{\pi}{2} x}{1-x^2} = \lim\limits_{t \to 0} \dfrac{\cos \left(\frac{\pi}{2} + \frac{\pi}{2} t \right)}{1-(1+t)^2} = \lim\limits_{t \to 0} \dfrac{-\sin \frac{\pi}{2} t}{-t(2+t)}$

$= \lim\limits_{t \to 0} \left(\dfrac{\sin \frac{\pi}{2} t}{\frac{\pi}{2} t} \times \dfrac{\pi}{2} \times \dfrac{1}{2+t} \right) = 1 \times \dfrac{\pi}{2} \times \dfrac{1}{2} = \dfrac{\pi}{4}$

정답과 풀이 **26**쪽

유제 **182** 다음 극한값을 구하여라.

(1) $\lim\limits_{x \to \frac{\pi}{2}} \dfrac{\cos x}{\frac{\pi}{2} - x}$

(2) $\lim\limits_{x \to 3} \dfrac{9-x^2}{\sin \pi x}$

183 다음 등식을 만족시키는 상수 a, b의 값을 각각 구하여라.

(1) $\displaystyle\lim_{x\to0}\frac{\ln(a+x)}{\sin x}=b$ (2) $\displaystyle\lim_{x\to0}\frac{\sin 2x}{\sqrt{ax+b}-1}=2$ (3) $\displaystyle\lim_{x\to1}\frac{\cos\frac{\pi}{2}x}{ax+b}=-\frac{\pi}{2}$

풍산자티 (i) 극한값이 존재하고 $x\to\blacksquare$일 때, (분모) $\to$ 0이면 (분자) $\to$ 0이어야 한다.

(ii) 0이 아닌 극한값이 존재하고 $x\to\bullet$일 때, (분자) $\to$ 0이면 (분모) $\to$ 0이어야 한다.

▶ **풀이** (1) 극한값이 존재하고 $\displaystyle\lim_{x\to0}\sin x=0$이므로

$\displaystyle\lim_{x\to0}\ln(a+x)=\ln a=0$ $\therefore a=1$

$\therefore\displaystyle\lim_{x\to0}\frac{\ln(a+x)}{\sin x}=\lim_{x\to0}\frac{\ln(1+x)}{\sin x}=\lim_{x\to0}\left\{\frac{\ln(1+x)}{x}\times\frac{x}{\sin x}\right\}=1\times1=1$

$\therefore b=1$

(2) 0이 아닌 극한값이 존재하고 $\displaystyle\lim_{x\to0}\sin 2x=0$이므로

$\displaystyle\lim_{x\to0}(\sqrt{ax+b}-1)=\sqrt{b}-1=0$ $\therefore b=1$

$\therefore\displaystyle\lim_{x\to0}\frac{\sin 2x}{\sqrt{ax+b}-1}=\lim_{x\to0}\frac{\sin 2x}{\sqrt{ax+1}-1}=\lim_{x\to0}\frac{\sin 2x(\sqrt{ax+1}+1)}{(\sqrt{ax+1}-1)(\sqrt{ax+1}+1)}$

$=\displaystyle\lim_{x\to0}\frac{\sin 2x(\sqrt{ax+1}+1)}{ax}$

$=\displaystyle\lim_{x\to0}\left\{\frac{\sin 2x}{2x}\times\frac{2}{a}\times(\sqrt{ax+1}+1)\right\}$

$=1\times\dfrac{2}{a}\times(1+1)=\dfrac{4}{a}=2$

$\therefore a=2$

(3) 0이 아닌 극한값이 존재하고 $\displaystyle\lim_{x\to1}\cos\frac{\pi}{2}x=0$이므로

$\displaystyle\lim_{x\to1}(ax+b)=a+b=0$ $\therefore b=-a$

$\therefore\displaystyle\lim_{x\to1}\frac{\cos\frac{\pi}{2}x}{ax+b}=\lim_{x\to1}\frac{\cos\frac{\pi}{2}x}{ax-a}=\frac{1}{a}\lim_{x\to1}\frac{\cos\frac{\pi}{2}x}{x-1}=-\frac{\pi}{2}$ ...... ㉠

$x-1=t$로 치환하면 $x\to1$일 때 $t\to0$이고, $x=1+t$이므로

$\displaystyle\lim_{x\to1}\frac{\cos\frac{\pi}{2}x}{x-1}=\lim_{t\to0}\frac{\cos\left(\frac{\pi}{2}+\frac{\pi}{2}t\right)}{t}=\lim_{t\to0}\frac{-\sin\frac{\pi}{2}t}{t}$

$=\displaystyle\lim_{t\to0}\frac{\sin\frac{\pi}{2}t}{\frac{\pi}{2}t}\times\left(-\frac{\pi}{2}\right)=-\frac{\pi}{2}$

따라서 ㉠에서 $\dfrac{1}{a}\times\left(-\dfrac{\pi}{2}\right)=-\dfrac{\pi}{2}$이므로 $a=1$

$\therefore b=-a=-1$

정답과 풀이 **26**쪽

유제 184 다음 등식을 만족시키는 상수 a, b의 값을 각각 구하여라.

(1) $\displaystyle\lim_{x\to0}\frac{e^x+a}{\tan x}=b$ (2) $\displaystyle\lim_{x\to0}\frac{1-\cos x}{ax^2+b}=1$ (3) $\displaystyle\lim_{x\to\frac{\pi}{2}}\frac{\cos x}{ax+b}=-\frac{1}{3}$

185 그림과 같이 $\overline{AB}=1$이고, $\angle A=90°$인 직각삼각형 ABC의 꼭짓점 A에서 $\overline{BC}$에 내린 수선의 발을 H, $\angle ABH=\theta$라 할 때, $\displaystyle\lim_{\theta\to0+}\frac{\overline{CH}}{\theta^2}$의 값을 구하여라.

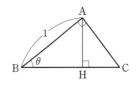

풍산자탭 $\overline{AH}$, $\overline{CH}$의 길이를 차례로 θ에 대한 식으로 나타낸 후 $\displaystyle\lim_{x\to0}\frac{\sin x}{x}=1$, $\displaystyle\lim_{x\to0}\frac{\tan x}{x}=1$임을 이용한다.

❯ 풀이 그림에서 $\triangle ABC\backsim\triangle HAC$이므로
$\angle CAH=\angle CBA=\theta$
$\triangle ABH$에서 $\overline{AH}=\overline{AB}\sin\theta=\sin\theta$
따라서 $\triangle AHC$에서
$\overline{CH}=\overline{AH}\tan\theta=\sin\theta\tan\theta$
$\therefore \displaystyle\lim_{\theta\to0+}\frac{\overline{CH}}{\theta^2}=\lim_{\theta\to0+}\frac{\sin\theta\tan\theta}{\theta^2}$
$\displaystyle=\lim_{\theta\to0+}\left(\frac{\sin\theta}{\theta}\times\frac{\tan\theta}{\theta}\right)$
$=1\times1=\mathbf{1}$

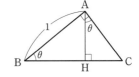

정답과 풀이 **26**쪽

유제 186 그림과 같이 반지름의 길이가 4인 사분원의 호 위의 한 점 C에서 반지름 OB에 내린 수선의 발을 H, $\angle COB=\theta$라 할 때, $\displaystyle\lim_{\theta\to0+}\frac{\overline{BH}}{\theta^2}$의 값을 구하여라.

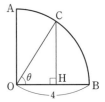

🧙 **풍산자 비법**

앞으로 전개될 모든 삼각함수의 극한과 미적분 공식의 뿌리가 되는 공식이다. 꼭 암기하자.

$$\lim_{x\to0}\frac{\sin x}{x}=1,\ \lim_{x\to0}\frac{x}{\sin x}=1,\ \lim_{x\to0}\frac{\tan x}{x}=1,\ \lim_{x\to0}\frac{x}{\tan x}=1$$

03 | 삼각함수의 도함수

다항함수, 지수함수, 로그함수에 이어 삼각함수의 도함수까지 왔다.
도함수의 정의를 이용하려면 계산이 복잡하므로 결과를 암기하는 것이 좋다.
특히 '코'가 붙은 삼각함수는 부호가 다르니 주의한다.

> **삼각함수의 도함수** 중요
>
> (1) $y=\sin x \Rightarrow y'=\cos x$　　　　　(2) $y=\cos x \Rightarrow y'=-\sin x$

| 증명 |　삼각함수의 덧셈정리와 도함수의 정의를 이용하여 삼각함수의 도함수를 구할 수 있다.

(1) $y=\sin x$의 도함수

$$y'=\lim_{h\to 0}\frac{\sin(x+h)-\sin x}{h}=\lim_{h\to 0}\frac{\sin x\cos h+\cos x\sin h-\sin x}{h}$$

$$=\lim_{h\to 0}\frac{\cos x\sin h-\sin x(1-\cos h)}{h}$$

$$=\lim_{h\to 0}\frac{\cos x\sin h}{h}-\lim_{h\to 0}\frac{\sin x(1-\cos h)}{h}$$

$$=\cos x\lim_{h\to 0}\frac{\sin h}{h}-\sin x\lim_{h\to 0}\frac{1-\cos h}{h}$$

이때

$$\lim_{h\to 0}\frac{1-\cos h}{h}=\lim_{h\to 0}\frac{(1-\cos h)(1+\cos h)}{h(1+\cos h)}=\lim_{h\to 0}\frac{1-\cos^2 h}{h(1+\cos h)}$$

$$=\lim_{h\to 0}\frac{\sin^2 h}{h(1+\cos h)}=\lim_{h\to 0}\left(\frac{\sin h}{h}\times\frac{\sin h}{1+\cos h}\right)$$

$$=1\times\frac{0}{1+1}=0$$

이므로

$$\cos x\lim_{h\to 0}\frac{\sin h}{h}-\sin x\lim_{h\to 0}\frac{1-\cos h}{h}=\cos x\lim_{h\to 0}\frac{\sin h}{h}=\cos x\times 1=\cos x$$

따라서 $y=\sin x$이면 $y'=\cos x$이다.

(2) $y=\cos x$의 도함수

$$y'=\lim_{h\to 0}\frac{\cos(x+h)-\cos x}{h}=\lim_{h\to 0}\frac{\cos x\cos h-\sin x\sin h-\cos x}{h}$$

$$=\lim_{h\to 0}\frac{\cos x(\cos h-1)}{h}-\lim_{h\to 0}\frac{\sin x\sin h}{h}$$

$$=\cos x\lim_{h\to 0}\frac{\cos h-1}{h}-\sin x\lim_{h\to 0}\frac{\sin h}{h}$$

마찬가지로 $\lim_{h\to 0}\dfrac{1-\cos h}{h}=0$이고 $\lim_{h\to 0}\dfrac{\sin h}{h}=1$이므로

$$\cos x\lim_{h\to 0}\frac{\cos h-1}{h}-\sin x\lim_{h\to 0}\frac{\sin h}{h}=-\sin x$$

따라서 $y=\cos x$이면 $y'=-\sin x$이다.

| 참고 |　사인함수, 코사인함수 이외의 삼각함수의 도함수에 대해서는 '여러 가지 미분법' 단원(104쪽)에서 다루도록 한다.

187 다음 함수를 미분하여라.

(1) $y=x\sin x+\cos x$ (2) $y=\cos^2 x$ (3) $y=e^x\sin x$

풍산자티 (1) $y=f(x)g(x)$ ➡ $y'=f'(x)g(x)+f(x)g'(x)$

(2) $y=\cos^2 x$는 $y=\cos x\cos x$로 생각하고 미분한다.

풀이 (1) $y'=(x)'\sin x+x(\sin x)'+(\cos x)'$
$=\sin x+x\cos x-\sin x=\boldsymbol{x\cos x}$

(2) $y=\cos^2 x=\cos x\cos x$이므로
$y'=(\cos x)'\cos x+\cos x(\cos x)'$
$=-\sin x\cos x+\cos x(-\sin x)$
$=-2\sin x\cos x=\boldsymbol{-\sin 2x}$

(3) $y'=(e^x)'\sin x+e^x(\sin x)'$
$=e^x\sin x+e^x\cos x$
$=\boldsymbol{e^x(\sin x+\cos x)}$

정답과 풀이 **27**쪽

유제 **188** 다음 함수를 미분하여라.

(1) $y=x\cos x-\sin x$ (2) $y=\sin 2x$ (3) $y=\ln x\cos x$

189 함수 $f(x)=e^x\cos x$에 대하여 $\lim\limits_{h\to 0}\dfrac{f(\pi+h)-f(\pi-h)}{h}$의 값을 구하여라.

풍산자티 $\lim\limits_{h\to 0}\dfrac{f(a+h)-f(a)}{h}=f'(a)$임을 이용하여 주어진 극한을 $f'(a)$로 나타낸다.

풀이 $\lim\limits_{h\to 0}\dfrac{f(\pi+h)-f(\pi-h)}{h}=\lim\limits_{h\to 0}\dfrac{f(\pi+h)-f(\pi)+f(\pi)-f(\pi-h)}{h}$
$=\lim\limits_{h\to 0}\dfrac{f(\pi+h)-f(\pi)}{h}+\lim\limits_{h\to 0}\dfrac{f(\pi-h)-f(\pi)}{-h}$
$=f'(\pi)+f'(\pi)=2f'(\pi)$

이때 $f'(x)=(e^x)'\cos x+e^x(\cos x)'=e^x\cos x-e^x\sin x=e^x(\cos x-\sin x)$

이므로 $2f'(\pi)=2e^\pi(\cos\pi-\sin\pi)=\boldsymbol{-2e^\pi}$

정답과 풀이 **27**쪽

유제 **190** 함수 $f(x)=\sin x\cos x$에 대하여 $\lim\limits_{h\to 0}\dfrac{f\left(\dfrac{\pi}{6}+2h\right)-f\left(\dfrac{\pi}{6}-h\right)}{h}$의 값을 구하여라.

191 함수 $f(x)=\begin{cases} a\sin x & (x\geq 0) \\ e^x+b & (x<0) \end{cases}$ 가 $x=0$에서 미분가능할 때, ab의 값을 구하여라.

(단, a, b는 상수이다.)

풍산자티 $f(x)=\begin{cases} g(x) & (x\geq 0) \\ h(x) & (x<0) \end{cases}$ 에서 $f'(x)=\begin{cases} g'(x) & (x>0) \\ h'(x) & (x<0) \end{cases}$

함수 $f(x)$가 $x=0$에서 미분가능하면

(ⅰ) $x=0$에서 연속이므로 $g(0)=h(0)$

(ⅱ) $f'(0)$이 존재하므로 $g'(0)=h'(0)$

따라서 함수 $f(x)=\begin{cases} g(x) & (x\geq 0) \\ h(x) & (x<0) \end{cases}$ 가 $x=0$에서 미분가능할 조건은 다음과 같다.

(ⅰ) $g(0)=h(0)$ ← 그냥 같다.

(ⅱ) $g'(0)=h'(0)$ ← 미분해서 같다.

▶ **풀이** $f(x)=\begin{cases} a\sin x & (x\geq 0) \\ e^x+b & (x<0) \end{cases}$ ...... ㉠ 에서

$f'(x)=\begin{cases} a\cos x & (x>0) \\ e^x & (x<0) \end{cases}$ ...... ㉡

함수 $f(x)$가 $x=0$에서 미분가능하므로 $x=0$에서 연속이고,

$x=0$에서의 미분계수 $f'(0)$이 존재한다.

(ⅰ) $x=0$에서 연속이므로 ㉠에서 $0=e^0+b$ ∴ $b=-1$

(ⅱ) $f'(0)$이 존재하므로 ㉡에서 $a\cos 0=e^0$ ∴ $a=1$

∴ $ab=1\times(-1)=\boldsymbol{-1}$

정답과 풀이 **27**쪽

유제 **192** 함수 $f(x)=\begin{cases} ae^x+3x & (x\geq 0) \\ \cos x+b & (x<0) \end{cases}$ 가 $x=0$에서 미분가능하도록 하는 상수 a, b의 합 $a+b$의 값을 구하여라.

풍산자 비법

• 사인을 미분하면 코사인 ➡ $(\sin x)'=\cos x$

• 코사인은 미분하면 사인. 이때 '$-$'가 붙는다. ➡ $(\cos x)'=-\sin x$

193

다음 극한값을 구하여라.

(1) $\displaystyle\lim_{x \to \frac{\pi}{2}} \frac{\sin 2x}{\sec x - \tan x}$

(2) $\displaystyle\lim_{x \to 0} \frac{\sin(\tan 3x)}{\sin 2x}$

194

$\displaystyle\lim_{x \to 0} \frac{1 - \cos x}{x \tan 4x}$ 의 값을 구하여라.

195

〈보기〉에서 옳은 것의 개수를 구하여라.

┌─보기┐

ㄱ. $\displaystyle\lim_{x \to 0} \frac{\sin x}{x} = 1$

ㄴ. $\displaystyle\lim_{x \to \infty} \frac{\sin x}{x} = 0$

ㄷ. $\displaystyle\lim_{x \to 0} x \sin \frac{1}{x} = 0$

ㄹ. $\displaystyle\lim_{x \to \infty} x \sin \frac{1}{x} = 1$

196

다음 극한값을 구하여라.

(1) $\displaystyle\lim_{x \to \infty} x \tan \frac{1}{x}$

(2) $\displaystyle\lim_{x \to \frac{\pi}{2}} \left(x - \frac{\pi}{2} \right) \tan x$

(3) $\displaystyle\lim_{x \to 0} \frac{\ln(1 + 6x)}{\sin 3x}$

(4) $\displaystyle\lim_{x \to 0} \frac{\tan 10x}{e^{2x} - 1}$

197

함수 $f(x) = x^2 \sin x + 2x \cos x$에 대하여 $f'(0)$
의 값을 구하여라.

198

함수 $f(x) = \sin^2 x$에 대하여

$$\lim_{h \to 0} \frac{f\left(\dfrac{\pi}{4} + 3h\right) - f\left(\dfrac{\pi}{4} - 2h\right)}{h}$$

의 값을 구하여라.

중단원 마무리

▶ 지수함수와 로그함수의 미분

무리수 e	$\lim\limits_{x \to 0} (1+x)^{\frac{1}{x}} = e,\ \lim\limits_{x \to \infty} \left(1+\dfrac{1}{x}\right)^{x} = e$
지수함수와 로그함수의 극한	$\lim\limits_{x \to 0} \dfrac{\ln(1+ax)}{ax} = \lim\limits_{x \to 0} \dfrac{\ln(1+x)}{x} = 1,\ \lim\limits_{x \to 0} \dfrac{e^{ax}-1}{ax} = \lim\limits_{x \to 0} \dfrac{e^{x}-1}{x} = 1$
지수함수와 로그함수의 도함수	$y=e^{x} \Rightarrow y'=e^{x}, \qquad y=a^{x} \Rightarrow y'=a^{x}\ln a$ $y=\ln x \Rightarrow y'=\dfrac{1}{x}, \qquad y=\log_{a} x \Rightarrow y'=\dfrac{1}{x\ln a}$

▶ 삼각함수의 덧셈정리

덧셈정리	$\sin(\alpha\pm\beta) = \sin\alpha\cos\beta \pm \cos\alpha\sin\beta$ (복부호 동순) $\cos(\alpha\pm\beta) = \cos\alpha\cos\beta \mp \sin\alpha\sin\beta$ (복부호 동순) $\tan(\alpha\pm\beta) = \dfrac{\tan\alpha\pm\tan\beta}{1\mp\tan\alpha\tan\beta}$ (복부호 동순)
배각의 공식	$\sin 2\alpha = 2\sin\alpha\cos\alpha$ $\cos 2\alpha = \cos^{2}\alpha - \sin^{2}\alpha = 2\cos^{2}\alpha - 1 = 1 - 2\sin^{2}\alpha$ $\tan 2\alpha = \dfrac{2\tan\alpha}{1-\tan^{2}\alpha}$
반각의 공식	$\sin^{2}\dfrac{\alpha}{2} = \dfrac{1-\cos\alpha}{2},\ \cos^{2}\dfrac{\alpha}{2} = \dfrac{1+\cos\alpha}{2},\ \tan^{2}\dfrac{\alpha}{2} = \dfrac{1-\cos\alpha}{1+\cos\alpha}$
합성	사인합성: $a\sin x + b\cos x = r\sin(x+\alpha)\ \left(\text{단},\ r=\sqrt{a^{2}+b^{2}},\ \sin\alpha=\dfrac{b}{r},\ \cos\alpha=\dfrac{a}{r}\right)$ 코사인합성: $a\sin x + b\cos x = r\cos(x-\beta)\ \left(\text{단},\ r=\sqrt{a^{2}+b^{2}},\ \sin\beta=\dfrac{a}{r},\ \cos\beta=\dfrac{b}{r}\right)$

▶ 삼각함수의 미분

삼각함수의 극한	$\lim\limits_{x \to 0} \dfrac{\sin x}{x} = 1,\ \lim\limits_{x \to 0} \dfrac{x}{\sin x} = 1,\ \lim\limits_{x \to 0} \dfrac{\tan x}{x} = 1,\ \lim\limits_{x \to 0} \dfrac{x}{\tan x} = 1$
삼각함수의 도함수	$y=\sin x \Rightarrow y'=\cos x$ $y=\cos x \Rightarrow y'=-\sin x$

STEP 1

199

다음 값을 구하여라.

$$\lim_{n\to\infty}\left\{\frac{1}{2}\left(1+\frac{1}{n}\right)\left(1+\frac{1}{n+1}\right)\left(1+\frac{1}{n+2}\right)\right.$$
$$\left.\times\cdots\times\left(1+\frac{1}{2n}\right)\right\}^{2n}$$

200

연속함수 $f(x)$가 $\displaystyle\lim_{x\to0}\frac{e^{4x}-1}{f(x)}=2$를 만족시킬 때,

$\displaystyle\lim_{x\to0}\frac{f(x)}{x}$의 값을 구하여라.

201

$\displaystyle\lim_{x\to0}\frac{\sqrt{ax+b}-2}{\ln(1+2x)}=1$을 만족시키는 상수 a, b의

합 $a+b$의 값을 구하여라.

202

함수 $f(x)=(2x-a)e^{x+b}$에 대하여 $f'(0)=0$, $f'(2)=4$일 때, a^2+b^2의 값을 구하여라.

(단, a, b는 상수이다.)

203

$\cos\theta-3\sin\theta=0$일 때, $\tan2\theta$의 값을 구하여라.

204

$\sin\alpha+\sin\beta=\dfrac{3}{4}$, $\cos\alpha-\cos\beta=\dfrac{1}{2}$일 때,

$\cos(\alpha+\beta)$의 값을 구하여라.

205

그림과 같이 $\overline{AC}=3$,
$\angle C=90°$인 직각삼각형
ABC가 있다. $\overline{BC}$ 위의
점 D에 대하여 $\overline{BD}=3$,
$\overline{CD}=1$이다.

$\angle BAD=\theta$라 할 때, $\tan\theta$의 값을 구하여라.

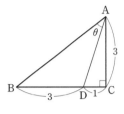

206

$\dfrac{1+\tan^2\theta}{1-\tan^2\theta}=2$일 때, $\tan^2\dfrac{\theta}{2}$의 값을 구하여라.

$$\left(\text{단, } 0<\theta<\frac{\pi}{2}\right)$$

207

$\lim\limits_{x\to a}\dfrac{e^x-1}{3\sin(x-a)}=b$를 만족시키는 상수 a, b
의 값을 각각 구하여라.

208

함수 $f(x)=\begin{cases}\dfrac{\ln(a+6x)}{e^{2x}-1} & (x\neq0) \\ b & (x=0)\end{cases}$ 가 $x=0$에서

연속일 때, 상수 a, b의 곱 ab의 값을 구하여라.

209

$\lim\limits_{x\to\frac{\pi}{2}}\dfrac{\left(x-\dfrac{\pi}{2}\right)\cos x}{1-\sin x}$의 값을 구하여라.

210

함수 $f(x)=\sin x-\sqrt{3}\cos x$에 대하여
$f'(\alpha)=\sqrt{3}$ 을 만족시키는 모든 α의 값의 합을 구
하여라. (단, $0<\alpha<\pi$)

STEP2

211

함수 $f(x)=\begin{cases} \dfrac{ax-\pi}{\cos x} & \left(x\neq\dfrac{\pi}{2}\right) \\ b & \left(x=\dfrac{\pi}{2}\right) \end{cases}$ 가 $0<x<\pi$에서

연속일 때, 상수 a, b의 합 $a+b$의 값을 구하여라.

212

그림과 같이 곡선
$y=2\ln x$ 위의
점 $P(t,\ 2\ln t)$와 두 점
$A(1,\ 0)$, $B(t,\ 0)$에 대
하여 삼각형 PAB의 넓

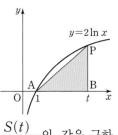

이를 $S(t)$라 할 때, $\displaystyle\lim_{t\to1+}\dfrac{S(t)}{(t-1)^2}$ 의 값을 구하

여라.

213

그림과 같이 지름이
$\overline{AB}=2$인 반원의 호
위에 점 P를 잡을 때,
$3\overline{AP}+4\overline{BP}$의 최댓값
을 구하여라.

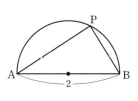

214

함수 $y=\sin^2 x+2\sin x\cos x+3\cos^2 x$의 최
댓값을 M, 최솟값을 m이라 할 때, Mm의 값을
구하여라.

215

그림과 같이 삼각형 ABC
에서 $\angle B=5\theta$, $\angle C=3\theta$
일 때, $\displaystyle\lim_{\theta\to0+}\dfrac{\overline{AB}}{\overline{AC}}$의 값을
구하여라.

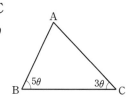

216

함수 $f(x)=\begin{cases} e^x\cos x+ax & (x\geq0) \\ x\sin x+b & (x<0) \end{cases}$ 가 $x=0$에
서 미분가능하도록 하는 상수 a, b에 대하여
a^2+b^2의 값을 구하여라.

2 여러 가지 미분법

도함수의 정의와 성질을 모두 익혔다면
다음 단계로 여러 가지 미분법을 알아보고
여러 가지 함수의 미분을 확장한다.

1 함수의 몫의 미분

$$\left\{\frac{f(x)}{g(x)}\right\}' = \frac{f'(x)g(x)-f(x)g'(x)}{\{g(x)\}^2}$$

2 합성함수의 미분

$$\{f(g(x))\}' = f'(g(x))g'(x)$$

3 매개변수로 나타낸 함수의 미분

$$\frac{dy}{dx} = \frac{\dfrac{dy}{dt}}{\dfrac{dx}{dt}}$$

4 음함수와 역함수의 미분

$$(f^{-1})'(x) = \frac{1}{f'(y)}$$

5 이계도함수

$$f''(x) = \lim_{\varDelta x \to 0}\frac{f'(x+\varDelta x)-f'(x)}{\varDelta x}$$

1 함수의 몫의 미분

01 | 함수의 몫의 미분법

[1] 함수의 몫의 미분법

함수 $\dfrac{f(x)}{g(x)}$의 미분은 어떻게 할까? $\left\{\dfrac{f(x)}{g(x)}\right\}' = \dfrac{f'(x)}{g'(x)}$일까?

일반적으로 유리함수의 미분을 처리하기 위해서는 함수의 몫의 미분법을 이용해야 한다.

곱의 미분법 $\{f(x)g(x)\}' = f'(x)g(x) + f(x)g'(x)$와 비교하며 기억하도록 하자.

함수의 몫의 미분법 중요

두 함수 $f(x)$, $g(x)$ $(g(x) \neq 0)$가 미분가능할 때

(1) $y = \dfrac{f(x)}{g(x)}$ ➡ $y' = \dfrac{f'(x)g(x) - f(x)g'(x)}{\{g(x)\}^2}$

(2) $y = \dfrac{1}{g(x)}$ ➡ $y' = -\dfrac{g'(x)}{\{g(x)\}^2}$

| 증명 | 두 함수 $f(x)$, $g(x)$가 미분가능할 때, 함수 $y = \dfrac{f(x)}{g(x)}$ $(g(x) \neq 0)$의 도함수를 구해 보자.

x의 증분 Δx에 대한 y의 증분을 Δy라 하면

$$\Delta y = \frac{f(x+\Delta x)}{g(x+\Delta x)} - \frac{f(x)}{g(x)}$$

$$= \frac{f(x+\Delta x)g(x) - f(x)g(x+\Delta x)}{g(x+\Delta x)g(x)}$$

$$= \frac{f(x+\Delta x)g(x) - f(x)g(x) - f(x)g(x+\Delta x) + f(x)g(x)}{g(x+\Delta x)g(x)}$$

$$= \frac{\{f(x+\Delta x) - f(x)\}g(x) - f(x)\{g(x+\Delta x) - g(x)\}}{g(x+\Delta x)g(x)}$$

$$\therefore y' = \lim_{\Delta x \to 0} \frac{\Delta y}{\Delta x}$$

$$= \lim_{\Delta x \to 0} \frac{\dfrac{f(x+\Delta x) - f(x)}{\Delta x} \times g(x) - f(x) \times \dfrac{g(x+\Delta x) - g(x)}{\Delta x}}{g(x)g(x+\Delta x)}$$

$$= \frac{\displaystyle\lim_{\Delta x \to 0} \frac{f(x+\Delta x) - f(x)}{\Delta x} \times g(x) - f(x) \lim_{\Delta x \to 0} \frac{g(x+\Delta x) - g(x)}{\Delta x}}{g(x) \displaystyle\lim_{\Delta x \to 0} g(x+\Delta x)}$$

$$= \frac{f'(x)g(x) - f(x)g'(x)}{\{g(x)\}^2}$$

특히 $f(x) = 1$일 때, $f'(x) = 0$이므로 $y = \dfrac{1}{g(x)}$ $(g(x) \neq 0)$의 도함수는 다음과 같다.

➡ $y' = -\dfrac{g'(x)}{\{g(x)\}^2}$

[2] $y=x^n$ (n은 정수)의 도함수

우리는 n이 자연수인 경우 $y=x^n$일 때, $y'=nx^{n-1}$임을 알고 있다.

이 공식의 조합으로 모든 다항함수의 미분을 해결했으니 다항함수의 미분법은 이 공식 하나가 지배한다고 해도 크게 틀린 말은 아니다.

추후 증명하겠지만 이 공식은 n이 음의 정수, 유리수, 실수에서도 성립한다.

이를 이용하여 간단한 유리함수와 무리함수의 미분을 해결할 수 있다.

$y=x^n$ (n은 정수)의 도함수

n이 정수일 때, $y=x^n$ ➡ $y'=nx^{n-1}$

| 증명 | n이 양의 정수일 때, 함수 $y=x^n$의 도함수는 $y'=nx^{n-1}$이다.

이제 몫의 미분법을 이용하여 n이 0 또는 음의 정수일 때도 위의 식이 성립하는지 알아본다.

(i) n이 음의 정수일 때, $n=-m$ (m은 양의 정수)으로 놓으면 몫의 미분법에 의하여

$$y'=(x^n)'=(x^{-m})'=\left(\frac{1}{x^m}\right)'=-\frac{(x^m)'}{(x^m)^2}=-\frac{mx^{m-1}}{x^{2m}}=-mx^{-m-1}=nx^{n-1}$$

(ii) $n=0$일 때, $y'=(x^0)'=1'=0=0\times x^{0-1}$이므로 $y'=nx^{n-1}$이 성립한다.

(i), (ii)에서 n이 0 또는 음의 정수일 때, 함수 $y=x^n$의 도함수는 $y'=nx^{n-1}$이다.

따라서 함수 $y=x^n$의 도함수가 $y'=nx^{n-1}$임은 지수가 자연수의 범위에서 정수의 범위까지 확장됨을 알 수 있다.

| 참고 | n이 자연수일 때, $x^{-n}=\dfrac{1}{x^n}$이므로 몫의 미분법을 사용하면

$$\left(\frac{1}{x^n}\right)'=-\frac{nx^{n-1}}{x^{2n}}=-nx^{-n-1}$$

그럼, n이 실수일 때도 $y=x^n$의 도함수가 $y'=nx^{n-1}$일까? 결론은 그렇다. (증명은 110쪽을 참고)

또한, $\sqrt[n]{x}=x^{\frac{1}{n}}$의 성질을 이용하면 간단한 무리함수의 미분도 해결할 수 있다.

| 개념확인 |

다음 함수를 미분하여라.

(1) $y=x^{-3}$ (2) $y=\dfrac{1}{x^4}$

❯ 풀이   (1) $y'=(x^{-3})'=-3x^{-3-1}=-3x^{-4}=-\dfrac{3}{x^4}$

           (2) $y'=(x^{-4})'=-4x^{-4-1}=-4x^{-5}=-\dfrac{4}{x^5}$

❯ 다른 풀이   (1) $y'=\left(\dfrac{1}{x^3}\right)'=-\dfrac{(x^3)'}{(x^3)^2}=-\dfrac{3x^2}{x^6}=-\dfrac{3}{x^4}$

             (2) $y'=\left(\dfrac{1}{x^4}\right)'=-\dfrac{(x^4)'}{(x^4)^2}=-\dfrac{4x^3}{x^8}=-\dfrac{4}{x^5}$

217 다음 함수를 미분하여라.

(1) $y = \dfrac{2x}{x^2+1}$ (2) $y = \dfrac{\ln x}{x}$ (3) $y = \dfrac{3}{e^x+1}$

풍산자日 유리함수의 미분은 몫의 미분법을 이용해야 한다.

▶ 풀이 (1) $y' = \dfrac{(2x)'(x^2+1)-2x(x^2+1)'}{(x^2+1)^2} = \dfrac{2(x^2+1)-2x \times 2x}{(x^2+1)^2} = \dfrac{-2x^2+2}{(x^2+1)^2}$

(2) $y' = \dfrac{(\ln x)' \times x - \ln x \times (x')}{x^2} = \dfrac{\dfrac{1}{x} \times x - \ln x \times 1}{x^2} = \dfrac{1-\ln x}{x^2}$

(3) $y' = -\dfrac{3(e^x+1)'}{(e^x+1)^2} = -\dfrac{3e^x}{(e^x+1)^2}$

정답과 풀이 **32**쪽

유제 **218** 다음 함수를 미분하여라.

(1) $y = \dfrac{x-3}{2x+1}$ (2) $y = \dfrac{x^2+1}{e^x}$ (3) $y = \dfrac{1}{\ln x}$

219 다음 함수를 미분하여라.

(1) $y = 2x^{-3}$ (2) $y = \dfrac{1}{x^6}$ (3) $y = \dfrac{3x^3-x+1}{x^2}$

풍산자日 (3)의 경우는 몫의 미분법을 이용하여 유리함수의 미분을 처리할 수도 있다. 그러나 분모가 단항식인 유리함수의 미분은 다음과 같은 아이디어를 이용하여 몫의 미분법을 쓰지 않고도 편하게 미분할 수 있다. ➡ $\dfrac{a+b+c}{m} = \dfrac{a}{m} + \dfrac{b}{m} + \dfrac{c}{m}$

▶ 풀이 (1) $y' = (2x^{-3})' = -6x^{-3-1} = -6x^{-4} = -\dfrac{6}{x^4}$

(2) $y = x^{-6}$이므로 $y' = (x^{-6})' = -6x^{-6-1} = -6x^{-7} = -\dfrac{6}{x^7}$

(3) $y = \dfrac{3x^3-x+1}{x^2} = \dfrac{3x^3}{x^2} - \dfrac{x}{x^2} + \dfrac{1}{x^2} = 3x - x^{-1} + x^{-2}$이므로

$y' = (3x - x^{-1} + x^{-2})' = 3 + x^{-2} - 2x^{-3} = 3 + \dfrac{1}{x^2} - \dfrac{2}{x^3}$

정답과 풀이 **32**쪽

유제 **220** 다음 함수를 미분하여라.

(1) $y = 3x^{-5}$ (2) $y = -\dfrac{4}{x^2}$ (3) $y = \dfrac{x^3-x+1}{x}$

02 | 삼각함수의 도함수

삼각함수는 여섯 가지가 있으므로 삼각함수의 도함수도 여섯 가지가 있다.

삼각함수 $y=\sin x$, $y=\cos x$의 도함수는 앞에서 배웠다.

모든 삼각함수는 사인함수와 코사인함수로 나타낼 수 있다.

따라서 나머지 네 종류의 삼각함수의 도함수도 이 둘을 이용하여 구할 수 있다.

> **삼각함수의 도함수**
> (1) $y=\sin x \Rightarrow y'=\cos x$
> (2) $y=\cos x \Rightarrow y'=-\sin x$
> (3) $y=\tan x \Rightarrow y'=\sec^2 x$
> (4) $y=\csc x \Rightarrow y'=-\csc x \cot x$
> (5) $y=\sec x \Rightarrow y'=\sec x \tan x$
> (6) $y=\cot x \Rightarrow y'=-\csc^2 x$

| 증명 |

(1) $y=\sin x$, (2) $y=\cos x$의 도함수의 증명은 92쪽을 참조.

(3) $y=\tan x=\dfrac{\sin x}{\cos x}$의 도함수 $\Rightarrow$ 공식 $\left\{\dfrac{f(x)}{g(x)}\right\}'=\dfrac{f'(x)g(x)-f(x)g'(x)}{\{g(x)\}^2}$를 쓴다.

$$y'=\left(\frac{\sin x}{\cos x}\right)'=\frac{(\sin x)'\cos x-\sin x(\cos x)'}{\cos^2 x}=\frac{\cos^2 x+\sin^2 x}{\cos^2 x}=\frac{1}{\cos^2 x}=\sec^2 x$$

(4) $y=\csc x=\dfrac{1}{\sin x}$의 도함수 $\Rightarrow$ 공식 $\left\{\dfrac{1}{g(x)}\right\}'=-\dfrac{g'(x)}{\{g(x)\}^2}$를 쓴다.

$$y'=\left(\frac{1}{\sin x}\right)'=-\frac{(\sin x)'}{\sin^2 x}=-\frac{\cos x}{\sin^2 x}=-\frac{1}{\sin x}\times\frac{\cos x}{\sin x}=-\csc x \cot x$$

(5) $y=\sec x=\dfrac{1}{\cos x}$의 도함수 $\Rightarrow$ 공식 $\left\{\dfrac{1}{g(x)}\right\}'=-\dfrac{g'(x)}{\{g(x)\}^2}$를 쓴다.

$$y'=\left(\frac{1}{\cos x}\right)'=-\frac{(\cos x)'}{\cos^2 x}=\frac{\sin x}{\cos^2 x}=\frac{1}{\cos x}\times\frac{\sin x}{\cos x}=\sec x \tan x$$

(6) $y=\cot x=\dfrac{\cos x}{\sin x}$의 도함수 $\Rightarrow$ 공식 $\left\{\dfrac{f(x)}{g(x)}\right\}'=\dfrac{f'(x)g(x)-f(x)g'(x)}{\{g(x)\}^2}$를 쓴다.

$$y'=\left(\frac{\cos x}{\sin x}\right)'=\frac{(\cos x)'\sin x-\cos x(\sin x)'}{\sin^2 x}=\frac{-\sin^2 x-\cos^2 x}{\sin^2 x}$$
$$=-\frac{1}{\sin^2 x}=-\csc^2 x$$

| 참고 | 삼각함수의 도함수는 다음과 같이 앞자를 따서 암기하면 쉽게 암기된다!

	공식	암기법
사인함수	$(\sin x)'=\cos x$	사미코
코사인함수	$(\cos x)'=-\sin x$	코미마사
탄젠트함수	$(\tan x)'=\sec^2 x$	타미섹승
코시컨트함수	$(\csc x)'=-\csc x \cot x$	코섹미마코섹코탄
시컨트함수	$(\sec x)'=\sec x \tan x$	섹미섹탄
코탄젠트함수	$(\cot x)'=-\csc^2 x$	코탄미마코섹승

주목! $\Rightarrow$ '코'가 있는 함수들을 미분할 때만 마이너스($-$)가 나온다!

221 다음 함수를 미분하여라.

    (1) $y = 2\tan x + \cos x$ (2) $y = x\sec x$ (3) $y = \sin x\tan x$

풍산자日 삼각함수의 미분 공식을 이용한다.

이때 $y = f(x)g(x)$ 꼴의 미분은 곱의 미분법을 이용한다.

▶ 풀이   (1) $y' = (2\tan x)' + (\cos x)' = 2\sec^2 x - \sin x$

    (2) $y' = (x)'\sec x + x(\sec x)' = \sec x + x\sec x\tan x = \sec x(1 + x\tan x)$

    (3) $y' = (\sin x)'\tan x + \sin x(\tan x)' = \cos x\tan x + \sin x\sec^2 x$

        $= \cos x \times \dfrac{\sin x}{\cos x} + \sin x\sec^2 x = \sin x(1 + \sec^2 x)$

정답과 풀이 32쪽

유제 222 다음 함수를 미분하여라.

    (1) $y = \cot x - \csc x$ (2) $y = x^2\tan x$ (3) $y = \sec x\tan x$

223 다음 함수를 미분하여라.

    (1) $y = \dfrac{x}{\tan x}$ (2) $y = \dfrac{\sec x}{x^2}$ (3) $y = \dfrac{1 - \cos x}{1 + \cos x}$

풍산자日 삼각함수의 미분 공식을 이용한다. 이때 $y = \dfrac{f(x)}{g(x)}$ 꼴의 미분은 몫의 미분법을 이용한다.

▶ 풀이   (1) $y' = \dfrac{(x)'\tan x - x(\tan x)'}{\tan^2 x} = \dfrac{\tan x - x\sec^2 x}{\tan^2 x}$

        $= \dfrac{1}{\tan x} - \dfrac{x\cos^2 x}{\sin^2 x} \times \dfrac{1}{\cos^2 x} = \cot x - x\csc^2 x$

    (2) $y' = \dfrac{(\sec x)'x^2 - \sec x(x^2)'}{(x^2)^2} = \dfrac{\sec x\tan x \times x^2 - \sec x \times 2x}{x^4}$

        $= \dfrac{\sec x(x\tan x - 2)}{x^3}$

    (3) $y' = \dfrac{(1 - \cos x)'(1 + \cos x) - (1 - \cos x)(1 + \cos x)'}{(1 + \cos x)^2}$

        $= \dfrac{\sin x(1 + \cos x) - (1 - \cos x)(-\sin x)}{(1 + \cos x)^2}$

        $= \dfrac{2\sin x}{(1 + \cos x)^2}$

정답과 풀이 32쪽

유제 224 다음 함수를 미분하여라.

    (1) $y = \dfrac{x}{\sin x}$ (2) $y = \dfrac{\csc x}{x^2}$ (3) $y = \dfrac{1 + \tan x}{1 - \tan x}$

2 | 합성함수의 미분

01 | 합성함수의 미분법

미분과 적분은 과학 혁명이 한창이던 17세기 뉴턴과 라이프니츠가 서로 독립적으로 발견하여, 이후 수학은 물론 과학, 공학 등에 지대한 영향을 끼쳐 왔다.

당시 뉴턴이 쓰던 미분 기호는 y'이고, 라이프니츠가 쓰던 미분 기호는 $\dfrac{dy}{dx}$인데, 변수가 무엇인지를 알려 준다는 점에서 라이프니츠 식 기호가 훨씬 세련된 기호로 평가받는다.

> **합성함수의 미분법** 중요
>
> 두 함수 $y=f(u)$, $u=g(x)$가 미분가능할 때,
> 합성함수 $y=f(g(x))$의 도함수는
>
> $$\dfrac{dy}{dx}=\dfrac{dy}{du}\times\dfrac{du}{dx} \text{ 또는 } y'=f'(g(x))g'(x)$$
>
> 또, 합성함수의 미분법에 의하여 함수 $y=\{f(x)\}^n$ (n은 정수)의 도함수는
>
> $$y'=n\{f(x)\}^{n-1}f'(x)$$

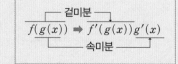

| 설명 | 합성함수를 미분할 때는 '무엇을 무엇으로 미분'하는지 그 기준을 명확하게 해야 한다.
다음 두 가지 예를 통해 라이프니츠 식 기호에 대해 이해하도록 하자.

(1) $\dfrac{dx^3}{dx}$ ➡ x^3을 x에 대하여 미분하라. ➡ $(x^3)'=3x^2$

(2) $\dfrac{du^3}{du}$ ➡ u^3을 u에 대하여 미분하라. ➡ $(u^3)'=3u^2$

이를 토대로 합성함수의 미분을 뉴턴 식 기호와 라이프니츠 식 기호로 표현할 수 있다.

두 함수 $y=f(u)$, $u=g(x)$가 미분가능할 때

$$\dfrac{dy}{dx}=\dfrac{dy}{du}\times\dfrac{du}{dx}=\dfrac{df(u)}{du}\times\dfrac{dg(x)}{dx}=f'(u)g'(x)=f'(g(x))g'(x)$$

이 방법으로 $y=\{f(x)\}^n$을 미분하면 $y'=n\{f(x)\}^{n-1}f'(x)$

한걸음 더 **합성함수의 미분법의 증명**

두 함수 $y=f(u)$, $u=g(x)$가 미분가능할 때, $u=g(x)$에서 x의 증분 $\varDelta x$에 대한 u의 증분을 $\varDelta u$라 하고, $y=f(u)$에서 u의 증분 $\varDelta u$에 대한 y의 증분을 $\varDelta y$라 하면

$$\dfrac{\varDelta y}{\varDelta x}=\dfrac{\varDelta y}{\varDelta u}\times\dfrac{\varDelta u}{\varDelta x} \text{ (단, } \varDelta u\neq0)$$

이때 두 함수 $y=f(u)$, $u=g(x)$가 미분가능하므로 $\displaystyle\lim_{\varDelta u\to0}\dfrac{\varDelta y}{\varDelta u}=\dfrac{dy}{du}$, $\displaystyle\lim_{\varDelta x\to0}\dfrac{\varDelta u}{\varDelta x}=\dfrac{du}{dx}$

미분가능한 함수 $u=g(x)$는 연속이므로 $\varDelta x\to0$이면 $\varDelta u\to0$이다.

$$\therefore \dfrac{dy}{dx}=\lim_{\varDelta x\to0}\dfrac{\varDelta y}{\varDelta x}=\lim_{\varDelta x\to0}\left(\dfrac{\varDelta y}{\varDelta u}\times\dfrac{\varDelta u}{\varDelta x}\right)=\lim_{\varDelta u\to0}\dfrac{\varDelta y}{\varDelta u}\times\lim_{\varDelta x\to0}\dfrac{\varDelta u}{\varDelta x}=\dfrac{dy}{du}\times\dfrac{du}{dx}$$

여기서 $\dfrac{dy}{du}=f'(u)=f'(g(x))$이고 $\dfrac{du}{dx}=g'(x)$이므로 $y'=f'(g(x))g'(x)$

225 다음 함수를 미분하여라.

(1) $y=(x^3+x^2)^5$

(2) $y=\dfrac{1}{(x^3+2x+3)^3}$

(3) $y=(x-3)^2(x+2)^4$

(4) $y=\left(x+\dfrac{1}{x}\right)^3$

풍산자⊟ 겉미분을 한 후 ( ) 안의 미분을 뒷부분에 곱해 준다.

(2) $y=\dfrac{1}{(x^3+2x+3)^3}=(x^3+2x+3)^{-3}$으로 변형한 후, $y=☆^n$ (n은 정수)이면

$y'=n☆^{n-1}×☆'$임을 이용한다.

▶ **풀이** (1) $y'=5(x^3+x^2)^4(x^3+x^2)'$

$\qquad =5(x^3+x^2)^4(3x^2+2x)$

(2) $y=\dfrac{1}{(x^3+2x+3)^3}=(x^3+2x+3)^{-3}$이므로

$y'=-3(x^3+2x+3)^{-4}(x^3+2x+3)'$

$\quad =-\dfrac{3(3x^2+2)}{(x^3+2x+3)^4}$

(3) $y'=\{(x-3)^2\}'(x+2)^4+(x-3)^2\{(x+2)^4\}'$

$\quad =2(x-3)(x-3)'(x+2)^4+(x-3)^2×4(x+2)^3(x+2)'$

$\quad =2(x-3)(x+2)^4+4(x-3)^2(x+2)^3$

$\quad =2(x-3)(x+2)^3\{(x+2)+2(x-3)\}$

$\quad =2(x-3)(3x-4)(x+2)^3$

(4) $y=\left(x+\dfrac{1}{x}\right)^3=(x+x^{-1})^3$이므로

$y'=3(x+x^{-1})^2(x+x^{-1})'=3(x+x^{-1})^2(1-x^{-2})$

$\quad =3\left(x+\dfrac{1}{x}\right)^2\left(1-\dfrac{1}{x^2}\right)$

▶ **다른 풀이** (1) $u=x^3+x^2$으로 놓으면 $y=u^5$

$\dfrac{du}{dx}=(x^3+x^2)'=3x^2+2x,\ \dfrac{dy}{du}=(u^5)'=5u^4=5(x^3+x^2)^4$

$∴\ y'=\dfrac{dy}{dx}=\dfrac{dy}{du}×\dfrac{du}{dx}=5(x^3+x^2)^4(3x^2+2x)$

징답과 풀이 **32**쪽

유제 226 다음 함수를 미분하여라.

(1) $y=(x^2+x)^3$

(2) $y=\dfrac{1}{(x^2+x+1)^5}$

(3) $y=(x^2-2)^2(x^2+x-1)$

(4) $y=\left(x-\dfrac{2}{x}\right)^4$

227 다음 함수를 미분하여라.

(1) $y=\sin(x^2+x+1)$　　　(2) $y=\tan^2 3x$　　　　　(3) $y=\cos(\cos x)$

풍산자曰 겉미분을 한 후 ( ) 안의 미분을 뒷부분에 곱해 준다.

▶ **풀이** (1) $y'=\cos(x^2+x+1)\times(x^2+x+1)'$
　　　　　$=\cos(x^2+x+1)\times(2x+1)$
　　　　　$=(2x+1)\cos(x^2+x+1)$

$$
\underset{\text{속미분}}{\overset{\overbrace{\qquad\qquad}^{\text{겉미분}}}{\sin \vartriangle \Rightarrow \cos \vartriangle \times \vartriangle'}}
$$

　　　(2) $y=\tan^2 3x=(\tan 3x)^2$이므로
　　　　　$y'=2\tan 3x\times(\tan 3x)'=2\tan 3x\times\sec^2 3x\times(3x)'$
　　　　　$=6\tan 3x\sec^2 3x$

　　　(3) $y'=-\sin(\cos x)\times(\cos x)'=-\sin(\cos x)\times(-\sin x)$
　　　　　$=\sin x\sin(\cos x)$

정답과 풀이 **33**쪽

유제 **228** 다음 함수를 미분하여라.

(1) $y=\cos(x^3+2x+3)$　　　(2) $y=\cot^2(2x+1)$　　　(3) $y=\sin(\sin x)$

229 두 함수 $f(x)=\sin x$, $g(x)=\cos x$의 합성함수 $h(x)=(f\circ g)(x)$에 대하여 $h'\left(\dfrac{\pi}{2}\right)$
의 값을 구하여라.

풍산자曰 $h'(x)=(\sin \vartriangle)'=\cos \vartriangle \times \vartriangle'$임을 이용한다.

▶ **풀이** $h(x)=f(g(x))=\sin(\cos x)$이므로
　　　$h'(x)=\cos(\cos x)\times(\cos x)'=\cos(\cos x)\times(-\sin x)=-\sin x\cos(\cos x)$
　　　$\therefore h'\left(\dfrac{\pi}{2}\right)=-\sin\dfrac{\pi}{2}\cos\left(\cos\dfrac{\pi}{2}\right)=-1\times 1=-1$

정답과 풀이 **33**쪽

유제 **230** 두 함수 $f(x)=x^2-x+2$, $g(x)=\dfrac{4}{x^2}$의 합성함수 $h(x)=(g\circ f)(x)$에 대하여 $h'(1)$의
값을 구하여라.

풍산자 비법

합성함수의 미분법 $\{f(☆)\}'=f'(☆)\times☆'$의 핵심

➜ x 자리에 x 대신 ☆이 있을 경우 뒤에 ☆의 미분을 곱해 줘야 한다는 것!

02 지수함수와 로그함수의 도함수

[1] 지수함수와 로그함수의 도함수

합성함수의 미분법은 미분법의 최고봉!

'원래 공식의 x자리에 다른 식이 있으면 그 식의 미분을 뒷부분에 곱해 준다.'

는 단순한 아이디어를 통해 기본적인 지수함수, 로그함수의 도함수를 넘어서 다양하고 복잡한 지수함수와 로그함수의 도함수를 구할 수 있다.

지수함수의 도함수

$a>0$, $a\neq1$이고 함수 $f(x)$가 미분가능할 때

(1) $y=e^x \Rightarrow y'=e^x$

(2) $y=a^x \Rightarrow y'=a^x \ln a$

(3) $y=e^{f(x)} \Rightarrow y'=e^{f(x)}f'(x)$

(4) $y=a^{f(x)} \Rightarrow y'=a^{f(x)}f'(x)\ln a$

| 증명 |

(1) $y=e^x$, (2) $y=a^x$의 도함수의 증명은 62쪽을 참조.

(3) $y=e^{f(x)}$에서 $f(x)=u$라 하면 $y=e^u$

$$\therefore \frac{dy}{dx}=\frac{dy}{du}\times\frac{du}{dx}=e^u f'(x)=e^{f(x)}f'(x)$$

(4) $y=a^{f(x)}$에서 $f(x)=u$라 하면 $y=a^u$

$$\therefore \frac{dy}{dx}=\frac{dy}{du}\times\frac{du}{dx}=a^u\ln a\times f'(x)=a^{f(x)}f'(x)\ln a$$

로그함수의 도함수

$a>0$, $a\neq1$이고 함수 $f(x)$가 미분가능하며 $f(x)\neq0$일 때

(1) $y=\ln|x| \Rightarrow y'=\dfrac{1}{x}$

(2) $y=\log_a|x| \Rightarrow y'=\dfrac{1}{x\ln a}$

(3) $y=\ln|f(x)| \Rightarrow y'=\dfrac{f'(x)}{f(x)}$

(4) $y=\log_a|f(x)| \Rightarrow y'=\dfrac{f'(x)}{f(x)\ln a}$

| 증명 |

(1) (i) $x>0$일 때, $y=\ln x$이므로 $y'=(\ln x)'=\dfrac{1}{x}$

(ii) $x<0$일 때, $y=\ln(-x)$이므로 $y'=\{\ln(-x)\}'=\dfrac{(-x)'}{-x}=\dfrac{-1}{-x}=\dfrac{1}{x}$

(i), (ii)에서 $y'=\dfrac{1}{x}$ ($\Rightarrow$ 결론적으로, 미분할 때 절댓값은 무시해도 괜찮다.)

(2) $y=\log_a|x|=\dfrac{\ln|x|}{\ln a}$이므로 $y'=\left(\dfrac{\ln|x|}{\ln a}\right)'=\dfrac{1}{\ln a}\times\dfrac{1}{x}=\dfrac{1}{x\ln a}$

(3) (i) $f(x)>0$일 때, $y=\ln f(x)$이고 $u=f(x)$로 놓으면 $y=\ln u$

$$\therefore \frac{dy}{dx}=\frac{dy}{du}\times\frac{du}{dx}=\frac{1}{u}\times f'(x)=\frac{f'(x)}{f(x)}$$

(ii) $f(x)<0$일 때, $y=\ln\{-f(x)\}$이고 $u=-f(x)$로 놓으면 $y=\ln u$

$$\therefore \frac{dy}{dx}=\frac{dy}{du}\times\frac{du}{dx}=\frac{1}{u}\times\{-f'(x)\}=\frac{-f'(x)}{-f(x)}=\frac{f'(x)}{f(x)}$$

(i), (ii)에서 $y'=\dfrac{f'(x)}{f(x)}$

(4) $y=\log_a|f(x)|=\dfrac{\ln|f(x)|}{\ln a}$이므로 $y'=\left(\dfrac{\ln|f(x)|}{\ln a}\right)'=\dfrac{1}{\ln a}\times\dfrac{f'(x)}{f(x)}=\dfrac{f'(x)}{f(x)\ln a}$

[2] $y = x^r$ (r는 실수)의 도함수

앞에서 $y = x^n$에서 n이 정수인 경우 $y' = nx^{n-1}$이 되는 것을 확인하였다.

이번에는 로그함수의 도함수와 합성함수의 미분법을 이용하여 지수가 실수인 경우를 알아보자.

> **$y = x^r$ (r는 실수)의 도함수**
>
> r가 실수일 때, $y = x^r \Rightarrow y' = rx^{r-1}$

| 증명 | $y = x^r$의 양변에 절댓값을 취한 후 자연로그를 취하면

$\ln|y| = \ln|x^r|$, 즉 $\ln|y| = \ln|x|^r$ $\quad\quad \therefore \ln|y| = r\ln|x|$

양변을 x에 대하여 미분하면 $\dfrac{y'}{y} = \dfrac{r}{x}$

$\therefore y' = \dfrac{r}{x} \times y = \dfrac{r}{x} \times x^r = rx^{r-1}$

따라서 r가 실수일 때, $y = x^r$의 도함수는 $y' = rx^{r-1}$이다.

| 참고 | 자연로그를 취하기 전에 절댓값을 취하는 이유는 로그의 진수는 양수이기 때문이다.

사실 절댓값을 취하는 것을 깜빡해도 결과는 같다. 왜?

$y = \ln x$의 미분과 $y = \ln|x|$의 미분은 같으니까.

| 개념확인 | 다음 함수를 미분하여라.

(1) $y = \sqrt{x}$ $\quad\quad\quad\quad\quad\quad\quad\quad\quad\quad$ (2) $y = \sqrt[3]{x^2}$

> **풀이** $\quad$ (1) $y = \sqrt{x} = x^{\frac{1}{2}}$이므로 $y' = (x^{\frac{1}{2}})' = \dfrac{1}{2}x^{\frac{1}{2}-1} = \dfrac{1}{2}x^{-\frac{1}{2}} = \dfrac{1}{2\sqrt{x}}$
>
> $\quad\quad\quad$ (2) $y = \sqrt[3]{x^2} = x^{\frac{2}{3}}$이므로 $y' = (x^{\frac{2}{3}})' = \dfrac{2}{3}x^{\frac{2}{3}-1} = \dfrac{2}{3}x^{-\frac{1}{3}} = \dfrac{2}{3\sqrt[3]{x}}$

한걸음 더

로그미분법

- 지수가 숫자인 $y = x^3$의 꼴과 같은 다항함수의 도함수는 공식 $(x^n)' = nx^{n-1}$에 의해 $y' = 3x^2$
- 밑이 숫자인 $y = 3^x$의 꼴과 같은 지수함수의 도함수는 공식 $(a^x)' = a^x \ln a$에 의해 $y' = 3^x \ln 3$

하지만 $y = x^x$은 밑과 지수에 모두 변수가 포함된 괴상한 함수.

이러한 함수의 도함수는 위와 같이 구할 수 없다.

또, $y = \dfrac{x^5(x+1)^3}{(x+2)^2}$과 같이 복잡한 유리함수는 곱의 미분법이나 몫의 미분법을 이용하여 도함수를 구하려면 계산이 매우 복잡하다.

이러한 함수의 도함수는 다음과 같은 방법으로 구하는 것이 편리하다.

> (i) $y = f(x)$의 양변에 절댓값을 취한다. $\Rightarrow |y| = |f(x)|$ $\quad\quad$ ······ ㉠
>
> (ii) ㉠의 양변에 자연로그를 취한다. $\Rightarrow \ln|y| = \ln|f(x)|$ $\quad\quad$ ······ ㉡
>
> (iii) ㉡의 양변을 x에 대하여 미분한다. $\Rightarrow \dfrac{y'}{y} = \dfrac{f'(x)}{f(x)}$ $\quad\quad$ ······ ㉢
>
> (iv) ㉢을 $y' = \star$의 꼴로 정리하여 도함수를 구한다.

이와 같은 미분법을 로그미분법이라 한다.

231 다음 함수를 미분하여라.

(1) $y = e^{x^3 + x^2}$

(2) $y = xe^{x+1}$

(3) $y = \dfrac{e^x + e^{-x}}{e^x - e^{-x}}$

풍산자티 (1)은 겉미분을 한 후 지수의 미분을 뒷부분에 곱해 준다.

(2)는 곱의 미분법을, (3)은 몫의 미분법을 이용한다.

▶ **풀이** (1) $y = e^{x^3+x^2}(x^3+x^2)' = (3x^2+2x)e^{x^3+x^2}$

(2) $y' = (x)'e^{x+1} + x(e^{x+1})' = e^{x+1} + xe^{x+1}(x+1)'$
$= e^{x+1} + xe^{x+1} \times 1 = e^{x+1}(x+1)$

(3) $y' = \dfrac{(e^x+e^{-x})'(e^x-e^{-x}) - (e^x+e^{-x})(e^x-e^{-x})'}{(e^x-e^{-x})^2}$

$= \dfrac{(e^x-e^{-x})(e^x-e^{-x}) - (e^x+e^{-x})(e^x+e^{-x})}{(e^x-e^{-x})^2}$

$= \dfrac{(e^x-e^{-x})^2 - (e^x+e^{-x})^2}{(e^x-e^{-x})^2} = -\dfrac{4}{(e^x-e^{-x})^2}$

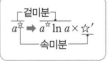

정답과 풀이 **33**쪽

유제 **232** 다음 함수를 미분하여라.

(1) $y = e^{\tan x}$

(2) $y = 5^{1-3x}$

(3) $y = (e^x + e^{-x})^2$

(4) $y = \dfrac{2^x + 2^{-x}}{2^x - 2^{-x}}$

233 다음 함수를 미분하여라.

(1) $y = \ln|x^3 + x^2|$

(2) $y = \ln|3^x - 1|$

(3) $y = (x^2 + x)\log_2|5x - 3|$

풍산자티 (1), (2) 겉미분을 한 후 | | 안의 미분을 뒷부분에 곱해 준다.

(3) 곱의 미분법을 이용한다.

▶ **풀이** (1) $y' = \dfrac{(x^3+x^2)'}{x^3+x^2} = \dfrac{3x^2+2x}{x^3+x^2} = \dfrac{3x+2}{x^2+x}$

(2) $y' = \dfrac{(3^x-1)'}{3^x-1} = \dfrac{3^x \ln 3}{3^x-1}$

(3) $y' = (x^2+x)'\log_2|5x-3| + (x^2+x)(\log_2|5x-3|)'$

$= (2x+1)\log_2|5x-3| + (x^2+x) \times \dfrac{(5x-3)'}{(5x-3)\ln 2}$

$= (2x+1)\log_2|5x-3| + \dfrac{5(x^2+x)}{(5x-3)\ln 2}$

정답과 풀이 **33**쪽

유제 **234** 다음 함수를 미분하여라.

(1) $y = \ln|e^x - 1|$

(2) $y = \log_2|\sin x|$

(3) $y = \dfrac{\ln|x|^2}{x^2}$

(4) $y = \log_5|\log_5|x||$

235 다음 함수를 미분하여라.

(1) $y=x^x\,(x>0)$ (2) $y=x^{\sin x}\,(x>0)$

> 풍산자팁 지수와 밑에 모두 x가 있으므로 로그미분법 적용! ➡ 양변에 자연로그를 취한다.

> 풀이 (1) 양변에 자연로그를 취하면 $\ln y=\ln x^x$ ∴ $\ln y=x\ln x$

양변을 x에 대하여 미분하면

$$\frac{y'}{y}=(x)'\ln x+x(\ln x)'=\ln x+1$$

$$\therefore y'=y(\ln x+1)=x^x(\ln x+1)$$

(2) 양변에 자연로그를 취하면 $\ln y=\ln x^{\sin x}$ ∴ $\ln y=\sin x\ln x$

양변을 x에 대하여 미분하면

$$\frac{y'}{y}=(\sin x)'\ln x+\sin x\,(\ln x)'=\cos x\ln x+\sin x\times\frac{1}{x}$$

$$\therefore y'=y\Big(\cos x\ln x+\frac{\sin x}{x}\Big)=x^{\sin x}\Big(\cos x\ln x+\frac{\sin x}{x}\Big)$$

정답과 풀이 33쪽

유제 **236** 다음 함수를 미분하여라.

(1) $y=x^{\cos x}\,(x>0)$ (2) $y=x^{\ln x}\,(x>0)$

237 함수 $y=\dfrac{x^2(x+1)^3}{(x+2)^5}$ 을 미분하여라.

> 풍산자팁 로그미분법은 이와 같이 복잡한 유리함수에서 강력한 힘을 발휘한다.

이때 x의 값에 따라 y의 값의 부호가 바뀌므로 양변의 절댓값에 자연로그를 취한다.

> 풀이 양변의 절댓값에 자연로그를 취하면

$$\ln|y|=\ln\left|\frac{x^2(x+1)^3}{(x+2)^5}\right|=2\ln|x|+3\ln|x+1|-5\ln|x+2|$$

양변을 x에 대하여 미분하면

$$\frac{y'}{y}=\frac{2}{x}+\frac{3}{x+1}-\frac{5}{x+2}=\frac{7x+4}{x(x+1)(x+2)}$$

$$\therefore y'=y\times\frac{7x+4}{x(x+1)(x+2)}=\frac{x(7x+4)(x+1)^2}{(x+2)^6}$$

정답과 풀이 34쪽

유제 **238** 함수 $y=\dfrac{(x+1)^2(x-2)^3}{(x-3)^4}$ 을 미분하여라.

239 다음 함수를 미분하여라.

(1) $y=\dfrac{1}{\sqrt[3]{x^2}}$

(2) $y=x\sqrt[5]{x}$

(3) $y=\sqrt{x^2+x+1}$

(4) $y=x^\pi$

> **풍산자曰** 함수 $y=\sqrt[m]{\{f(x)\}^n}$ (m, n은 자연수, $m>1$)은 $y=\{f(x)\}^{\frac{n}{m}}$의 꼴로 바꾸어 미분한다.
>
> (3) $y=\sqrt{x}$일 때 $y'=\dfrac{1}{2\sqrt{x}}$임을 생각하면 $y=\sqrt{f(x)}$일 때 $y'=\dfrac{f'(x)}{2\sqrt{f(x)}}$
>
> 이 공식은 $\sqrt{}$ 의 미분에 요긴하게 쓰이므로 기억해 두면 편리하다.

> **풀이**
> (1) $y=\dfrac{1}{\sqrt[3]{x^2}}=x^{-\frac{2}{3}}$이므로
> $$y'=(x^{-\frac{2}{3}})'=-\frac{2}{3}x^{-\frac{2}{3}-1}=-\frac{2}{3}x^{-\frac{5}{3}}=-\frac{2}{3x\sqrt[3]{x^2}}$$
> (2) $y=x\sqrt[5]{x}=x^{1+\frac{1}{5}}=x^{\frac{6}{5}}$이므로
> $$y'=(x^{\frac{6}{5}})'=\frac{6}{5}x^{\frac{6}{5}-1}=\frac{6}{5}x^{\frac{1}{5}}=\frac{6}{5}\sqrt[5]{x}$$
> (3) $y'=(\sqrt{x^2+x+1})'=\dfrac{(x^2+x+1)'}{2\sqrt{x^2+x+1}}=\dfrac{2x+1}{2\sqrt{x^2+x+1}}$
> (4) $y'=(x^\pi)'=\pi x^{\pi-1}$

> **다른 풀이** (3) $y=\sqrt{x^2+x+1}=(x^2+x+1)^{\frac{1}{2}}$이므로
> $$y'=\frac{1}{2}(x^2+x+1)^{\frac{1}{2}-1}(x^2+x+1)'=\frac{1}{2}(x^2+x+1)^{-\frac{1}{2}}(2x+1)$$
> $$=\frac{2x+1}{2\sqrt{x^2+x+1}}$$

정답과 풀이 **34**쪽

유제 240 다음 함수를 미분하여라.

(1) $y=\sqrt[3]{x^4}$

(2) $y=\dfrac{1}{x^2\sqrt{x^3}}$

(3) $y=\sqrt[5]{2x-4}$

(4) $y=x^{-e}$

풍산자 비법

• 함수 $y=\{f(x)\}^n$의 도함수는 $y'=n\{f(x)\}^{n-1}f'(x)$

• 함수 $y=\sqrt{f(x)}$의 도함수는 $y'=\dfrac{f'(x)}{2\sqrt{f(x)}}$

241

함수 $f(x) = \dfrac{1}{x} + \dfrac{1}{x^2} + \dfrac{1}{x^3} + \cdots + \dfrac{1}{x^{10}}$에 대하여 $f'(1)$의 값을 구하여라.

242

함수 $f(x) = \dfrac{\tan x}{1 + \sec x}$에 대하여 $f'\left(\dfrac{\pi}{3}\right)$의 값을 구하여라.

243

두 함수 $f(x) = x^2$, $g(x) = \sin 2x$에 대하여 $h(x) = (f \circ g)(x)$일 때, $h'\left(\dfrac{\pi}{6}\right)$의 값을 구하여라.

244

함수 $f(x) = e^{x^2+1} \tan x$에 대하여 $f'(0)$의 값을 구하여라.

245

$0 < x < \dfrac{\pi}{2}$에서 정의된 함수 $f(x) = \ln(\sec^2 x)$에 대하여 $f'\left(\dfrac{\pi}{4}\right)$의 값을 구하여라.

246

함수 $f(x) = \dfrac{x^2(x+1)^4}{(x-1)^3}$에 대하여 $f'(-2)$의 값을 구하여라.

3 매개변수로 나타낸 함수의 미분

01 | 매개변수로 나타낸 함수의 미분법

대부분의 함수의 식은 x와 y 사이의 관계를 표현한 식이다.

하지만 x와 y를 직접적인 관계로 표현하지 않고, 공통된 하나의 문자로 나타낼 수 있다.

x와 y가 아닌 다른 변수를 매개로 표현되는 함수의 미분법에 대해 알아보자.

> **매개변수의 뜻**
>
> 두 변수 x와 y 사이의 관계를 변수 t를 매개로 하여 $x=f(t)$, $y=g(t)$ ...... ㉠
>
> 의 꼴로 나타낼 때 변수 t를 **매개변수**라 하고, ㉠을 **매개변수로 나타낸 함수**라 한다.

| 설명 | 매개변수로 나타내는 것은 곡선을 표현하는 한 방법이며, 원을 비롯한 '기하'에서 배우는 이차곡선은 매개변수를 사용하여 나타낼 수 있다.

예를 들어 원 $x^2+y^2=4$를 매개변수 θ를 사용하여 나타내어 보자.

$x^2+y^2=4$를 변형하면 $\left(\dfrac{x}{2}\right)^2+\left(\dfrac{y}{2}\right)^2=1$이므로 $\dfrac{x}{2}=\cos\theta$, $\dfrac{y}{2}=\sin\theta$로 나타낼 수 있다.

따라서 원 $x^2+y^2=4$를 매개변수 θ를 사용하여 나타내면 $x=2\cos\theta$, $y=2\sin\theta$

> **매개변수로 나타낸 함수의 미분법**
>
> 매개변수로 나타낸 함수 $x=f(t)$, $y=g(t)$가 t에 대하여 미분가능하고 $f'(t)\neq0$이면
>
> $$\frac{dy}{dx}=\frac{\dfrac{dy}{dt}}{\dfrac{dx}{dt}}=\frac{g'(t)}{f'(t)}=\frac{(y\text{의 미분})}{(x\text{의 미분})}$$

| 설명 | 매개변수로 나타낸 함수 $x=f(t)$, $y=g(t)$가 t에 대하여 미분가능하고 $f'(t)\neq0$이면

$\dfrac{dy}{dx}$를 다음과 같이 구할 수 있다.

t는 x의 함수로 생각할 수 있으므로 $\Delta x\to0$일 때 $\Delta t\to0$이 된다.

$$\therefore\ \frac{dy}{dx}=\lim_{\Delta x\to0}\frac{\Delta y}{\Delta x}=\lim_{\Delta t\to0}\frac{\dfrac{\Delta y}{\Delta t}}{\dfrac{\Delta x}{\Delta t}}=\frac{\displaystyle\lim_{\Delta t\to0}\frac{\Delta y}{\Delta t}}{\displaystyle\lim_{\Delta t\to0}\frac{\Delta x}{\Delta t}}=\frac{\dfrac{dy}{dt}}{\dfrac{dx}{dt}}=\frac{g'(t)}{f'(t)}$$

| 개념확인 | 매개변수로 나타낸 함수 $x=2t$, $y=-2t^2+3$에서 $\dfrac{dy}{dx}$를 구하여라.

> ▶ 풀이　$\dfrac{dx}{dt}=(2t)'=2$, $\dfrac{dy}{dt}=(-2t^2+3)'=-4t$
>
> $\therefore\ \dfrac{dy}{dx}=\dfrac{\dfrac{dy}{dt}}{\dfrac{dx}{dt}}=\dfrac{-4t}{2}=-2t$

247 다음 매개변수로 나타낸 함수에서 $\dfrac{dy}{dx}$를 구하여라.

(1) $x=-t+2,\ y=1+3t^2$

(2) $x=\dfrac{1-t}{1+t},\ y=\dfrac{2t}{1+t}$

풍산자티 x와 y 사이의 관계가 t로 나타내어진 식 ➡ 매개변수로 나타낸 함수의 미분법으로 계산한다.

➡ $\dfrac{dy}{dx}=\dfrac{(y의\ 미분)}{(x의\ 미분)}$

> **풀이**　(1) $\dfrac{dx}{dt}=(-t+2)'=-1$

$\dfrac{dy}{dt}=(1+3t^2)'=6t$

$\therefore \dfrac{\boldsymbol{dy}}{\boldsymbol{dx}}=\dfrac{\dfrac{dy}{dt}}{\dfrac{dx}{dt}}=\dfrac{6t}{-1}=\boldsymbol{-6t}$

(2) $\dfrac{dx}{dt}=\left(\dfrac{1-t}{1+t}\right)=\dfrac{(-1)\times(1+t)-(1-t)\times 1}{(1+t)^2}=\dfrac{-2}{(1+t)^2}$

$\dfrac{dy}{dt}=\left(\dfrac{2t}{1+t}\right)'=\dfrac{2\times(1+t)-2t\times 1}{(1+t)^2}=\dfrac{2}{(1+t)^2}$

$\therefore \dfrac{\boldsymbol{dy}}{\boldsymbol{dx}}=\dfrac{\dfrac{dy}{dt}}{\dfrac{dx}{dt}}=\dfrac{\dfrac{2}{(1+t)^2}}{\dfrac{-2}{(1+t)^2}}=\boldsymbol{-1}$

> **다른 풀이**　(1) $x=-t+2$에서 $t=2-x$

$y=1+3t^2=1+3(2-x)^2=3x^2-12x+13$

$\therefore \dfrac{dy}{dx}=(3x^2-12x+13)'=6x-12=-6(2-x)=-6t$

정답과 풀이 **35**쪽

유제 **248** 다음 매개변수로 나타낸 함수에서 $\dfrac{dy}{dx}$를 구하여라.

(1) $x=t^2-t+1,\ y=2t^2-2t+3$

(2) $x=t^2,\ y=t+\dfrac{1}{t}$

4 음함수와 역함수의 미분

01 | 음함수의 미분법

x의 함수 y가 $y=f(x)$의 꼴로 주어졌을 때 y를 x의 양함수라 하고, $f(x,\ y)=0$의 꼴로 주어졌을 때 y를 x의 **음함수**라 한다.

직선 $2x+3y-1=0$, 원 $x^2+y^2-1=0$과 같은 도형의 방정식은 음함수 표현이다.

음함수의 미분법이란 $y=f(x)$의 꼴로 고치지 않고 미분하는 방법.

> **음함수의 미분법**
>
> x의 함수 y가 음함수 $f(x,\ y)=0$의 꼴로 주어질 때에는 y를 x의 함수로 보고 각 항을 x에 대하여 미분하여 $\dfrac{dy}{dx}$를 구한다.

| 설명 | 함수 $f(x,\ y)=0$을 $y=f(x)$의 꼴로 고치기 어려울 때는 음함수의 미분법을 이용하는 것이 편리하다.

예를 들어 $y^2+4y-x+2=0$의 $\dfrac{dy}{dx}$를 구해 보자.

$y^2+4y-x+2=0$을 $y=f(x)$의 꼴로 변형하면 $y=-2\pm\sqrt{2+x}$

(i) $y>-2$일 때, $y=-2+\sqrt{2+x}$이므로 $\dfrac{dy}{dx}=\dfrac{1}{2\sqrt{2+x}}=\dfrac{1}{2(y+2)}$

(ii) $y<-2$일 때, $y=-2-\sqrt{2+x}$이므로 $\dfrac{dy}{dx}=-\dfrac{1}{2\sqrt{2+x}}=\dfrac{1}{2(y+2)}$

(i), (ii)에서 $\dfrac{dy}{dx}=\dfrac{1}{2(y+2)}$ (단, $y\neq-2$)

이와 같이 $y=f(x)$의 꼴로 고쳐서 $\dfrac{dy}{dx}$를 구하는 것이 쉽지 않을 때, 음함수의 미분법을 사용하면 간단하게 풀 수 있다.

$(y^2)'=2y\dfrac{dy}{dx}$, $(4y)'=4\dfrac{dy}{dx}$, $(x)'=1$이므로

$y^2+4y-x+2=0$의 양변을 x에 대하여 미분하면 $2y\dfrac{dy}{dx}+4\dfrac{dy}{dx}-1=0$

$(2y+4)\dfrac{dy}{dx}=1$ $\quad\therefore\ \dfrac{dy}{dx}=\dfrac{1}{2(y+2)}$ (단, $y\neq-2$)

| 개념확인 |

음함수 $x^2-y^2=1$에서 $\dfrac{dy}{dx}$를 구하여라.

> **풀이** 각 항을 x에 대하여 미분하면
>
> $$\frac{d}{dx}(x^2)-\frac{d}{dx}(y^2)=\frac{d}{dx}(1),\ 2x-2y\frac{dy}{dx}=0$$
>
> $$\therefore\ \frac{dy}{dx}=\frac{x}{y}\ (단,\ y\neq0)$$

249 다음 음함수에서 $\dfrac{dy}{dx}$ 를 구하여라.

(1) $x^2+y^2=4$

(2) $x^3+y^3=xy$

(3) $\sqrt[3]{x^2}+\sqrt[3]{y^2}=1$

(4) $\dfrac{x}{y}-\dfrac{y}{x}=1$

풍산자티 음함수의 미분은 양변을 x에 대하여 미분하되 $\dfrac{d}{dx}y^n=ny^{n-1}\dfrac{dy}{dx}$ 의 성질을 이용한다.

특히, (2)에서 xy항의 미분은 곱의 미분법, 즉 $(xy)'=x'y+xy'$을 이용한다.

▶ 풀이 (1) 양변을 x에 대하여 미분하면 $\dfrac{d}{dx}(x^2)+\dfrac{d}{dx}(y^2)=\dfrac{d}{dx}(4)$

$\quad 2x+2y\dfrac{dy}{dx}=0 \qquad \therefore \boldsymbol{\dfrac{dy}{dx}=-\dfrac{x}{y}}$ (단, $\boldsymbol{y\neq0}$)

(2) 양변을 x에 대하여 미분하면 $\dfrac{d}{dx}(x^3)+\dfrac{d}{dx}(y^3)=\dfrac{d}{dx}(xy)$

$\quad 3x^2+3y^2\dfrac{dy}{dx}=y+x\dfrac{dy}{dx}, \ (x-3y^2)\dfrac{dy}{dx}=3x^2-y$

$\quad \therefore \boldsymbol{\dfrac{dy}{dx}=\dfrac{3x^2-y}{x-3y^2}}$ (단, $\boldsymbol{x-3y^2\neq0}$)

(3) $x^{\frac{2}{3}}+y^{\frac{2}{3}}=1$의 양변을 x에 대하여 미분하면 $\dfrac{d}{dx}(x^{\frac{2}{3}})+\dfrac{d}{dx}(y^{\frac{2}{3}})=\dfrac{d}{dx}(1)$

$\quad \dfrac{2}{3}x^{-\frac{1}{3}}+\dfrac{2}{3}y^{-\frac{1}{3}}\dfrac{dy}{dx}=0, \ \dfrac{1}{\sqrt[3]{x}}+\dfrac{1}{\sqrt[3]{y}}\times\dfrac{dy}{dx}=0$

$\quad \therefore \boldsymbol{\dfrac{dy}{dx}=-\dfrac{\sqrt[3]{y}}{\sqrt[3]{x}}}$ (단, $\boldsymbol{x\neq0}$)

(4) 양변에 xy를 곱하면 $x^2-y^2=xy$

$\quad$ 양변을 x에 대하여 미분하면 $\dfrac{d}{dx}(x^2)-\dfrac{d}{dx}(y^2)=\dfrac{d}{dx}(xy)$

$\quad 2x-2y\dfrac{dy}{dx}=y+x\dfrac{dy}{dx}, \ (x+2y)\dfrac{dy}{dx}=2x-y$

$\quad \therefore \boldsymbol{\dfrac{dy}{dx}=\dfrac{2x-y}{x+2y}}$ (단, $\boldsymbol{x+2y\neq0}$)

정답과 풀이 **35**쪽

유제 250 다음 음함수에서 $\dfrac{dy}{dx}$ 를 구하여라.

(1) $2x^2+3y^2=6$

(2) $x^2+3y^2=4xy$

(3) $x^2y^3=3$

(4) $\dfrac{x^2}{9}-\dfrac{y^2}{4}=1$

풍산자 비법

각 항을 x에 대하여 미분할 때, 다음 성질을 이용한다. ➤ $\dfrac{d}{dx}x^n=nx^{n-1}, \quad \dfrac{d}{dx}y^n=ny^{n-1}\dfrac{dy}{dx}$

같은 변수   다른 변수

02 | 역함수의 미분법

$x=g(y)$의 꼴로 주어진 함수에서 $\dfrac{dy}{dx}$를 구하기 어려울 때는 $\dfrac{dx}{dy}$를 구한 후 역함수의 미분법을 이용하는 것이 편리하다.

즉, 역함수의 미분법은 역함수를 직접 구하지 않고도 역함수의 도함수를 쉽게 구할 수 있는 방법.

> **역함수의 미분법**
> 미분가능한 함수 $f(x)$의 역함수 $f^{-1}(x)$가 존재하고 미분가능할 때, $y=f^{-1}(x)$의 도함수는
> $$\frac{dy}{dx}=\frac{1}{\dfrac{dx}{dy}} \quad \text{또는} \quad (f^{-1})'(x)=\frac{1}{f'(y)} \left(\text{단, } \frac{dx}{dy}\neq 0,\ f'(y)\neq 0\right)$$

| 설명 | 미분가능한 함수 $f(x)$의 역함수 $f^{-1}(x)$가 존재하고 미분가능할 때, $y=f^{-1}(x)$의 도함수를 구해 보자.

역함수의 정의에 의하여 $f(f^{-1}(x))=x$이므로 양변을 x에 대하여 미분하면

$$f'(f^{-1}(x))(f^{-1})'(x)=1$$

$$\therefore (f^{-1})'(x)=\frac{1}{f'(f^{-1}(x))}=\frac{1}{f'(y)} \ (\text{단, } f'(y)\neq 0)$$

한편, $y=f^{-1}(x)$에서 $x=f(y)$이므로 $\dfrac{dy}{dx}=(f^{-1})'(x),\ \dfrac{dx}{dy}=f'(y)$

$$\therefore \frac{dy}{dx}=\frac{1}{f'(y)}=\frac{1}{\dfrac{dx}{dy}} \left(\text{단, } \frac{dx}{dy}\neq 0\right)$$

즉, $\dfrac{dy}{dx}$와 $\dfrac{dx}{dy}$는 서로 역수 관계임을 알 수 있다.

따라서 $\dfrac{dy}{dx}$를 구하는 것보다 $\dfrac{dx}{dy}$를 구하는 것이 편리한 경우에는 역함수의 미분법을 이용하는 것이 편리하다.

| 개념확인 | 역함수의 미분법을 이용하여 다음 함수의 $\dfrac{dy}{dx}$를 구하여라.

(1) $x=y^5$ (2) $x=\sqrt{y^3+1}$

> **풀이** (1) 양변을 y에 대하여 미분하면 $\dfrac{dx}{dy}=5y^4$
>
> $$\therefore \frac{dy}{dx}=\frac{1}{\dfrac{dx}{dy}}=\frac{1}{5y^4} \ (\text{단, } y\neq 0)$$
>
> (2) 양변을 y에 대하여 미분하면 $\dfrac{dx}{dy}=\dfrac{3y^2}{2\sqrt{y^3+1}}$
>
> $$\therefore \frac{dy}{dx}=\frac{1}{\dfrac{dx}{dy}}=\frac{2\sqrt{y^3+1}}{3y^2} \ (\text{단, } y\neq 0)$$

251 역함수의 미분법을 이용하여 다음 함수의 $\dfrac{dy}{dx}$를 구하여라.

(1) $y=\sqrt[3]{x+2}$　　　　　　　　　　　(2) $x=\dfrac{2y}{y^2-1}$

풍산자 팁 y를 x에 대하여 직접 미분하기 어려울 때는 x를 y에 대하여 미분한 후 역함수의 미분법을 이용하면 편리하다.

$$\Rightarrow \frac{dy}{dx}=\frac{1}{\dfrac{dx}{dy}}\left(\text{단, } \frac{dx}{dy}\neq 0\right)$$

▶ 풀이 (1) 주어진 식의 양변을 세제곱하면 $y^3=x+2$　　$\therefore x=y^3-2$

양변을 y에 대하여 미분하면 $\dfrac{dx}{dy}=3y^2$

$$\therefore \boldsymbol{\frac{dy}{dx}}=\frac{1}{\dfrac{dx}{dy}}=\frac{1}{3y^2}=\frac{1}{3\sqrt[3]{(x+2)^2}}\ (\text{단, } x\neq -2)$$

(2) 주어진 식의 양변을 y에 대하여 미분하면

$$\frac{dx}{dy}=\frac{2(y^2-1)-2y\times 2y}{(y^2-1)^2}=\frac{-2(y^2+1)}{(y^2-1)^2}$$

$$\therefore \boldsymbol{\frac{dy}{dx}}=\frac{1}{\dfrac{dx}{dy}}=-\frac{(y^2-1)^2}{2(y^2+1)}$$

정답과 풀이 **35**쪽

유제 252 역함수의 미분법을 이용하여 다음 함수의 $\dfrac{dy}{dx}$를 구하여라.

(1) $y=\sqrt[4]{4x-6}$　　　　　　　　　　(2) $x=y\sqrt{1+y}$

---

253 함수 $f(x)=x^3+2$의 역함수를 $f^{-1}(x)$라 할 때, $(f^{-1})'(10)$의 값을 구하여라.

풍산자 팁 일단 $f^{-1}(10)=k$ (k는 상수)로 놓고 k의 값을 구한다. $\Rightarrow f^{-1}(10)=k \iff f(k)=10$

그 다음 역함수의 미분법을 이용한다. $\Rightarrow (f^{-1})'(x)=\dfrac{1}{f'(f^{-1}(x))}$

▶ 풀이 $(f^{-1})(10)=k$라 하면 $f(k)=10$에서 $k^3+2=10$

$k^3-8=0,\ (k-2)(k^2+2k+4)=0$

$\therefore k=2\ (\because k^2+2k+4>0)$

따라서 $(f^{-1})(10)=2$이고 $f'(x)=3x^2$이므로

$$(f^{-1})'(10)=\frac{1}{f'(f^{-1}(10))}=\frac{1}{f'(2)}=\frac{1}{3\times 2^2}=\boldsymbol{\frac{1}{12}}$$

정답과 풀이 **35**쪽

유제 254 함수 $f(x)=\sin x\left(-\dfrac{\pi}{2}<x<\dfrac{\pi}{2}\right)$의 역함수를 $f^{-1}(x)$라 할 때, $(f^{-1})'\left(\dfrac{1}{2}\right)$의 값을 구하여라.

5 | 이계도함수

01 | 이계도함수

함수의 증가과 감소, 극대와 극소 판단 ➡ 도함수를 활용

나중에 배울 함수의 오목과 볼록, 변곡점 판단 ➡ 이계도함수 필요

> **이계도함수**
>
> 함수 $f(x)$의 도함수 $f'(x)$가 미분가능할 때, $f'(x)$의 도함수
> $$\lim_{\Delta x \to 0} \frac{f'(x+\Delta x)-f'(x)}{\Delta x}$$
> 를 함수 $f(x)$의 **이계도함수**라 하고, $f''(x)$, y'', $\dfrac{d^2 y}{dx^2}$, $\dfrac{d^2}{dx^2} f(x)$로 나타낸다.

| 설명 |　함수 $f(x)=x^2+x+1$의 도함수는 $f'(x)=2x+1$이고, $f'(x)$는 미분가능하므로
한 번 더 미분하면 이계도함수인 $\{f'(x)\}'=(2x+1)'=2$가 된다.
이처럼 함수 $f(x)$를 두 번 미분하여 얻은 함수가 $f(x)$의 이계도함수이고, 이것을 $f''(x)$로 나타낸다.

| 참고 |　일반적으로 양의 정수 n에 대하여 함수 $y=f(x)$를 n번 미분하여 얻은 함수를 $y=f(x)$의 n계도함수
라 하고, 이것을 $f^{(n)}(x)$, $y^{(n)}$, $\dfrac{d^n y}{dx^n}$, $\dfrac{d^n}{dx^n} f(x)$로 나타낸다.

즉, 도함수란 한 번 미분한 함수 ➡ 기호로는 $f'(x)$

이계도함수란 두 번 미분한 함수 ➡ 기호로는 $f''(x)$

삼계도함수란 세 번 미분한 함수 ➡ 기호로는 $f'''(x)$

n계도함수란 n번 미분한 함수 ➡ 기호로는 $f^{(n)}(x)$

| 개념확인 |　다음 함수의 이계도함수를 구하여라.

(1) $y=x^3+x^2$　　　　　　　　　　　(2) $y=\sin x$

(3) $y=e^{2x}$　　　　　　　　　　　(4) $y=\ln x$

> ➤ 풀이　(1) $y'=3x^2+2x$이므로 $\boldsymbol{y''=6x+2}$
>
> (2) $y'=\cos x$이므로 $\boldsymbol{y''=-\sin x}$
>
> (3) $y'=2e^{2x}$이므로 $\boldsymbol{y''=4e^{2x}}$
>
> (4) $y'=\dfrac{1}{x}$이므로 $\boldsymbol{y''=-\dfrac{1}{x^2}}$

255 다음 함수의 이계도함수를 구하여라.

(1) $y = x^4 e^x$
(2) $y = \dfrac{1}{x^2-1}$

> **풍산자탑** 한 번 미분하여 도함수를 구하고, 도함수를 다시 미분하여 이계도함수를 구한다.

> **풀이** (1) $y' = 4x^3 e^x + x^4 e^x = (4x^3 + x^4)e^x$ 이므로
> $$y'' = (12x^2 + 4x^3)e^x + (4x^3 + x^4)e^x = (x^4 + 8x^3 + 12x^2)e^x$$
>
> (2) $y' = -\dfrac{2x}{(x^2-1)^2}$ 이므로
> $$y'' = -\frac{2(x^2-1)^2 - 2x \times 2(x^2-1) \times 2x}{(x^2-1)^4} = \frac{6x^2+2}{(x^2-1)^3}$$

정답과 풀이 **36**쪽

유제 256 다음 함수의 이계도함수를 구하여라.

(1) $y = x^2 \ln x$
(2) $y = \sqrt{x^2+1}$

257 함수 $y = e^x \cos x$가 모든 실수 x에 대하여 등식 $y'' + ay' + 2y = 0$을 만족시킬 때, 상수 a의 값을 구하여라.

> **풍산자탑** $y = f(x)$의 이계도함수 ➡ $y = f(x)$를 두 번 미분한다. ➡ $y'' = f''(x)$

> **풀이** $y = e^x \cos x$에서
> $y' = e^x \cos x + e^x(-\sin x) = e^x(\cos x - \sin x)$
> $y'' = e^x(\cos x - \sin x) + e^x(-\sin x - \cos x) = -2e^x \sin x$
> $y'' + ay' + 2y = 0$에 y, y', y''을 대입하면
> $-2e^x \sin x + ae^x(\cos x - \sin x) + 2e^x \cos x = 0$
> $e^x\{(a+2)\cos x - (a+2)\sin x\} = 0$
> $(a+2)\cos x - (a+2)\sin x = 0$ ($\because e^x > 0$)
> 이 등식이 모든 실수 x에 대하여 성립하므로
> $a + 2 = 0$ ∴ $\boldsymbol{a = -2}$

정답과 풀이 **36**쪽

유제 258 함수 $y = e^{ax} \sin x$가 모든 실수 x에 대하여 등식 $y'' + 2y' + 2y = 0$을 만족시킬 때, 상수 a의 값을 구하여라.

259

매개변수 θ로 나타낸 함수

$$x=4\cos\theta,\ y=3\sin\theta$$

에 대하여 $\theta=\dfrac{\pi}{6}$일 때, $\dfrac{dy}{dx}$의 값을 구하여라.

260

음함수 $\sqrt{x}+\sqrt{2y}=3$에 대하여 $x=1$, $y=2$일 때, $\dfrac{dy}{dx}$의 값을 구하여라.

261

함수 $x=\ln(\tan y)$에 대하여 $y=\dfrac{\pi}{4}$일 때, $\dfrac{dy}{dx}$의 값을 구하여라.

262

미분가능한 함수 $f(x)$의 역함수 $g(x)$에 대하여 $g(a)=b$일 때, 다음 중 $g'(a)$의 값과 같은 것은?

(단, $f'(a)f'(b)\neq0$)

① $\dfrac{1}{f'(a)}$ ② $\dfrac{1}{f'(b)}$ ③ $-\dfrac{1}{f'(a)}$

④ $-\dfrac{1}{f'(b)}$ ⑤ $-f'(b)$

263

함수 $f(x)=\dfrac{3x-2}{x+2}$의 역함수를 $g(x)$라 할 때, $g'(1)$의 값을 구하여라.

264

함수 $f(x)=\sin x\cos x$에 대하여 $f''\left(\dfrac{\pi}{6}\right)$의 값을 구하여라.

▶ **함수의 몫과 합성함수의 미분**

함수의 몫의 미분법	$y=\dfrac{f(x)}{g(x)} \ \Rightarrow \ y'=\dfrac{f'(x)g(x)-f(x)g'(x)}{\{g(x)\}^2}$
$y=x^n$의 미분법	$y=x^n$ (단, n은 정수) $\Rightarrow \ y'=nx^{n-1}$
삼각함수의 도함수	(1) $y=\sin x \ \Rightarrow \ y'=\cos x$ (2) $y=\cos x \ \Rightarrow \ y'=-\sin x$ (3) $y=\tan x \ \Rightarrow \ y'=\sec^2 x$ (4) $y=\csc x \ \Rightarrow \ y'=-\csc x \cot x$ (5) $y=\sec x \ \Rightarrow \ y'=\sec x \tan x$ (6) $y=\cot x \ \Rightarrow \ y'=-\csc^2 x$
합성함수의 미분법	$y=f(g(x)) \ \Rightarrow \ \dfrac{dy}{dx}=\dfrac{dy}{du}\times\dfrac{du}{dx}$ 또는 $y'=f'(g(x))g'(x)$ $y=\{f(x)\}^n$ (단, n은 정수) $\Rightarrow \ y'=n\{f(x)\}^{n-1}f'(x)$
지수함수와 로그함수의 도함수	$a>0$, $a\neq1$이고 $f(x)$가 미분가능할 때 $y=e^{f(x)} \ \Rightarrow \ y'=e^{f(x)}f'(x)$, $y=a^{f(x)} \ \Rightarrow \ y'=a^{f(x)}f'(x)\ln a$ $y=\ln\|f(x)\| \ \Rightarrow \ y'=\dfrac{f'(x)}{f(x)}$, $y=\log_a\|f(x)\| \ \Rightarrow \ y'=\dfrac{f'(x)}{f(x)\ln a}$ (단, $f(x)\neq0$)
$y=x^r$의 미분법	$y=x^r$ (단, r는 실수) $\Rightarrow \ y'=rx^{r-1}$

▶ **매개변수, 음함수, 역함수의 미분과 이계도함수**

매개변수의 미분법	매개변수로 나타낸 함수 $x=f(t)$, $y=g(t)$가 t에 대하여 미분가능하고 $f'(t)\neq0$이면 $\dfrac{dy}{dx}=\dfrac{\dfrac{dy}{dt}}{\dfrac{dx}{dt}}=\dfrac{g'(t)}{f'(t)}=\dfrac{(y\text{의 미분})}{(x\text{의 미분})}$
음함수의 미분법	y^n을 x에 대하여 미분하면 $\Rightarrow \ \dfrac{d}{dx}(y^n)=ny^{n-1}\times y'=ny^{n-1}\times\dfrac{dy}{dx}$
역함수의 미분법	미분가능한 함수 $f(x)$의 역함수 $f^{-1}(x)$가 존재하고 미분가능할 때, $y=f^{-1}(x)$의 도함수는 $\dfrac{dy}{dx}=\dfrac{1}{\dfrac{dx}{dy}}$ 또는 $(f^{-1})'(x)=\dfrac{1}{f'(y)}$ $\left(\text{단, } \dfrac{dx}{dy}\neq0,\ f'(y)\neq0\right)$
이계도함수	함수 $f(x)$의 도함수 $f'(x)$가 미분가능할 때, $f'(x)$의 도함수는 $\displaystyle\lim_{\Delta x\to0}\dfrac{f'(x+\Delta x)-f'(x)}{\Delta x}=f''(x)$ $\left(\text{또는 } y'',\ \dfrac{d^2y}{dx^2},\ \dfrac{d^2}{dx^2}f(x)\right)$

실전 연습문제

STEP 1

265

함수 $f(x) = \dfrac{ax^2 + bx - 6}{x-2}$에 대하여 $f'(0) = 4$, $f'(1) = -2$일 때, 상수 a, b의 합 $a+b$의 값을 구하여라.

266

함수 $f(x) = \dfrac{4x}{x^3 - 1}$에 대하여

$\lim\limits_{h \to 0} \dfrac{f(h-1) - 2}{h}$의 값을 구하여라.

267

$\lim\limits_{h \to 0} \dfrac{\sin^2(x+h) - \sin^2 x}{h}$를 구하여라.

268

함수 $f(x) = \dfrac{\sin x}{\sin x - \cos x}$에 대하여

$f'(x) = \dfrac{a}{(\sin x - \cos x)^2}$가 성립할 때, 상수 a의 값을 구하여라.

269

다항식 $f(x) = \dfrac{1}{4}x^6 - ax + b$가 $(x-2)^2$으로 나누어떨어질 때, 상수 a, b에 대하여 $b-a$의 값을 구하여라.

270

미분가능한 두 함수 $f(x)$, $g(x)$가

$$\lim_{x \to 2} \frac{f(x) + 4}{x-2} = 3, \quad \lim_{x \to 1} \frac{g(x) - 2}{x-1} = 4$$

를 만족시킬 때, $\lim\limits_{x \to 1} \dfrac{f(g(x)) + 4}{x-1}$의 값을 구하여라.

271

함수 $f(x)=\ln{(x+\sqrt{x^2-5})}$에 대하여
$2f'(a)-1=0$을 만족시키는 양수 a의 값을 구하여라.

272

매개변수 t로 나타낸 함수

$$x=t^2-\frac{1}{2}t+\frac{1}{3},\ y=\frac{1}{3}t^2+at+1$$

에 대하여 $t=1$일 때, $\dfrac{dy}{dx}=10$을 만족시키는 상수 a의 값을 구하여라.

273

매개변수 t로 나타낸 함수

$$x=t^2+2t,\ y=t^3+1$$

을 $y=f(x)$로 나타낼 때,

$\displaystyle\lim_{h\to 0}\dfrac{f(3+3h)-f(3)}{h}$의 값을 구하여라.

(단, $t>0$)

274

음함수 $x^2+ay^2+b=0$에 대하여 $x=4$, $y=1$일 때, $\dfrac{dy}{dx}$의 값이 1이 되도록 하는 상수 a, b의 곱 ab의 값을 구하여라.

275

함수 $f(x)=xe^{ax-b}$에 대하여

$$f'(0)=e^2,\ f''(0)=4e^2$$

일 때, 상수 a, b의 합 $a+b$의 값을 구하여라.

276

함수 $y=e^{2x}(\sin{x}-\cos{x})$에 대하여 등식 $y''+5y=ay'$이 x의 값에 관계없이 항상 성립할 때, 상수 a의 값을 구하여라.

STEP 2

277

함수 $f(x)=(3x-2)\sqrt{3x-2}$와 미분가능한 함수 $g(x)$의 합성함수 $h(x)=g(f(x))$에 대하여 $h'(2)=18$일 때, $g'(8)$의 값을 구하여라.

278

$\lim\limits_{x\to 0}\dfrac{2}{x}\ln\dfrac{e^x+e^{2x}+e^{3x}+\cdots+e^{20x}}{20}$의 값을 구하여라.

279

함수 $f(x)=x^{\ln x}\ (x>0)$에 대하여

$\lim\limits_{x\to e}\dfrac{f(x)-f(e)}{x^2-e^2}$의 값을 구하여라.

280

매개변수 t로 나타낸 함수

$$x=t^2+t^4+t^6+\cdots+t^{2n},$$
$$y=t+t^3+t^5+\cdots+t^{2n-1}$$

에 대하여 $\lim\limits_{n\to\infty}\left(\lim\limits_{t\to 1}\dfrac{dy}{dx}\right)$의 값을 구하여라.

(단, n은 자연수이다.)

281

미분가능한 함수 $f(x)$의 역함수 $g(x)$가

$$\lim\limits_{x\to -1}\dfrac{g(x)-3}{x+1}=\dfrac{1}{5}$$

을 만족시킬 때, $f'(3)$의 값을 구하여라.

282

실수 전체의 집합에서 이계도함수를 갖는 함수 $f(x)$가 다음 조건을 모두 만족시킬 때, $f''(2)$의 값을 구하여라.

> (가) $f(1)=2,\ f'(1)=3$
>
> (나) $\lim\limits_{x\to 1}\dfrac{f'(f(x))-1}{x-1}=3$

3

도함수의 활용

미분은 그래프를 그려 준다.
그래프는 방정식과 부등식의 근을 구하는 단서가 된다.
또 미분은 변화량을 나타내므로 자연 현상을 해석해 준다.

1 접선의 방정식

$$y - f(a)$$
$$= f'(a)(x-a)$$

2 함수의 극대와 극소

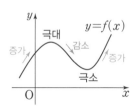

3 함수의 그래프

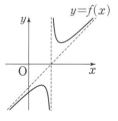

4 방정식과 부등식에의 활용

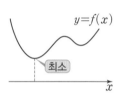

$$f(x) > 0 \implies f(x)\text{의 최솟값} > 0$$

5 속도와 가속도

$$\vec{v} = \left(\frac{dx}{dt}, \ \frac{dy}{dt} \right)$$

$$\vec{a} = \left(\frac{d^2x}{dt^2}, \ \frac{d^2y}{dt^2} \right)$$

1 접선의 방정식

01 | 접선의 방정식

접선의 방정식을 구하는 방법은 [수학Ⅱ]에서 이미 배웠다.

[수학Ⅱ]에서 다룬 접선의 방정식은 다항함수의 도함수를 활용한 접선의 방정식이다.

이제부터는 다항함수가 아닌 다양한 함수의 도함수를 활용한 접선의 방정식을 다룬다.

기본 원리는 이미 배웠지만 다시 기억을 떠올리기 위해 간단히 살펴보자.

> **접선의 방정식** 중요
>
> 함수 $f(x)$가 $x=a$에서 미분가능할 때, 곡선 $y=f(x)$ 위의 점
> $P(a, f(a))$에서의 접선의 기울기는 $f'(a)$이고, 접선의 방정식
> 은 다음과 같다.
>
> $$y-f(a)=f'(a)(x-a)$$

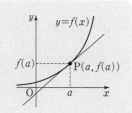

| 설명 | (1) **접점이 주어질 때 접선의 방정식**

곡선 $y=f(x)$ 위의 점 (x_1, y_1)에서의 접선의 방정식은 다음과 같이 구한다.

[1단계] 접선의 기울기 $m=f'(x_1)$을 구한다.

[2단계] $y-y_1=m(x-x_1)$에 대입한다.

(2) **기울기가 주어질 때 접선의 방정식**

곡선 $y=f(x)$에 접하고 기울기가 m인 접선의 방정식은 다음과 같이 구한다.

[1단계] 접점의 좌표를 $(a, f(a))$로 놓고 접선의 기울기 $f'(a)=m$을 이용하여 접점의 좌표를 구한다.

[2단계] $y-f(a)=f'(a)(x-a)$에 대입한다.

(3) **곡선 밖의 점에서의 접선의 방정식**

곡선 $y=f(x)$ 밖의 한 점 (m, n)에서 곡선 $y=f(x)$에 그은 접선의 방정식은 다음과 같이 구한다.

[1단계] 접점의 좌표를 $(a, f(a))$로 놓는다.

➡ 접선의 방정식은 $y-f(a)=f'(a)(x-a)$ ······ ㉠

[2단계] ㉠에 $x=m$, $y=n$을 대입하여 a의 값을 구한 후 ㉠에 a의 값을 대입한다.

(4) **공통인 접선 ➡ 두 곡선이 접할 조건**

두 곡선 $y=f(x)$, $y=g(x)$가 $x=t$인 점에서 공통인 접선을 가지면

① 두 곡선은 $x=t$에서 만난다. 즉, $x=t$에서의 함숫값이 같다.

➡ $f(t)=g(t)$ ⬅ 그냥 같다.

② 두 곡선은 $x=t$에서 접한다. 즉, $x=t$에서의 접선의 기울기가 같다.

➡ $f'(t)=g'(t)$ ⬅ 미분해서 같다.

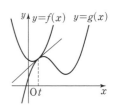

大 원칙 | 접선의 방정식 ➡ 한 점과 기울기만 알면 직선은 결정된다.

283 다음 곡선 위의 주어진 점에서의 접선의 방정식을 구하여라.

(1) $y=2x^3-4x+1$ ➡ $(1, -1)$ (2) $y=e^{x+1}$ ➡ $(0, e)$

(3) $y=\ln x$ ➡ $(e, 1)$ (4) $y=\sin x-\cos x$ ➡ $\left(\dfrac{\pi}{4}, 0\right)$

풍산자曰 직선의 방정식을 구하려면 한 점과 기울기가 필요하다.

한 점은 주어졌다. 미분해서 기울기만 구하면 끝.

➤ **풀이**

(1) $f(x)=2x^3-4x+1$로 놓으면 $f'(x)=6x^2-4$

이 곡선 위의 점 $(1, -1)$에서의 접선의 기울기는 $f'(1)=6-4=2$

따라서 점 $(1, -1)$을 지나고 기울기가 2인 접선의 방정식은

$y+1=2(x-1)$ $\therefore \boldsymbol{y=2x-3}$

(2) $f(x)=e^{x+1}$으로 놓으면 $f'(x)=e^{x+1}$

이 곡선 위의 점 $(0, e)$에서의 접선의 기울기는 $f'(0)=e$

따라서 점 $(0, e)$를 지나고 기울기가 e인 접선의 방정식은

$y-e=e(x-0)$ $\therefore \boldsymbol{y=ex+e}$

(3) $f(x)=\ln x$로 놓으면 $f'(x)=\dfrac{1}{x}$

이 곡선 위의 점 $(e, 1)$에서의 접선의 기울기는 $f'(e)=\dfrac{1}{e}$

따라서 점 $(e, 1)$을 지나고 기울기가 $\dfrac{1}{e}$인 접선의 방정식은

$y-1=\dfrac{1}{e}(x-e)$ $\therefore \boldsymbol{y=\dfrac{1}{e}x}$

(4) $f(x)=\sin x-\cos x$로 놓으면 $f'(x)=\cos x+\sin x$

이 곡선 위의 점 $\left(\dfrac{\pi}{4}, 0\right)$에서의 접선의 기울기는 $f'\left(\dfrac{\pi}{4}\right)=\dfrac{\sqrt{2}}{2}+\dfrac{\sqrt{2}}{2}=\sqrt{2}$

따라서 점 $\left(\dfrac{\pi}{4}, 0\right)$을 지나고 기울기가 $\sqrt{2}$인 접선의 방정식은

$y-0=\sqrt{2}\left(x-\dfrac{\pi}{4}\right)$ $\therefore \boldsymbol{y=\sqrt{2}x-\dfrac{\sqrt{2}}{4}\pi}$

정답과 풀이 **40**쪽

유제 284 다음 곡선 위의 주어진 점에서의 접선의 방정식을 구하여라.

(1) $y=\dfrac{2x+1}{x-2}$ ➡ $(1, -3)$ (2) $y=\tan x$ ➡ $\left(\dfrac{\pi}{4}, 1\right)$

(3) $y=e^x+\cos x$ ➡ $(0, 2)$ (4) $y=3x\ln x$ ➡ $(e, 3e)$

285 다음 물음에 답하여라.

(1) 곡선 $y=x+\ln x$에 접하고 기울기가 2인 직선의 방정식을 구하여라.

(2) 곡선 $y=e^{2x}$에 접하고 직선 $y=2ex+2e$에 평행한 직선의 방정식을 구하여라.

풍산자티 (2) 직선 $y=2ex+2e$에 평행한 직선 ➡ 기울기가 $2e$라는 소리.

▶풀이 (1) $f(x)=x+\ln x$로 놓으면 $f'(x)=1+\dfrac{1}{x}$

접점의 좌표를 $(a,\ a+\ln a)$로 놓으면 접선의 기울기가 2이므로

$f'(a)=1+\dfrac{1}{a}=2,\ \dfrac{1}{a}=1 \qquad \therefore a=1$

이때 접점의 좌표는 $(1,\ 1+\ln 1)$, 즉 $(1,\ 1)$이다.

따라서 기울기가 2이고 점 $(1,\ 1)$을 지나는 접선의 방정식은

$y-1=2(x-1) \qquad \therefore \boldsymbol{y=2x-1}$

(2) $f(x)=e^{2x}$으로 놓으면 $f'(x)=2e^{2x}$

접점의 좌표를 $(a,\ e^{2a})$으로 놓으면 접선의 기울기가 $2e$이므로

$f'(a)=2e^{2a}=2e,\ e^{2a}=e,\ 2a=1 \qquad \therefore a=\dfrac{1}{2}$

이때 접점의 좌표는 $\left(\dfrac{1}{2},\ e^{2\times\frac{1}{2}}\right)$, 즉 $\left(\dfrac{1}{2},\ e\right)$이다.

따라서 기울기가 $2e$이고 점 $\left(\dfrac{1}{2},\ e\right)$를 지나는 접선의 방정식은

$y-e=2e\left(x-\dfrac{1}{2}\right) \qquad \therefore \boldsymbol{y=2ex}$

▶참고 (1) x축의 양의 방향과 θ의 각을 이룬다. ➡ 기울기가 $\tan\theta$이다.

(2) 직선 $y=mx+n$에 평행하다. ➡ 기울기가 m이다.

(3) 직선 $y=mx+n$에 수직이다. ➡ 기울기가 $-\dfrac{1}{m}$이다.

정답과 풀이 **40**쪽

유제 286 다음 물음에 답하여라.

(1) 곡선 $y=\cos x-x$ $(0<x<2\pi)$에 접하고 x축의 양의 방향과 이루는 각의 크기가 $135°$인 직선의 방정식을 구하여라.

(2) 곡선 $y=2x+e^x$에 접하고 직선 $y=3x-1$에 평행한 직선의 방정식을 구하여라.

287 다음 물음에 답하여라.

(1) 두 곡선 $y=ax^2$, $y=\ln x$가 접할 때, 상수 a의 값을 구하여라.

(2) 두 곡선 $y=a+\cos x$, $y=\sin^2 x$가 접할 때, 상수 a의 값을 구하여라. (단, $0<x<\pi$)

풍산자日 '두 곡선이 접한다.'고 하면 무조건

➡ (i) 그냥 같다.   (ii) 미분해서 같다.

초월함수의 경우 두 곡선이 접할 조건을 이용하면 곡선 밖의 점이 주어지는 문제를 간편하게 해결할 수 있으므로 '곡선 밖의 점이 주어질 때 접선의 방정식'에 앞서 알아본다.

▶ 풀이
(1) $f(x)=ax^2$, $g(x)=\ln x$로 놓으면

$$f'(x)=2ax, \ g'(x)=\frac{1}{x}$$

두 곡선의 접점의 x좌표를 t라 하면

$f(t)=g(t)$에서 $at^2=\ln t$ ...... ㉠ ◀ 그냥 같다.

$f'(t)=g'(t)$에서 $2at=\frac{1}{t}$ $\therefore a=\frac{1}{2t^2}$ ...... ㉡ ◀ 미분해서 같다.

㉡을 ㉠에 대입하여 정리하면 $\ln t=\frac{1}{2}$ $\therefore t=e^{\frac{1}{2}}$

$\therefore a=\dfrac{1}{2e}$

(2) $f(x)=a+\cos x$, $g(x)=\sin^2 x$로 놓으면

$$f'(x)=-\sin x, \ g'(x)=2\sin x\cos x$$

두 곡선의 접점의 x좌표를 t라 하면

$f(t)=g(t)$에서 $a+\cos t=\sin^2 t$ ...... ㉠ ◀ 그냥 같다.

$f'(t)=g'(t)$에서 $-\sin t=2\sin t\cos t$ ◀ 미분해서 같다.

$\sin t(2\cos t+1)=0$

$\therefore \cos t=-\dfrac{1}{2}$ $(\because 0<t<\pi)$ ...... ㉡

㉡을 ㉠에 대입하면 $a-\dfrac{1}{2}=1-\left(-\dfrac{1}{2}\right)^2$ ◀ $\sin^2 t=1-\cos^2 t$

$\therefore a=1-\dfrac{1}{4}+\dfrac{1}{2}=\dfrac{5}{4}$

정답과 풀이 41쪽

유제 288 다음 물음에 답하여라.

(1) 두 곡선 $y=\dfrac{a}{x}$, $y=e^x$이 접할 때, 상수 a의 값을 구하여라.

(2) 두 곡선 $y=a-\sin^2 x$, $y=\cos x$가 접할 때, 상수 a의 값을 구하여라. (단, $0<x<\pi$)

289 다음 물음에 답하여라.

(1) 원점에서 곡선 $y=2 \ln x$에 그은 접선의 방정식을 구하여라.

(2) 점 $(1, 0)$에서 곡선 $y=e^{x-1}$에 그은 접선의 방정식을 구하여라.

> **풍산자팁** 곡선 밖의 한 점이 주어지는 경우 접선의 방정식을 구할 때는
>
> [방법 1] 접점의 좌표를 $(a, f(a))$로 놓고 기울기와 지나는 한 점을 이용한다.
>
> [방법 2] 두 곡선이 접할 조건을 이용한다.

> **풀이** (1) $f(x)=2 \ln x$로 놓으면 $f'(x)=\dfrac{2}{x}$
>
> 접점의 좌표를 $(a, 2 \ln a)$로 놓으면 접선의 기울기는 $f'(a)=\dfrac{2}{a}$이므로
>
> 접선의 방정식은 $y-2 \ln a=\dfrac{2}{a}(x-a)$ ...... ㉠
>
> 이 접선이 원점을 지나므로 $0-2 \ln a=\dfrac{2}{a}(0-a)$
>
> $\ln a=1$ ∴ $a=e$
>
> $a=e$를 ㉠에 대입하면 구하는 접선의 방정식은
>
> $y-2 \ln e=\dfrac{2}{e}(x-e)$ ∴ $\boldsymbol{y=\dfrac{2}{e}x}$
>
> (2) $f(x)=e^{x-1}$으로 놓으면 $f'(x)=e^{x-1}$
>
> 접점의 좌표를 (a, e^{a-1})으로 놓으면 접선의 기울기는 $f'(a)=e^{a-1}$이므로
>
> 접선의 방정식은 $y-e^{a-1}=e^{a-1}(x-a)$ ...... ㉠
>
> 이 접선이 점 $(1, 0)$을 지나므로 $0-e^{a-1}=e^{a-1}(1-a)$
>
> $1-a=-1$ ∴ $a=2$
>
> $a=2$를 ㉠에 대입하면 구하는 접선의 방정식은
>
> $y-e^{2-1}=e^{2-1}(x-2)$ ∴ $\boldsymbol{y=ex-e}$

> **다른 풀이** 두 곡선이 접할 조건을 이용하여 구할 수도 있다.
>
> (1) 구하는 접선은 원점을 지나는 직선이므로 $y=ax$로 놓으면
>
> 주어진 문제는 다음과 같이 변신한다.
>
> ➡ 곡선 $y=2 \ln x$와 직선 $y=ax$가 접할 때, 상수 a의 값은?
>
> $f(x)=2 \ln x, g(x)=ax$로 놓으면 $f'(x)=\dfrac{2}{x}, g'(x)=a$에서
>
> 접점의 x좌표를 t라 하면
>
> $f(t)=g(t)$에서 $2 \ln t=at$ ...... ㉠
>
> $f'(t)=g'(t)$에서 $\dfrac{2}{t}=a$ ...... ㉡
>
> ㉡을 ㉠에 대입하면 $2 \ln t=2, t=e$ ∴ $a=\dfrac{2}{e}$
>
> 따라서 구하는 접선의 방정식은 $y=\dfrac{2}{e}x$

정답과 풀이 **41**쪽

유제 290 다음 물음에 답하여라.

(1) 원점에서 곡선 $y=\dfrac{e^x}{x}$에 그은 접선의 방정식을 구하여라.

(2) 점 $(0, -1)$에서 곡선 $y=x \ln x$에 그은 접선의 방정식을 구하여라.

2 함수의 극대와 극소

01 함수의 극대와 극소

함수의 극대와 극소에 대해서는 이미 [수학Ⅱ]에서 배웠다.

이제부터는 다항함수가 아닌 여러 가지 함수의 극대와 극소를 다룬다.

달라지는 건 단지 함수가 복잡하다는 것 뿐.

기본 원리는 이미 배웠지만 다시 기억을 떠올리기 위해 간단히 살펴보자.

> **(1) 함수의 증가와 감소**
> 함수 $f(x)$가 어떤 구간에서 미분가능하고, 이 구간의 모든 x에 대하여
> ① $f'(x) > 0$이면 $f(x)$는 그 구간에서 증가한다.
> ② $f'(x) < 0$이면 $f(x)$는 그 구간에서 감소한다.
>
> **(2) 함수의 극대와 극소**
> 함수 $f(x)$에서 $x=a$, $x=b$를 포함하는 어떤 열린구간에
> 속하는 모든 x에 대하여
> ① $f(a) \geq f(x)$이면 함수 $f(x)$는 $x=a$에서 극대라 하
> 며, 이때의 함숫값 $f(a)$를 극댓값이라 한다.
> ② $f(b) \leq f(x)$이면 함수 $f(x)$는 $x=b$에서 극소라 하
> 며, 이때의 함숫값 $f(b)$를 극솟값이라 한다.
>
>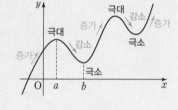
>
> **(3) 함수의 극대와 극소의 판정** (중요)
> 미분가능한 함수 $f(x)$에 대하여 $f'(a)=0$이고 $x=a$의 좌우에서
> ① $f'(x)$의 부호가 양($+$)에서 음($-$)으로 바뀌면 $f(x)$는 $x=a$에서 극대이다.
> ② $f'(x)$의 부호가 음($-$)에서 양($+$)으로 바뀌면 $f(x)$는 $x=a$에서 극소이다.

| 설명 |　(1) 일반적으로 주어진 명제의 역은 성립하지 않고, 다음과 같이 정리할 수 있다.
　　　함수 $f(x)$가 어떤 구간에서 미분가능하고, 이 구간에서
　　　① $f(x)$가 증가하면 $f'(x) \geq 0$
　　　② $f(x)$가 감소하면 $f'(x) \leq 0$
　　(2) 극대, 극소란 한 마디로 말하면 그래프의 꺾인 점이다.
　　　이 중에서 증가하다 감소하는 산봉우리가 극대, 감소하다 증가하는 산골짜기가 극소이다.
　　(3) 미분가능한 함수의 극대, 극소는 $f'(x)=0$인 x의 값 중에서 찾으면 된다. (증감표 이용!!)
　　　이때 $f'(a)=0$이라고 해서 반드시 함수 $f(x)$가 $x=a$에서 극값을 가지는 것은 아니다.
　　　예를 들어 $f(x)=x^3$일 때, $f'(x)=3x^2$이므로 $f'(0)=0$이지만 오른쪽 그림
　　　에서 보듯이 $x=0$에서 극대도 극소도 아니다.

02 | 이계도함수를 이용한 함수의 극대와 극소

우리는 앞에서 이계도함수를 배웠다.

배우긴 했는데 이게 어디에 쓰는 물건인지 의문이었을 것이다.

이제 이계도함수를 이용하기 시작.

먼저 이번에 배울 함수의 극대와 극소를 판정하는데 이용하고,

다음 단원에서는 곡선의 모양과 변곡점을 구할 때 이용한다.

> **이계도함수를 이용한 함수의 극대와 극소 판정**
>
> 이계도함수를 갖는 함수 $f(x)$에 대하여 $f'(a)=0$일 때
>
> (1) $f''(a)<0$이면 $f(x)$는 $x=a$에서 극대이다.
>
> (2) $f''(a)>0$이면 $f(x)$는 $x=a$에서 극소이다.

| 증명 |　미분가능한 함수 $f(x)$의 극대, 극소는 $f'(x)=0$인 점에서 발생한다.

언제 극대이고 언제 극소인지를 판정하는 방법은 두 가지가 있다.

증감표를 이용하는 방법과 이계도함수 $f''(x)$를 이용하는 방법.

증감표를 이용하는 방법은 이미 배워서 안다.

여기서는 전혀 다른 방법인 $f''(x)$를 이용하는 방법을 알아보자.

함수 $f(x)$의 이계도함수가 존재하고 $f'(a)=0$일 때

(i) $f''(a)<0$이면

　　$f'(x)$는 $x=a$를 포함하는 구간에서 감소하고

　　$f'(a)=0$이므로 $f'(x)$의 부호는 $x=a$의 좌우에서

　　양에서 음으로 바뀐다.

　　➡ $f(x)$는 $x=a$에서 극대이다.

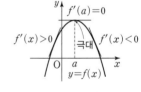

(ii) $f''(a)>0$이면

　　$f'(x)$는 $x=a$를 포함하는 구간에서 증가하고

　　$f'(a)=0$이므로 $f'(x)$의 부호는 $x=a$의 좌우에서

　　음에서 양으로 바뀐다.

　　➡ $f(x)$는 $x=a$에서 극소이다.

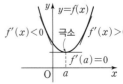

일반적으로 위의 성질의 역은 성립하지 않는다.

즉, 함수 $f(x)$에 대하여 $f'(a)=0$일 때, $x=a$에서 극값을 갖는다고 해서 반드시

$f''(a)<0$ 또는 $f''(a)>0$인 것은 아니다.

예를 들어 $f(x)=x^4$일 때, 오른쪽 그림에서 보듯이 $x=0$에서 극소이다.

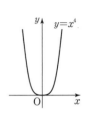

그러나 $f'(x)=4x^3$, $f''(x)=12x^2$에서 $f'(0)=0$, $f''(0)=0$이 된다.

따라서 $f'(a)=0$, $f''(a)=0$이면 이계도함수를 이용하여 $f(x)$가 $x=a$에서 극

값을 갖는지 판정할 수 없다.

| 참고 |　극대, 극소를 판별하는 방법으로 증감표를 이용하는 방법과 이계도함수 $f''(x)$를 이용하는 방법의 두 가
지를 배웠다. 무엇을 쓸 것인가? 특별한 일이 없는 한 증감표를 권한다.

왜냐? 익숙하기 때문. 그리고 실전에서 $f''(x)$의 계산은 상당히 귀찮은 작업.

단, 삼각함수의 극대, 극소의 판정은 $f''(x)$를 권한다.

291 다음 함수의 증가와 감소를 조사하여라.

(1) $f(x)=x+\dfrac{1}{x}$ (2) $f(x)=xe^{-x}$

풍산자팁 $f'(x)=0$이 되는 x의 값을 경계로 증감표를 그려서 판단한다.

> **풀이** (1) $f'(x)=1-\dfrac{1}{x^2}=\dfrac{x^2-1}{x^2}=\dfrac{(x+1)(x-1)}{x^2}$

$f'(x)=0$에서 $x=-1$ 또는 $x=1$
함수 $f(x)$의 증가와 감소를 표로 나타내면 오른쪽과 같다.
따라서 함수 $f(x)$는
$x<-1$ 또는 $x>1$에서 증가하고,
$-1<x<0$ 또는 $0<x<1$에서 감소한다.

x	$\cdots$	-1	$\cdots$	(0)	$\cdots$	1	$\cdots$
$f'(x)$	$+$	0	$-$		$-$	0	$+$
$f(x)$	↗	-2	↘		↘	2	↗

(2) $f'(x)=1\times e^{-x}-xe^{-x}=(1-x)e^{-x}$

$f'(x)=0$에서 $x=1$
함수 $f(x)$의 증가와 감소를 표로 나타내면 오른쪽과 같다.
따라서 함수 $f(x)$는
$x<1$에서 증가하고, $x>1$에서 감소한다.

x	$\cdots$	1	$\cdots$
$f'(x)$	$+$	0	$-$
$f(x)$	↗	$\dfrac{1}{e}$	↘

유제 **292** 다음 함수의 증가와 감소를 조사하여라.

(1) $f(x)=x-\ln x$ (2) $f(x)=\cos x+x\sin x \ (0<x<2\pi)$

293 함수 $f(x)=(x^2+ax+2)e^x$이 모든 실수 x에서 증가하도록 하는 실수 a의 값의 범위를 구하여라.

풍산자팁 $f(x)$가 모든 실수 x에서 증가 ➡ 모든 실수 x에서 $f'(x)\geq0$이 성립.

> **풀이** $f'(x)=(2x+a)e^x+(x^2+ax+2)e^x=\{x^2+(a+2)x+a+2\}e^x$
함수 $f(x)$가 모든 실수 x에서 증가하려면 $f'(x)\geq0$이어야 하므로
$x^2+(a+2)x+a+2\geq0 \ (\because \ e^x>0)$
위의 이차부등식이 모든 실수 x에 대하여 성립해야 하므로
이차방정식 $x^2+(a+2)x+a+2=0$의 판별식을 D라 하면
$D=(a+2)^2-4(a+2)\leq0, \ (a+2)(a-2)\leq0$
$\therefore \ -2\leq a\leq2$

유제 **294** 함수 $f(x)=ax+\ln(x^2+4)$가 실수 전체의 집합에서 감소하도록 하는 실수 a의 값의 범위를 구하여라.

295 다음 함수의 극값을 구하여라.

(1) $f(x)=\dfrac{x}{x^2+1}$

(2) $f(x)=x^2 e^{-x}$

(3) $f(x)=x-2\sin x \ (0\le x\le 2\pi)$

풍산자 팁 그래프의 개형이 일반적으로 알고 있는 형태가 아닐 경우? ➡ 반드시 증감표를 그리자!

[1단계] $f'(x)=0$인 x의 값을 찾는다.

[2단계] 찾은 x의 값을 경계로 증감표를 그린다.

❯ 풀이

(1) $f'(x)=\dfrac{1\times(x^2+1)-x\times 2x}{(x^2+1)^2}=\dfrac{-(x+1)(x-1)}{(x^2+1)^2}$

$f'(x)=0$에서 $x=-1$ 또는 $x=1$

함수 $f(x)$의 증가와 감소를 표로 나타내면 오른쪽과 같다.

x	$\cdots$	-1	$\cdots$	1	$\cdots$
$f'(x)$	$-$	0	$+$	0	$-$
$f(x)$	$\searrow$	극소	$\nearrow$	극대	$\searrow$

따라서 $x=1$에서 극대이고 **극댓값은 $f(1)=\dfrac{1}{2}$**,

$x=-1$에서 극소이고 **극솟값은 $f(-1)=-\dfrac{1}{2}$**

(2) $f'(x)=2xe^{-x}-x^2 e^{-x}=-x(x-2)e^{-x}$

$f'(x)=0$에서 $x=0$ 또는 $x=2$

함수 $f(x)$의 증가와 감소를 표로 나타내면 오른쪽과 같다.

x	$\cdots$	0	$\cdots$	2	$\cdots$
$f'(x)$	$-$	0	$+$	0	$-$
$f(x)$	$\searrow$	극소	$\nearrow$	극대	$\searrow$

따라서 $x=2$에서 극대이고 **극댓값은 $f(2)=\dfrac{4}{e^2}$**,

$x=0$에서 극소이고 **극솟값은 $f(0)=0$**

(3) $f'(x)=1-2\cos x$

$f'(x)=0$에서 $\cos x=\dfrac{1}{2}$ $\therefore x=\dfrac{\pi}{3}$ 또는 $x=\dfrac{5}{3}\pi \ (\because 0\le x\le 2\pi)$

$0\le x\le 2\pi$에서 함수 $f(x)$의 증가와 감소를 표로 나타내면 다음과 같다.

x	0	$\cdots$	$\dfrac{\pi}{3}$	$\cdots$	$\dfrac{5}{3}\pi$	$\cdots$	2π
$f'(x)$		$-$	0	$+$	0	$-$	
$f(x)$	0	$\searrow$	극소	$\nearrow$	극대	$\searrow$	2π

따라서 $x=\dfrac{5}{3}\pi$에서 극대이고 **극댓값은 $f\left(\dfrac{5}{3}\pi\right)=\dfrac{5}{3}\pi+\sqrt{3}$**,

$x=\dfrac{\pi}{3}$에서 극소이고 **극솟값은 $f\left(\dfrac{\pi}{3}\right)=\dfrac{\pi}{3}-\sqrt{3}$**

정답과 풀이 **42**쪽

유제 296 다음 함수의 극값을 구하여라.

(1) $f(x)=\dfrac{e^x}{x} \ (x>0)$

(2) $f(x)=\dfrac{1}{2}x+\cos x \ (0<x<\pi)$

(3) $f(x)=x\ln x$

(4) $f(x)=x+\sqrt{4-x^2} \ (0<x<2)$

297 이계도함수를 이용하여 다음 함수의 극값을 구하여라.

(1) $f(x)=\sqrt{3}\sin x+\cos x\ (0<x<2\pi)$

(2) $f(x)=\dfrac{\ln x}{x^2}$

풍산자티 $f'(x)=0$인 x의 값을 찾은 다음 그 값을 $f''(x)$에 대입하여 부호를 살핀다.

▶ 풀이 (1) $f'(x)=\sqrt{3}\cos x-\sin x$이므로

$f'(x)=0$에서 $\dfrac{\sin x}{\cos x}=\sqrt{3}$, $\tan x=\sqrt{3}$

$\therefore x=\dfrac{\pi}{3}$ 또는 $x=\dfrac{4}{3}\pi\ (\because\ 0<x<2\pi)$

$f''(x)=-\sqrt{3}\sin x-\cos x$이므로

(i) $f''\!\left(\dfrac{\pi}{3}\right)=-\sqrt{3}\sin\dfrac{\pi}{3}-\cos\dfrac{\pi}{3}=-2<0$ ➡ 극대

(ii) $f''\!\left(\dfrac{4}{3}\pi\right)=-\sqrt{3}\sin\dfrac{4}{3}\pi-\cos\dfrac{4}{3}\pi=2>0$ ➡ 극소

따라서 $x=\dfrac{\pi}{3}$에서 극대이고 **극댓값**은 $f\!\left(\dfrac{\pi}{3}\right)=2$,

$x=\dfrac{4}{3}\pi$에서 극소이고 **극솟값**은 $f\!\left(\dfrac{4}{3}\pi\right)=-2$

(2) $f'(x)=\dfrac{\dfrac{1}{x}\times x^2-\ln x\times 2x}{x^4}=\dfrac{1-2\ln x}{x^3}$이므로

$f'(x)=0$에서 $1-2\ln x=0$, $\ln x=\dfrac{1}{2}$

$\therefore x=\sqrt{e}$

$f''(x)=\dfrac{-\dfrac{2}{x}\times x^3-(1-2\ln x)\times 3x^2}{x^6}=\dfrac{-5+6\ln x}{x^4}$이므로

$f''(\sqrt{e})=-\dfrac{2}{e^2}<0$ ➡ 극대

따라서 $x=\sqrt{e}$에서 극대이고 **극댓값**은 $f(\sqrt{e})=\dfrac{1}{2e}$

정답과 풀이 **43**쪽

유제 298 이계도함수를 이용하여 다음 함수의 극값을 구하여라.

(1) $f(x)=x-2\cos x\ (0\le x\le 2\pi)$

(2) $f(x)=xe^{2x}$

풍산자 비법

함수 $f(x)$가 미분가능하고 $f'(a)=0$일 때 $x=a$의 좌우에서 $f'(x)$의 부호가

➡ 양에서 음으로 바뀌면 $x=a$에서 극대, 음에서 양으로 바뀌면 $x=a$에서 극소.

299 함수 $f(x)=\dfrac{ax+b}{x^2+1}$ 가 $x=1$에서 극댓값 1을 가질 때, 상수 a, b의 값을 각각 구하여라.

> **풍산자티** 미분가능한 함수 $f(x)$가 $x=\alpha$에서 극값 β를 가질 때 ➡ $f(\alpha)=\beta$, $f'(\alpha)=0$

> **풀이** $f'(x)=\dfrac{a(x^2+1)-(ax+b)\times 2x}{(x^2+1)^2}=\dfrac{-ax^2-2bx+a}{(x^2+1)^2}$
>
> 함수 $f(x)$가 $x=1$에서 극댓값 1을 가지므로
>
> $f(1)=\dfrac{a+b}{2}=1$, $f'(1)=\dfrac{-2b}{4}=0$
>
> 두 식을 연립하여 풀면 $a=2$, $b=0$

정답과 풀이 43쪽

유제 300 다음 물음에 답하여라.

(1) 함수 $f(x)=\dfrac{x^2+ax+b}{x+1}$ 가 $x=1$에서 극솟값 -2를 가질 때, 상수 a, b의 값을 각각 구하여라.

(2) 함수 $f(x)=x\ln x+ax$가 $x=e^2$에서 극솟값을 가질 때, 상수 a의 값과 $f(x)$의 극솟값을 각각 구하여라.

301 함수 $f(x)=\ln x+\dfrac{a}{x}-x$가 극댓값과 극솟값을 모두 가질 때, 실수 a의 값의 범위를 구하여라.

> **풍산자티** 극값을 갖지 않으려면 $f'(x)=0$인 x의 값이 존재하지 않거나 존재해도 그 x의 값의 좌우에서 $f'(x)$의 부호가 바뀌지 않아야 한다.

> **풀이** $f'(x)=\dfrac{1}{x}-\dfrac{a}{x^2}-1=\dfrac{-x^2+x-a}{x^2}$ 이고 $f'(x)=0$에서 $x^2-x+a=0$ ...... ㉠
>
> 함수 $f(x)$가 극댓값과 극솟값을 모두 가지려면 이차방정식 ㉠이 서로 다른 두 실근을 가져야 한다. 이때 로그의 진수 조건에 의하여 $x>0$이므로 ㉠의 서로 다른 두 근 α, β가 모두 양수이어야 한다.
>
> ㉠의 판별식을 D라 하면
>
> (i) $D=1-4a>0$에서 $a<\dfrac{1}{4}$ (ii) $\alpha+\beta=1>0$ (iii) $\alpha\beta=a>0$
>
> (i), (ii), (iii)의 공통부분을 구하면 $0<a<\dfrac{1}{4}$

정답과 풀이 44쪽

유제 302 다음 물음에 답하여라.

(1) 함수 $f(x)=(x^2+x+a)e^x$이 극값을 가질 때, 실수 a의 값의 범위를 구하여라.

(2) 함수 $f(x)=ax-\sin x$가 극값을 갖지 않을 때, 실수 a의 값의 범위를 구하여라.

303

곡선 $y = x \ln x + 2x$ 위의 점 $(e, 3e)$에서의 접선의 방정식이 $y = ax + b$일 때, 상수 a, b의 곱 ab의 값을 구하여라.

304

두 곡선 $y = 2e^{2x} - ax$와 $y = \dfrac{b}{x}$가 $x = 1$인 점에서 공통인 접선을 가질 때, 상수 a, b에 대하여 $\dfrac{a}{b}$의 값을 구하여라.

305

원점에서 곡선 $y = e^{-x+a}$에 그은 접선이 점 $(1, -1)$을 지날 때, 상수 a의 값을 구하여라.

306

함수 $f(x) = x + \sqrt{1 - x^2}$이 $x = a$에서 극댓값 b를 가질 때, ab의 값을 구하여라.

307

함수 $f(x) = \dfrac{\sin x}{e^x}$ $(0 \le x \le 2\pi)$가 $x = \alpha$에서 극대이고 $x = \beta$에서 극소일 때, $\beta - \alpha$의 값을 구하여라.

308

함수 $f(x) = \sin x + \sqrt{3} \cos x + a$ $(0 \le x \le 2\pi)$가 극댓값 5를 가질 때, 극솟값을 구하여라.

3 함수의 그래프

01 | 곡선의 오목과 볼록, 변곡점

[수학Ⅱ]에서 배운 다항함수의 그래프는 비교적 쉽게 그릴 수 있지만, 다항함수가 아닌 함수의 그래프는 주어지는 함수에 따라 매우 복잡하고 다양하게 나타난다.

이때 그래프의 개형을 그리기 위한 중요한 요소로 곡선의 오목과 볼록, 변곡점이 있다.

[1] 곡선의 오목과 볼록

> **곡선의 오목과 볼록**
>
> 어떤 구간에서 곡선 $y=f(x)$ 위의 임의의 서로 다른 두 점 P, Q 에 대하여
>
> (1) 두 점 P, Q 사이에 있는 곡선 부분이 선분 PQ보다 항상 아래쪽에 있으면 곡선 $y=f(x)$는 이 구간에서 **아래로 볼록(또는 위로 오목)**하다고 한다.
>
> (2) 두 점 P, Q 사이에 있는 곡선 부분이 선분 PQ보다 항상 위쪽에 있으면 곡선 $y=f(x)$는 이 구간에서 **위로 볼록(또는 아래로 오목)**하다고 한다.

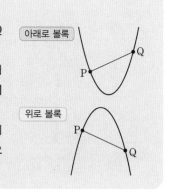

| 설명 | 오목이란 쏙 들어간 모양을 의미하고 볼록이란 쏙 튀어나온 모양을 의미한다.

위로 오목이란 위에서 볼 때 오목한 ∪자 모양을 의미하고,

위로 볼록이란 위에서 볼 때, 볼록한 ∩자 모양을 의미한다.

> **곡선의 오목, 볼록의 판정**
>
> 함수 $f(x)$가 어떤 구간에서
>
> (1) $f''(x)>0$이면 곡선 $y=f(x)$는 이 구간에서 **아래로 볼록**하다. ➡ ∪자 모양
>
> (2) $f''(x)<0$이면 곡선 $y=f(x)$는 이 구간에서 **위로 볼록**하다. ➡ ∩자 모양

| 설명 | (1) 왜 $f''(x)>0$이면 ∪자 모양인가?

    (i) 어떤 함수의 미분이 양수이면 그 함수는 증가.

        $f'(x)$의 미분은 $f''(x)$

        따라서 $f''(x)>0$이면 $f'(x)$는 증가.

    (ii) 오른쪽 그림을 보자. ∪자 모양이다.

        접선의 기울기를 주목. 어떠한가? 접선의 기울기가 증가한다.

    (iii) $f''(x)>0$ ➡ $f'(x)$가 증가 ➡ 접선의 기울기 증가 ➡ ∪자 모양

(2) 마찬가지 방법으로

    $f''(x)<0$ ➡ $f'(x)$가 감소 ➡ 접선의 기울기 감소 ➡ ∩자 모양

[2] 변곡점

변곡점은 한자로 변할 '변(變)', 굽을 '곡(曲)', 점 '점(點)'이다.

즉, 굽어 있는 정도가 변하는 점이란 뜻이다.

여기서 굽어 있는 정도는 볼록과 오목을 의미한다고 생각하면 이해하기 쉽다.

> **변곡점**
>
> (1) 곡선 $y=f(x)$ 위의 점 $(a, f(a))$에 대하여 $x=a$의 좌우에서 곡선의 모양이 아래로 볼록에서 위로 볼록으로 바뀌거나 위로 볼록에서 아래로 볼록으로 바뀔 때, 이 점을 곡선 $y=f(x)$의 **변곡점**이라 한다.
>
> (2) 함수 $f(x)$에서 $f''(a)=0$이고 $x=a$의 좌우에서 $f''(x)$의 부호가 바뀌면 점 $(a, f(a))$는 곡선 $y=f(x)$의 변곡점이다.
>
> ➡ **곡선 $y=f(x)$에서 점 $(a, f(a))$가 변곡점일 때, $f''(a)=0$이다.**

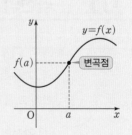

| 설명 | $x=a$의 좌우에서 $f''(x)$의 부호가 바뀌면 점 $(a, f(a))$가 곡선 $y=f(x)$의 변곡점이고, $f''(a)$가 존재하면 $f''(a)=0$이다.

또한, 오른쪽 그림과 같이 변곡점에서의 접선은 곡선을 스치는 것이 아니라 곡선을 꿰뚫는 접선이다. 이때 곡선이 접선보다 아래에 있으면 위로 볼록이고, 곡선이 접선보다 위에 있으면 아래로 볼록이다.

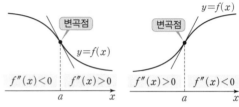

| 참고 | 곡선 $y=f(x)$가 변곡점을 가지려면 $f''(x)$가 0이 되는 x의 값이 존재하고, 그 값의 좌우에서 $f''(x)$의 부호가 바뀌어야 한다.

그러나 $f''(0)=0$이라고 해서 점 $(a, f(a))$가 항상 변곡점인 것은 아니다.

예를 들어 $f(x)=x^4$에서 $f''(0)=0$이지만 $x=0$의 좌우에서 $f''(x)$의 부호가 변하지 않으므로 점 $(0, 0)$은 곡선 $y=f(x)$의 변곡점이 아니다.

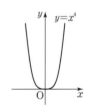

| 개념확인 |

곡선 $y=x^3+3x^2$의 변곡점의 좌표를 구하여라.

➤ 풀이　$f(x)=x^3+3x^2$으로 놓으면 $f'(x)=3x^2+6x$, $f''(x)=6x+6$

$f''(x)=0$에서 $x=-1$

이때 $x=-1$의 좌우에서 $f''(x)$의 부호가 음에서 양으로 바뀐다.

따라서 변곡점의 좌표는 $(-1, 2)$이다.

> **大**원칙
>
> · $f'(x)$를 이용하면 증가와 감소, 극대와 극소를 판정할 수 있다.
> · $f''(x)$를 이용하면 오목과 볼록, 변곡점을 판정할 수 있다.
>
> | 상태 | + | - | 0 |
> |---|---|---|---|
> | $f'(x)$ | 증가($\nearrow$) | 감소($\searrow$) | $f'(x)=0$인 x의 좌우에서 $f'(x)$의 부호가 바뀌면 ➡ 극대 또는 극소 |
> | $f''(x)$ | ∪자 모양 | ∩자 모양 | $f''(x)=0$인 x의 좌우에서 $f''(x)$의 부호가 바뀌면 ➡ 변곡점 |

309 다음 곡선의 오목, 볼록을 조사하여 변곡점의 좌표를 구하여라.

(1) $y=x^3-3x^2+4$

(2) $y=\ln(x^2+1)$

풍산자티 $f''(x)=0$으로 하는 $x=a$의 좌우에서 $f''(x)$의 부호를 살핀다.

➡ 변곡점이 되려면 $f''(a)=0$이고, $x=a$의 좌우에서 $f''(x)$의 부호가 바뀌어야 한다.

▶ 풀이 (1) $f(x)=x^3-3x^2+4$라 하면

$f'(x)=3x^2-6x=3x(x-2)$, $f''(x)=6x-6=6(x-1)$

$f'(x)=0$에서 $x=0$ 또는 $x=2$, $f''(x)=0$에서 $x=1$

함수 $f(x)$의 증가와 감소를 표로 나타내면 다음과 같다.

x	$\cdots$	0	$\cdots$	1	$\cdots$	2	$\cdots$
$f'(x)$	$+$	0	$-$	$-$	$-$	0	$+$
$f''(x)$	$-$	$-$	$-$	0	$+$	$+$	$+$
$f(x)$	$\nearrow$	4	$\searrow$	2	$\searrow$	0	$\nearrow$

따라서 곡선 $y=f(x)$는 $x<1$일 때 $f''(x)<0$이므로 위로 볼록,

$x>1$일 때 $f''(x)>0$이므로 아래로 볼록이고, 변곡점의 좌표는 $(1,\ 2)$이다.

(2) $f(x)=\ln(x^2+1)$로 놓으면

$f'(x)=\dfrac{2x}{x^2+1}$, $f''(x)=\dfrac{2(x^2+1)-2x\times2x}{(x^2+1)^2}=\dfrac{-2(x+1)(x-1)}{(x^2+1)^2}$

$f'(x)=0$에서 $x=0$, $f''(x)=0$에서 $x=-1$ 또는 $x=1$

함수 $f(x)$의 증가와 감소를 표로 나타내면 다음과 같다.

x	$\cdots$	-1	$\cdots$	0	$\cdots$	1	$\cdots$
$f'(x)$	$-$	$-$	$-$	0	$+$	$+$	$+$
$f''(x)$	$-$	0	$+$	$+$	$+$	0	$-$
$f(x)$	$\searrow$	$\ln 2$	$\searrow$	0	$\nearrow$	$\ln 2$	$\nearrow$

따라서 곡선 $y=f(x)$는 $x<-1$ 또는 $x>1$일 때 $f''(x)<0$이므로 위로 볼록,

$-1<x<1$일 때 $f''(x)>0$이므로 아래로 볼록이고, 변곡점의 좌표는 $(-1,\ \ln 2)$,

$(1,\ \ln 2)$이다.

▶ 참고 증감표에서 $\nearrow$는 위로 볼록하면서 증가, $\nearrow$는 아래로 볼록하면서 증가, $\searrow$는 위로 볼록하면서 감소, $\searrow$는 아래로 볼록하면서 감소함을 나타낸다.

정답과 풀이 **45**쪽

유제 310 다음 곡선의 오목, 볼록을 조사하여 변곡점의 좌표를 구하여라.

(1) $y=2x^3-3x^2+1$

(2) $y=e^{-2x^2}$

(3) $y=\dfrac{\ln x}{x}$

(4) $y=x+2\cos x\ (0\le x\le 2\pi)$

311 함수 $f(x)=ax^2+bx+\ln x$가 $x=1$에서 극대이고 곡선 $y=f(x)$의 변곡점의 x좌표가 2일 때, 상수 a, b의 값을 각각 구하여라.

풍산자티
- $x=1$에서 극값을 가지므로 $f'(1)=0$
- 변곡점의 x좌표가 2이므로 $f''(2)=0$

▶ 풀이

$f'(x)=2ax+b+\dfrac{1}{x}$, $f''(x)=2a-\dfrac{1}{x^2}$

$x=1$에서 극대이므로 $f'(1)=2a+b+1=0$

변곡점의 x좌표가 2이므로 $f''(2)=2a-\dfrac{1}{4}=0$

위의 두 식을 연립하여 풀면 $a=\dfrac{1}{8}$, $b=-\dfrac{5}{4}$

정답과 풀이 **46**쪽

유제 312 함수 $f(x)=ax^3+bx^2+cx$의 그래프 위의 $x=1$인 점에서의 기울기가 3이고, 점 $(2, 8)$이 곡선 $y=f(x)$의 변곡점일 때, 상수 a, b, c의 합 $a+b+c$의 값을 구하여라.

313 곡선 $y=xe^{-x}$의 변곡점에서의 접선의 방정식을 구하여라.

풍산자티
(i) 변곡점을 구한다. ➡ $f''(x)=0$인 x의 값 중 $x=a$의 좌우에서 $f''(x)$의 부호가 바뀌면 변곡점의 좌표는 $(a, f(a))$
(ii) 접선의 기울기를 구한다. ➡ $f'(a)$
(iii) 접선의 방정식을 구한다. ➡ $y-f(a)=f'(a)(x-a)$

▶ 풀이

$f(x)=xe^{-x}$으로 놓으면

$f'(x)=e^{-x}-xe^{-x}=(1-x)e^{-x}$, $f''(x)=-e^{-x}-(1-x)e^{-x}=(x-2)e^{-x}$

$f''(x)=0$에서 $x=2$

$x=2$의 좌우에서 $f''(x)$의 부호가 바뀌므로 변곡점의 좌표는 $(2, 2e^{-2})$

또, $x=2$인 점에서의 접선의 기울기는 $f'(2)=-e^{-2}$

따라서 변곡점에서의 접선의 방정식은 $y-2e^{-2}=-e^{-2}(x-2)$

$\therefore y=-\dfrac{1}{e^2}x+\dfrac{4}{e^2}$

정답과 풀이 **46**쪽

유제 314 다음 곡선의 변곡점에서의 접선의 방정식을 구하여라.

(1) $y=(\ln x)^2$ (2) $y=x-\cos x\,(0<x<\pi)$

02 | 함수의 그래프

우리는 [수학Ⅱ]에서 삼차함수와 사차함수의 그래프를 그리는 방법에 대하여 배웠다.

또한 앞에서 증감표와 이계도함수의 부호, 변곡점을 통해 그래프의 형태를 유추하는 방법도 배웠다.

여기서는 이를 토대로 다양한 함수의 그래프의 개형을 그리는 방법에 대해 알아보자.

> **함수의 그래프의 개형**
> 함수 $y=f(x)$의 그래프는 다음을 조사하고 종합하여 그린다.
> (1) 함수의 정의역과 치역   (2) 그래프의 대칭성과 주기
> (3) 좌표축과 교점   (4) 함수의 증가와 감소, 극대와 극소
> (5) 곡선의 오목과 볼록, 변곡점   (6) $\lim\limits_{x\to\infty} f(x)$, $\lim\limits_{x\to-\infty} f(x)$, 점근선

| 설명 | (1) 함수의 정의역
　① 유리함수의 정의역: 분모가 0이 되지 않도록 하는 실수 전체의 집합
　② 무리함수의 정의역: 근호 안의 식의 값이 0 이상 되도록 하는 실수 전체의 집합
　③ 로그함수의 정의역: 로그의 진수가 양이 되도록 하는 실수 전체의 집합
(2) 그래프의 대칭성
　① $f(-x)=f(x)$이면 $y=f(x)$의 그래프는 y축에 대하여 대칭이다.
　② $f(-x)=-f(x)$이면 $y=f(x)$의 그래프는 원점에 대하여 대칭이다.
(3) 점근선: 어떤 곡선이 일정한 직선에 한없이 가까워질 때, 그 직선을 점근선이라 한다.
　점근선 중 특히 중요한 것은 x축에 평행한 수평점근선과 y축에 평행한 수직점근선이다.
　a, b가 실수일 때, 함수 $y=f(x)$에 대하여
　① 수평점근선: $\lim\limits_{x\to\infty} f(x)=b$ 또는 $\lim\limits_{x\to-\infty} f(x)=b$이면 점근선은 직선 $y=b$
　② 수직점근선: $\lim\limits_{x\to a+} f(x)=\pm\infty$ 또는 $\lim\limits_{x\to a-} f(x)=\pm\infty$이면 점근선은 직선 $x=a$
　③ $\lim\limits_{x\to\infty} \{f(x)-(mx+n)\}=0$ 또는 $\lim\limits_{x\to-\infty} \{f(x)-(mx+n)\}=0$이면 점근선은
　　직선 $y=mx+n$

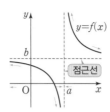 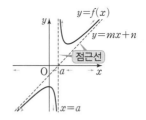

> **大 원칙** ┊ **그래프의 개형 그리기**
> (1) 먼저 어떤 함수인지 판단! ➡ 각 함수들의 정의역, 치역, 점근선 확인하기!
> (2) 도함수와 이계도함수를 활용하여 극값 및 오목과 볼록을 확인할 것!

315 다음 함수의 그래프를 그려라.

(1) $f(x)=x^3-3x^2+1$

(2) $f(x)=\sin x-\cos x\ (0\le x\le\pi)$

풍산자ᴱ [1단계] $f'(x)=0$, $f''(x)=0$인 x의 값을 찾는다.

[2단계] 찾은 값을 경계로 증감표를 만든다.

[3단계] 증감표를 보고 그래프의 개형을 그린다.

▶ 풀이 (1) $f'(x)=3x^2-6x=3x(x-2)$이므로

$\qquad f'(x)=0$에서 $x=0$ 또는 $x=2$

$\qquad f''(x)=6x-6=6(x-1)$이므로

$\qquad f''(x)=0$에서 $x=1$

함수 $f(x)$의 증가와 감소를 표로 나타내면 다음과 같다.

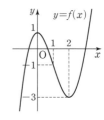

x	$\cdots$	0	$\cdots$	1	$\cdots$	2	$\cdots$
$f'(x)$	$+$	0	$-$	$-$	$-$	0	$+$
$f''(x)$	$-$	$-$	$-$	0	$+$	$+$	$+$
$f(x)$	↗	1	↘	-1	↘	-3	↗

따라서 함수 $y=f(x)$의 그래프는 오른쪽 그림과 같다.

(2) $f'(x)=\cos x+\sin x$이므로

$\qquad f'(x)=0$에서 $x=\dfrac{3}{4}\pi\ (\because\ 0\le x\le\pi)$

$\qquad f''(x)=-\sin x+\cos x$이므로

$\qquad f''(x)=0$에서 $x=\dfrac{\pi}{4}\ (\because\ 0\le x\le\pi)$

$0\le x\le\pi$에서 함수 $f(x)$의 증가와 감소를 표로 나타내면 다음과 같다.

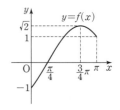

x	0	$\cdots$	$\dfrac{\pi}{4}$	$\cdots$	$\dfrac{3}{4}\pi$	$\cdots$	π
$f'(x)$		$+$	$+$	$+$	0	$-$	
$f''(x)$		$+$	0	$-$	$-$	$-$	
$f(x)$	-1	↗	0	↗	$\sqrt{2}$	↘	1

따라서 함수 $y=f(x)$의 그래프는 오른쪽 그림과 같다.

정답과 풀이 **47**쪽

유제 316 다음 함수의 그래프를 그려라.

(1) $f(x)=x^4-4x^3+12$

(2) $f(x)=x-2\sin x\ (0\le x\le 2\pi)$

317 함수 $f(x)=\dfrac{x}{x^2+1}$ 의 그래프를 그려라.

풍산자티 [점근선이 발생하는 대표적인 상황 1] 분수식이 끼어 있을 때

➡ $\displaystyle\lim_{x\to\infty} f(x)$, $\displaystyle\lim_{x\to-\infty} f(x)$를 구하여 점근선을 확인한다.

▶ 풀이
① $x^2+1\neq0$이므로 정의역은 실수 전체의 집합이다.

② 임의의 실수 x에 대하여 $f(-x)=-f(x)$이므로
함수 $y=f(x)$의 그래프는 원점에 대하여 대칭이다.

③ $f(0)=0$이므로 점 $(0,\,0)$을 지난다.

④ $f'(x)=\dfrac{1\times(x^2+1)-x\times2x}{(x^2+1)^2}=\dfrac{-x^2+1}{(x^2+1)^2}=\dfrac{-(x+1)(x-1)}{(x^2+1)^2}$

이므로
$f'(x)=0$에서 $x=-1$ 또는 $x=1$

$f''(x)=\dfrac{-2x(x^2+1)^2+(x^2-1)\times2(x^2+1)\times2x}{(x^2+1)^4}$

$\qquad=\dfrac{2x(x^2-3)}{(x^2+1)^3}=\dfrac{2x(x+\sqrt{3})(x-\sqrt{3})}{(x^2+1)^3}$

이므로
$f''(x)=0$에서 $x=-\sqrt{3}$ 또는 $x=0$ 또는 $x=\sqrt{3}$

함수 $f(x)$의 증가와 감소를 표로 나타내면 다음과 같다.

x	$\cdots$	$-\sqrt{3}$	$\cdots$	-1	$\cdots$	0	$\cdots$	1	$\cdots$	$\sqrt{3}$	$\cdots$
$f'(x)$	$-$	$-$	$-$	0	$+$	$+$	$+$	0	$-$	$-$	$-$
$f''(x)$	$-$	0	$+$	$+$	$+$	0	$-$	$-$	$-$	0	$+$
$f(x)$	$\searrow$	$-\dfrac{\sqrt{3}}{4}$	$\searrow$	$-\dfrac{1}{2}$	$\nearrow$	0	$\nearrow$	$\dfrac{1}{2}$	$\searrow$	$\dfrac{\sqrt{3}}{4}$	$\searrow$

⑤ $\displaystyle\lim_{x\to\infty} f(x)=0$, $\displaystyle\lim_{x\to-\infty} f(x)=0$이므로 점근선은 x축이다.

따라서 함수 $y=f(x)$의 그래프는 다음 그림과 같다.

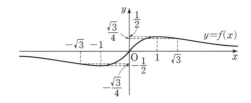

정답과 풀이 **47**쪽

유제 318 다음 함수의 그래프를 그려라.

(1) $f(x)=\dfrac{x^2+1}{x}$

(2) $f(x)=x-2\sqrt{x}$

319 다음 함수의 그래프를 그려라.

(1) $f(x)=xe^x$ (단, $\lim\limits_{x\to-\infty} f(x)=0$)　　　(2) $f(x)=\ln(x^2+3)$

> **풍산자티** [점근선이 발생하는 대표적인 상황 2] 지수함수, 로그함수가 끼어 있을 때
> ➡ $\lim\limits_{x\to\infty} f(x)$, $\lim\limits_{x\to-\infty} f(x)$ 를 구하여 점근선을 확인한다.

> **풀이**　(1) ① 정의역은 실수 전체의 집합이다.

② $f(0)=0$이므로 점 $(0,\,0)$을 지난다.

③ $f'(x)=e^x+xe^x=(1+x)e^x$이므로 $f'(x)=0$에서 $x=-1$
$f''(x)=e^x+(1+x)e^x=(2+x)e^x$이므로 $f''(x)=0$에서 $x=-2$
함수 $f(x)$의 증가와 감소를 표로 나타내면 다음과 같다.

x	$\cdots$	-2	$\cdots$	-1	$\cdots$
$f'(x)$	$-$	$-$	$-$	0	$+$
$f''(x)$	$-$	0	$+$	$+$	$+$
$f(x)$	$\searrow$	$-\dfrac{2}{e^2}$	$\searrow$	$-\dfrac{1}{e}$	$\nearrow$

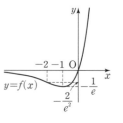

④ $\lim\limits_{x\to\infty} f(x)=\infty$, $\lim\limits_{x\to-\infty} f(x)=0$이므로 점근선은 x축이다.
따라서 함수 $y=f(x)$의 그래프는 오른쪽 그림과 같다.

(2) ① $x^2+3>0$이므로 정의역은 실수 전체의 집합이다.

② 임의의 실수 x에 대하여 $f(-x)=f(x)$이므로 함수
$y=f(x)$의 그래프는 y축에 대하여 대칭이다.

③ $f(0)=\ln 3$이므로 점 $(0,\,\ln 3)$을 지난다.

④ $f'(x)=\dfrac{2x}{x^2+3}$이므로 $f'(x)=0$에서 $x=0$

$f''(x)=\dfrac{2(x^2+3)-2x\times 2x}{(x^2+3)^2}=\dfrac{6-2x^2}{(x^2+3)^2}$이므로

$f''(x)=0$에서 $x=-\sqrt{3}$ 또는 $x=\sqrt{3}$
함수 $f(x)$의 증가와 감소를 표로 나타내면 다음과 같다.

x	$\cdots$	$-\sqrt{3}$	$\cdots$	0	$\cdots$	$\sqrt{3}$	$\cdots$
$f'(x)$	$-$	$-$	$-$	0	$+$	$+$	$+$
$f''(x)$	$-$	0	$+$	$+$	$+$	0	$-$
$f(x)$	$\searrow$	$\ln 6$	$\searrow$	$\ln 3$	$\nearrow$	$\ln 6$	$\nearrow$

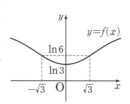

⑤ $\lim\limits_{x\to\infty} f(x)=\infty$, $\lim\limits_{x\to-\infty} f(x)=\infty$이다.
따라서 함수 $y=f(x)$의 그래프는 오른쪽 그림과 같다.

정답과 풀이 **48**쪽

유제 **320**　다음 함수의 그래프를 그려라.

(1) $f(x)=e^{-x^2}$　　　　　　　　(2) $f(x)=x\ln x$

03 | 함수의 최대와 최소

함수의 최대, 최소란 함수의 그래프에서 가장 높은 점과 가장 낮은 점.

모든 최대, 최소 문제는 그래프만 그려지면 해결.

다항함수는 증감표를 그리지 않아도 그래프의 개형을 안다.

하지만 지금부터 우리가 구할 최대, 최소는 유리함수, 무리함수, 지수함수, 로그함수, 삼각함수와 관련된 문제들.

이 함수들의 그래프의 개형을 모른다? ➡ 믿고 의지할 건 증감표.

---

(1) 함수의 최대와 최소

닫힌구간 $[a, b]$에서 연속함수 $f(x)$의 최댓값과 최솟값을 구하려면

(i) 주어진 구간에서 $f(x)$의 극댓값과 극솟값을 모두 구한다.

(ii) 주어진 구간의 양 끝에서의 함숫값 $f(a)$, $f(b)$를 구한다.

(iii) (i), (ii)에서 구한 값들의 크기를 비교한다.

- 최댓값 ➡ 극댓값, $f(a)$, $f(b)$ 중 가장 큰 값
- 최솟값 ➡ 극솟값, $f(a)$, $f(b)$ 중 가장 작은 값

(2) 극값이 하나뿐일 때의 함수의 최대와 최소

닫힌구간 $[a, b]$에서 연속이고, 그 구간에서 극값이 오직 하나 존재할 때

① 극값이 극댓값이면 ➡ (극댓값)=(최댓값)

② 극값이 극솟값이면 ➡ (극솟값)=(최솟값)

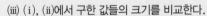

| 설명 | (1) 오직 하나인 극값이 극댓값인 경우

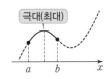

(2) 오직 하나인 극값이 극솟값인 경우

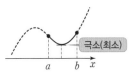

주어진 구간에서 극값이 존재하지 않을 때는 그 구간의 양 끝의 함숫값 중 큰 값이 최댓값, 작은 값이 최솟값이 된다.

| 개념확인 | 구간 $[-2, 1]$에서 함수 $f(x)=xe^x$의 최댓값과 최솟값을 구하여라.

> 풀이 그래프의 개형? 알 수 없다. 증감표를 만들어 보자.

$f'(x)=e^x+xe^x=(1+x)e^x$

$f'(x)=0$에서 $x=-1$

구간 $[-2, 1]$에서 함수 $f(x)$의 증가와 감소를 표로 나타내면 오른쪽과 같다.

x	-2	$\cdots$	-1	$\cdots$	1
$f'(x)$		$-$	0	$+$	
$f(x)$	$-\dfrac{2}{e^2}$	$\searrow$	$-\dfrac{1}{e}$	$\nearrow$	e

따라서 **최댓값은 $f(1)=e$, 최솟값은 $f(-1)=-\dfrac{1}{e}$**이다.

321 다음 함수의 주어진 구간에서의 **최댓값**과 **최솟값**을 구하여라.

(1) $f(x) = \dfrac{x}{x^2+x+1}$ $\quad [-2, 1]$

(2) $f(x) = x + \sqrt{1-x^2}$ $\quad [0, 1]$

풍산자티 $f'(0)=0$인 x의 값을 경계로 증감표를 그린 후, 주어진 구간의 양 끝에서의 함숫값과 극값을 비교하면 된다.

> **풀이**

(1) $f'(x) = \dfrac{1 \times (x^2+x+1) - x(2x+1)}{(x^2+x+1)^2}$

$\quad\quad = -\dfrac{(x+1)(x-1)}{(x^2+x+1)^2}$

$f'(0)=0$에서 $x=-1$ 또는 $x=1$

구간 $[-2, 1]$에서 함수 $f(x)$의 증가와 감소를 표로 나타내면 오른쪽과 같다.

x	-2	$\cdots$	-1	$\cdots$	1
$f'(x)$		$-$	0	$+$	0
$f(x)$	$-\dfrac{2}{3}$	$\searrow$	-1	$\nearrow$	$\dfrac{1}{3}$

따라서 **최댓값**은 $f(1)=\dfrac{1}{3}$, **최솟값**은 $f(-1)=-1$

(2) $f'(x) = 1 - \dfrac{2x}{2\sqrt{1-x^2}} = \dfrac{\sqrt{1-x^2}-x}{\sqrt{1-x^2}}$

$f'(x)=0$에서 $\sqrt{1-x^2}=x$

양변을 제곱하여 정리하면 $x^2=\dfrac{1}{2}$

$\therefore x = \dfrac{1}{\sqrt{2}}$ $(\because 0 \leq x \leq 1)$

구간 $[0, 1]$에서 함수 $f(x)$의 증가와 감소를 표로 나타내면 오른쪽과 같다.

x	0	$\cdots$	$\dfrac{1}{\sqrt{2}}$	$\cdots$	1
$f'(x)$		$+$	0	$-$	
$f(x)$	1	$\nearrow$	$\sqrt{2}$	$\searrow$	1

따라서 **최댓값**은 $f\left(\dfrac{1}{\sqrt{2}}\right)=\sqrt{2}$, **최솟값**은 $f(0)=f(1)=1$

> **참고** 이 문제에서 볼 수 있듯이 닫힌구간에서 연속인 함수의 최대, 최소는 항상 구간의 양 끝이나 미분해서 0이 되는 곳에서 발생한다.

이에 착안하면 증감표를 그리지 않아도 답을 구할 수 있다.

➡ 구간의 양 끝이나 미분해서 0이 되는 곳의 함숫값 중 가장 큰 값과 가장 작은 값을 찾으면 끝.

정답과 풀이 **48**쪽

유제 322 다음 함수의 주어진 구간에서의 **최댓값**과 **최솟값**을 구하여라.

(1) $f(x) = \dfrac{x-1}{x^2+3}$ $\quad [-1, 5]$

(2) $f(x) = x\sqrt{4-x^2}$ $\quad [-2, 2]$

323 다음 함수의 주어진 구간에서의 최댓값과 최솟값을 구하여라.

(1) $f(x)=x^2e^{-x}$ $\qquad$ $[-1,\ 3]$

(2) $f(x)=2x-x\ln x$ $\quad$ $[1,\ e^2]$

풍산자팁 닫힌구간에서의 함수의 최댓값과 최솟값을 구하려면

➡ 증감표를 그린 후 극댓값, 극솟값, 구간의 양 끝에서의 함숫값을 비교하면 된다.

▶풀이 (1) $f'(x)=2xe^{-x}-x^2e^{-x}=x(2-x)e^{-x}$

$f'(x)=0$에서 $x=0$ 또는 $x=2$

구간 $[-1,\ 3]$에서 함수 $f(x)$의 증가와 감소를 표로 나타내면 다음과 같다.

x	-1	$\cdots$	0	$\cdots$	2	$\cdots$	3
$f'(x)$		$-$	0	$+$	0	$-$	
$f(x)$	e	$\searrow$	0	$\nearrow$	$\dfrac{4}{e^2}$	$\searrow$	$\dfrac{9}{e^3}$

따라서 **최댓값은 $f(-1)=e$** ⬅ $e≒2.72$이므로 $f(-1)=e>f(2)=\dfrac{4}{e^2}$

$\qquad\quad$ **최솟값은 $f(0)=0$**

(2) $f'(x)=2-\ln x-x\times\dfrac{1}{x}=1-\ln x$

$f'(x)=0$에서 $x=e$

구간 $[1,\ e^2]$에서 함수 $f(x)$의 증가와 감소를 표로 나타내면 다음과 같다.

x	1	$\cdots$	e	$\cdots$	e^2
$f'(x)$		$+$	0	$-$	
$f(x)$	2	$\nearrow$	e	$\searrow$	0

따라서 **최댓값은 $f(e)=e$, 최솟값은 $f(e^2)=0$**

정답과 풀이 **49**쪽

유제 324 다음 함수의 주어진 구간에서의 최댓값과 최솟값을 구하여라.

(1) $f(x)=xe^{-x^2}$ $\qquad$ $[-1,\ 1]$

(2) $f(x)=-\dfrac{\ln x}{x}$ $\quad$ $[1,\ e^2]$

325 구간 $[0, 2\pi]$에서 함수 $f(x) = x \sin x + \cos x$의 최댓값과 최솟값을 구하여라.

풍산자티 $(\sin x)' = \cos x$, $(\cos x)' = -\sin x$임을 이용한다.

▶풀이 $f'(x) = \sin x + x \cos x - \sin x = x \cos x$

$f'(x) = 0$에서 $x = 0$ 또는 $x = \dfrac{\pi}{2}$ 또는 $x = \dfrac{3}{2}\pi$ ($\because 0 \le x \le 2\pi$)

구간 $[0, 2\pi]$에서 함수 $f(x)$의 증가와 감소를 표로 나타내면 다음과 같다.

x	0	$\cdots$	$\dfrac{\pi}{2}$	$\cdots$	$\dfrac{3}{2}\pi$	$\cdots$	2π
$f'(x)$	0	$+$	0	$-$	0	$+$	
$f(x)$	1	$\nearrow$	$\dfrac{\pi}{2}$	$\searrow$	$-\dfrac{3}{2}\pi$	$\nearrow$	1

따라서 최댓값은 $f\left(\dfrac{\pi}{2}\right) = \dfrac{\pi}{2}$, 최솟값은 $f\left(\dfrac{3}{2}\pi\right) = -\dfrac{3}{2}\pi$

정답과 풀이 **49**쪽

유제 326 다음 함수의 주어진 구간에서의 최댓값과 최솟값을 구하여라.

(1) $f(x) = e^x \cos x$ $[0, \pi]$ (2) $f(x) = (\cos x + 1)\sin x$ $\left[0, \dfrac{\pi}{2}\right]$

327 $0 < x \le 2$에서 함수 $f(x) = \dfrac{1}{4}x^2 - \dfrac{1}{2}\ln ax$의 최솟값이 0일 때, 양수 a의 값을 구하여라.

풍산자티 $\{\ln f(x)\}' = \dfrac{f'(x)}{f(x)}$임을 이용하자.

▶풀이 $f'(x) = \dfrac{1}{2}x - \dfrac{1}{2x} = \dfrac{x^2 - 1}{2x} = \dfrac{(x+1)(x-1)}{2x}$

$f'(x) = 0$에서 $x = 1$ ($\because 0 < x \le 2$)

$0 < x \le 2$에서 함수 $f(x)$의 증가와 감소를 표로 나타내면 다음과 같다.

x	(0)	$\cdots$	1	$\cdots$	2
$f'(x)$		$-$	0	$+$	
$f(x)$		$\searrow$	$\dfrac{1}{4} - \dfrac{1}{2}\ln a$	$\nearrow$	$1 - \dfrac{1}{2}\ln 2a$

따라서 $x = 1$에서 극소이면서 최소이고, 최솟값이 0이므로

$f(1) = \dfrac{1}{4} - \dfrac{1}{2}\ln a = 0$, $\ln a = \dfrac{1}{2}$ $\therefore a = \sqrt{e}$

정답과 풀이 **50**쪽

유제 328 구간 $[0, \pi]$에서 함수 $f(x) = ax + \sqrt{2}a \sin x$의 최댓값이 $3\pi + 4$일 때, 양수 a의 값을 구하여라.

329 그림과 같이 반지름의 길이가 6 m인 반원이 있다. 점 A부터 점 P 까지는 직선을 따라 1 m/s의 속력으로 이동하고, 점 P부터 점 B 까지는 원주를 따라 2 m/s의 속력으로 이동한다. 점 A를 출발하여 원주 위의 한 점 P를 거쳐 점 B로 이동하는 데 걸리는 최대의 시간을 구하여라.

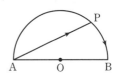

풍산자티 문장제 최대, 최소 문제는

(ⅰ) 변수를 정한다. ➡ (ⅱ) 식을 세운다. ➡ (ⅲ) 범위를 찾는다.

▶ **풀이** 오른쪽 그림과 같이 $\angle PAB = \theta$로 놓자.

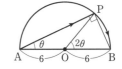

직각삼각형 ABP에서 $\overline{AP} = \overline{AB} \cos \theta = 12 \cos \theta$

부채꼴 OBP에서

$\overparen{PB} = \overline{OB} \times 2\theta = 12\theta$ ⟸ 부채꼴의 호의 길이 $l = r\theta$

$\therefore$ (걸린 시간) $=$ ($\overline{AP}$의 시간) $+$ ($\overparen{PB}$의 시간)

$$= \frac{(\overline{AP}\text{의 거리})}{(\overline{AP}\text{의 속력})} + \frac{(\overparen{PB}\text{의 거리})}{(\overparen{PB}\text{의 속력})} = \frac{12 \cos \theta}{1} + \frac{12\theta}{2}$$

$$= 12 \cos \theta + 6\theta$$

점 P가 점 B에 위치할 때는 $\theta = 0$이고, 점 P가 점 A에 가까울수록 θ의 크기는 $\frac{\pi}{2}$에 가까워 지므로 $0 \le \theta < \frac{\pi}{2}$

즉, 구하는 것은 $f(\theta) = 12 \cos \theta + 6\theta \left(0 \le \theta < \frac{\pi}{2}\right)$의 최댓값이다.

$f'(\theta) = -12 \sin \theta + 6 = 6(1 - 2 \sin \theta)$

$f'(\theta) = 0$에서 $\sin \theta = \frac{1}{2}$

$\therefore \theta = \frac{\pi}{6} \left(\because 0 \le \theta < \frac{\pi}{2}\right)$

$0 \le \theta < \frac{\pi}{2}$에서 함수 $f(\theta)$의 증가와 감소를 표로 나타내면 오른쪽과 같다.

θ	0	$\cdots$	$\frac{\pi}{6}$	$\cdots$	$\left(\frac{\pi}{2}\right)$
$f'(\theta)$		$+$	0	$-$	
$f(\theta)$	12	↗	$6\sqrt{3} + \pi$	↘	

따라서 $\theta = \frac{\pi}{6}$일 때 최댓값은 $6\sqrt{3} + \pi$이므로 구하는 최대의 시간은 $(6\sqrt{3} + \pi)$초이다.

정답과 풀이 **50**쪽

유제 **330** 그림과 같이 반지름의 길이가 2인 반원에 내접하는 등변사다리꼴 ABCD가 있다. 이 등변사다리꼴의 넓이의 최댓값을 구하여라.

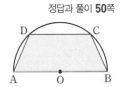

풍산자 비법

최대, 최소 문제 ➡ 그래프를 알면 그래프를 이용. 그래프를 모르면 증감표 이용.

* 더 많은 유형은 **풍산자필수유형 미적분** 081쪽
정답과 풀이 50쪽

331

다음 중 곡선 $y=x+2\sin x\,(0<x<2\pi)$가 위로 볼록한 구간은?

① $\left(0,\dfrac{3}{2}\pi\right)$ ② $(0,\pi)$

③ $\left(\dfrac{2}{3}\pi,\dfrac{4}{3}\pi\right)$ ④ $\left(\dfrac{2}{3}\pi,\dfrac{3}{2}\pi\right)$

⑤ $(\pi,2\pi)$

332

함수 $f(x)=\sin x-a\cos x-bx$가 $x=\dfrac{\pi}{6}$에서 극값을 갖고 변곡점의 x좌표가 $\dfrac{\pi}{3}$일 때, 상수 a, b의 곱 ab의 값을 구하여라.

333

함수 $f(x)=\dfrac{x^2}{x^2+1}$에 대하여 〈보기〉에서 옳은 것만을 있는 대로 골라라.

보기
ㄱ. $y=f(x)$의 그래프는 y축에 대하여 대칭이다.

ㄴ. 치역은 $\{y\,|\,y<1\}$이다.

ㄷ. 그래프의 변곡점은 2개이다.

334

함수 $f(x)=x\sqrt{3-x}$가 $x=a$에서 최댓값 b를 가질 때, $a+b$의 값을 구하여라.

335

구간 $[-1,2]$에서 함수 $f(x)=(3-x^2)e^x$의 최댓값과 최솟값의 곱을 구하여라.

336

함수 $f(x)=\sin 2x+2\cos x\left(0\le x\le\dfrac{\pi}{2}\right)$의 최댓값을 구하여라.

4 방정식과 부등식에의 활용

01 | 방정식에의 활용

방정식의 실근의 개수를 구하는 최선의 선택은 무엇인가?

별거 아니지만 상당히 중요한 얘기. ➡ 이미 아는 그래프를 최대한 이용하라.

이때 그래프의 '교점은 곧 실근' 이라고 생각하면 이해하기 쉽다.

> **방정식의 실근의 개수**
>
> (1) 방정식 $f(x)=0$의 실근의 개수: 함수 $y=f(x)$의 그래프와 x축의 교점의 개수
>
> (2) 방정식 $f(x)=g(x)$의 실근의 개수: 두 함수 $y=f(x)$, $y=g(x)$의 그래프의 교점의 개수

| 설명 | (1) 방정식 $f(x)=0$은 $y=f(x)$와 $y=0$의 두 함수로 분리가 가능하다.

따라서 방정식 $f(x)=0$의 실근의 개수는 함수 $y=f(x)$의 그래프와 x축의 교점의 개수와 같다.

(2) 방정식 $f(x)=g(x)$는 $y=f(x)$와 $y=g(x)$의 두 함수로 분리가 가능하다.

(1)과 다른 점은 $y=0$(x축) 대신 $y=g(x)$가 들어간 것 밖에 없다.

따라서 방정식 $f(x)=g(x)$의 실근의 개수는 두 함수 $y=f(x)$와 $y=g(x)$의 그래프의 교점의 개수와 같다. 또는 두 함수를 $y=f(x)-g(x)$와 $y=0$으로 분리하는 것도 가능하다.

둘을 연립해도 똑같이 $f(x)=g(x)$라는 방정식을 얻을 수 있다.

그러면 (1)에서 확인한 바와 같이 방정식 $f(x)=g(x)$의 실근의 개수는 $y=f(x)-g(x)$의 그래프와 직선 $y=0$(x축)의 교점의 개수와 같다.

한걸음 더

그래프를 이용한 실근의 개수 문제의 해결 - 최선의 선택!

실근의 개수 문제란 '실근이 몇 개일 조건을 구하여라.'라는 형태의 문제.

다양한 문제가 있지만 다음 세 가지 형태의 문제가 특히 중요하다.

> (1) 방정식 ☆$=ax$가 서로 다른 두 실근을 가질 때, 실수 a의 값의 범위를 구하여라.
>
> (2) 방정식 ☆$=ax+b$가 서로 다른 두 실근을 가질 때, 실수 a의 값의 범위를 구하여라.
>
> (3) 방정식 ☆$=x+a$가 서로 다른 두 실근을 가질 때, 실수 a의 값의 범위를 구하여라.

이런 문제를 해결하는 핵심은 $y=ax$, $y=ax+b$, $y=x+a$에서 a의 값의 변화에 따른 행동을 아는 것.

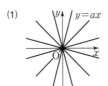

(1) 직선 $y=ax$는 원점을 지난다. 따라서 원점을 중심으로 회전한다.

(2) 직선 $y=ax+b$는 점 $(0, b)$를 지난다. 따라서 점 $(0, b)$를 중심으로 회전한다.

(3) 직선 $y=x+a$는 기울기가 1이다. 기울기 1을 유지하며 평행이동한다.

337 다음 방정식의 서로 다른 실근의 개수를 구하여라.

(1) $xe^x - 1 = 0$

(2) $x \ln x - 1 = 0$

(3) 구간 $\left[0, \dfrac{\pi}{2}\right]$에서 $\cos x - 2x = 0$

풍산자팁 (1)은 세 가지 방법이 가능하다.

[방법 1] $y = xe^x - 1$의 그래프의 x절편을 조사한다.

[방법 2] $xe^x = 1$임에 착안하여 $y = xe^x$과 $y = 1$의 그래프의 교점을 조사한다.

[방법 3] $e^x = \dfrac{1}{x}$임에 착안하여 $y = e^x$과 $y = \dfrac{1}{x}$의 그래프의 교점을 조사한다.

셋 중 어느 것이 좋을까? 당연히 세 번째 방법! 왜냐?

[방법 1]을 쓰려면 $y = xe^x - 1$의 그래프를 그려야 한다.

[방법 2]를 쓰려면 $y = xe^x$의 그래프를 그려야 한다.

두 그래프 모두 만만치 않은 녀석들. 하지만 [방법 3]을 봐라.

$y = e^x$의 그래프와 $y = \dfrac{1}{x}$의 그래프는 모두 이미 잘 아는 그래프.

두 그래프를 그려 놓고 몇 군데에서 만나는가를 살펴보면 끝난다.

즉, 주어진 방정식을 그래프를 그리기 쉬운 형태로 분리하는 것이 핵심.

> 풀이

(1) $xe^x - 1 = 0$에서 $e^x = \dfrac{1}{x}$

이때 두 함수 $y = e^x$과 $y = \dfrac{1}{x}$의 그래프를 그리면 오른쪽 그림과 같다.

따라서 한 점에서 만나므로 주어진 방정식의 실근은 **1개**이다.

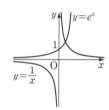

(2) $x \ln x - 1 = 0$에서 $\ln x = \dfrac{1}{x}$

이때 두 함수 $y = \ln x$와 $y = \dfrac{1}{x}$의 그래프를 그리면 오른쪽 그림과 같다.

따라서 한 점에서 만나므로 주어진 방정식의 실근은 **1개**이다.

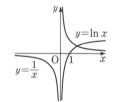

(3) $\cos x - 2x = 0$에서 $\cos x = 2x$

이때 $0 \le x \le \dfrac{\pi}{2}$에서 두 함수 $y = \cos x$와 $y = 2x$의 그래프를 그리면 오른쪽 그림과 같다.

따라서 한 점에서 만나므로 주어진 방정식의 실근은 **1개**이다.

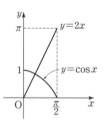

정답과 풀이 **52**쪽

유제 338 다음 방정식의 서로 다른 실근의 개수를 구하여라.

(1) $\dfrac{x}{e^x} = -1$

(2) $\ln x - 2x + 3 = 0$

(3) 구간 $[-\pi, \pi]$에서 $x + \sin x = \dfrac{1}{2}$

339 다음 물음에 답하여라.

(1) 방정식 $\dfrac{e^x-2}{x}=a$가 서로 다른 두 실근을 가질 때, 실수 a의 값의 범위를 구하여라.

(2) 방정식 $\ln x-x-a=0$이 서로 다른 두 실근을 가질 때, 실수 a의 값의 범위를 구하여라.

풍산자티 (1) $y=\dfrac{e^x-2}{x}$와 $y=a$의 그래프를 관찰할까? No! 더 좋은 방법이 있다.

$e^x=ax+2$임에 착안하여 $y=e^x$과 $y=ax+2$의 그래프의 교점을 조사한다.

(2) $\ln x=x+a$임에 착안하여 $y=\ln x$와 $y=x+a$의 그래프의 교점을 조사한다.

▶풀이 (1) $\dfrac{e^x-2}{x}=a$에서 $e^x=ax+2$

(ⅰ) $y=ax+2$는 점 $(0,\,2)$를 지나는 직선.

점 $(0,\,2)$를 중심으로 직선을 빙글빙글 돌리며 두 점에서 만나는 상황을 포착한다.

(ⅱ) 오른쪽 그림과 같은 상황.

x축에 평행할 때를 경계로 교점의 개수가 바뀜을 알 수 있다.

x축에 평행할 때는 $a=0$

따라서 두 점에서 만날 때는 **$a>0$**

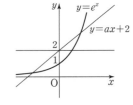

(2) $\ln x-x-a=0$에서 $\ln x=x+a$

(ⅰ) $y=x+a$는 기울기가 1인 직선.

직선을 평행이동하며 두 점에서 만나는 상황을 포착한다.

(ⅱ) 오른쪽 그림과 같은 상황.

접할 때를 경계로 교점의 개수가 바뀜을 알 수 있다.

따라서 접할 때의 a의 값만 구하면 끝.

곡선과 직선이 접할 때는

무조건 그냥 같다. 미분해서 같다.

$f(x)=\ln x,\ g(x)=x+a$로 놓으면

$f'(x)=\dfrac{1}{x},\ g'(x)=1$이므로

접점의 x좌표를 t라 하면

$f(t)=g(t)$에서 $\ln t=t+a$ ...... ㉠

$f'(t)=g'(t)$에서 $\dfrac{1}{t}=1$ $\therefore\ t=1$

$t=1$을 ㉠에 대입하여 정리하면 $a=-1$

따라서 두 점에서 만날 때는 **$a<-1$**

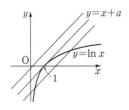

정답과 풀이 **52**쪽

유제 340 다음 물음에 답하여라.

(1) 방정식 $\ln x-ax+1=0$이 서로 다른 두 실근을 가질 때, 실수 a의 값의 범위를 구하여라.

(2) 방정식 $2x-4\sqrt{x-1}=k$의 서로 다른 실근의 개수를 실수 k의 값에 따라 조사하여라.

341 방정식 $x^2 - ae^x = 0$이 서로 다른 세 실근을 갖도록 하는 실수 a의 값의 범위를 구하여라.

$$\left(\text{단}, \lim_{x \to \infty} \frac{x^2}{e^x} = 0\right)$$

풍산자티 $x^2 = ae^x$임에 착안하여 두 함수 $y = x^2$과 $y = ae^x$의 그래프를 관찰하려고 하면 상당히 헷갈린다. 어쩔 수 없다. 증감표를 이용한다.

$\dfrac{x^2}{e^x} = a$임에 착안하여 두 함수 $y = \dfrac{x^2}{e^x}$과 $y = a$의 그래프를 관찰한다.

▶ 풀이 $x^2 - ae^x = 0$에서 $\dfrac{x^2}{e^x} = a$이므로 두 함수 $y = \dfrac{x^2}{e^x}$과 $y = a$의 그래프의 교점을 조사한다.

$f(x) = \dfrac{x^2}{e^x}$으로 놓으면 $f'(x) = \dfrac{2xe^x - x^2 e^x}{e^{2x}} = \dfrac{x(2-x)}{e^x}$

$f'(x) = 0$에서 $x = 0$ 또는 $x = 2$

함수 $f(x)$의 증가와 감소를 표로 나타내면 다음과 같다.

x	$\cdots$	0	$\cdots$	2	$\cdots$
$f'(x)$	$-$	0	$+$	0	$-$
$f(x)$	$\searrow$	0	$\nearrow$	$\dfrac{4}{e^2}$	$\searrow$

이때 $\lim_{x \to -\infty} f(x) = \infty$, $\lim_{x \to \infty} f(x) = 0$이므로 함수 $y = f(x)$의 그래프는 오른쪽 그림과 같다.

따라서 주어진 방정식이 서로 다른 세 실근을 가지려면 두 함수 $y = \dfrac{x^2}{e^x}$과 $y = a$의 그래프가 서로 다른 세 점에서 만나야 하므로 $0 < a < \dfrac{4}{e^2}$

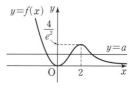

▶ 참고 증감표를 이용해 실근의 개수를 구할 땐 반드시 수평점근선의 발생 여부를 확인해야 한다.

로피탈의 정리를 이용하면 $\lim_{x \to \infty} \dfrac{x^2}{e^x} = \lim_{x \to \infty} \dfrac{2x}{e^x} = \lim_{x \to \infty} \dfrac{2}{e^x} = 0$

즉, $y = \dfrac{x^2}{e^x}$의 그래프는 $x \to \infty$일 때 직선 $y = 0$에 가까워진다.

정답과 풀이 **53**쪽

유제 342 방정식 $x - ae^x = 0$이 서로 다른 두 실근을 갖도록 하는 실수 a의 값의 범위를 구하여라.

$$\left(\text{단}, \lim_{x \to \infty} \frac{x}{e^x} = 0\right)$$

풍산자 비법

'교점은 곧 실근이다.'를 반드시 기억하자.

교점을 구하기 위해서는? ➡ 그래프를 그릴 수 있어야 한다.

그래프를 잘 그리기 위해서는? ➡ 방정식을 적절한 형태로 쪼개야 한다.

만약 잘 모르는 형태의 그래프가 나온다면? ➡ 증감표로 해결하자!

02 | 부등식에의 활용

어떤 구간에서 부등식 $f(x) \geq 0$이 성립함을 보이려면 함수 $y = f(x)$의 증가, 감소를 조사하여 그 구간에서 $f(x)$의 최솟값이 0보다 크거나 같음을 보이면 된다.

즉, 부등식을 증명하기 위한 핵심은 앞 단원에서 배운 함수의 최대, 최소란 말씀!

(1) 모든 실수에 대하여 성립하는 부등식의 증명
    ① 모든 실수 x에 대하여 부등식
       $f(x) > 0$이 성립
       ➡ ($f(x)$의 최솟값) > 0
    ② 모든 실수 x에 대하여 부등식
       $f(x) < 0$이 성립
       ➡ ($f(x)$의 최댓값) < 0

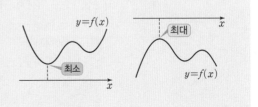

(2) $x > a$에서 성립하는 부등식 $f(x) > 0$의 증명
    ① 함수 $f(x)$의 극값이 존재할 때
       ➡ $x > a$에서 ($f(x)$의 최솟값) > 0임을 보인다.
    ② 함수 $f(x)$의 극값이 존재하지 않을 때
       ➡ $x > a$에서 함수 $f(x)$가 증가하고 $f(a) \geq 0$임을 보인다.
       즉, $f'(x) > 0$, $f(a) \geq 0$임을 보인다.

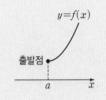

| 설명 | (1) 모든 실수 x에 대하여 $f(x)$의 최솟값이 0보다 크면 $f(x)$는 항상 0보다 크다.

이때 구간이 정해진 것이 아니라 모든 실수 x에 대해서 판단해야 하면 주의해야 한다.

모든 실수 x에 대해서 함수 $f(x)$의 최솟값을 구하기 위해서는 먼저 극솟값을 조사한 뒤, $\lim_{x \to \infty} f(x)$와 $\lim_{x \to -\infty} f(x)$도 조사해서 비교해야 한다.

단순히 극솟값만 가지고 판단하는 착오를 범하지 말 것!

특히 그래프의 개형에 따라 발산하는 경우와 점근선으로 수렴하는 경우가 존재할 수 있으니 유의하도록 한다.

만약 $f(x) > g(x)$를 증명해야 한다면?

$h(x) = f(x) - g(x)$로 두자.

그런 다음 $h(x)$의 최솟값이 0보다 크다는 사실을 보이면 된다.

(2) $x > a$에서 최솟값을 구할 수 있으면 증명은 간단하다.

하지만 $x > a$에서 극값이 존재하지 않아 최솟값을 구하기 힘든 경우는 도함수를 이용해서 판단하면 편리하다.

먼저 $f(a) \geq 0$임을 보여준다.

그런 다음 $x > a$에서 $f(x)$가 증가함수임을 보여주자.

즉, $x > a$에서 $f'(x) > 0$ 또는 $f'(x) \geq 0$일 경우에는 구간 안에서의 최솟값을 구하지 않아도 판단할 수 있다.

$f(a)$의 값이 0보다 크거나 같고 증가함수이면 남은 구간에서도 항상 0보다 크기 때문이다.

만약 $f'(x)$의 부호 판정이 어려운 경우는 이계도함수 $f''(x)$의 부호를 이용하면 쉽게 예측할 수 있다.

343 $x>0$일 때, 다음 부등식이 성립함을 증명하여라.

(1) $x \ln x \geq x-1$　　　　　　　　　(2) $e^x > 1+x+\dfrac{1}{2}x^2$

풍산자曰 (1) 좌변으로 이항하여 부등식 $x \ln x-x+1 \geq 0$이 성립함을 보인다.

(2) 좌변으로 이항하여 부등식 $e^x-1-x-\dfrac{1}{2}x^2>0$이 성립함을 보인다.

▶ 풀이 (1) $x \ln x \geq x-1$에서 $x \ln x-x+1 \geq 0$

$f(x)=x \ln x-x+1$로 놓으면 $f'(x)=\ln x$

$f'(x)=0$에서 $x=1$

$x>0$에서 함수 $f(x)$의 증가와 감소를 표로 나타내면 다음과 같다.

x	(0)	$\cdots$	1	$\cdots$
$f'(x)$		$-$	0	$+$
$f(x)$		$\searrow$	0	$\nearrow$

즉, 함수 $f(x)$는 $x=1$에서 극소이면서 최소이므로 $f(x)$의 최솟값은 $f(1)=0$

이때 최솟값이 0이므로 다른 값은 0보다 크거나 같다.

따라서 $x>0$일 때 부등식 $f(x) \geq 0$, 즉 $x \ln x-x+1 \geq 0$이 성립한다.

$\therefore x \ln x \geq x-1$

(2) $e^x > 1+x+\dfrac{1}{2}x^2$에서 $e^x-1-x-\dfrac{1}{2}x^2>0$

$f(x)=e^x-1-x-\dfrac{1}{2}x^2$으로 놓으면

$f'(x)=e^x-1-x,\ f''(x)=e^x-1$

$x>0$일 때 $e^x>1$이므로 $f''(x)>0$이다.

즉, 함수 $f'(x)$는 $x>0$에서 증가한다.

그런데 $f'(0)=0$이므로 $x>0$일 때 $f'(x)>0$이다.

따라서 함수 $f(x)$는 $x>0$에서 증가한다.

그런데 $f(0)=0$이므로 $x>0$일 때 부등식 $f(x)>0$, 즉

$e^x-1-x-\dfrac{1}{2}x^2>0$이 성립한다.

$\therefore e^x > 1+x+\dfrac{1}{2}x^2$

정답과 풀이 **53**쪽

유제 **344** $x>0$일 때, 다음 부등식이 성립함을 증명하여라.

(1) $x > \ln x-1$　　　　　　　　　(2) $e^x > x+1$

(3) $\ln(1+x) > x-\dfrac{1}{2}x^2$

345 $x>0$일 때, 다음 부등식이 항상 성립하도록 하는 실수 a의 값의 범위를 구하여라.

(1) $e^x - e \ln x + a > 0$

(2) $\sqrt{x} \geq \ln x + a$

> **풍산자** $f(x) > 0$이 항상 성립한다? ➡ $f(x)$의 최솟값이 0보다 크다는 소리.

> **풀이** (1) $f(x) = e^x - e \ln x + a$로 놓으면

$$f'(x) = e^x - \frac{e}{x} = \frac{xe^x - e}{x}$$

$f'(x) = 0$에서 $x = 1$

$x>0$에서 함수 $f(x)$의 증가와 감소를 표로 나타내면 오른쪽과 같다.

즉, 함수 $f(x)$는 $x=1$에서 극소이면서 최소이므로 $f(x)$의 최솟값은 $f(1) = e + a$

따라서 $x>0$일 때 $f(x) > 0$이려면 $e + a > 0$

$\therefore a > -e$

x	(0)	$\cdots$	1	$\cdots$
$f'(x)$		$-$	0	$+$
$f(x)$		$\searrow$	$e+a$	$\nearrow$

(2) $\sqrt{x} \geq \ln x + a$에서 $\sqrt{x} - \ln x - a \geq 0$

$f(x) = \sqrt{x} - \ln x - a$로 놓으면

$$f'(x) = \frac{1}{2\sqrt{x}} - \frac{1}{x} = \frac{\sqrt{x} - 2}{2x}$$

$f'(x) = 0$에서 $\sqrt{x} - 2 = 0$ $\therefore x = 4$

$x>0$에서 함수 $f(x)$의 증가와 감소를 표로 나타내면 오른쪽과 같다.

즉, 함수 $f(x)$는 $x=4$에서 극소이면서 최소이므로 $f(x)$의 최솟값은

$f(4) = 2 - \ln 4 - a$

따라서 $x>0$일 때 $f(x) \geq 0$이려면 $2 - \ln 4 - a \geq 0$

$\therefore a \leq 2 - \ln 4$

x	(0)	$\cdots$	4	$\cdots$
$f'(x)$		$-$	0	$+$
$f(x)$		$\searrow$	$2-\ln 4-a$	$\nearrow$

정답과 풀이 **53**쪽

유제 **346** $x>0$일 때, 다음 부등식이 항상 성립하도록 하는 실수 a의 값의 범위를 구하여라.

(1) $x - \ln ax > 0$

(2) $\cos x > a - x^2$

풍산자 비법

$f(x) > 0$을 증명할 때 기억해야 할 3가지.

(1) $f'(x) = 0$이 존재하면? ➡ 최솟값을 구하자.

(2) 최솟값을 구하기 힘든 경우? ➡ 증가함수로 판단하자.

(3) $f(x) > g(x)$의 증명? ➡ $h(x) = f(x) - g(x)$로 두고 $h(x) > 0$을 보일 것.

5 | 속도와 가속도

01 | 속도와 가속도

직선운동에서의 속도와 가속도는 [수학Ⅱ]에서 배웠다.

이 단원에서는 평면운동에서의 속도와 가속도에 대하여 배운다.

운동이란 시간에 따라 위치가 변하는 것.

직선운동에서의 위치는 직선 위의 좌표 x.

평면운동에서의 위치는 평면 위의 좌표 (x, y).

직선운동과 평면운동의 차이점은 바로 이것 ➡ 위치의 묘사가 다르다.

평면 위를 움직이는 점의 속도와 가속도

좌표평면 위를 움직이는 점 P의 시각 t에서 위치 (x, y)가 $x=f(t)$, $y=g(t)$일 때, 점 P의 시각 t에서 속도, 속력, 가속도, 가속도의 크기는 다음과 같다.

(1) 속도 $\vec{v}=\left(\dfrac{dx}{dt}, \dfrac{dy}{dt}\right)=(f'(t), g'(t))$

(2) 속력 $|\vec{v}|=\sqrt{\left(\dfrac{dx}{dt}\right)^2+\left(\dfrac{dy}{dt}\right)^2}=\sqrt{\{f'(t)\}^2+\{g'(t)\}^2}$

(3) 가속도 $\vec{a}=\left(\dfrac{d^2x}{dt^2}, \dfrac{d^2y}{dt^2}\right)=(f''(t), g''(t))$

(4) 가속도의 크기 $|\vec{a}|=\sqrt{\left(\dfrac{d^2x}{dt^2}\right)^2+\left(\dfrac{d^2y}{dt^2}\right)^2}=\sqrt{\{f''(t)\}^2+\{g''(t)\}^2}$

| 설명 | 좌표평면 위를 움직이는 점 P의 시각 t에서의 위치 (x, y)가 $x=f(t)$, $y=g(t)$일 때, 점 P에서 x축에 내린 수선의 발을 Q, y축에 내린 수선의 발을 R라 하자.

점 P가 움직일 때, 점 Q는 x축 위에서 $x=f(t)$로 주어지는 직선운동을 하고 점 R는 y축 위에서 $y=g(t)$로 주어지는 직선운동을 한다.

시각 t에서의 두 점 Q, R의 속도를 각각 v_x, v_y라 하면

$$v_x=\frac{dx}{dt}=f'(t), \quad v_y=\frac{dy}{dt}=g'(t)$$

이고, 순서쌍 (v_x, v_y)를 시각 t에서의 점 P의 속도라 하며, $\vec{v}$로 나타낸다.

또, $\sqrt{\{f'(t)\}^2+\{g'(t)\}^2}$을 점 P의 속력 또는 속도의 크기라 하고, $|\vec{v}|$로 나타낸다.

시각 t에서의 두 점 Q, R의 가속도를 각각 a_x, a_y라 하면

$$a_x=\frac{dv_x}{dt}=f''(t), \quad a_y=\frac{dv_y}{dt}=g''(t)$$

이고, 순서쌍 (a_x, a_y)를 시각 t에서의 점 P의 가속도라 하며, $\vec{a}$로 나타낸다.

또, $\sqrt{\{f''(t)\}^2+\{g''(t)\}^2}$을 점 P의 가속도의 크기라 하고, $|\vec{a}|$로 나타낸다.

속도 $\vec{v}$, 가속도 $\vec{a}$와 같이 화살표로 나타내는 '벡터'에 대해서는 '기하'에서 자세히 배울 수 있다.

여기서는 간단히 화살표 의미만 살짝 맛보고 넘어가자.

347 원점을 출발하여 수직선 위를 움직이는 점 P의 시각 t에서의 위치가 $x=e^t+\ln{(t+1)}-1$ 일 때, 다음을 구하여라. (단, $t\geq0$)

(1) 시각 $t=0$에서 $t=2$까지의 점 P의 평균속도

(2) 시각 $t=1$일 때의 점 P의 속도와 가속도

풍산자팁 · 평균속도는 위치의 평균변화율.

· 속도는 그 시각에서 위치의 순간변화율. 가속도는 그 시각에서 속도의 순간변화율.

▶ 풀이 (1) $f(t)=e^t+\ln{(t+1)}-1$이라 하면

시각 $t=a$에서 $t=b$ 사이의 평균속도는 $\dfrac{\Delta x}{\Delta t}=\dfrac{f(b)-f(a)}{b-a}$이므로

$$\dfrac{\Delta x}{\Delta t}=\dfrac{f(2)-f(0)}{2-0}=\dfrac{(e^2+\ln 3-1)-(e^0+\ln 1-1)}{2}=\dfrac{1}{2}(e^2+\ln 3-1)$$

(2) 속도 $v=\lim\limits_{\Delta t\to0}\dfrac{\Delta x}{\Delta t}=\dfrac{dx}{dt}=f'(t)$이므로

$f(t)=e^t+\ln{(t+1)}-1$이라 하면 $f'(t)=e^t+\dfrac{1}{t+1}$

$$\therefore v(t)=e^t+\dfrac{1}{t+1}$$

따라서 시각 $t=1$에서의 속도는 $v(1)=e+\dfrac{1}{2}$

또한 가속도 $a=\lim\limits_{\Delta t\to0}\dfrac{\Delta v}{\Delta t}=\dfrac{dv}{dt}=v'(t)$이므로 $v'(t)=e^t-\dfrac{1}{(t+1)^2}$

$$\therefore a(t)=e^t-\dfrac{1}{(t+1)^2}$$

따라서 시각 $t=1$에서의 가속도는 $a(1)=e-\dfrac{1}{(1+1)^2}=e-\dfrac{1}{4}$

정답과 풀이 **54**쪽

유제 **348** 원점을 출발하여 수직선 위를 움직이는 점 P의 시각 t에서의 위치가 $x=\sin{t\pi}+\cos{t\pi}-1$ 일 때, 다음을 구하여라. (단, $0\leq t\leq4$)

(1) 시각 $t=2$에서 $t=4$까지의 점 P의 평균속도

(2) 시각 $t=\dfrac{2}{3}$일 때의 점 P의 속도와 가속도

(3) 점 P가 운동 방향을 바꿀 때의 시각

풍산자 비법

수직선 위를 움직이는 점 P의 시각 t에서의 위치를 $f(t)$라 할 때,

· 시각 t에서의 속도 $v(t)=f'(t)$, 가속도 $a(t)=v'(t)$

· 운동 방향을 바꾼다. ➡ 속도 $v(t)=0$이다!

349 좌표평면 위를 움직이는 점 P의 시각 t에서의 위치 (x, y)가 $x=t^2-3t$, $y=3t^2+t-1$일 때, 다음을 구하여라.

(1) 시각 t에서의 속도 $\vec{v}$와 속력 $|\vec{v}|$

(2) 시각 t에서의 가속도 $\vec{a}$와 가속도의 크기 $|\vec{a}|$

풍산자티 위치를 미분하면 속도, 속도를 미분하면 가속도! 수직선 위를 움직이는 점과 다를 게 없다.

다만, 성분이 두 종류이므로 각각 미분한다는 것.

속도와 가속도만 구하면 각각의 크기는 쉽게 구할 수 있다.

▶ 풀이 (1) $\dfrac{dx}{dt}=2t-3$, $\dfrac{dy}{dt}=6t+1$이므로 속도 $\vec{v}$는 $\vec{v}=(2t-3,\ 6t+1)$

$\therefore |\vec{v}|=\sqrt{(2t-3)^2+(6t+1)^2}=\sqrt{40t^2+10}$

(2) $\dfrac{d^2x}{dt^2}=2$, $\dfrac{d^2y}{dt^2}=6$이므로 가속도 $\vec{a}$는 $\vec{a}=(2,\ 6)$

$\therefore |\vec{a}|=\sqrt{2^2+6^2}=2\sqrt{10}$

정답과 풀이 54쪽

유제 350 좌표평면 위를 움직이는 점 P의 시각 t에서의 위치 (x, y)가 $x=2\cos 3t$, $y=2\sin 3t$일 때, 다음을 구하여라.

(1) 시각 t에서의 속도 $\vec{v}$와 속력 $|\vec{v}|$

(2) 시각 t에서의 가속도 $\vec{a}$와 가속도의 크기 $|\vec{a}|$

351 좌표평면 위를 움직이는 점 P의 시각 t에서의 위치 (x, y)가 $x=2t$, $y=6t-2t^2$이다. 점 P의 속력이 최소가 될 때의 시각과 그때의 속력을 구하여라.

풍산자티 위치 ➡ 미분해서 속도 ➡ 속도의 크기, 즉 속력의 순서로 구한다.

이때 속력은 시각 t에 대한 함수.

주어진 t의 값의 범위에서 함수의 종류에 따라 최댓값 또는 최솟값을 가질 때를 찾는다.

▶ 풀이 $\dfrac{dx}{dt}=2$, $\dfrac{dy}{dt}=6-4t$이므로 속도 $\vec{v}$는 $\vec{v}=(2,\ -4t+6)$

즉, 속력 $|\vec{v}|$는 $|\vec{v}|=\sqrt{2^2+(-4t+6)^2}=\sqrt{4(2t-3)^2+4}$

이때 $4(2t-3)^2\geq0$에서 $4(2t-3)^2+4\geq4$이므로 속력이 최소가 되는 시각은 $t=\dfrac{3}{2}$이고 그때의 속력은 $\sqrt{4}=2$이다.

정답과 풀이 54쪽

유제 352 좌표평면 위를 움직이는 점 P의 시각 t에서의 위치 (x, y)가 $x=t-\sin t$, $y=1-\cos t$일 때, 점 P의 속력이 최대가 되는 시각과 그때의 속력을 구하여라. (단, $0\leq t\leq 2\pi$)

353 반지름의 길이가 1 m인 원판에 기대어 있는 막대 $\overline{OP}$의 한 끝은 오른쪽 그림과 같이 평평한 지면 위의 한 점 O에 고정되어 있다. 원판이 지면과 접하는 점을 Q라 하자. 원판의 중심이 오른쪽으로 지면과 평행하게 등속도 1.5 m/s로 움직인다. $\overline{OQ}=2$ m가 되는 순간, 막대 $\overline{OP}$가 지면과 이루는 각의 크기 θ의 시간에 대한 변화율을 구하여라.

(단, 단위는 라디안/초이다.)

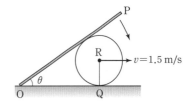

> **풍산자日** 변화율 문제는 항상 어떤 양의 변화율이 주어지고 다른 양의 변화율을 구하라고 한다.
> 주어진 양의 변화율로부터 다른 양의 변화율을 구하기 위해서는 일단 주어진 양과 구하라는 양 사이의 관계식을 구해야 한다.

> **풀이**　(i) 말이 길다고 당황하지 말고 차분히 상황을 파악하자.
>
> 　　원판이 오른쪽으로 움직이면 막대는 아래로 내려온다.
>
> 　　그 내려오는 속도를 구하라는 것.
>
> 　　　• 주어진 변화율 ➡ 원판의 중심의 속도 ➡ 점 Q의 속도
>
> 　　　• 구하라는 변화율 ➡ θ의 변화율
>
> 　(ii) 결국 오른쪽 그림에서 $x'=1.5$일 때 θ'을 구하라는 소리.
>
> 　　x와 θ 사이의 관계식을 구하면
>
> 　　직각삼각형 OQR에서 $\tan\dfrac{\theta}{2}=\dfrac{1}{x}$
>
> 　　이 식의 양변을 t에 대하여 미분하면
>
> 　　$\dfrac{1}{2}\sec^2\dfrac{\theta}{2}\times\theta'=\left(-\dfrac{1}{x^2}\right)\times x'$ ⋯⋯ ㉠
>
> 　(iii) 이제 $\overline{OQ}=2$일 때의 값들을 구해 대입하면 끝.
>
> 　　$x=2$일 때 $\tan\dfrac{\theta}{2}=\dfrac{1}{2}$
>
> 　　$\therefore \sec^2\dfrac{\theta}{2}=1+\tan^2\dfrac{\theta}{2}=1+\left(\dfrac{1}{2}\right)^2=\dfrac{5}{4}$
>
> 　　이 값과 $x'=1.5$를 ㉠에 대입하면 $\dfrac{1}{2}\times\dfrac{5}{4}\times\theta'=\left(-\dfrac{1}{4}\right)\times1.5$
>
> 　　$\therefore \theta'=-\dfrac{3}{5}$(라디안/초)

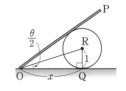

정답과 풀이 **55**쪽

유제 **354** P지점에서 지상 300 m 높이에 고정된 헬기가 등속도 30 m/s로 직선 도로를 달리고 있는 자동차를 감시하고 있다. 오른쪽 그림과 같이 헬기에서 P지점과 자동차를 바라본 각의 크기를 θ라 하자. 자동차가 P지점에서 600 m떨어진 지점에 있을 때, 각의 크기 θ의 시간에 대한 변화율을 구하여라.

(단, 단위는 라디안/초이고 자동차의 크기는 무시한다.)

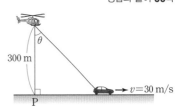

필수 확인 문제

* 더 많은 유형은 **풍산자필수유형 미적분** 081쪽

정답과 풀이 55쪽

355

방정식 $\ln x = ax$ 의 실근의 개수에 대하여 〈보기〉에서 옳은 것만을 있는 대로 골라라.

┌ 보기 ┐
ㄱ. $a \le 0$일 때에는 오직 한 개의 실근을 갖는다.
ㄴ. $0 < a < \dfrac{1}{e}$일 때는 서로 다른 두 실근을 갖는다.
ㄷ. $a \ge \dfrac{1}{e}$일 때는 실근을 갖지 않는다.

356

방정식 $e^{2ax-1} = x$가 서로 다른 두 실근을 가질 때, 실수 a의 값의 범위를 구하여라.

357

모든 실수 x에 대하여 부등식
$$\cos 2x - 2\cos x \le a$$
가 성립할 때, 실수 a의 최솟값을 구하여라.

358

$0 < x < \dfrac{\pi}{4}$일 때, 부등식 $\tan 2x > ax$가 항상 성립하도록 하는 실수 a의 값의 범위를 구하여라.

359

좌표평면 위를 움직이는 점 P의 시각 t에서의 위치 (x, y)가
$$x = \sqrt{t},\ y = 2\ln t$$
일 때, 점 P의 시각 $t = 4$에서의 속력을 구하여라.

360

좌표평면 위를 움직이는 점 P의 시각 t에서의 위치 (x, y)가
$$x = 2t+1,\ y = \frac{1}{2}t^2 - \ln t$$
일 때, 점 P의 속력이 최소가 되는 순간의 속도를 구하여라. (단, $t > 0$)

중단원 마무리

▶ 접선의 방정식과 함수의 극대, 극소

접선의 방정식	(1) 함수 $f(x)$ 위의 점 $(a,\ f(a))$에서의 접선의 방정식 ➡ $y-f(a)=f'(a)(x-a)$
	(2) 기울기 m의 값을 알 때는 ➡ $f'(a)=m$인 a의 값을 구하면 된다.
	(3) 그래프 밖의 점 $(m,\ n)$이 주어지면 ➡ 접선의 방정식에 $x=m,\ y=n$ 대입!
	(4) $f(x)$와 $g(x)$의 공통접선은 ➡ $x=t$에서 접한다면 $f(t)=g(t),\ f'(t)=g'(t)$ 이용!
함수의 극대와 극소	미분가능한 함수 $f(x)$에 대하여 $f'(a)=0$일 때
	$x=a$에서 극대: $x=a$의 좌우에서 $f'(x)$의 부호가 $+$에서 $-$로 바뀐다.
	$x=a$에서 극소: $x=a$의 좌우에서 $f'(x)$의 부호가 $-$에서 $+$로 바뀐다.

▶ 함수의 그래프

곡선의 오목과 볼록	(1) $f''(x)>0$ ➡ 곡선 $y=f(x)$는 이 구간에서 아래로 볼록 ➡ ∪자 모양
	(2) $f''(x)<0$ ➡ 곡선 $y=f(x)$는 이 구간에서 위로 볼록 ➡ ∩자 모양
변곡점	함수 $f(x)$의 이계도함수가 $f''(x)$일 때, 점 $(a,\ f(a))$가 변곡점이다.
	➡ $f''(a)=0$이고 $x=a$의 좌우에서 $f''(x)$의 부호가 바뀐다.
함수의 그래프	정의역과 치역, 대칭성과 주기, 좌표축과 교점, 함수의 증가와 감소, 극대와 극소, 곡선의 오목과 볼록, 변곡점, $\lim\limits_{x\to\infty} f(x),\ \lim\limits_{x\to-\infty} f(x)$, 점근선을 확인한다.
함수의 최대와 최소	가장 큰 값과 가장 작은 값 ➡ 극값이 주어진 범위에서의 존재 유무를 꼭 확인!

▶ 방정식과 부등식에의 활용 및 속도와 가속도

방정식에의 활용	(교점의 개수)=(근의 개수)
	$f(x)=0$의 근의 개수 ➡ x축과 $y=f(x)$의 그래프의 교점의 개수!
	$f(x)=g(x)$의 근의 개수 ➡ $y=f(x)$와 $y=g(x)$의 그래프의 교점의 개수!
부등식에의 활용	주어진 구간에서 $f(x)>0$ ➡ (주어진 구간에서 $f(x)$의 최솟값)>0
	주어진 구간에서 $f(x)<0$ ➡ (주어진 구간에서 $f(x)$의 최댓값)<0
속도와 가속도	시간 t에 따른 위치를 $(x,\ y)$라 하면
	(1) 속도 $\vec{v}=\left(\dfrac{dx}{dt},\ \dfrac{dy}{dt}\right)=(f'(t),\ g'(t))$
	(2) 속력 $\lvert \vec{v} \rvert=\sqrt{\left(\dfrac{dx}{dt}\right)^2+\left(\dfrac{dy}{dt}\right)^2}=\sqrt{\{f'(t)\}^2+\{g'(t)\}^2}$
	(3) 가속도 $\vec{a}=\left(\dfrac{d^2x}{dt^2},\ \dfrac{d^2y}{dt^2}\right)=(f''(t),\ g''(t))$
	(4) 가속도의 크기 $\lvert \vec{a} \rvert=\sqrt{\left(\dfrac{d^2x}{dt^2}\right)^2+\left(\dfrac{d^2y}{dt^2}\right)^2}=\sqrt{\{f''(t)\}^2+\{g''(t)\}^2}$

실전 연습문제

STEP1

361

곡선 $y=x-\sin x$ $(0<x<2\pi)$에 접하고 직선 $x+2y-1=0$에 수직인 직선의 y절편을 구하여라.

362

점 $(1,\ 0)$에서 곡선 $y=xe^x$에 그은 두 접선의 기울기를 m_1, m_2라 할 때, m_1m_2의 값을 구하여라.

363

원점에서 곡선 $y=(2x+a)e^{-x}$에 오직 하나의 접선을 그을 수 있을 때, 상수 a의 값을 구하여라.

(단, $a\neq0$)

364

함수 $f(x)=\cos 3x-ax$가 실수 전체의 집합에서 감소하도록 하는 실수 a의 최솟값을 구하여라.

365

함수 $f(x)=x+a\cos x$가 극값을 가질 때, 다음 중 실수 a의 값으로 적당하지 않은 것은?

(단, $a\neq0$)

① -3 ② -1 ③ 2

④ 4 ⑤ 6

366

함수 $f(x)=\ln(x^2+4)$의 그래프에서 두 변곡점 사이의 거리를 구하여라.

367

곡선 $y=(\ln ax)^2$의 변곡점이 직선 $y=3x-2$ 위에 있을 때, 양수 a의 값을 구하여라.

368

$-2\leq x\leq 2$에서 함수 $f(x)=\dfrac{x}{x^2+1}$의 최댓값과 최솟값의 합을 구하여라.

369

함수 $f(x)=x\ln x-3x+a$의 최솟값이 0일 때, 상수 a의 값을 구하여라.

370

$0\leq x\leq\dfrac{\pi}{2}$에서 함수 $y=2\sin^3 x+3\cos^2 x$의 최댓값을 M, 최솟값을 m이라 할 때, $M-m$의 값을 구하여라.

371

$0\leq x\leq\dfrac{\pi}{2}$에서 함수 $f(x)=ax-a\sin 2x$의 최댓값이 3π일 때, $f(x)$의 최솟값을 구하여라.

(단, $a>0$)

372

$\dfrac{1}{2}\leq x\leq 1$일 때, 부등식 $\dfrac{a}{x}\leq e^{2x}\leq\dfrac{b}{x}$가 항상 성립하도록 하는 상수 a의 최댓값을 M, 상수 b의 최솟값을 m이라 하자. $\dfrac{m}{M}$의 값을 구하여라.

STEP2

373

함수 $f(x)=a \ln x(a>0)$와 그 역함수의 그래프가 서로 접할 때, 상수 a의 값을 구하여라.

374

함수 $f(x)=\dfrac{2}{x}+a \ln x-2x$가 극댓값과 극솟값을 모두 갖도록 하는 자연수 a의 최솟값을 구하여라.

375

곡선 $y=(ax^2-1)e^x$이 변곡점을 갖지 않도록 하는 상수 a의 최솟값을 구하여라.

376

곡선 $y=\ln x$ 위의 한 점 $P(t, \ln t)$에서의 접선이 x축, y축과 만나는 점을 각각 Q, R라 할 때, $\triangle ORQ$의 넓이를 최대로 하는 상수 t의 값을 구하여라. (단, $0<t<1$)

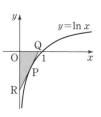

377

두 방정식 $\ln x=ax$, $e^{2x}=ax$가 모두 실근을 갖지 않도록 하는 실수 a의 값의 범위를 구하여라.

378

좌표평면 위를 움직이는 점 P의 시각 t에서의 위치 (x, y)가
$$x=e^t \cos t, \quad y=e^t \sin t$$
이다. 점 P의 속력이 $\sqrt{2e}$일 때의 시각이 t_1, 가속도의 크기가 $2e\sqrt{e}$일 때의 시각이 t_2일 때, t_1+t_2의 값을 구하여라.

III

← 적분법 →

도형의 넓이와 부피를 쉽게 구하는 **적분**

가우스와 함께 역사상 가장 위대한
수학자로 평가받는 아르키메데스.
왕관이 순금이 아니란 걸 알아낸 후
발가벗은 몸뚱이로 유레카를 외친 아르키메데스.
수많은 업적을 남긴 아르키메데스가 특히 자랑스럽게 여기던
넓이를 구하는 방법이 있다.
잘게 쪼개서 각각의 넓이를 더하는 방법.
똑똑한 양반이다. 2천3백 년 전에 요런 걸 생각해 내다니.
하지만 계산이 복잡했다.

2천 년 후, 혜성같이 등장한 뉴턴과 라이프니츠는 복잡했던 방법을
체계적으로 정리하고, 쉽게 계산하는 방법을 찾아냈다.
그 방법이 바로 적분.

1 여러 가지 적분법

부정적분은 미분의 역연산.
훗날 정적분을 이용해 넓이, 부피, 길이를
구할 때, 유용한 도구로 쓰인다.

1 여러 가지 함수의 부정적분

$$\int x^n dx = \frac{1}{n+1}x^{n+1} + C$$

$$\int e^x dx = e^x + C$$

2 치환적분법과 부분적분법

$$\int f(x)dx = \int f(g(t))g'(t)dt$$

$$\int f(x)g'(x)dx$$
$$= f(x)g(x) - \int f'(x)g(x)dx$$

1 여러 가지 함수의 부정적분

01 | 함수 $y = x^n$ (n은 실수)의 부정적분

적분의 기본적인 개념은 [수학Ⅱ]에서 다룬 바 있다.

지금까지 다양한 함수의 미분에 대해서 배웠다면 이제부터는 적분을 배운다.

여러 가지 함수의 미분 결과를 알고 있어야 거꾸로 적분하기도 쉽다.

> **함수 $y = x^n$ (n은 실수)의 부정적분** 〈중요〉
>
> n이 실수일 때, 함수 $y = x^n$의 부정적분은 다음과 같다. (단, C는 적분상수)
>
> (1) $n \neq -1$일 때, $\displaystyle\int x^n dx = \frac{1}{n+1} x^{n+1} + C$
>
> (2) $n = -1$일 때, $\displaystyle\int x^{-1} dx = \int \frac{1}{x} dx = \ln|x| + C$

| 설명 | 미분의 기본 공식 $(x^n)' = nx^{n-1}$으로부터 부정적분의 기본 공식 $\displaystyle\int x^n dx = \frac{1}{n+1} x^{n+1} + C$가 도출되는 것은 이미 배워서 안다. n이 자연수일 때, 이 공식의 조합으로 모든 다항함수의 부정적분을 처리하니 사실상 다항함수의 부정적분은 이 공식 하나가 지배한다 해도 크게 틀린 말은 아니다.

그런데 이 공식의 힘은 여기에만 그치지 않는다. 미분에서 증명하였듯이 이 공식은 n이 음의 정수일 때는 물론 유리수, 실수일 때조차 성립한다. 이를 이용해 간단한 유리함수, 무리함수의 부정적분을 처리할 수 있다.

여기서 $n = -1$인 경우인 $\frac{1}{x}$의 부정적분에 기본 공식을 적용하면 분모가 0이 되는 이상한 일이 발생.

$$\int \frac{1}{x} dx = \int x^{-1} dx = \frac{1}{-1+1} x^{-1+1} = \frac{1}{0} ???$$

$\frac{1}{x}$의 부정적분을 위해 다른 접근법을 써야 한다. 기본으로 돌아가자.

부정적분이란 미분의 역연산. 즉, 미분하면 $\frac{1}{x}$이 되는 함수를 찾아야 한다.

미분에서 배웠다. ➡ $(\ln|x|)' = \frac{1}{x}$ ➡ 우리가 찾는 함수는 바로 $\ln|x|$

여기서 한 가지 의문. 미분에서 배웠다. ➡ $\ln x$의 미분도 $\frac{1}{x}$, $\ln|x|$의 미분도 $\frac{1}{x}$

그러면 왜 $\frac{1}{x}$의 부정적분을 $\ln x$라고 하지 않고 $\ln|x|$라고 하는가?

이유는 로그의 진수 조건 때문.

$y = \ln x$의 정의역은 양수로 제한되지만 $y = \frac{1}{x}$의 정의역에는 음수도 포함되기 때문이다.

| 개념확인 | $\displaystyle\int \frac{1}{x^3} dx$를 구하여라.

> ▶ 풀이 $\quad \frac{1}{x^3} = x^{-3}$이므로 $\displaystyle\int \frac{1}{x^3} dx = \int x^{-3} dx = \frac{1}{-3+1} x^{-3+1} + C = -\frac{1}{2x^2} + C$

379 다음 부정적분을 구하여라.

(1) $\displaystyle\int x\sqrt[3]{x}\,dx$　　　　　　　　　　　(2) $\displaystyle\int \frac{1}{x^2\sqrt{x}}\,dx$

풍산자티 $\dfrac{1}{x^n}=x^{-n}$, $\sqrt[n]{x}=x^{\frac{1}{n}}$임을 이용해 $x^{\blacksquare}$의 꼴로 변형한 후 부정적분의 기본 공식을 적용한다.

> **풀이** (1) $\displaystyle\int x\sqrt[3]{x}\,dx=\int x^{\frac{4}{3}}\,dx=\frac{3}{7}x^{\frac{7}{3}}+C=\boldsymbol{\frac{3}{7}x^2\sqrt[3]{x}+C}$

(2) $\displaystyle\int \frac{1}{x^2\sqrt{x}}\,dx=\int x^{-\frac{5}{2}}\,dx=-\frac{2}{3}x^{-\frac{3}{2}}+C=\boldsymbol{-\frac{2}{3x\sqrt{x}}+C}$

정답과 풀이 **61**쪽

유제 380 다음 부정적분을 구하여라.

(1) $\displaystyle\int \frac{1}{x\sqrt{x}}\,dx$　　　　　　　　　　　(2) $\displaystyle\int \frac{x+1}{\sqrt{x}}\,dx$

381 다음 부정적분을 구하여라.

(1) $\displaystyle\int\left(\frac{1}{x}+\frac{1}{x^2}+\frac{1}{x^3}\right)dx$　　(2) $\displaystyle\int \frac{x^2+x+1}{x}\,dx$　　　　(3) $\displaystyle\int \frac{(\sqrt{x}+1)^2}{x}\,dx$

풍산자티 (1) 실수배, 합, 차로 표현된 함수의 부정적분은 다음 성질을 이용한다.

$\displaystyle\int kf(x)\,dx=k\int f(x)\,dx$ (단, k는 상수이다.)

$\displaystyle\int\{f(x)\pm g(x)\}\,dx=\int f(x)\,dx\pm\int g(x)\,dx$ (복부호 동순)

(2), (3) 분수식 꼴에서 분모가 단항식일 때는 쪼개어 생각한다.

➡ $\dfrac{a+b+c}{m}=\dfrac{a}{m}+\dfrac{b}{m}+\dfrac{c}{m}$

> **풀이** (1) $\displaystyle\int\left(\frac{1}{x}+\frac{1}{x^2}+\frac{1}{x^3}\right)dx=\int\left(\frac{1}{x}+x^{-2}+x^{-3}\right)dx$

$\displaystyle\qquad\qquad=\ln|x|-x^{-1}-\frac{1}{2}x^{-2}+C=\boldsymbol{\ln|x|-\frac{1}{x}-\frac{1}{2x^2}+C}$

(2) $\displaystyle\int \frac{x^2+x+1}{x}\,dx=\int\left(x+1+\frac{1}{x}\right)dx=\boldsymbol{\frac{1}{2}x^2+x+\ln|x|+C}$

(3) $\displaystyle\int \frac{(\sqrt{x}+1)^2}{x}\,dx=\int \frac{x+2\sqrt{x}+1}{x}\,dx=\int\left(1+2x^{-\frac{1}{2}}+\frac{1}{x}\right)dx$

$\displaystyle\qquad\qquad=x+4x^{\frac{1}{2}}+\ln|x|+C=\boldsymbol{x+4\sqrt{x}+\ln|x|+C}$

정답과 풀이 **61**쪽

유제 382 다음 부정적분을 구하여라.

(1) $\displaystyle\int\left(x^{10}-\frac{10}{x}+\frac{1}{x^{10}}\right)dx$　　(2) $\displaystyle\int \frac{4x^3-3x+1}{x^2}\,dx$　　　　(3) $\displaystyle\int \frac{(x-3\sqrt{x})^2}{\sqrt{x}}\,dx$

02 | 지수함수, 삼각함수의 부정적분

[1] 지수함수의 부정적분

지수함수에서 가장 강조한 것은 '밑'이다. 밑에 따라 함수의 극한과 그래프가 달라지듯, 적분에서도 '밑'에 따라 형태가 바뀌니 주의하도록 한다.

> ### 지수함수의 부정적분 (중요)
> 지수함수의 부정적분은 다음과 같다. (단, C는 적분상수)
>
> (1) $\displaystyle\int e^x dx = e^x + C$　　　　　　(2) $\displaystyle\int a^x dx = \dfrac{a^x}{\ln a} + C$ (단, $a>0$, $a \neq 1$)

| 설명 | 부정적분은 미분의 역연산.
모든 부정적분 공식은 미분 공식을 뒤집어 놓은 것.
지수함수의 미분 공식은 딱 둘. 지수함수의 적분 공식도 딱 둘.

미분 공식	적분 공식
$(e^x)' = e^x$	$\displaystyle\int e^x dx = e^x + C$
$(a^x)' = a^x \ln a$	$\displaystyle\int a^x dx = \dfrac{a^x}{\ln a} + C$

밑이 e인 지수함수의 미분, 적분은 그대로!

밑이 e가 아닌 지수함수의 미분에서는 $\ln a$를, 적분에서는 $\dfrac{1}{\ln a}$을 곱해 줘야 한다.

[2] 삼각함수의 부정적분

주문처럼 외웠던 삼각함수의 미분을 거꾸로 돌려보자.

다항함수처럼 공식을 이용하여 계산하는 것이 아니기 때문에 삼각함수의 미분 결과를 반드시 암기하고 있어야 적분할 수 있다.

> ### 삼각함수의 부정적분
> 삼각함수의 부정적분은 다음과 같다. (단, C는 적분상수)
>
> (1) $\displaystyle\int \sin x \, dx = -\cos x + C$　　　(2) $\displaystyle\int \cos x \, dx = \sin x + C$
>
> (3) $\displaystyle\int \sec^2 x \, dx = \tan x + C$　　　(4) $\displaystyle\int \csc^2 x \, dx = -\cot x + C$
>
> (5) $\displaystyle\int \sec x \tan x \, dx = \sec x + C$　　　(6) $\displaystyle\int \csc x \cot x \, dx = -\csc x + C$

| 설명 | 삼각함수의 미분에서는 원래 함수에 '코'가 있으면 마이너스가 발생하고, 삼각함수의 적분에서는 적분한 결과에 '코'가 있으면 마이너스가 발생한다.

| 참고 | 삼각함수의 부정적분에서 함수가 $\sin x$, $\cos x$, $\sec^2 x$, $\csc^2 x$, $\sec x \tan x$, $\csc x \cot x$가 아닌 경우에는 바로 적분하지 못하므로 다음과 같은 삼각함수 사이의 관계나 삼각함수의 여러 가지 공식을 이용하여 피적분함수를 적분하기 쉬운 모양으로 변형하여 적분한다.

- $\sin^2 x + \cos^2 x = 1$　　　　・$1 + \tan^2 x = \sec^2 x$　　　　・$1 + \cot^2 x = \csc^2 x$

383 다음 부정적분을 구하여라.

(1) $\displaystyle\int (e^{x-1}-3^{x+1})dx$

(2) $\displaystyle\int (2e^x-1)^2 dx$

(3) $\displaystyle\int \frac{x\times 5^x+3}{x}dx$

(4) $\displaystyle\int \frac{4^x-1}{2^x-1}dx$

풍산자曰 $y=e^x$ ➡ 미분, 적분 모두 그대로!

$y=a^x\ (a>0,\ a\neq 1)$ ➡ 미분에서는 $\ln a$, 적분에서는 $\dfrac{1}{\ln a}$ 을 곱해 주어야 한다.

이때 피적분함수가 $a^{mx+n}\ (a>0,\ a\neq 1)$의 꼴이면 $a^{mx+n}=a^{mx}\times a^n=a^n(a^m)^x$의 꼴로 변형한 후 적분한다.

❯ 풀이

(1) $\displaystyle\int (e^{x-1}-3^{x+1})dx=\int\left(\frac{e^x}{e}-3\times 3^x\right)dx$

$\displaystyle\qquad\qquad =\frac{e^x}{e}-3\times\frac{3^x}{\ln 3}+C$

$\displaystyle\qquad\qquad =e^{x-1}-\frac{3^{x+1}}{\ln 3}+C$

(2) $\displaystyle\int (2e^x-1)^2 dx=\int (4e^{2x}-4e^x+1)dx$

$\displaystyle\qquad\qquad =\int\{4(e^2)^x-4e^x+1\}dx$

$\displaystyle\qquad\qquad =4\times\frac{e^{2x}}{\ln e^2}-4e^x+x+C$

$\displaystyle\qquad\qquad =2e^{2x}-4e^x+x+C$ ⬅ $\ln e^2=2$

(3) $\displaystyle\int \frac{x\times 5^x+3}{x}dx=\int\left(5^x+\frac{3}{x}\right)dx$

$\displaystyle\qquad\qquad =\frac{5^x}{\ln 5}+3\ln|x|+C$

(4) $\displaystyle\int \frac{4^x-1}{2^x-1}dx=\int\frac{(2^x+1)(2^x-1)}{2^x-1}dx$

$\displaystyle\qquad\qquad =\int (2^x+1)dx$

$\displaystyle\qquad\qquad =\frac{2^x}{\ln 2}+x+C$

정답과 풀이 **61**쪽

유제 **384** 다음 부정적분을 구하여라.

(1) $\displaystyle\int (e^{x+2}+5^{x-1})dx$

(2) $\displaystyle\int \frac{16^x}{4^x}dx$

(3) $\displaystyle\int (3^x-3^{-x})^2 dx$

(4) $\displaystyle\int \frac{e^{3x}+1}{e^x+1}dx$

385 다음 부정적분을 구하여라.

(1) $\int (\sin x - \sqrt{3} \cos x) dx$

(2) $\int \dfrac{\sin^2 x}{1+\cos x} dx$

(3) $\int \sec x (\sec x + \tan x) dx$

(4) $\int \tan^2 x \, dx$

풍산자티 삼각함수의 제곱의 적분은 현재로서는 $\sec^2 x$, $\csc^2 x$만 가능하다. 삼각함수 사이의 관계와 제곱 관계를 이용하여 피적분함수를 적분하기 쉬운 꼴로 변형한다.

➡ $\sin^2 x + \cos^2 x = 1$, $1 + \tan^2 x = \sec^2 x$, $1 + \cot^2 x = \csc^2 x$

풀이

(1) $\int (\sin x - \sqrt{3} \cos x) dx = -\cos x - \sqrt{3} \sin x + C$

(2) $\int \dfrac{\sin^2 x}{1+\cos x} dx = \int \dfrac{1-\cos^2 x}{1+\cos x} dx = \int \dfrac{(1+\cos x)(1-\cos x)}{1+\cos x} dx$

$= \int (1-\cos x) dx = x - \sin x + C$

(3) $\int \sec x (\sec x + \tan x) dx = \int (\sec^2 x + \sec x \tan x) dx$

$= \tan x + \sec x + C$

(4) $1 + \tan^2 x = \sec^2 x$에서 $\tan^2 x = \sec^2 x - 1$

$\therefore \int \tan^2 x \, dx = \int (\sec^2 x - 1) dx = \tan x - x + C$

정답과 풀이 **61**쪽

유제 386 다음 부정적분을 구하여라.

(1) $\int (2 \sin x - 3 \cos x) dx$

(2) $\int \dfrac{\cos^2 x}{1-\sin x} dx$

(3) $\int \csc x (\csc x + 2 \cot x) dx$

(4) $\int \dfrac{1+2 \sin x}{\cos^2 x} dx$

(5) $\int \cot^2 x \, dx$

(6) $\int (\tan x + \cot x)^2 dx$

풍산자 비법

• $\int e^x dx = e^x + C$ ⬅ 밑이 e일 때는 원래 함수 그대로!

• $\int a^x dx = \dfrac{a^x}{\ln a} + C$ (단, $a>0$, $a \neq 1$) ⬅ 밑이 a일 때는 $\dfrac{1}{\ln a}$ 을 곱할 것!

• 삼각함수의 부정적분(다음 6가지는 무조건 외우자!)

$\int \sin x \, dx = -\cos x + C$, $\int \cos x \, dx = \sin x + C$, $\int \sec^2 x \, dx = \tan x + C$

$\int \csc^2 x \, dx = -\cot x + C$, $\int \sec x \tan x \, dx = \sec x + C$, $\int \csc x \cot x \, dx = -\csc x + C$

387

함수 $f(x) = \dfrac{x-4}{\sqrt{x}+2}$의 부정적분 $F(x)$에 대하여 $F(9) = 3$일 때, 함수 $F(x)$를 구하여라.

388

함수 $f(x) = \displaystyle\int \dfrac{x^3 - e^{3x}}{x^2 + xe^x + e^{2x}} dx$에 대하여 $f(2) = 5 - e^2$일 때, $f(0)$의 값을 구하여라.

389

연속함수 $f(x)$의 도함수가 $f'(x) = e^{\left|\frac{x}{2}\right|}$이고 $f(2) = e+1$일 때, $f(-2)$의 값을 구하여라.

390

미분가능한 함수 $f(x)$가

$$\lim_{h \to 0} \frac{f(x+h) - f(x)}{h} = \frac{8^x - 2^x}{2^x + 1}, \ f(1) = 0$$

을 만족시킬 때, $f(2)$의 값을 구하여라.

391

미분가능한 함수 $f(x)$의 부정적분을 구해야 하는데 잘못하여 미분하였더니 $\dfrac{1}{1-\sin x}$이 되었다. $f\left(\dfrac{\pi}{3}\right) = \sqrt{3}$일 때, $f\left(\dfrac{\pi}{4}\right)$의 값을 구하여라.

392

함수 $f(x) = \displaystyle\int 2\cos^2 \dfrac{x}{2} dx$에 대하여 $f(0) = 0$일 때, $\displaystyle\sum_{k=1}^{10} f(k^2\pi)$의 값을 구하여라.

2 | 치환적분법과 부분적분법

01 | 치환적분법

미분에 합성함수의 미분법이 있다면, 적분에는 치환적분법이 있다.

치환적분법이란 치환하여 적분하는 방법.

기본 공식에 의한 적분이 실패하면 일단 치환적분법을 생각한다.

> **치환적분법**
>
> 한 변수를 다른 변수로 치환하여 적분하는 방법을 **치환적분법**이라 한다.
>
> 미분가능한 함수 $g(t)$에 대하여 $x=g(t)$로 놓으면
>
> $$\int f(x)dx=\int f(g(t))g'(t)dt$$

| 증명 | 함수 $f(x)$의 한 부정적분을 $F(x)$라 하면 $\int f(x)dx=F(x)+C$ $\qquad$ ...... ㉠

미분가능한 함수 $g(t)$에 대하여 $x=g(t)$로 놓으면 $F(x)=F(g(t))$

합성함수의 미분법을 이용하여 $F(x)$를 t에 대하여 미분하면

$$\frac{d}{dt}F(x)=\frac{d}{dt}F(g(t))=F'(g(t))g'(t)=f(g(t))g'(t)$$

$$\therefore F(x)+C=\int f(g(t))g'(t)dt \qquad ...... ㉡$$

㉠, ㉡에서 $\int f(x)dx=\int f(g(t))g'(t)dt$

치환적분법의 핵심은 이것 ➡ 무엇을 치환해야 치환적분법이 성공할 것인가?

> **치환적분법의 적용** (1) $-$ $f(ax+b)$의 꼴
>
> $\int f(x)dx=F(x)+C$이면 $\int f(ax+b)dx=\dfrac{1}{a}F(ax+b)+C$ (단, a, b는 상수, $a\neq0$)

| 설명 | 치환적분법은 귀찮은 작업. 나오는 일차식마다 치환하고 어쩌구 하자니 성가시고 짜증나고 머리통이 터진다. 다음과 같은 파생 공식이란 이름으로 정리해 가뿐하게 풀자.

원래 공식	파생 공식
$\int x^n dx=\dfrac{1}{n+1}x^{n+1}+C$ (단, $n\neq-1$)	$\int (ax+b)^n dx=\dfrac{1}{n+1}(ax+b)^{n+1}\times\dfrac{1}{a}+C$ (단, $n\neq-1$)
$\int \dfrac{1}{x}dx=\ln|x|+C$	$\int \dfrac{1}{ax+b}dx=\ln|ax+b|\times\dfrac{1}{a}+C$
$\int e^x dx=e^x+C$	$\int e^{ax+b}dx=e^{ax+b}\times\dfrac{1}{a}+C$
$\int \cos x\,dx=\sin x+C$	$\int \cos(ax+b)dx=\sin(ax+b)\times\dfrac{1}{a}+C$
$\int \sin x\,dx=-\cos x+C$	$\int \sin(ax+b)dx=-\cos(ax+b)\times\dfrac{1}{a}+C$

치환적분법의 적용 (2) − $f(g(x))g'(x)$의 꼴

$g(x)=t$로 놓으면 $\displaystyle\int f(g(x))g'(x)dx=\int f(t)dt$

| 설명 | 이런 꼴은 $g(x)=t$로 치환하면 항상 풀린다. 즉, 치환할 식의 미분이 밖에 있어야 치환적분법이 성공한다.

$\displaystyle\int \underbrace{(x^2+x+1)^5}\,\underbrace{(2x+1)}dx$에서 $x^2+x+1=t$로 놓고 양변을 t에 대하여 미분하면

미분 결과

$(2x+1)\dfrac{dx}{dt}=1 \qquad \therefore dx=\dfrac{1}{2x+1}dt$

$\therefore \displaystyle\int (x^2+x+1)^5(2x+1)\,dx=\int t^5(2x+1)\times \dfrac{1}{2x+1}\,dt=\int t^5 dt=\dfrac{1}{6}t^6+C=\dfrac{1}{6}(x^2+x+1)^6+C$

반드시 원래의 함수로

치환적분법의 적용 (3) − $\dfrac{f'(x)}{f(x)}$의 꼴 〔중요〕

$\displaystyle\int \dfrac{f'(x)}{f(x)}dx=\ln|f(x)|+C$

| 설명 | 분모를 미분한 결과가 분자에 있는 $\dfrac{f'(x)}{f(x)}$의 꼴은 분모를 t로 치환하면 항상 풀린다.

그럼, 분자를 미분한 결과가 분모에 있는 $\dfrac{f(x)}{f'(x)}$의 꼴은? ➡ 이건 치환적분으로 풀리지 않는다.

한걸음 더

치환적분법의 적용 공식의 유도 (단, C는 적분상수)

(1) $f(ax+b)$의 꼴

　함수 $f(x)$의 한 부정적분을 $F(x)$라 하자.

　$\displaystyle\int f(ax+b)dx$에서 $ax+b=t$로 놓고 양변을 t에 대하여 미분하면

　$a\times\dfrac{dx}{dt}=1$, 즉 $dx=\dfrac{1}{a}dt$

　$\therefore \displaystyle\int f(ax+b)dx=\int f(t)\times\dfrac{1}{a}dt=\dfrac{1}{a}F(t)+C=\dfrac{1}{a}F(ax+b)+C$

(2) $f(g(x))g'(x)$의 꼴

　$F(x)=\displaystyle\int f(g(x))g'(x)dx$라 하고 $g(x)=t$로 놓으면 $g'(x)=\dfrac{dt}{dx}$이므로

　$\dfrac{d}{dt}F(x)=\dfrac{d}{dx}F(x)\times\dfrac{dx}{dt}=f(g(x))g'(x)\times\dfrac{dx}{dt}=f(t)$

　즉, $F(x)=\displaystyle\int f(t)dt$이므로 $\displaystyle\int f(g(x))g'(x)dx=\int f(t)dt$

(3) $\dfrac{f'(x)}{f(x)}$의 꼴

　$\displaystyle\int\dfrac{f'(x)}{f(x)}dx$에서 $f(x)=t$로 놓으면 $f'(x)=\dfrac{dt}{dx}$이므로

　$\displaystyle\int\dfrac{f'(x)}{f(x)}dx=\int\dfrac{1}{f(x)}\times f'(x)dx=\int\dfrac{1}{t}dt=\ln|t|+C=\ln|f(x)|+C$

393 다음 부정적분을 구하여라.

(1) $\int 2x(x^2-1)^5 dx$ 　　　　　(2) $\int (x^2+2x+2)^3(x+1)dx$

풍산자티 치환적분법은 치환할 식의 미분 결과가 밖에 상수배 차이로 존재할 때 특히 유용하다.

▶ **풀이** (1) $x^2-1=t$로 놓으면 $2x\dfrac{dx}{dt}=1$　　$\therefore dx=\dfrac{1}{2x}dt$

$\therefore \int 2x(x^2-1)^5 dx=\int 2x \times t^5 \times \dfrac{1}{2x}dt=\int t^5 dt=\dfrac{1}{6}t^6+C=\dfrac{1}{6}(x^2-1)^6+C$

(2) $x^2+2x+2=t$로 놓으면 $(2x+2)\dfrac{dx}{dt}=1$　　$\therefore dx=\dfrac{1}{2(x+1)}dt$

$\therefore \int (x^2+2x+2)^3(x+1)dx=\int t^3 \times (x+1) \times \dfrac{1}{2(x+1)}dt=\int \dfrac{1}{2}t^3 dt$

$=\dfrac{1}{8}t^4+C=\dfrac{1}{8}(x^2+2x+2)^4+C$

정답과 풀이 63쪽

유제 **394** 다음 부정적분을 구하여라.

(1) $\int \left(\dfrac{1}{2}x+3\right)^4 dx$ 　　　　　(2) $\int (x^2-2x)(x^3-3x^2+1)^2 dx$

395 다음 부정적분을 구하여라.

(1) $\int x\sqrt{2x^2+1}\,dx$ 　　　　　(2) $\int x\sqrt{x-3}\,dx$

풍산자티 피적분함수가 $\sqrt{f(x)}$ 의 꼴을 포함한 경우에는 $f(x)=t$ 또는 $\sqrt{f(x)}=t$로 치환하여 푼다.

▶ **풀이** (1) $\sqrt{2x^2+1}=t$로 놓고 양변을 제곱하면 $2x^2+1=t^2$이고 $4x\dfrac{dx}{dt}=2t$　　$\therefore dx=\dfrac{t}{2x}dt$

$\therefore \int x\sqrt{2x^2+1}\,dx=\int x \times t \times \dfrac{t}{2x}dt=\int \dfrac{1}{2}t^2 dt=\dfrac{1}{6}t^3+C$

$=\dfrac{1}{6}(\sqrt{2x^2+1})^3+C=\dfrac{1}{6}(2x^2+1)\sqrt{2x^2+1}+C$

(2) $\sqrt{x-3}=t$로 놓고 양변을 제곱하면 $x-3=t^2$이고 $x=t^2+3$

$\dfrac{dx}{dt}=2t$　　$\therefore dx=2t\,dt$

$\therefore \int x\sqrt{x-3}\,dx=\int (t^2+3)t \times 2t dt=\int (2t^4+6t^2)dt=\dfrac{2}{5}t^5+2t^3+C$

$=\dfrac{2}{5}(\sqrt{x-3})^5+2(\sqrt{x-3})^3+C$

$=\dfrac{2}{5}(x-3)^2\sqrt{x-3}+2(x-3)\sqrt{x-3}+C$

정답과 풀이 63쪽

유제 **396** 다음 부정적분을 구하여라.

(1) $\int (x+1)\sqrt{x^2+2x}\,dx$ 　　　　　(2) $\int \dfrac{2x-1}{\sqrt{2x+1}}dx$

397 다음 부정적분을 구하여라.

(1) $\displaystyle\int (e^x+2x)^4(e^x+2)dx$ (2) $\displaystyle\int 3x^2 e^{x^3-2}dx$

(3) $\displaystyle\int \frac{(\ln x)^2}{x}dx$ (4) $\displaystyle\int \frac{1}{x+1}\ln(x+1)dx$

풍산자曰 무엇을 치환할 것인가? 치환할 식의 미분 결과가 밖에 존재하는지 살핀다.

(1) e^x+2x의 미분인 e^x+2가 밖에 있다. ➡ $e^x+2x=t$로 치환한다.

(2) x^3-2의 미분인 $3x^2$이 밖에 있다. ➡ $x^3-2=t$로 치환한다.

(3) $\ln x$의 미분인 $\frac{1}{x}$이 밖에 있다. ➡ $\ln x=t$로 치환한다.

(4) $\ln(x+1)$의 미분인 $\frac{1}{x+1}$이 밖에 있다. ➡ $\ln(x+1)=t$로 치환한다.

> 풀이 (1) $e^x+2x=t$로 놓으면 $(e^x+2)\dfrac{dx}{dt}=1$ $\therefore dx=\dfrac{1}{e^x+2}dt$

$\therefore \displaystyle\int (e^x+2x)^4(e^x+2)dx=\int t^4\times(e^x+2)\times\frac{1}{e^x+2}dt=\int t^4 dt$

$\qquad\qquad\qquad\qquad =\dfrac{1}{5}t^5+C=\boldsymbol{\dfrac{1}{5}(e^x+2x)^5}+C$

(2) $x^3-2=t$로 놓으면 $3x^2\dfrac{dx}{dt}=1$ $\therefore dx=\dfrac{1}{3x^2}dt$

$\therefore \displaystyle\int 3x^2 e^{x^3-2}dx=\int 3x^2\times e^t\times\frac{1}{3x^2}dt=\int e^t dt$

$\qquad\qquad\qquad =e^t+C=\boldsymbol{e^{x^3-2}}+C$

(3) $\ln x=t$로 놓으면 $\dfrac{1}{x}\times\dfrac{dx}{dt}=1$ $\therefore dx=x\,dt$

$\therefore \displaystyle\int \frac{(\ln x)^2}{x}dx=\int \frac{t^2}{x}\times x\,dt=\int t^2 dt$

$\qquad\qquad\qquad =\dfrac{1}{3}t^3+C=\boldsymbol{\dfrac{1}{3}(\ln x)^3}+C$

(4) $\ln(x+1)=t$로 놓으면 $\dfrac{1}{x+1}\times\dfrac{dx}{dt}=1$ $\therefore dx=(x+1)dt$

$\therefore \displaystyle\int \frac{1}{x+1}\ln(x+1)dx=\int \frac{1}{x+1}\times t\times(x+1)dt=\int t\,dt$

$\qquad\qquad\qquad\qquad =\dfrac{1}{2}t^2+C=\boldsymbol{\dfrac{1}{2}\{\ln(x+1)\}^2}+C$

정답과 풀이 **63**쪽

유제 **398** 다음 부정적분을 구하여라.

(1) $\displaystyle\int e^{-3x+5}dx$ (2) $\displaystyle\int e^x\sqrt{e^x+1}\,dx$

(3) $\displaystyle\int \frac{\ln x}{x}dx$ (4) $\displaystyle\int \frac{x}{x^2+1}\ln(x^2+1)dx$

399 다음 부정적분을 구하여라.

(1) $\displaystyle\int \sin 5x\, dx$　　　　　　　(2) $\displaystyle\int \sin^2 x \cos x\, dx$

(3) $\displaystyle\int (x+\cos x)^3(1-\sin x)dx$　　　　(4) $\displaystyle\int \sin^3 x\, dx$

풍산자티 무엇을 치환할 것인가? 치환할 식의 미분 결과가 밖에 존재하는지 살핀다.

(1) 일차식의 미분은 항상 성공한다. ➡ $5x=t$로 치환한다.

(2) $\sin x$의 미분인 $\cos x$가 밖에 있다. ➡ $\sin x=t$로 치환한다.

(3) $x+\cos x$의 미분인 $1-\sin x$가 밖에 있다. ➡ $x+\cos x=t$로 치환한다.

(4) $\sin x$만 있다. $\sin x$의 미분인 $\cos x$가 필요하다.

　　➡ $\sin^3 x=\sin^2 x \times \sin x=(1-\cos^2 x)\sin x$로 변형한다.

▶ 풀이　(1) $5x=t$로 놓으면 $5\dfrac{dx}{dt}=1$　　$\therefore dx=\dfrac{1}{5}dt$

$$\therefore \int \sin 5x\, dx=\int \sin t \times \frac{1}{5}dt=-\frac{1}{5}\cos t+C=-\frac{1}{5}\cos 5x+C$$

(2) $\sin x=t$로 놓으면 $\cos x\dfrac{dx}{dt}=1$　　$\therefore dx=\dfrac{1}{\cos x}dt$

$$\therefore \int \sin^2 x \cos x\, dx=\int t^2 \times \cos x \times \frac{1}{\cos x}dt=\int t^2 dt$$
$$=\frac{1}{3}t^3+C=\frac{1}{3}\sin^3 x+C$$

(3) $x+\cos x=t$로 놓으면 $(1-\sin x)\dfrac{dx}{dt}=1$　　$\therefore dx=\dfrac{1}{1-\sin x}dt$

$$\therefore \int (x+\cos x)^3(1-\sin x)dx=\int t^3 \times (1-\sin x) \times \frac{1}{1-\sin x}dt=\int t^3 dt$$
$$=\frac{1}{4}t^4+C=\frac{1}{4}(x+\cos x)^4+C$$

(4) $\sin^3 x=\sin^2 x \times \sin x=(1-\cos^2 x)\sin x$에서

$\cos x=t$로 놓으면 $-\sin x\dfrac{dx}{dt}=1$　　$\therefore dx=\dfrac{1}{-\sin x}dt$

$$\therefore \int \sin^3 x\, dx=\int(1-\cos^2 x)\sin x\, dx=\int(1-t^2)\times \sin x \times \frac{1}{-\sin x}dt$$
$$=\int(t^2-1)dt=\frac{1}{3}t^3-t+C=\frac{1}{3}\cos^3 x-\cos x+C$$

정답과 풀이 **64**쪽

유제 400 다음 부정적분을 구하여라.

(1) $\displaystyle\int \cos(3x-2)dx$　　　　　(2) $\displaystyle\int \tan x \sec^2 x\, dx$

(3) $\displaystyle\int (2\cos x+1)^3 \sin x\, dx$　　　(4) $\displaystyle\int \cos^3 x\, dx$

401 다음 부정적분을 구하여라.

(1) $\displaystyle\int \frac{x-1}{x^2-2x+3}dx$ (2) $\displaystyle\int \frac{e^x+1}{e^x+x}dx$ (3) $\displaystyle\int \frac{1}{x\ln x}dx$

(4) $\displaystyle\int \frac{\cos x}{2\sin x+1}dx$ (5) $\displaystyle\int \tan x\,dx$

풍산자티 $\dfrac{f'(x)}{f(x)}$ 의 꼴의 부정적분 ➡ 분모를 t로 치환하면 항상 풀린다.

(5) $\tan x$의 부정적분은 배우지 않았다. 분수식도 아니다. ➡ $\tan x = \dfrac{\sin x}{\cos x}$ 로 변신

❯ **풀이**   (1) $x^2-2x+3=t$로 놓으면 $(2x-2)\dfrac{dx}{dt}=1$ $\therefore dx=\dfrac{1}{2(x-1)}dt$

$\therefore \displaystyle\int \frac{x-1}{x^2-2x+3}dx=\int \frac{x-1}{t}\times\frac{1}{2(x-1)}dt=\int \frac{1}{2t}dt=\frac{1}{2}\ln|t|+C$

$=\dfrac{1}{2}\ln(x^2-2x+3)+C \ (\because x^2-2x+3>0)$

(2) $e^x+x=t$로 놓으면 $(e^x+1)\dfrac{dx}{dt}=1$ $\therefore dx=\dfrac{1}{e^x+1}dt$

$\therefore \displaystyle\int \frac{e^x+1}{e^x+x}dx=\int \frac{e^x+1}{t}\times\frac{1}{e^x+1}dt=\int \frac{1}{t}dt=\ln|t|+C=\ln|e^x+x|+C$

(3) $\ln x=t$로 놓으면 $\dfrac{1}{x}\times\dfrac{dx}{dt}=1$ $\therefore dx=x\,dt$

$\therefore \displaystyle\int \frac{1}{x\ln x}dx=\int \frac{1}{x\times t}\times x\,dt=\int \frac{1}{t}dt=\ln|t|+C=\ln|\ln x|+C$

(4) $2\sin x+1=t$로 놓으면 $2\cos x\dfrac{dx}{dt}=1$ $\therefore dx=\dfrac{1}{2\cos x}dt$

$\therefore \displaystyle\int \frac{\cos x}{2\sin x+1}dx=\int \frac{\cos x}{t}\times\frac{1}{2\cos x}dt=\int \frac{1}{2t}dt$

$=\dfrac{1}{2}\ln|t|+C=\dfrac{1}{2}\ln|2\sin x+1|+C$

(5) $\tan x=\dfrac{\sin x}{\cos x}$이므로 $\cos x=t$로 놓으면 $-\sin x\dfrac{dx}{dt}=1$ $\therefore dx=\dfrac{1}{-\sin x}dt$

$\therefore \displaystyle\int \tan x\,dx=\int \frac{\sin x}{\cos x}dx=\int \frac{\sin x}{t}\times\frac{1}{-\sin x}dt=\int\left(-\frac{1}{t}\right)dt$

$=-\ln|t|+C=-\ln|\cos x|+C$

정답과 풀이 64쪽

유제 **402** 다음 부정적분을 구하여라.

(1) $\displaystyle\int \frac{3x^2+4}{x^3+4x+1}dx$ (2) $\displaystyle\int \frac{e^x-e^{-x}}{e^x+e^{-x}}dx$ (3) $\displaystyle\int \frac{1}{(x+1)\ln(x+1)}dx$

(4) $\displaystyle\int \frac{\sin x}{\cos x+2}dx$ (5) $\displaystyle\int \cot x\,dx$

🧙 풍산자 비법

무엇을 치환해야 식이 간편하게 보일지, 치환할 때 적분변수 dx가 어떻게 바뀌는지 생각할 것!

02 | 유리함수의 부정적분

적분은 모든 수학의 핵. 수많은 미해결 난제의 근본 원인을 제공한다.

적분은 미분보다 훨씬 어려운 고난도 작업. 하지만 놀라운 얘기 하나.

모든 유리함수의 적분은 가능하다. 여기에 동원되는 기법은 다음 세 가지 뿐.

- $\dfrac{f'(x)}{f(x)}$의 꼴의 적분
- 부분분수로 변형하여 적분
- $\dfrac{1}{x^2+a^2}$의 적분

$\dfrac{f'(x)}{f(x)}$의 꼴의 적분은 앞에서 배웠고, $\dfrac{1}{x^2+a^2}$의 적분은 207쪽에서 배운다.

이번 단원에서는 부분분수로 변형하여 적분하는 것을 배우는데,

인수분해와 부분분수의 성질을 적절히 활용하여 해결한다.

$\dfrac{f'(x)}{f(x)}$ **의 꼴이 아닌 유리함수의 부정적분을 구하는 방법**

(1) (분자의 차수)≥(분모의 차수)인 경우

① 인수분해가 될 때 ➡ 인수분해하여 약분한다.

② 인수분해가 되지 않을 때 ➡ 분자를 분모로 나누어 몫과 나머지의 꼴로 나타낸다.

(2) (분자의 차수)<(분모의 차수)인 경우: 부분분수로 변형한다.

| 설명 | (1) 분자의 차수가 분모의 차수보다 높은 분수식은 일단 분자의 차수를 낮춘 후 딴 생각을 해야 한다.

인수분해가 가능한 경우의 대부분은 약분되어 적분 가능한 꼴로 나타낼 수 있다.

모든 분수식은 분자를 분모로 나누면 나누어떨어지거나 분모의 차수가 더 높아지게 되므로

만약 약분이 되지 않는 경우는 다음 예시와 같이 몫과 나머지 꼴로 나타내어 적분한다.

$$\int \frac{x^2+2x+2}{x+1}\,dx = \int\left(x+1+\frac{1}{x+1}\right)dx = \int(x+1)dx + \int \frac{1}{x+1}\,dx = \frac{1}{2}x^2+x+\ln|x+1|+C$$

(2) (분자의 차수)<(분모의 차수)인 경우는 부분분수로 변형한다.

부분분수로 변형한다는 것은 분모를 분해한다는 것. 즉, $\dfrac{C}{AB} = \dfrac{D}{A} + \dfrac{E}{B}$ 로 변형하는 것.

부분분수로 변형하는 문제는 크게 다음 세 가지 유형으로 분류할 수 있다.

[유형 1] $\dfrac{(일차\ 이하의\ 식)}{(x+1)(x+2)} = \dfrac{a}{x+1} + \dfrac{b}{x+2}$ 로 놓는다.

└ 분해할 분모가 모두 일차식으로 인수분해될 때

[유형 2] $\dfrac{(이차\ 이하의\ 식)}{(x+1)(x+2)^2} = \dfrac{a}{x+1} + \dfrac{b}{x+2} + \dfrac{c}{(x+2)^2}$ 로 놓는다.

└ 분해할 분모가 완전제곱식이 끼어 있을 때

[유형 3] $\dfrac{(이차\ 이하의\ 식)}{(x+1)(x^2+x+1)} = \dfrac{a}{x+1} + \dfrac{bx+c}{x^2+x+1}$ 로 놓는다.

└ 분해할 분모가 완전제곱식이 아닌 이차식이 끼어 있을 때

大 원칙 | $\dfrac{f'(x)}{f(x)}$ 의 꼴이 아닌 유리함수의 부정적분 ➡ 인수분해와 부분분수를 적절히 이용

403 다음 부정적분을 구하여라.

(1) $\displaystyle\int \frac{x^2+1}{x+1}dx$ (2) $\displaystyle\int \frac{2}{x^2+4x+3}dx$ (3) $\displaystyle\int \frac{x-1}{x^2+3x+2}dx$

> **풍산자티**   (1) (분자의 차수)≥(분모의 차수)이면서 약분되지 않은 꼴 ➡ 분자를 분모로 나눈다.
> (2), (3) (분자의 차수)<(분모의 차수)의 꼴 ➡ 부분분수로 변형한다.

> **풀이**   (1) $\displaystyle\int \frac{x^2+1}{x+1}dx = \int \frac{x^2-1+2}{x+1}dx = \int \frac{(x+1)(x-1)+2}{x+1}dx$
>
> $\displaystyle\qquad\qquad = \int \left(x-1+\frac{2}{x+1}\right)dx$
>
> $\displaystyle\qquad\qquad = \frac{1}{2}x^2-x+2\ln|x+1|+C$
>
> (2) $\displaystyle\int \frac{2}{x^2+4x+3}dx = \int \frac{2}{(x+1)(x+3)}dx = \int \left(\frac{1}{x+1}-\frac{1}{x+3}\right)dx$
>
> $\displaystyle\qquad\qquad = \ln|x+1|-\ln|x+3|+C$
>
> $\displaystyle\qquad\qquad = \ln\left|\frac{x+1}{x+3}\right|+C$
>
> (3) $\displaystyle\frac{x-1}{x^2+3x+2} = \frac{x-1}{(x+1)(x+2)} = \frac{a}{x+1}+\frac{b}{x+2}$ 로 놓으면
>
> $\displaystyle\qquad \frac{x-1}{x^2+3x+2} = \frac{a(x+2)+b(x+1)}{(x+1)(x+2)} = \frac{(a+b)x+(2a+b)}{(x+1)(x+2)}$
>
> 위 식은 x에 대한 항등식이므로 $a+b=1$, $2a+b=-1$
>
> 두 식을 연립하여 풀면 $a=-2$, $b=3$
>
> $\displaystyle\therefore \int \frac{x-1}{x^2+3x+2}dx = \int \left(-\frac{2}{x+1}+\frac{3}{x+2}\right)dx$
>
> $\displaystyle\qquad\qquad = -2\ln|x+1|+3\ln|x+2|+C$

> **참고**   (3)에서 a, b의 값을 구할 때 계수비교법을 썼다.
> 다음과 같이 수치대입법을 써도 좋다.
>
> $\displaystyle\frac{x-1}{x^2+3x+2} = \frac{a(x+2)+b(x+1)}{(x+1)(x+2)}$ 에서
>
> $x-1=a(x+2)+b(x+1)$
> 양변에 $x=-1$을 대입하면 $a=-2$
> 양변에 $x=-2$를 대입하면 $b=3$

정답과 풀이 **65**쪽

유제 404   다음 부정적분을 구하여라.

(1) $\displaystyle\int \frac{x^3-1}{x-1}dx$ (2) $\displaystyle\int \frac{x^2+3x+5}{x+3}dx$

(3) $\displaystyle\int \frac{6}{x^2-x-2}dx$ (4) $\displaystyle\int \frac{5x+1}{x^2-2x-3}dx$

03 | 부분적분법

적분법의 양대 산맥은 치환적분법과 부분적분법.

기본 공식이 통하지 않을 땐 일단은 치환적분법을 떠올린다.

하지만 적분은 고난도 작업.

치환적분법조차 통하지 않는 문제가 무수히 많다.

마지막 선택은 부분적분법.

예를 들어

$\displaystyle\int e^x dx$ ➡ 기본 공식으로 처리된다.

$\displaystyle\int xe^{x^2} dx$ ➡ 기본 공식이 통하지 않으니 일단은 치환적분법. $x^2=t$로 치환하면 풀린다.

$\displaystyle\int xe^x dx$ ➡ 치환적분법마저 통하지 않는다. 마지막 선택은 부분적분법.

그렇다면 부분적분법이란 무엇인가?

미분에 곱의 미분법이 있다면 적분에는 부분적분법이 있다.

부분적분법이란 다음 공식을 이용하여 적분하는 방법.

> **부분적분법**
> 두 함수 $f(x)$, $g(x)$가 미분가능할 때,
> $$\int f(x)g'(x)dx = f(x)g(x) - \int f'(x)g(x)dx$$

| 설명 | 미분가능한 두 함수 $f(x), g(x)$의 곱 $f(x)g(x)$를 미분하면

$$\{f(x)g(x)\}' = f'(x)g(x) + f(x)g'(x)$$

이고, 이 식의 양변을 x에 대하여 적분하면

$$f(x)g(x) = \int\{f'(x)g(x) + f(x)g'(x)\}dx = \int f'(x)g(x)dx + \int f(x)g'(x)dx$$

$$\therefore \int f(x)g'(x)dx = f(x)g(x) - \int f'(x)g(x)dx$$

이와 같이 적분하는 방법을 부분적분법이라 한다. 즉, 부분적분법은 특별히 새로운 방법이 아니라 곱의 미분을 적분하여 거꾸로 돌린 것에 불과하다. 복잡해 보이는 기호에 현혹되지 말 것!

암기하기 편하게 다음과 같이 주문처럼 외워보자.

$$\int f(x)g'(x)dx = f(x)g(x) - \int f'(x)g(x)dx$$

그대로 적분 미분 적분
→ 그적미적!

| 개념확인 | 부정적분 $\displaystyle\int xe^x dx$를 구하여라.

> 풀이 $f(x)=x$, $g'(x)=e^x$으로 놓으면 $f'(x)=1$, $g(x)=e^x$이므로
> $$\int xe^x dx = xe^x - \int 1 \times e^x dx = xe^x - e^x + C$$

앞의 개념확인에서 부정적분 $\int xe^x dx$를 구할 때, $f(x)=x$, $g'(x)=e^x$이라 했다.

만약, 순서를 바꿔 $f(x)=e^x$, $g'(x)=x$라 하면?

그럼, 안 된다. 각자 한 번 해보면 알 수 있다.

치환적분법의 핵심은 '무엇을 치환할 것인가?'였다.

그럼 부분적분법의 핵심은? 바로 이것. ➡ 무엇을 $g'(x)$로 놓을 것인가?

앞에서 보았듯이 $g'(x)$로 놓은 놈은 부정적분을 통해 $g(x)$를 구하는 과정이 필요하다.

따라서 무엇을 $g'(x)$로 놓을 것인가에 대한 결론은 이것.

'적분하기 쉬운 놈을 $g'(x)$로 놓아라.'

하지만 다양한 부정적분 문제. 그래도 헷갈린다.

그래서 다음과 같이 기억하자.

> **$g'(x)$로 놓는 순서** ➡ 이.삼.정.로. 중요!
>
> (1) 이: e^x, 삼: 삼각함수, 정: 정함수(다항함수), 로: 로그함수
>
> (2) e^x은 무조건 $g'(x)$로 놓고, 로그함수는 절대 $g'(x)$로 놓지 않는다.

| 설명 | 부분적분법에서 $f(x)$는 미분하면 간단해지는 것으로, $g'(x)$는 적분하기 쉬운 것으로 선택해야 한다.
일반적으로 지수함수, 삼각함수, 다항함수, 로그함수 순서로 $g'(x)$를 택한다.

예를 들어

$\int x\cos x\,dx$에서 x는 정함수, $\cos x$는 삼각함수 ➡ '이삼정로'에 의해 $g'(x)=\cos x$로 놓는다.

$\int x\ln x\,dx$에서 x는 정함수, $\ln x$는 로그함수 ➡ '이삼정로'에 의해 $g'(x)=x$로 놓는다.

치환적분법과 더불어 적분법의 양대 산맥인 부분적분법.

치환적분법조차 풀 수 없었던 난제를 깨끗이 해결해 준다.

하지만 적분법의 황제는 어디까지나 치환적분법.

치환적분법의 방대한 내용에 비해 부분적분법의 응용은 제한적.

크게 4가지 정도의 응용에 그칠 뿐이다.

	(정함수)×(지수함수)	(정함수)×(삼각함수)	(정함수)×(로그함수)	(지수함수)×(삼각함수)
저급	$\int xe^x dx$	$\int x\cos x\,dx$	$\int x\ln x\,dx$	없음
고급	$\int x^2 e^x dx$	$\int x^2\cos x\,dx$	$\int x(\ln x)^2 dx$	$\int e^x\cos x\,dx$

저급은 부분적분 한 번에 해결되는 형태.

고급은 부분적분 한 번에 해결되지 않는 형태. 한 번에 안 되면 두 번, 세 번 계속한다.

> **大 원칙**
>
> (1) 목표는 적분하기 쉬운 $g'(x)$ 설정하기!
> (2) $g'(x)$의 우선순위? ➡ 이삼정로!
> (3) 부분적분법의 주문 ➡ 그적미적!

405 다음 부정적분을 구하여라.

(1) $\int (x+1)e^{2x}dx$　　　　(2) $\int x \cos x \, dx$　　　　(3) $\int \ln x \, dx$

풍산자tip 적분하기 쉬운 놈을 $g'(x)$로 놓는다.

➡ 이(e^x), 삼(삼각함수), 정(다항함수), 로(로그함수)의 순서!

(1) $g'(x)=e^{2x}$으로 놓는다.

(2) $g'(x)=\cos x$로 놓는다.

(3) 로그함수는 절대 $g'(x)$로 놓지 않는다.

➡ $\ln x = 1 \times \ln x$로 생각하여 $g'(x)=1$로 놓는다.

▶ 풀이　(1) [1단계] 이삼정로

$$f(x)=x+1, \ g'(x)=e^{2x}\text{으로 놓으면}$$
$$f'(x)=1, \ g(x)=\frac{1}{2}e^{2x}$$

[2단계] 공식 적용

$$\int (x+1)e^{2x}dx=(x+1)\times\frac{1}{2}e^{2x}-\int 1\times\frac{1}{2}e^{2x}dx$$
$$=\frac{1}{2}(x+1)e^{2x}-\frac{1}{4}e^{2x}+C$$
$$=\frac{1}{2}xe^{2x}+\frac{1}{4}e^{2x}+C$$

(2) [1단계] 이삼정로

$$f(x)=x, \ g'(x)=\cos x\text{로 놓으면}$$
$$f'(x)=1, \ g(x)=\sin x$$

[2단계] 공식 적용

$$\int x \cos x \, dx=x \sin x-\int 1\times \sin x \, dx=x \sin x+\cos x+C$$

(3) [1단계] 이삼정로

$$f(x)=\ln x, \ g'(x)=1\text{로 놓으면}$$
$$f'(x)=\frac{1}{x}, \ g(x)=x$$

[2단계] 공식 적용

$$\int \ln x \, dx=\ln x\times x-\int \frac{1}{x}\times x \, dx=x \ln x-\int dx=x \ln x-x+C$$

▶ 참고　$\int \ln x \, dx=x \ln x-x+C$ ➡ 이건 공식으로 기억해 두자!

정답과 풀이 **65**쪽

유제 **406** 다음 부정적분을 구하여라.

(1) $\int xe^{-x}dx$　　　　　　　　　(2) $\int (2x+1)\sin 2x \, dx$

(3) $\int x \ln x \, dx$　　　　　　　　(4) $\int \ln (x+1)dx$

407 다음 부정적분을 구하여라.

(1) $\displaystyle\int e^x \sin x \, dx$ (2) $\displaystyle\int x(\ln x)^2 dx$

풍산자日 한 방에 굴복하지 않는 부분적분. 강적이래 봤자 부분적분 두 방이면 굴복한다.

(1) (지수함수)×(삼각함수)의 꼴 ➡ 부분적분 두 방이면 원래 상태로 돌아온다.

(2) (다항함수)×(지수함수 또는 로그함수)의 꼴

     ➡ 한 방에 안 되면 두 방이다. 두 방에 안 되면 세 방이다. 굴복할 때까지 먹인다.

▶ 풀이 (1) (i) $\displaystyle\int e^x \sin x \, dx$에서 $f(x)=\sin x$, $g'(x)=e^x$으로 놓으면

$f'(x)=\cos x$, $g(x)=e^x$

$\therefore \displaystyle\int e^x \sin x \, dx = e^x \sin x - \int e^x \cos x \, dx$ …… ㉠

(ii) $\displaystyle\int e^x \cos x \, dx$에서 $u(x)=\cos x$, $v'(x)=e^x$으로 놓으면

$u'(x)=-\sin x$, $v(x)=e^x$

$\therefore \displaystyle\int e^x \cos x \, dx = e^x \cos x - \int e^x(-\sin x)dx$

$\qquad\qquad\qquad = e^x \cos x + \displaystyle\int e^x \sin x \, dx$ …… ㉡

(iii) ㉡을 ㉠에 대입하면

$\displaystyle\int e^x \sin x \, dx = e^x \sin x - \left(e^x \cos x + \int e^x \sin x \, dx\right)$

$\qquad\qquad\qquad = e^x \sin x - e^x \cos x - \displaystyle\int e^x \sin x \, dx$

$2\displaystyle\int e^x \sin x \, dx = e^x(\sin x - \cos x) + C_1$

$\therefore \displaystyle\int e^x \sin x \, dx = \frac{1}{2}e^x(\sin x - \cos x) + C$

(2) (i) $\displaystyle\int x(\ln x)^2 dx$에서 $f(x)=(\ln x)^2$, $g'(x)=x$로 놓으면

$f'(x)=2\ln x \times \dfrac{1}{x} = \dfrac{2}{x}\ln x$, $g(x)=\dfrac{1}{2}x^2$

$\therefore \displaystyle\int x(\ln x)^2 dx = \frac{1}{2}x^2(\ln x)^2 - \int x \ln x \, dx$ …… ㉠

(ii) $\displaystyle\int x \ln x \, dx$에서 $u(x)=\ln x$, $v'(x)=x$로 놓으면 $u'(x)=\dfrac{1}{x}$, $v(x)=\dfrac{1}{2}x^2$

$\therefore \displaystyle\int x \ln x \, dx = \frac{1}{2}x^2 \ln x - \int \frac{1}{2}x \, dx = \frac{1}{2}x^2 \ln x - \frac{1}{4}x^2 + C_1$ …… ㉡

(iii) ㉡을 ㉠에 대입하여 정리하면

$\displaystyle\int x(\ln x)^2 dx = \frac{1}{2}x^2(\ln x)^2 - \frac{1}{2}x^2 \ln x + \frac{1}{4}x^2 + C$

▶ 참고 마지막 계산에서 (1)의 경우 $\dfrac{1}{2}C_1$을 C로, (2)의 경우 $-C_1$을 C로 고쳤다. 어차피 임의의 실수를 대표하는 상수이니 그냥 둬도 틀린 것은 아니다. 하지만, 같은 값이면 보기 좋게!

정답과 풀이 **66**쪽

유제 408 다음 부정적분을 구하여라.

(1) $\displaystyle\int e^x \cos x \, dx$ (2) $\displaystyle\int e^{-x} \sin x \, dx$

(3) $\displaystyle\int (x^2+1)e^x dx$ (4) $\displaystyle\int (\ln x)^2 dx$

409

함수 $f(x)$에 대하여 $f'(x)=x\sqrt{1-x^2}$이고 $f(1)=\dfrac{1}{6}$일 때, $f\left(\dfrac{\sqrt{3}}{2}\right)$의 값을 구하여라.

410

함수 $f(x)=\displaystyle\int 4xe^{x^2-4}dx$에 대하여 $f(\sqrt{5})=e$일 때, $f(-2)$의 값을 구하여라.

411

함수 $f(x)=\displaystyle\int \dfrac{\cos^3 x}{1-\sin x}dx$에 대하여 곡선 $y=f(x)$가 점 $\left(0,\ -\dfrac{1}{2}\right)$을 지날 때, $f\left(\dfrac{\pi}{2}\right)$의 값을 구하여라.

412

함수 $f(x)=\dfrac{x-2}{x^2-4x+5}$의 부정적분 $F(x)$에 대하여 $F(2)=0$일 때, $F(x)$를 구하여라.

413

함수
$$f(x)=\int \frac{x+3}{x^2-3x-10}dx+\int \frac{4-x}{x^2-3x-10}dx$$
에 대하여 $f\left(\dfrac{3}{2}\right)=0$일 때, $f(1)+f(2)$의 값을 구하여라.

414

곡선 $y=f(x)$ 위의 점 $(x,\ y)$에서의 접선의 기울기가 $3x^2 \ln x$이고, 이 곡선이 점 $\left(1,\ \dfrac{2}{3}\right)$를 지날 때, $f(e)$의 값을 구하여라.

415

함수 $f(x)=\displaystyle\int e^{-x}\cos x\, dx$에 대하여 $f(0)=\dfrac{1}{2}$일 때, $f(x)$의 상수항을 구하여라.

중단원 마무리

▶ 여러 가지 함수의 부정적분

다항함수의 부정적분	(1) $n \neq -1 \Rightarrow \int x^n dx = \dfrac{1}{n+1} x^{n+1} + C$
	(2) $n = -1 \Rightarrow \int x^{-1} dx = \int \dfrac{1}{x} dx = \ln|x| + C$

지수함수의 부정적분	(1) $\int e^x dx = e^x + C$
	(2) $\int a^x dx = \dfrac{a^x}{\ln a} + C$ (단, $a > 0$, $a \neq 1$)

삼각함수의 부정적분	(1) $\int \sin x\, dx = -\cos x + C$	(2) $\int \cos x\, dx = \sin x + C$
	(3) $\int \sec^2 x\, dx = \tan x + C$	(4) $\int \csc^2 x\, dx = -\cot x + C$
	(5) $\int \sec x \tan x\, dx = \sec x + C$	(6) $\int \csc x \cot x\, dx = -\csc x + C$

▶ 치환적분법과 부분적분법

치환적분법	(1) 함수 $g(t)$는 미분가능. 이때 $x = g(t)$로 $\Rightarrow \int f(x) dx = \int f(g(t)) g'(t) dt$
	(2) $\int f(x) dx = F(x) + C \Rightarrow \int f(ax+b) dx = \dfrac{1}{a} F(ax+b) + C$ (단, a, b는 상수, $a \neq 0$)
	(3) $g(x) = t$로 놓으면 $\Rightarrow \int f(g(x)) g'(x) dx = \int f(t) dt$
	(4) $\int \dfrac{f'(x)}{f(x)} dx = \ln|f(x)| + C$

유리함수의 적분법	(1) $\int \dfrac{1}{x} dx = \ln|x| + C$
	(2) $\int \dfrac{1}{ax+b} dx = \dfrac{1}{a} \ln|ax+b| + C$ (단, $a \neq 0$)
	(3) $\dfrac{f'(x)}{f(x)}$의 꼴이 아닌 유리함수의 부정적분 $\Rightarrow$ 인수분해와 부분분수를 이용!

부분적분법	(1) 두 함수 $f(x)$, $g(x)$가 미분가능할 때
	$\int f(x) g'(x) dx = f(x) g(x) - \int f'(x) g(x) dx$
	(2) 이삼정로! 그적미적!을 적절히 이용하자.

STEP 1

416

다음 중 옳지 <u>않은</u> 것은?

① $\int \sqrt[3]{x}\,dx = \dfrac{3}{4}x\sqrt[3]{x} + C$

② $\int \dfrac{4x-\sqrt{x}+1}{x}\,dx = 4x - 2\sqrt{x} + \ln|x| + C$

③ $\int \dfrac{9^x-1}{3^x-1}\,dx = \dfrac{3^x}{\ln 3} + x + C$

④ $\int \dfrac{1+\sin^2 x}{\cos^2 x}\,dx = 2\tan x - x + C$

⑤ $\int 2\sin\dfrac{x}{2}\cos\dfrac{x}{2}\,dx = \cos x + C$

417

함수 $f(x) = \displaystyle\int \dfrac{x^3-2x-1}{x^2}\,dx$에 대하여

$f(1) = \dfrac{1}{2}$ 일 때, $f(-1)$의 값을 구하여라.

418

곡선 $y=f(x)$ 위의 점 (x, y)에서의 접선의 기울기가 $\dfrac{(1-x)(1+x)}{x}$ 이고, 이 곡선이 점 $\left(1, \dfrac{1}{2}\right)$ 을 지날 때, $f(e)$의 값을 구하여라.

419

$\displaystyle\int \dfrac{3x-2}{\sqrt{3x+1}}\,dx = \dfrac{2}{9}(ax+b)\sqrt{3x+1} + C$일 때, 상수 a, b의 곱 ab의 값을 구하여라.

(단, C는 적분상수이다.)

420

함수 $f(x) = \displaystyle\int (1+\sin x)^2 \cos x\,dx$에 대하여 $f(0) = \dfrac{2}{3}$ 일 때, $f\left(\dfrac{\pi}{2}\right)$의 값을 구하여라.

421

다음 중 부정적분 $\displaystyle\int \sec x\,dx$를 바르게 구한 것은?

(단, C는 적분상수이다.)

① $\ln\dfrac{1+\sin x}{|\cos x|} + C$　　② $\ln\dfrac{1-\cos x}{|\sin x|} + C$

③ $\ln|\sin x \cos x| + C$　　④ $\tan^2 x + C$

⑤ $\sec x \tan x + C$

422

양의 실수에서 정의된 함수 $f(x)$의 한 부정적분 $F(x)$에 대하여 $F(x)=xf(x)-x^2e^x$, $f(0)=1$ 일 때, $f(3)$의 값은?

① $5e^3$ ② $4e^3$ ③ $3e^3$

④ $2e^3$ ⑤ e^3

423

함수 $f(x)$에 대하여 $f'(x)=\dfrac{3\ln x}{(x+3)^2}$, $f(1)=-\ln 4$일 때, $f(x)$의 상수항은?

① 0 ② 1 ③ -1

④ $\ln 4$ ⑤ $\ln\dfrac{1}{4}$

STEP2

424

미분가능한 함수 $f(x)$의 한 부정적분 $F(x)$에 대하여 $F(x)=xf(x)+\ln x-\sqrt{x}$, $f(1)=1$일 때, $f(4)$의 값을 구하여라.

425

미분가능한 두 함수 $f(x)$, $g(x)$에 대하여

$$\frac{d}{dx}\{f(x)+g(x)\}=1+2\sin x,$$

$$\frac{d}{dx}\{f(x)-g(x)\}=1-2\cos x$$

이고 $f(0)=1$, $g(0)=0$일 때, $f\left(\dfrac{\pi}{2}\right)g\left(\dfrac{\pi}{2}\right)$의 값을 구하여라.

426

실수 전체의 집합에서 연속인 함수 $f(x)$의 도함수 $f'(x)$가

$$f'(x)=\begin{cases} e^{\sin x}\cos x & (x>0) \\ 3x^2(x^3+2)^3 & (x<0) \end{cases}$$

이고 $f(-1)=-\dfrac{3}{4}$일 때, $f\left(\dfrac{\pi}{2}\right)$의 값을 구하여라.

427

미분가능한 함수 $f(x)$에 대하여 $xf'(x)=(\ln x)^3$이고 $f(1)=-4$일 때, 방정식 $f(x)=0$을 만족시키는 모든 실수 x의 값의 곱을 구하여라.

428

$0<x<\pi$에서 정의된 함수 $f(x)$의 도함수가 $f'(x)=\sin x-\cos 2x$이고 $f(x)$의 극솟값이 $-\sqrt{3}$일 때, $f(x)$의 극댓값을 구하여라.

429

모든 실수 x에 대하여 $f(x)>0$인 함수 $f(x)$가 $f'(x)=-f(x)$, $f(1)=1$을 만족시킬 때, $f(2)$의 값을 구하여라.

430

함수 $f(x)=\displaystyle\int\frac{2}{x^2-1}dx$에 대하여 $f(0)=0$일 때, $\displaystyle\sum_{k=2}^{10}f(k)$의 값을 구하여라.

431

함수 $f(x)$에 대하여 $f'(x)=\dfrac{1}{1+e^x}$일 때, $f(3)-f(1)$의 값을 구하여라.

432

$-3\leq x\leq 0$에서 정의된 함수 $f(x)$에 대하여 $f'(x)=(x+2)e^{-x}$이고 $f(x)$의 최솟값이 $-e^2$일 때, 함수 $f(x)$의 최댓값을 구하여라.

433

함수 $f(x)$에 대하여 $f(x)+xf'(x)=\sin\sqrt{x}$, $f\left(\dfrac{\pi^2}{4}\right)=\dfrac{8}{\pi^2}$일 때, $f(\pi^2)$의 값은? (단, $x>0$)

① $\dfrac{1}{\pi}$ ② $\dfrac{2}{\pi}$ ③ $\dfrac{3}{\pi}$

④ $\dfrac{4}{\pi}$ ⑤ $\dfrac{5}{\pi}$

2
정적분

정적분이란 넓이, 부피.
어떤 환상도 갖지 말라.
정적분은 단지 넓이, 부피일 뿐이다.

1 여러 가지 함수의 정적분

2 정적분으로 정의된 함수

$$\int_a^b f(x)dx = \left[F(x) \right]_a^b$$
$$= F(b) - F(a)$$

$$\frac{d}{dx}\int_a^x f(t)dt = f(x)$$

3 정적분과 급수

$$\int_a^b f(x)dx = \lim_{n \to \infty} \sum_{k=1}^{n} f(x_k)\Delta x$$
$$\left(단, \ \Delta x = \frac{b-a}{n}, \ x_k = a + k\Delta x \right)$$

1 | 여러 가지 함수의 정적분

01 | 정적분의 기본 성질

정적분의 기본적인 개념은 [수학Ⅱ]에서 이미 다룬 바 있다.

여기서는 다양한 함수에 대한 정적분을 배운다.

다양한 함수에 대해서도 [수학Ⅱ]에서 배운 정적분의 정의와 성질이 모두 성립.

단지 함수가 복잡할 뿐.

> **정적분의 정의**
>
> 함수 $f(x)$가 닫힌구간 $[a, b]$에서 연속일 때, $f(x)$의 한 부정적분 $F(x)$에 대하여 $f(x)$의 a에서 b까지의 정적분을 다음과 같이 나타낸다.
>
> $$\int_a^b f(x)dx = \left[F(x)\right]_a^b = F(b) - F(a)$$

| 설명 | 부정적분은 함수를 의미하지만 정적분은 상수를 의미한다.

정적분을 구하려면 부정적분을 구해 위끝과 아래끝을 대입해서 빼면 된다.

이때 $\int_a^b f(x)dx = F(b) - F(a)$를 미적분의 기본 정리라고도 한다.

> **정적분의 성질** 중요!
>
> (1) $\displaystyle\int_a^a f(x)dx = 0$　　　　　　　　　　← 아래끝, 위끝이 같으면 정적분은 0이다.
>
> (2) $\displaystyle\int_a^b f(x)dx = -\int_b^a f(x)dx$　　　　← 아래끝, 위끝을 바꾸면 −가 튀어나온다.
>
> (3) $\displaystyle\int_a^b f(x)dx = \int_a^b f(t)dt$　　　　　← 변수를 바꾸어도 정적분은 같다.
>
> (4) $\displaystyle\int_a^b kf(x)dx = k\int_a^b f(x)dx$ (단, k는 상수)　← 상수는 튀어나올 수 있다.
>
> (5) $\displaystyle\int_a^b f(x)dx \pm \int_a^b g(x)dx = \int_a^b \{f(x) \pm g(x)\}dx$ ← 구간이 같으면 함수를 합칠 수 있다.
>
> (6) $\displaystyle\int_a^c f(x)dx + \int_c^b f(x)dx = \int_a^b f(x)dx$ ← 함수가 같으면 구간을 합칠 수 있다.

| 설명 | 함수가 다르고 구간도 다르면 어느 것도 합칠 수 없다.

$$\Rightarrow \int_a^c f(x)dx + \int_c^b g(x)dx \neq \int_a^b \{f(x) + g(x)\}dx$$

(6)의 성질은 오른쪽 그림의 두 넓이의 합의 전체 넓이란 소리.

하지만 꼭 $a < b < c$일 필요는 없다.

즉, $\displaystyle\int_1^3 f(x)dx + \int_3^2 f(x)dx = \int_1^2 f(x)dx$도 옳다.

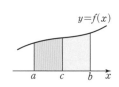

434 다음 정적분을 구하여라.

(1) $\displaystyle\int_1^2 \frac{1}{x^2}dx$

(2) $\displaystyle\int_0^1 (x+\sqrt{x})^2 dx$

(3) $\displaystyle\int_1^2 \frac{2x^2+1}{x}dx$

(4) $\displaystyle\int_1^2 \frac{1}{x^2-2x-3}dx$

풍산자티 정적분의 계산 ➡ 부정적분을 구해 위끝과 아래끝을 각각 대입하여 뺀다.

즉, 정적분을 하려면 반드시 부정적분을 할 수 있어야 한다.

(3) 분모가 단항식인 유리함수 ➡ $\dfrac{a+b}{m}=\dfrac{a}{m}+\dfrac{b}{m}$ 를 이용한다.

(4) $\dfrac{(상수)}{(이차식)}$ 의 꼴인 유리함수

➡ 분모를 인수분해한 후 $\dfrac{1}{AB}=\dfrac{1}{B-A}\left(\dfrac{1}{A}-\dfrac{1}{B}\right)$ 을 이용하여 부분분수로 변형한다.

▶ **풀이** (1) $\displaystyle\int_1^2 \frac{1}{x^2}dx=\int_1^2 x^{-2}dx=\left[-\frac{1}{x}\right]_1^2=-\frac{1}{2}-(-1)=\mathbf{\frac{1}{2}}$

(2) $\displaystyle\int_0^1 (x+\sqrt{x})^2 dx=\int_0^1 (x^2+2x\sqrt{x}+x)dx=\left[\frac{1}{3}x^3+\frac{4}{5}x^{\frac{5}{2}}+\frac{1}{2}x^2\right]_0^1$

$$=\frac{1}{3}+\frac{4}{5}+\frac{1}{2}=\mathbf{\frac{49}{30}}$$

(3) $\displaystyle\int_1^2 \frac{2x^2+1}{x}dx=\int_1^2\left(\frac{2x^2}{x}+\frac{1}{x}\right)dx=\int_1^2\left(2x+\frac{1}{x}\right)dx$

$$=\left[x^2+\ln|x|\right]_1^2=(2^2+\ln 2)-(1^2+\ln 1)$$

$$=\mathbf{3+\ln 2}$$

(4) $\dfrac{1}{x^2-2x-3}=\dfrac{1}{(x-3)(x+1)}=\dfrac{1}{4}\left(\dfrac{1}{x-3}-\dfrac{1}{x+1}\right)$ 이므로

$\displaystyle\int_1^2 \frac{1}{x^2-2x-3}dx=\int_1^2 \frac{1}{4}\left(\frac{1}{x-3}-\frac{1}{x+1}\right)dx$

$$=\frac{1}{4}\left[\ln|x-3|-\ln|x+1|\right]_1^2$$

$$=\frac{1}{4}\{(\ln 1-\ln 3)-(\ln 2-\ln 2)\}$$

$$=\mathbf{-\frac{1}{4}\ln 3}$$

정답과 풀이 **74**쪽

유제 **435** 다음 정적분을 구하여라.

(1) $\displaystyle\int_4^9 \frac{1}{\sqrt{x}}dx$

(2) $\displaystyle\int_0^1 (1+\sqrt{x})^2 dx$

(3) $\displaystyle\int_1^e \frac{3x+1}{x^2}dx$

(4) $\displaystyle\int_0^1 \frac{1}{x^2+3x+2}dx$

436 다음 정적분을 구하여라.

(1) $\displaystyle\int_0^1 3^{2x+1}dx$

(2) $\displaystyle\int_0^1 (e^x+e^{-x})^2 dx$

(3) $\displaystyle\int_0^{\frac{\pi}{3}} \frac{\cos^2 x}{1-\sin x}dx$

(4) $\displaystyle\int_0^\pi \sin^2 x\, dx$

[풍산자티] $f(ax+b)$ 꼴의 적분은 $f(x)$를 적분한 결과에 $\dfrac{1}{a}$을 반드시 곱해 주어야 한다.

$\Rightarrow \displaystyle\int f(x)dx=F(x)+C$일 때, $\displaystyle\int f(ax+b)dx=\frac{1}{a}F(x)+C$

▷ 풀이

(1) $\displaystyle\int_0^1 3^{2x+1}dx=3\int_0^1 9^x dx=3\left[\frac{9^x}{\ln 9}\right]_0^1=3\left(\frac{9}{\ln 9}-\frac{1}{\ln 9}\right)=\frac{24}{\ln 9}=\boldsymbol{\frac{12}{\ln 3}}$

(2) $\displaystyle\int_0^1 (e^x+e^{-x})^2 dx=\int_0^1 (e^{2x}+2+e^{-2x})dx=\left[\frac{1}{2}e^{2x}+2x-\frac{1}{2}e^{-2x}\right]_0^1$

$\qquad\qquad =\boldsymbol{\frac{1}{2}e^2+2-\frac{1}{2e^2}}$

(3) $\dfrac{\cos^2 x}{1-\sin x}=\dfrac{1-\sin^2 x}{1-\sin x}=\dfrac{(1+\sin x)(1-\sin x)}{1-\sin x}=1+\sin x$

이므로

$\displaystyle\int_0^{\frac{\pi}{3}} \frac{\cos^2 x}{1-\sin x}dx=\int_0^{\frac{\pi}{3}} (1+\sin x)dx=\left[x-\cos x\right]_0^{\frac{\pi}{3}}$

$\qquad\qquad =\left(\frac{\pi}{3}-\cos\frac{\pi}{3}\right)-(-\cos 0)$

$\qquad\qquad =\boldsymbol{\frac{\pi}{3}+\frac{1}{2}}$

(4) $\displaystyle\int_0^\pi \sin^2 x\, dx=\int_0^\pi \frac{1-\cos 2x}{2}dx=\frac{1}{2}\left[x-\frac{1}{2}\sin 2x\right]_0^\pi$

$\qquad\qquad =\frac{1}{2}\left\{\left(\pi-\frac{1}{2}\sin 2\pi\right)-\left(-\frac{1}{2}\sin 0\right)\right\}$

$\qquad\qquad =\boldsymbol{\frac{\pi}{2}}$

▷ 다른 풀이 (1) $f(ax+b)$ 꼴의 적분을 이용하면

$\displaystyle\int_0^1 3^{2x+1}dx=\left[\frac{1}{2}\times\frac{3^{2x+1}}{\ln 3}\right]_0^1=\frac{1}{2}\left(\frac{27}{\ln 3}-\frac{3}{\ln 3}\right)=\frac{24}{2\ln 3}=\frac{12}{\ln 3}$

정답과 풀이 **74**쪽

유제 **437** 다음 정적분을 구하여라.

(1) $\displaystyle\int_0^2 e^{x+2}dx$

(2) $\displaystyle\int_0^1 (2^x-2^{-x})^2 dx$

(3) $\displaystyle\int_{\frac{\pi}{4}}^{\frac{\pi}{3}} \frac{1}{1-\sin^2 x}dx$

(4) $\displaystyle\int_0^{\frac{\pi}{4}} \cos^2 x\, dx$

438 다음 정적분을 구하여라.

(1) $\int_1^2 (e^x+1)dx+\int_1^2 (e^x-1)dx$

(2) $\int_0^{2\pi} (\cos x+1)dx-\int_\pi^{2\pi} (\cos x+1)dx$

(3) $\int_1^2 \dfrac{4^x}{2^x-1}dx+\int_2^1 \dfrac{1}{2^t-1}dt$

풍산자曰 (1) 두 정적분의 구간이 같다. ➡ 함수를 합칠 수 있다.

(2) 두 정적분의 함수가 같다. ➡ 구간을 합칠 수 있다.

구간 $[0,\ 2\pi]$의 정적분에서 구간 $[\pi,\ 2\pi]$의 정적분을 빼면

구간 $[0,\ \pi]$의 정적분이다.

(3) 뒷식의 아래끝, 위끝을 바꾸면 구간이 같아짐에 착안한다.

또, 변수를 바꾸어도 정적분은 같으므로 변수를 통일한다.

풀이 (1) (주어진 식)$=\int_1^2 \{(e^x+1)+(e^x-1)\}dx=\int_1^2 2e^x dx$

$=\Big[2e^x\Big]_1^2=2e^2-2e$

(2) (주어진 식)$=\int_0^\pi (\cos x+1)dx=\Big[\sin x+x\Big]_0^\pi$

$=\sin \pi+\pi=\pi$

(3) (주어진 식)$=\int_1^2 \dfrac{4^x}{2^x-1}dx+\int_2^1 \dfrac{1}{2^x-1}dx$

$=\int_1^2 \dfrac{4^x}{2^x-1}dx-\int_1^2 \dfrac{1}{2^x-1}dx$

$=\int_1^2 \dfrac{4^x-1}{2^x-1}dx=\int_1^2 \dfrac{(2^x+1)(2^x-1)}{2^x-1}dx$

$=\int_1^2 (2^x+1)dx=\Big[\dfrac{2^x}{\ln 2}+x\Big]_1^2$

$=\Big(\dfrac{4}{\ln 2}+2\Big)-\Big(\dfrac{2}{\ln 2}+1\Big)=\dfrac{2}{\ln 2}+1$

정답과 풀이 **74**쪽

유제 **439** 다음 정적분을 구하여라.

(1) $\int_{\frac{\pi}{2}}^\pi (\sin x+\cos x)^2 dx+\int_{\frac{\pi}{2}}^\pi (\sin x-\cos x)^2 dx$

(2) $\int_0^{2020} x(1-\sqrt{x})dx-\int_1^{2020} x(1-\sqrt{x})dx$

(3) $\int_1^2 \dfrac{e^{3x}}{e^x-1}dx-\int_1^2 \dfrac{1}{e^y-1}dy$

440 함수 $f(x)=\begin{cases} \cos \pi x+2 & (x\leq 1) \\ \dfrac{1}{x} & (x\geq 1) \end{cases}$ 에 대하여 $\displaystyle\int_0^e f(x)dx$를 구하여라.

풍산자티 x의 값이 1 이하일 땐 윗식을 쓰고, 1 이상일 땐 아랫식을 쓰라는 괴상한 함수.

➡ 1을 기준으로 구간을 나누어 적분한다.

➤ **풀이** $\displaystyle\int_0^e f(x)dx=\int_0^1 f(x)dx+\int_1^e f(x)dx=\int_0^1 (\cos \pi x+2)dx+\int_1^e \frac{1}{x}dx$

$$=\left[\frac{1}{\pi} \sin \pi x+2x\right]_0^1+\left[\ln |x|\right]_1^e=2+1=3$$

정답과 풀이 **75**쪽

유제 441 함수 $f(x)=\begin{cases} e^x & (x\leq 1) \\ ex & (x\geq 1) \end{cases}$ 에 대하여 $\displaystyle\int_0^3 f(x)dx$를 구하여라.

442 정적분 $\displaystyle\int_0^1 |e^x-2|dx$를 구하여라.

풍산자티 절댓값 기호가 있는 문제는 절댓값 기호를 벗겨야 한다.

➡ 절댓값 기호 안을 0으로 하는 값을 기준으로 구간을 나누어 적분한다.

➤ **풀이** $e^x-2=0$에서 $e^x=2$ ∴ $x=\ln 2$

즉, $|e^x-2|=\begin{cases} e^x-2 & (x\geq \ln 2) \\ -e^x+2 & (x\leq \ln 2) \end{cases}$

∴ $\displaystyle\int_0^1 |e^x-2|dx=\int_0^{\ln 2} (-e^x+2)dx+\int_{\ln 2}^1 (e^x-2)dx$

$$=\left[-e^x+2x\right]_0^{\ln 2}+\left[e^x-2x\right]_{\ln 2}^1$$

$$=\{(-e^{\ln 2}+2\ln 2)-(-1)\}+\{(e-2)-(e^{\ln 2}-2\ln 2)\}$$

$$=\mathbf{4 \ln 2+e-5}$$

정답과 풀이 **75**쪽

유제 443 다음 정적분을 구하여라.

(1) $\displaystyle\int_0^5 \sqrt{|x-1|}\, dx$ (2) $\displaystyle\int_0^{\frac{\pi}{2}} |\cos x-\sin x|dx$

풍산자 비법

모든 함수의 정적분은 부정적분을 구하여 윗끝, 아래끝을 대입하여 빼면 된다.

함수 $f(x)$가 닫힌구간 $[a, b]$에서 연속이고, $f(x)$의 한 부정적분 $F(x)$에 대하여

$$\int_a^b f(x)dx=\left[F(x)\right]_a^b=F(b)-F(a)$$

02 | 우함수, 기함수, 주기함수의 정적분

[1] 우함수와 기함수의 정적분

함수 $f(x)$가 모든 실수 x에 대하여

$$f(-x)=f(x) \; \Rightarrow \; 우함수(짝함수) \; \Rightarrow \; 함수의 그래프가 y축에 대하여 대칭$$

$$f(-x)=-f(x) \; \Rightarrow \; 기함수(홀함수) \; \Rightarrow \; 함수의 그래프가 원점에 대하여 대칭$$

위끝과 아래끝의 절댓값이 같고 부호가 다를 때 우함수와 기함수의 정적분은 다음과 같이 구할 수 있음을 [수학Ⅱ]에서 이미 배웠다.

> **우함수와 기함수의 정적분** 중요
>
> (1) 함수 $f(x)$가 우함수이면 $\displaystyle\int_{-a}^{a} f(x)dx = 2\int_{0}^{a} f(x)dx$
>
> (2) 함수 $f(x)$가 기함수이면 $\displaystyle\int_{-a}^{a} f(x)dx = 0$

| 설명 | 우함수와 기함수의 그래프의 개형은 오른쪽과 같다.

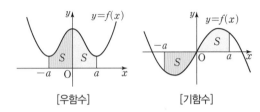

[우함수]   [기함수]

함수 $f(x)$가 우함수이면 그림에서

$$\int_{-a}^{a} f(x)dx = S+S = 2S = 2\int_{0}^{a} f(x)dx$$

함수 $f(x)$가 기함수이면 그림에서

$$\int_{-a}^{a} f(x)dx = -S+S = 0$$

우함수와 기함수의 정적분을 이용하려면 어떤 함수가 우함수인지 기함수인지를 판단할 수 있어야 한다.

우함수는 함수 $f(x)$가 모든 실수 x에 대하여 $f(-x)=f(x)$를 만족하는 함수로

짝수차항만 있는 다항함수(x^2, x^4-2x^2+1 등), $\cos x$, e^x+e^{-x} 등이 대표적인 우함수이고,

기함수는 함수 $f(x)$가 모든 실수 x에 대하여 $f(-x)=-f(x)$를 만족하는 함수로

홀수차항만 있는 다항함수(x^3, x^5-2x^3+x 등), $\sin x$, $\tan x$ 등이 대표적인 기함수이다.

| 참고 | (우함수)×(우함수)=(우함수), (기함수)×(기함수)=(우함수), (우함수)×(기함수)=(기함수)

[2] 주기함수의 정적분

주기함수의 정적분은 다음과 같은 성질이 성립함을 [수학Ⅱ]에서 이미 배웠다.

> **주기함수의 정적분**
>
> 주기가 p인 함수 $f(x)$에 대하여
>
> (1) $\displaystyle\int_{a}^{b} f(x)dx = \int_{a+p}^{b+p} f(x)dx$ (2) $\displaystyle\int_{a}^{a+p} f(x)dx = \int_{b}^{b+p} f(x)dx$

| 설명 | 주기함수의 그래프는 일정한 모양을 반복하므로

(1) 아래끝과 위끝에 각각 주기만큼 더하면 정적분의 값은 변하지 않는다.

(2) 한 주기의 정적분은 항상 같다.

444 다음 정적분을 구하여라.

(1) $\displaystyle\int_{-\pi}^{\pi}(x^2\sin x+2\cos x+2x+1)dx$

(2) $\displaystyle\int_{-1}^{1}\frac{e^x+e^{-x}}{2}dx+\int_{-1}^{1}\frac{\pi^x-\pi^{-x}}{2}dx$

풍산자 Tip 위끝, 아래끝의 절댓값이 같고 부호가 다르므로 우함수, 기함수로 나누어 생각한다.

주어진 함수가 우함수인지 기함수인지 바로 판별하기 어려울 때는 $f(-x)$를 구해 본다.

- 함수 $f(x)$가 우함수 ➡ $f(-x)=f(x)$ ➡ $\displaystyle\int_{-a}^{a}f(x)dx=2\int_{0}^{a}f(x)dx$

- 함수 $f(x)$가 기함수 ➡ $f(-x)=-f(x)$ ➡ $\displaystyle\int_{-a}^{a}f(x)dx=0$

> 우함수 ➡ y축 대칭, 짝수차항, $\cos x$, e^x+e^{-x}
>
> 기함수 ➡ 원점 대칭, 홀수차항, $\sin x$, $\tan x$

▶ 풀이 (1) $f(x)=x^2\sin x$라 하면

$f(-x)=(-x)^2\sin(-x)=-x^2\sin x=-f(x)$

이므로 $f(x)$는 기함수이다.

$\therefore$ (주어진 식)$=\displaystyle\int_{-\pi}^{\pi}(x^2\sin x+2x)dx+\int_{-\pi}^{\pi}(2\cos x+1)dx$

$\qquad=0+2\displaystyle\int_{0}^{\pi}(2\cos x+1)dx$

$\qquad=2\Big[2\sin x+x\Big]_{0}^{\pi}=\boldsymbol{2\pi}$

(2) $f(x)=\dfrac{e^x+e^{-x}}{2}$, $g(x)=\dfrac{\pi^x-\pi^{-x}}{2}$이라 하면

$f(-x)=\dfrac{e^{-x}+e^x}{2}=f(x)$, $g(-x)=\dfrac{\pi^{-x}-\pi^x}{2}=-g(x)$

이므로 $f(x)$는 우함수, $g(x)$는 기함수이다.

$\therefore$ (주어진 식)$=2\displaystyle\int_{0}^{1}\frac{e^x+e^{-x}}{2}dx+0$

$\qquad=\Big[e^x-e^{-x}\Big]_{0}^{1}=\boldsymbol{e-\dfrac{1}{e}}$

정답과 풀이 **75**쪽

유제 **445** 다음 정적분을 구하여라.

(1) $\displaystyle\int_{-1}^{1}(6x^2+2x^6\tan x-7)dx$

(2) $\displaystyle\int_{-e}^{e}(5x^5-3x^3+x)e^{x^2}dx$

446 연속함수 $f(x)$가 임의의 실수 x에 대하여 $f(x+2)=f(x)$를 만족시키고

$\displaystyle\int_{-1}^{1} f(x)dx=2$일 때, $\displaystyle\int_{-5}^{5} f(x)dx$를 구하여라.

풍산자티 한 주기의 정적분은 항상 같다. ➡ $f(x+2)=f(x)$의 주기는 2이다.

▷ 풀이 $f(x+2)=f(x)$에서 $f(x)$는 주기함수이므로

$$\int_{-5}^{-3} f(x)dx=\int_{-3}^{-1} f(x)dx=\int_{-1}^{1} f(x)dx=\int_{1}^{3} f(x)dx=\int_{3}^{5} f(x)dx=2$$

$$\therefore \int_{-5}^{5} f(x)dx=\int_{-5}^{-3} f(x)dx+\int_{-3}^{-1} f(x)dx+\int_{-1}^{1} f(x)dx+\int_{1}^{3} f(x)dx+\int_{3}^{5} f(x)dx$$

$$=5\int_{-1}^{1} f(x)dx=5\times2=\textbf{10}$$

정답과 풀이 **75**쪽

유제 447 연속함수 $f(x)$가 임의의 실수 x에 대하여 $f(x+3)=f(x)$를 만족시키고 $\displaystyle\int_{1}^{4} f(x)dx=3$일 때, $\displaystyle\int_{1}^{10} f(x)dx$를 구하여라.

448 정적분 $\displaystyle\int_{0}^{2\pi} |\cos 2x| dx$를 구하여라.

풍산자티 적분 구간에서 주기가 몇 번 반복되는지 확인하여 간단하게 계산한다.

➡ $y=|\cos ax|$의 주기는 $\dfrac{\pi}{|a|}$이다.

▷ 풀이 $f(x)=|\cos 2x|$로 놓으면 $f(x)$는 주기가 $\dfrac{\pi}{2}$인 주기함수이므로

$$\int_{0}^{\frac{\pi}{2}} |\cos 2x| dx=\int_{\frac{\pi}{2}}^{\pi} |\cos 2x| dx=\int_{\pi}^{\frac{3}{2}\pi} |\cos 2x| dx=\int_{\frac{3}{2}\pi}^{2\pi} |\cos 2x| dx$$

$$\therefore \int_{0}^{2\pi} |\cos 2x| dx=4\int_{0}^{\frac{\pi}{2}} |\cos 2x| dx=4\int_{0}^{\frac{\pi}{4}} \cos 2x\, dx+4\int_{\frac{\pi}{4}}^{\frac{\pi}{2}} (-\cos 2x)dx$$

$$=4\left[\frac{1}{2}\sin 2x\right]_{0}^{\frac{\pi}{4}}+4\left[-\frac{1}{2}\sin 2x\right]_{\frac{\pi}{4}}^{\frac{\pi}{2}}=2+2=\textbf{4}$$

정답과 풀이 **75**쪽

유제 449 정적분 $\displaystyle\int_{0}^{\pi} |\sin 3x| dx$를 구하여라.

풍산자 비법

· $\displaystyle\int_{-a}^{a} (우함수)dx=2\int_{0}^{a} (우함수)dx,\ \int_{-a}^{a} (기함수)dx=0$

· 주기함수의 정적분 ➡ 주기를 먼저 파악하고, 적분 구간에서 주기가 몇 번 반복되는지 확인한다.

03 | 치환적분과 부분적분을 이용한 정적분

[1] 치환적분법을 이용한 정적분

치환적분법이란 한 변수를 다른 변수로 치환하여 적분하는 방법.

치환적분법의 핵심은 ➡ 무엇을 치환해야 치환적분법이 성공할 것인가?

정적분은 부정적분을 구해 위끝과 아래끝을 대입하여 빼면 된다.

그렇다면 치환적분법을 이용한 정적분은 무엇일까?

> **치환적분법을 이용한 정적분**
> 구간 $[a, b]$에서 연속인 함수 $f(x)$에 대하여 미분가능한 함수 $x=g(t)$의 도함수 $g'(t)$가
> 구간 $[\alpha, \beta]$에서 연속이고 $a=g(\alpha)$, $b=g(\beta)$이면
> $$\int_a^b f(x)dx = \int_\alpha^\beta f(g(t))g'(t)dt$$

| 증명 | 구간 $[a, b]$에서 연속인 함수 $f(x)$의 한 부정적분을 $F(x)$라 하면
$$\int_a^b f(x)dx = \Big[F(x)\Big]_a^b = F(b)-F(a) \qquad \cdots\cdots \text{⊙}$$

$\int f(x)dx$에서 미분가능한 함수 $g(t)$에 대하여 $x=g(t)$로 놓고 치환적분법을 이용하면
$$\int f(x)dx = \int f(g(t))g'(t)dt = F(g(t))$$

이때 도함수 $g'(t)$가 구간 $[\alpha, \beta]$에서 연속이고 $a=g(\alpha)$, $b=g(\beta)$라 하면
$$\int_\alpha^\beta f(g(t))g'(t)dt = \Big[F(g(t))\Big]_\alpha^\beta = F(g(\beta))-F(g(\alpha)) = F(b)-F(a) \qquad \cdots\cdots \text{ⓒ}$$

따라서 ⊙, ⓒ으로부터 $\int_a^b f(x)dx = \int_\alpha^\beta f(g(t))g'(t)dt$

| 설명 | 정적분 $\int_0^{\frac{\pi}{2}} (1+\sin x)^3 \cos x\, dx$를 다음 두 가지 방법으로 구해 보자.

[방법 1] $1+\sin x=y$로 놓으면 $\cos x \dfrac{dx}{dy}=1$에서 $\cos x\, dx=dy$이므로

$$\int (1+\sin x)^3 \cos x\, dx = \int y^3 dy = \frac{1}{4}y^4 + C = \frac{1}{4}(1+\sin x)^4 + C$$

$$\therefore \int_0^{\frac{\pi}{2}} (1+\sin x)^3 \cos x\, dx = \Big[\frac{1}{4}(1+\sin x)^4\Big]_0^{\frac{\pi}{2}} = \frac{15}{4}$$

[방법 2] $1+\sin x=y$로 놓으면 $\cos x \dfrac{dx}{dy}=1$에서 $\cos x\, dx=dy$이고

$x=0$일 때 $y=1$, $x=\dfrac{\pi}{2}$일 때 $y=2$이므로

$$\int_0^{\frac{\pi}{2}} (1+\sin x)^3 \cos x\, dx = \int_1^2 y^3 dy = \Big[\frac{1}{4}y^4\Big]_1^2 = \frac{15}{4}$$

[방법 1]은 정적분의 치환적분법이 아니고, 부정적분을 구해 위끝과 아래끝을 각각 대입하여 빼는 원시적인 방법이다.

[방법 2]는 아래끝과 위끝조차 치환하자는 단순한 아이디어를 이용한 정적분의 치환적분법이다.

이 단순한 아이디어가 정적분의 계산에서는 매우 강력한 힘을 발휘한다.

그 힘의 원천은? ➡ 바로 원래 식의 변수 x로 회복시킬 필요가 없다는 것.

정적분 $\int_0^3 \sqrt{9-x^2}\,dx$, $\int_0^2 \dfrac{1}{4+x^2}\,dx$는 지금까지 배운, 피적분함수의 일부를 ☆$=t$로 치환하여 적분하는 치환적분법으로는 쉽게 적분이 되지 않는 형태이다.

무리함수나 유리함수를 적분할 때 피적분함수가 특수한 꼴로 나타나면 **적분변수를 $a\sin\theta$, $a\cos\theta$와 같이 삼각함수로 치환하여 적분**할 수 있는데 이 방법을 삼각치환법이라 한다.

위의 정적분처럼 일반적인 치환으로 구할 수 없는 것은 삼각치환법으로 구할 수도 있다.

삼각치환법을 이용한 정적분 (중요)

(1) 피적분함수가 $\sqrt{a^2-x^2}$, $\dfrac{1}{\sqrt{a^2-x^2}}$ $(a>0)$의 꼴인 경우

➡ $x=a\sin\theta$ $\left(-\dfrac{\pi}{2}\le\theta\le\dfrac{\pi}{2}\right)$로 치환한다.

(2) 피적분함수가 $\dfrac{1}{a^2+x^2}$ $(a>0)$의 꼴인 경우

➡ $x=a\tan\theta$ $\left(-\dfrac{\pi}{2}<\theta<\dfrac{\pi}{2}\right)$로 치환한다.

| 설명 | 삼각치환법을 이용하면 피적분함수가 $\sqrt{a^2-x^2}=\sqrt{a^2(1-\sin^2\theta)}=\sqrt{a^2\cos^2\theta}=a\cos\theta$, $a^2+x^2=a^2(1+\tan^2\theta)=a^2\sec^2\theta$와 같이 삼각함수로 변형되어 정적분을 구할 수 있다. 이때 $\sin^2\theta+\cos^2\theta=1$, $1+\tan^2\theta=\sec^2\theta$ 등의 삼각함수의 성질을 이용한다.

[2] 부분적분법을 이용한 정적분

부분적분에서 가장 강조했던 부분은 바로 '무엇을 $g'(x)$로 놓을 것인가?' 였다.

적분하기 쉬운 순서를 절대 잊지 말자. ➡ 이.삼.정.로.

이: e^x, 삼: 삼각함수, 정: 정함수(다항함수), 로: 로그함수

부분적분법을 이용한 정적분

두 함수 $f(x)$, $g(x)$가 미분가능하고 $f'(x)$, $g'(x)$가 닫힌구간 $[a, b]$에서 연속일 때,

$$\int_a^b f(x)g'(x)dx=\Big[f(x)g(x)\Big]_a^b-\int_a^b f'(x)g(x)dx$$

| 설명 | 부분적분법을 이용한 정적분은 치환적분법조차 통하지 않는 경우에 이용한다.

부분적분법은 특별히 새로운 방법이 아니라 곱의 미분을 적분하여 거꾸로 돌린 것에 불과하니 복잡해 보이는 기호에 현혹되지 말고, 암기하기 편하게 다음과 같이 주문처럼 외웠던 것을 떠올려 보자.

$$\int_a^b f(x)g'(x)dx=\Big[f(x)g(x)\Big]_a^b-\int_a^b f'(x)g(x)dx$$

적분 / 적분 / 그대로 / 미분

그대로 적분 미분 적분
→ 그적미적!

450 다음 정적분을 구하여라.

(1) $\displaystyle\int_0^1 \frac{x}{x^2+1}dx$ (2) $\displaystyle\int_0^4 x\sqrt{x^2+9}\,dx$ (3) $\displaystyle\int_1^{e^2} \frac{\ln x}{x}dx$

(4) $\displaystyle\int_0^1 xe^{-x^2}dx$ (5) $\displaystyle\int_0^{\frac{\pi}{2}} (1-\cos^3 x)\sin x\,dx$

풍산자티 피적분함수가 $f(g(x))g'(x)$의 꼴인 정적분은 치환적분법을 이용하여 구한다.
이때 적분구간이 바뀐다는 사실에 주의한다.

➤ 풀이 (1) $x^2+1=t$로 놓으면 $2x\dfrac{dx}{dt}=1$에서 $dx=\dfrac{1}{2x}dt$이고

$x=0$일 때 $t=1$, $x=1$일 때 $t=2$이므로

$$\int_0^1 \frac{x}{x^2+1}dx=\int_1^2 \frac{x}{t}\times\frac{1}{2x}dt=\frac{1}{2}\int_1^2 \frac{1}{t}dt=\frac{1}{2}\Big[\ln|t|\Big]_1^2=\frac{1}{2}\ln 2$$

(2) $\sqrt{x^2+9}=t$로 놓으면 $x^2+9=t^2$이므로 $2x\dfrac{dx}{dt}=2t$에서 $dx=\dfrac{t}{x}dt$이고

$x=0$일 때 $t=3$, $x=4$일 때 $t=5$이므로

$$\int_0^4 x\sqrt{x^2+9}\,dx=\int_3^5 x\times t\times\frac{t}{x}dt=\int_3^5 t^2 dt=\Big[\frac{1}{3}t^3\Big]_3^5=\frac{98}{3}$$

(3) $\ln x=t$로 놓으면 $\dfrac{1}{x}\times\dfrac{dx}{dt}=1$에서 $dx=xdt$이고

$x=1$일 때 $t=0$, $x=e^2$일 때 $t=2$이므로

$$\int_1^{e^2} \frac{\ln x}{x}dx=\int_0^2 \frac{t}{x}\times x\,dt=\int_0^2 t\,dt=\Big[\frac{1}{2}t^2\Big]_0^2=2$$

(4) $-x^2=t$로 놓으면 $-2x\dfrac{dx}{dt}=1$에서 $dx=\dfrac{1}{-2x}dt$이고

$x=0$일 때 $t=0$, $x=1$일 때 $t=-1$이므로

$$\int_0^1 xe^{-x^2}dx=\int_0^{-1} xe^t\times\frac{1}{-2x}dt=\frac{1}{2}\int_{-1}^0 e^t dt=\frac{1}{2}\Big[e^t\Big]_{-1}^0=\frac{1}{2}\Big(1-\frac{1}{e}\Big)$$

(5) $\cos x=t$로 놓으면 $-\sin x\dfrac{dx}{dt}=1$에서 $dx=\dfrac{1}{-\sin x}dt$이고

$x=0$일 때 $t=1$, $x=\dfrac{\pi}{2}$일 때 $t=0$이므로

$$\int_0^{\frac{\pi}{2}} (1-\cos^3 x)\sin x\,dx=\int_1^0 (1-t^3)\times\sin x\times\frac{1}{-\sin x}dt=\int_0^1 (1-t^3)dt$$
$$=\Big[t-\frac{1}{4}t^4\Big]_0^1=\frac{3}{4}$$

정답과 풀이 **75**쪽

유제 **451** 다음 정적분을 구하여라.

(1) $\displaystyle\int_1^2 \frac{x-1}{x^2-2x+2}dx$ (2) $\displaystyle\int_1^2 x\sqrt{x^2-1}\,dx$ (3) $\displaystyle\int_0^2 \frac{e^x}{1+e^x}dx$

(4) $\displaystyle\int_1^e \frac{(\ln x)^2}{x}dx$ (5) $\displaystyle\int_0^{\frac{\pi}{2}} (1+\sin^3 x)\cos x\,dx$

452 다음 정적분을 구하여라.

$$(1) \int_0^3 \sqrt{9-x^2}\,dx \qquad\qquad (2) \int_0^2 \frac{1}{4+x^2}\,dx$$

풍산자티 (1) $\sqrt{a^2-x^2}$의 꼴 ➡ $x=a\sin\theta\left(-\frac{\pi}{2}\le\theta\le\frac{\pi}{2}\right)$로 놓으면

피적분함수가 $\cos\theta$에 대한 함수로 변신한다.

(2) $\dfrac{1}{a^2+x^2}$의 꼴 ➡ $x=a\tan\theta\left(-\frac{\pi}{2}<\theta<\frac{\pi}{2}\right)$로 놓으면

피적분함수가 $\sec\theta$에 대한 함수로 변신한다.

▶ 풀이 (1) $x=3\sin\theta\left(-\frac{\pi}{2}\le\theta\le\frac{\pi}{2}\right)$로 놓으면

$$\frac{dx}{d\theta}=3\cos\theta \text{에서 } dx=3\cos\theta\,d\theta$$

$x=0$일 때 $\theta=0$, $x=3$일 때 $\theta=\frac{\pi}{2}$이므로

$$\int_0^3 \sqrt{9-x^2}\,dx=\int_0^{\frac{\pi}{2}}\sqrt{9(1-\sin^2\theta)}\times3\cos\theta\,d\theta=\int_0^{\frac{\pi}{2}}\sqrt{9\cos^2\theta}\times3\cos\theta\,d\theta$$

$$=\int_0^{\frac{\pi}{2}}3\cos\theta\times3\cos\theta\,d\theta=9\int_0^{\frac{\pi}{2}}\cos^2\theta\,d\theta=9\int_0^{\frac{\pi}{2}}\frac{1+\cos2\theta}{2}\,d\theta$$

$$=\frac{9}{2}\left[\theta+\frac{1}{2}\sin2\theta\right]_0^{\frac{\pi}{2}}=\frac{9}{2}\times\frac{\pi}{2}=\boldsymbol{\frac{9}{4}\pi}$$

(2) $x=2\tan\theta\left(-\frac{\pi}{2}<\theta<\frac{\pi}{2}\right)$로 놓으면

$$\frac{dx}{d\theta}=2\sec^2\theta \text{에서 } dx=2\sec^2\theta\,d\theta$$

$x=0$일 때 $\theta=0$, $x=2$일 때 $\theta=\frac{\pi}{4}$이므로

$$\int_0^2 \frac{1}{4+x^2}\,dx=\int_0^{\frac{\pi}{4}}\frac{1}{4(1+\tan^2\theta)}\times2\sec^2\theta\,d\theta=\int_0^{\frac{\pi}{4}}\frac{1}{4\sec^2\theta}\times2\sec^2\theta\,d\theta$$

$$=\int_0^{\frac{\pi}{4}}\frac{1}{2}\,d\theta=\left[\frac{1}{2}\theta\right]_0^{\frac{\pi}{4}}=\boldsymbol{\frac{\pi}{8}}$$

▶ 참고 (1)번과 같은 꼴은 다음과 같이 훨씬 간편한 방법이 있다.

$y=\sqrt{a^2-x^2}$에서 $y^2=a^2-x^2$

$\therefore x^2+y^2=a^2 \ (y\ge0)$ ➡ 위쪽 반원

$\therefore \displaystyle\int_0^a \sqrt{a^2-x^2}\,dx$

$=$(위쪽 반원과 x축 사이의 $0\le x\le a$인 부분의 넓이)

$=\dfrac{1}{4}\pi a^2$

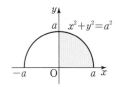

정답과 풀이 **76**쪽

유제 453 다음 정적분을 구하여라.

$$(1) \int_0^1 \frac{1}{\sqrt{4-x^2}}\,dx \qquad\qquad (2) \int_0^{\sqrt{3}} \frac{1}{x^2+1}\,dx$$

454 다음 정적분을 구하여라.

(1) $\displaystyle\int_1^e x \ln x \, dx$ (2) $\displaystyle\int_0^1 x^2 e^x dx$ (3) $\displaystyle\int_0^\pi e^x \cos x \, dx$

[풍산자탑] (1) 피적분함수가 두 함수의 곱의 꼴이고 치환이 어려우면 부분적분법을 이용한다.

(2) 부분적분법을 한 번 적용해서 적분이 안 되면 다시 부분적분법을 적용한다.

(3) 부분적분법을 두 번 이용하면 원래 상태로 돌아오는 형태이다.

▶ **풀이** (1) $f(x) = \ln x$, $g'(x) = x$로 놓으면 $f'(x) = \dfrac{1}{x}$, $g(x) = \dfrac{1}{2}x^2$이므로

$$\int_1^e x \ln x \, dx = \left[\frac{1}{2}x^2 \ln x\right]_1^e - \int_1^e \frac{1}{2}x \, dx = \frac{1}{2}e^2 - \left[\frac{1}{4}x^2\right]_1^e = \frac{1}{4}e^2 + \frac{1}{4}$$

(2) (i) $f(x) = x^2$, $g'(x) = e^x$으로 놓으면

$f'(x) = 2x$, $g(x) = e^x$이므로

$$\int_0^1 x^2 e^x dx = \left[x^2 e^x\right]_0^1 - \int_0^1 2x e^x dx = e - 2\int_0^1 x e^x dx \quad \cdots\cdots\ \text{㉠}$$

(ii) $\displaystyle\int_0^1 x e^x dx$에서 $u(x) = x$, $v'(x) = e^x$으로 놓으면

$u'(x) = 1$, $v(x) = e^x$이므로

$$\int_0^1 x e^x dx = \left[x e^x\right]_0^1 - \int_0^1 e^x dx = e - \left[e^x\right]_0^1 = 1 \quad \cdots\cdots\ \text{㉡}$$

(iii) ㉡을 ㉠에 대입하면 $\displaystyle\int_0^1 x^2 e^x dx = e - 2$

(3) (i) $f(x) = \cos x$, $g'(x) = e^x$으로 놓으면

$f'(x) = -\sin x$, $g(x) = e^x$이므로

$$\int_0^\pi e^x \cos x \, dx = \left[e^x \cos x\right]_0^\pi - \int_0^\pi e^x \times (-\sin x) dx$$

$$= (-e^\pi - 1) + \int_0^\pi e^x \sin x \, dx \quad \cdots\cdots\ \text{㉠}$$

(ii) $\displaystyle\int_0^\pi e^x \sin x \, dx$에서 $u(x) = \sin x$, $v'(x) = e^x$으로 놓으면

$u'(x) = \cos x$, $v(x) = e^x$이므로

$$\int_0^\pi e^x \sin x \, dx = \left[e^x \sin x\right]_0^\pi - \int_0^\pi e^x \cos x \, dx = 0 - \int_0^\pi e^x \cos x \, dx$$

$$= -\int_0^\pi e^x \cos x \, dx \quad \cdots\cdots\ \text{㉡}$$

(iii) ㉡을 ㉠에 대입하면 $\displaystyle\int_0^\pi e^x \cos x \, dx = (-e^\pi - 1) - \int_0^\pi e^x \cos x \, dx$

$$2\int_0^\pi e^x \cos x \, dx = -e^\pi - 1 \qquad \therefore \int_0^\pi e^x \cos x \, dx = -\frac{1}{2}e^\pi - \frac{1}{2}$$

정답과 풀이 **76**쪽

유제 **455** 다음 정적분을 구하여라.

(1) $\displaystyle\int_0^1 x e^{-x} dx$ (2) $\displaystyle\int_1^2 \ln x^2 \, dx$ (3) $\displaystyle\int_0^\pi e^x \sin x \, dx$

456

다음 정적분의 값을 구하여라.

(1) $\int_1^e \dfrac{5x-1}{x^2} dx$

(2) $\int_0^{\frac{\pi}{2}} \sin^2 \dfrac{x}{2} dx$

(3) $\int_0^1 (2^x+1)(4^x-2^x+1) dx$

(4) $\int_0^2 \sqrt{e^{2x}+6e^x+9} \, dx$

457

다음 정적분의 값을 구하여라.

$\int_5^{10} \dfrac{1}{\sqrt{x-2}} dx - \int_6^{10} \dfrac{1}{\sqrt{y-2}} dy + \int_3^5 \dfrac{1}{\sqrt{z-2}} dz$

458

정적분 $\int_{-1}^1 (2^x+3^x+2^{-x}-3^{-x}) dx$의 값을 구하여라.

459

$\int_1^3 \dfrac{x}{\sqrt{x^2+3}} dx = m\sqrt{3}+n$일 때, 유리수 m, n의 곱 mn의 값을 구하여라.

460

$\int_0^4 \sqrt{16-x^2} \, dx$의 값과 반지름의 길이가 r인 원의 넓이가 같을 때, 양수 r의 값을 구하여라.

461

다음 정적분을 구하여라.

(1) $\int_0^\pi x^2 \cos x \, dx$

(2) $\int_e^{e^2} (\ln x)^2 dx$

정적분으로 정의된 함수

01 | 정적분으로 정의된 함수의 미분

정적분으로 정의된 함수와 관련된 유형을 해결하는 방법은 [수학 II]에서 이미 배웠다.
여기서 다룰 내용은 주어지는 함수가 다항함수에서 여러 가지 함수로 바뀌는 것 뿐.
이 단원의 내용을 어렵게 느끼면 [수학 II]의 관련 단원을 잽싸게 복습하고 돌아온다.
[수학 II]에서 배운 내용을 간단히 되짚어 보면서 시작하자.

부정적분은 미분의 역연산. 따라서 부정적분을 미분하면 당연히 원 상태로 돌아온다.
정적분은 상수 ➡ 상수를 미분하면 0
위끝과 아래끝에 변수가 있는 정적분을 미분하면 원 상태가 된다.

> **정적분으로 정의된 함수의 미분** 중요!
>
> (1) $\dfrac{d}{dx}\displaystyle\int_a^x f(t)dt = f(x)$ (단, a는 상수) ◀ 적분하고 미분하면 원 상태로 돌아온다.
>
> (2) $\dfrac{d}{dx}\displaystyle\int_x^{x+a} f(t)dt = f(x+a) - f(x)$

| 설명 | $\displaystyle\int_a^x f(t)dt$에서 $f(t)$의 변수 t는 적분변수 t와 같아야 하고 적분구간의 아래끝 a는 상수이므로 어떤 상수가 와도 결과는 같다.

또한 t는 적분변수이므로 $\displaystyle\int_a^x f(t)dt$는 t에 대한 함수가 아니라 x에 대한 함수이다.

> **정적분을 포함한 등식의 해결 비법**
>
> (1) 적분구간이 상수로 주어진 경우: $A=B+\displaystyle\int_a^b f(t)dt$의 꼴
>
> ➡ 정적분은 상수이므로 $\displaystyle\int_a^b f(t)dt=k$ (k는 상수)로 놓는다.
>
> (2) 적분구간이 변수로 주어진 경우: $A=B+\displaystyle\int_a^x f(t)dt$의 꼴
>
> ➡ (i) 양변을 x에 대하여 미분한다.   (ii) 양변에 $x=a$를 대입한다.

| 설명 | (1) $f(x)=g(x)+\displaystyle\int_a^b f(t)dt$의 꼴일 때, $\displaystyle\int_a^b f(t)dt=k$로 놓으면 $f(x)=g(x)+k$이므로

$k=\displaystyle\int_a^b \{g(t)+k\}dt$를 풀어 k의 값을 구하여 $f(x)$를 구할 수 있다.

(2) $\displaystyle\int_a^x f(t)dt=g(x)$의 꼴일 때,

(i) 양변을 x에 대하여 미분 ➡ $\dfrac{d}{dx}\displaystyle\int_a^x f(t)dt=g'(x)$이므로 $f(x)=g'(x)$

(ii) 양변에 $x=a$를 대입 ➡ $\displaystyle\int_a^a f(t)dt=0$임을 이용.

462 다음 등식을 만족시키는 함수 $f(x)$를 구하여라.

(1) $f(x) = e^x + \displaystyle\int_0^2 f(t)dt$

(2) $f(x) = \sin x + 3\displaystyle\int_0^{\frac{\pi}{2}} f(t) \cos t\, dt$

풍산자탑 아래끝과 위끝이 모두 상수인 정적분 ➡ 계산 결과도 상수이다.

▶ 풀이 (1) $\displaystyle\int_0^2 f(t)dt = a$ (a는 상수) ······ ㉠로 놓으면

$f(x) = e^x + a$ ······ ㉡

㉡을 ㉠에 대입하면

$a = \displaystyle\int_0^2 f(t)dt = \int_0^2 (e^t + a)dt = \Big[e^t + at\Big]_0^2$

$\quad = e^2 + 2a - 1$

즉, $a = e^2 + 2a - 1$에서 $a = -e^2 + 1$

$\therefore \boldsymbol{f(x) = e^x - e^2 + 1}$

(2) $\displaystyle\int_0^{\frac{\pi}{2}} f(t) \cos t\, dt = a$ (a는 상수) ······ ㉠로 놓으면

$f(x) = \sin x + 3a$ ······ ㉡

㉡을 ㉠에 대입하면

$a = \displaystyle\int_0^{\frac{\pi}{2}} f(t) \cos t\, dt$

$\quad = \displaystyle\int_0^{\frac{\pi}{2}} (\sin t + 3a) \cos t\, dt$

$\quad = \displaystyle\int_0^{\frac{\pi}{2}} \sin t \cos t\, dt + 3a\int_0^{\frac{\pi}{2}} \cos t\, dt$

$\quad = \displaystyle\int_0^{\frac{\pi}{2}} \frac{1}{2} \sin 2t\, dt + 3a\int_0^{\frac{\pi}{2}} \cos t\, dt$

$\quad = \Big[-\dfrac{1}{4} \cos 2t\Big]_0^{\frac{\pi}{2}} + 3a\Big[\sin t\Big]_0^{\frac{\pi}{2}}$

$\quad = \dfrac{1}{2} + 3a$

즉, $a = \dfrac{1}{2} + 3a$에서 $a = -\dfrac{1}{4}$

$\therefore \boldsymbol{f(x) = \sin x - \dfrac{3}{4}}$

정답과 풀이 **78**쪽

유제 **463** 다음 등식을 만족시키는 함수 $f(x)$를 구하여라.

(1) $f(x) = \ln x + \displaystyle\int_1^e f(t)dt$

(2) $f(x) = \cos x - \displaystyle\int_0^{\frac{\pi}{3}} f(t) \sin t\, dt$

464 다음 등식을 만족시키는 함수 $f(x)$를 구하여라.

(1) $\displaystyle\int_1^x f(t)dt = \sin \pi x - a \cos \pi x - x$ (단, a는 상수이다.)

(2) $xf(x) = x^2 e^x - \displaystyle\int_x^1 f(t)dt$ (단, $f(x)$는 미분가능하다.)

풍산자티 적분구간에 변수가 있는 문제. 다음 두 필살기를 이용하면 된다.

[1단계] 양변을 x에 대하여 미분한다. ➡ $\dfrac{d}{dx}\displaystyle\int_a^x f(t)dt = f(x)$

[2단계] 양변에 위끝과 아래끝이 같아지도록 하는 x의 값을 대입 ➡ $\displaystyle\int_a^a f(t)dt = 0$

▶ 풀이 (1) [1단계] 주어진 식의 양변을 x에 대하여 미분하면
$$f(x) = \pi \cos \pi x + a\pi \sin \pi x - 1$$
[2단계] 주어진 식의 양변에 $x=1$을 대입하면
$$0 = \sin \pi - a \cos \pi - 1,\ 0 = a - 1 \quad \therefore a = 1$$
$$\therefore f(x) = \pi \cos \pi x + \pi \sin \pi x - 1$$

(2) $\displaystyle\int_x^1 f(t)dt = -\int_1^x f(t)dt$이므로
$$xf(x) = x^2 e^x + \int_1^x f(t)dt \quad \cdots\cdots ㉠$$
[1단계] ㉠의 양변을 x에 대하여 미분하면
$$f(x) + xf'(x) = 2xe^x + x^2 e^x + f(x)$$
$$\therefore f'(x) = (x+2)e^x$$
$f(x) = \displaystyle\int (x+2)e^x dx$에서 $u(x) = x+2,\ v'(x) = e^x$이라 하면
$u'(x) = 1,\ v(x) = e^x$이므로
$$f(x) = \int (x+2)e^x dx = (x+2)e^x - \int e^x dx$$
$$= (x+2)e^x - e^x + C$$
$$= (x+1)e^x + C \quad \cdots\cdots ㉡$$
[2단계] ㉠의 양변에 $x=1$을 대입하면 $f(1) = e$
㉡의 양변에 $x=1$을 대입하면 $f(1) = 2e + C$
따라서 $2e + C = e$이므로 $C = -e$
$$\therefore f(x) = (x+1)e^x - e$$

유제 465 다음 등식을 만족시키는 함수 $f(x)$를 구하여라.

(1) $\displaystyle\int_0^x f(t)dt = e^{2x} + ae^x$ (단, a는 상수이다.)

(2) $xf(x) = \ln x + \displaystyle\int_1^x f(t)dt$ (단, $f(x)$는 $x>0$에서 미분가능하다.)

466 함수 $f(x)$가 $\displaystyle\int_a^{\ln x} f(t)dt = x-1$을 만족시킬 때, 상수 a의 값과 $f(x)$를 구하여라.

> **풍산자티** 위끝에 복잡한 식이 있을 때 ➡ 한 문자로 치환한다.

> **풀이** $\ln x = z$, 즉 $x = e^z$으로 치환하면 $\displaystyle\int_a^z f(t)dt = e^z - 1$ ······ ㉠
>
> ㉠의 양변을 z에 대하여 미분하면 $f(z) = e^z$ ∴ $\boldsymbol{f(x) = e^x}$
>
> ㉠의 양변에 $z = a$를 대입하면 $0 = e^a - 1$ ∴ $\boldsymbol{a = 0}$

정답과 풀이 79쪽

유제 **467** 함수 $f(x)$가 $\displaystyle\int_a^{e^x} f(t)dt = x-1$을 만족시킬 때, 상수 a의 값과 $f(x)$를 구하여라.

468 함수 $f(x)$에 대하여 $\displaystyle\int_0^x (x-t)f(t)dt = ae^x - \sin x + b$일 때, 상수 a, b의 값과 $f(x)$를 구하여라.

> **풍산자티** $\displaystyle\int_0^x (x-t)f(t)dt$를 미분할 때, 반드시 다음과 같이 x를 꺼낸 후 미분해야 한다.
>
> $$\int_0^x (x-t)f(t)dt = \int_0^x \{xf(t) - tf(t)\}dt \qquad \Leftarrow \text{분배법칙}$$
>
> $$= \int_0^x xf(t)dt - \int_0^x tf(t)dt \qquad \Leftarrow \text{정적분을 두 조각 낸다.}$$
>
> $$= x\int_0^x f(t)dt - \int_0^x tf(t)dt \qquad \Leftarrow x\text{는 상수이므로 튀어 나갈 수 있다.}$$

> **풀이** $\displaystyle\int_0^x (x-t)f(t)dt = ae^x - \sin x + b$에서
>
> $x\displaystyle\int_0^x f(t)dt - \int_0^x tf(t)dt = ae^x - \sin x + b$ ······ ㉠
>
> ㉠의 양변을 x에 대하여 미분하면 $\displaystyle\int_0^x f(t)dt + xf(x) - xf(x) = ae^x - \cos x$
>
> ∴ $\displaystyle\int_0^x f(t)dt = ae^x - \cos x$ ······ ㉡
>
> ㉡의 양변을 x에 대하여 미분하면 $f(x) = ae^x + \sin x$ ······ ㉢
>
> ㉡의 양변에 $x = 0$을 대입하면 $0 = a - 1$ ∴ $a = 1$
>
> ㉠의 양변에 $x = 0$을 대입하면 $0 = a + b$ ∴ $b = -a = -1$
>
> 따라서 ㉢에서 $\boldsymbol{f(x) = e^x + \sin x}$

정답과 풀이 79쪽

유제 **469** 함수 $f(x)$에 대하여 $\displaystyle\int_\pi^x (x-t)f(t)dt = ax + b\sin x + \pi$일 때, 상수 a, b의 값과 $f(x)$를 구하여라.

470 다음 물음에 답하여라.

(1) $x>0$에서 함수 $f(x)=\int_1^x (1-\ln t)dt$의 극값을 구하여라.

(2) $0\le x\le 2\pi$에서 함수 $f(x)=\int_0^x t\sin t\,dt$의 최댓값과 최솟값을 구하여라.

풍산자曰 적분하여 $f(x)$를 구할 수도 있지만 양변을 x에 대하여 미분하면 쉽게 $f'(x)$가 구해진다.

함수의 극대와 극소, 최대와 최소는 ➡ $f'(x)$를 이용하여 증감표만 그리면 끝.

▶ 풀이 (1) $f(x)=\int_1^x (1-\ln t)dt$의 양변을 x에 대하여 미분하면

$f'(x)=1-\ln x$

$f'(x)=0$에서 $x=e$

$x>0$에서 함수 $f(x)$의 증가와 감소를 표로 나타내면 다음과 같다.

x	(0)	$\cdots$	e	$\cdots$
$f'(x)$		$+$	0	$-$
$f(x)$		↗	극대	↘

따라서 함수 $f(x)$는 $x=e$일 때 극값을 가지므로

$f(e)=\int_1^e (1-\ln t)dt=\left[t-(t\ln t-t)\right]_1^e = \boldsymbol{e-2}$

(2) $f(x)=\int_0^x t\sin t\,dt$의 양변을 x에 대하여 미분하면

$f'(x)=x\sin x$

$f'(x)=0$에서 $x=0$ 또는 $x=\pi$ 또는 $x=2\pi$ $(\because 0\le x\le 2\pi)$

$0\le x\le 2\pi$에서 함수 $f(x)$의 증가와 감소를 표로 나타내면 다음과 같다.

x	0	$\cdots$	π	$\cdots$	2π
$f'(x)$	0	$+$	0	$-$	0
$f(x)$		↗	극대	↘	

$u(t)=t$, $v'(t)=\sin t$라 하면 $u'(t)=1$, $v(t)=-\cos t$이므로

$f(x)=\int_0^x t\sin t\,dt=\left[-t\cos t\right]_0^x - \int_0^x (-\cos t)dt$

$\quad =\left[-t\cos t\right]_0^x + \left[\sin t\right]_0^x = -x\cos x+\sin x$

따라서 $f(0)=0$, $f(\pi)=\pi$, $f(2\pi)=-2\pi$이므로

함수 $f(x)$의 **최댓값은 $\boldsymbol{\pi}$**, **최솟값은 $\boldsymbol{-2\pi}$**이다.

정답과 풀이 **79**쪽

유제 **471** 다음 물음에 답하여라.

(1) $0<x<\pi$에서 함수 $f(x)=\int_0^x (1+\sin t)\cos t\,dt$의 극댓값을 구하여라.

(2) 함수 $f(x)=\int_1^x (2-e^t)dt$의 최댓값을 구하여라.

02 | 정적분으로 정의된 함수의 극한

미분과 부정적분, 정적분의 핵심 공식은 다음 네 가지로 요약된다.

(1) 미분의 x공식	$f'(a)=\lim\limits_{x \to a}\dfrac{f(x)-f(a)}{x-a}=\lim\limits_{\star \to a}\dfrac{f(\star)-f(a)}{\star-a}$
(2) 미분의 h공식	$f'(a)=\lim\limits_{h \to 0}\dfrac{f(a+h)-f(a)}{h}=\lim\limits_{\star \to 0}\dfrac{f(a+\star)-f(a)}{\star}$
(3) 미분과 부정적분	$f(x)$의 부정적분을 $F(x)$라 하면 $F'(x)=f(x)$
(4) 미적분의 기본 정리	$f(x)$의 부정적분을 $F(x)$라 하면 $\displaystyle\int_a^b f(x)dx=F(b)-F(a)$

[수학 II]에서도 배웠지만 정적분으로 정의된 함수의 극한은 위 공식들이 오묘하게 협력해 명쾌하게 풀리는 유형이다.

이 단원에서의 차이점은 미분법, 적분법에서 계속 말하고 있지만 [수학 II]보다 함수가 복잡하다는 것 뿐.

> **정적분으로 정의된 함수의 극한**
>
> (1) $\displaystyle\lim_{x \to a}\frac{1}{x-a}\int_a^x f(t)dt=f(a)$ 　　　　 (2) $\displaystyle\lim_{x \to 0}\frac{1}{x}\int_a^{x+a} f(t)dt=f(a)$

| 증명 | $\displaystyle\int f(t)dt=F(t)+C$로 놓으면 $F'(t)=f(t)$

(1) $\displaystyle\int_a^x f(t)dt=F(x)-F(a)$이므로

$\displaystyle\lim_{x \to a}\frac{1}{x-a}\int_a^x f(t)dt=\lim_{x \to a}\frac{F(x)-F(a)}{x-a}=F'(a)=f(a)$

(2) $\displaystyle\int_a^{x+a} f(t)dt=F(x+a)-F(a)$이므로

$\displaystyle\lim_{x \to 0}\frac{1}{x}\int_a^{x+a} f(t)dt=\lim_{x \to 0}\frac{F(x+a)-F(a)}{x}=F'(a)=f(a)$

| 참고 | $\displaystyle\lim_{x \to a}\frac{1}{x-a}\int_a^x f(t)dt$는 원래 $f(t)$를 적분한 뒤 $x-a$로 나누고 $\lim$를 구해야 한다.

이런 복잡한 계산을 하지 않고 이론적으로 따져 보니 $f(t)$에 $t=a$를 대입하면 끝나는 문제였다.

결국 적분과 미분이 만나 원 상태로 돌아온 것.

하지만 변형 문제가 많으니 위의 식을 그대로 기억하는 것보다는 [수학 II]에서도 강조했지만 반드시 유도 과정을 기억해 둬야 한다.

이처럼 식은 복잡해 보이지만 잘 들여다보면 간단히 해결되는 경우가 있다.

다음 단원에서 배울게 될 정적분과 급수도 원리만 이해하면 간단히 해결된다.

다음 단원에서 자세히 살펴보자.

472 다음 극한값을 구하여라.

(1) $\displaystyle\lim_{x\to\pi}\frac{1}{x-\pi}\int_\pi^x \cos\frac{t}{3}\,dt$

(2) $\displaystyle\lim_{x\to0}\frac{1}{x}\int_{1-x}^{1+x} e^t \ln(t+3)\,dt$

> **풍산자탑** 미적분의 기본 정리를 이용하여 정적분을 전개한 후 다음 미분계수의 정의를 이용한다.
>
> $$f'(a)=\lim_{x\to a}\frac{f(x)-f(a)}{x-a} \quad\text{또는}\quad f'(a)=\lim_{h\to0}\frac{f(a+h)-f(a)}{h}$$

> **풀이** (1) $f(t)=\cos\dfrac{t}{3}$의 한 부정적분을 $F(t)$라 하면
>
> $$\int_\pi^x \cos\frac{t}{3}\,dt=\Big[F(t)\Big]_\pi^x=F(x)-F(\pi)$$
>
> $$\therefore \lim_{x\to\pi}\frac{1}{x-\pi}\int_\pi^x \cos\frac{t}{3}\,dt=\lim_{x\to\pi}\frac{F(x)-F(\pi)}{x-\pi}=F'(\pi)$$
>
> 이때 $F'(t)=f(t)$이므로 $F'(\pi)=f(\pi)=\cos\dfrac{\pi}{3}=\dfrac{1}{2}$
>
> (2) $f(t)=e^t\ln(t+3)$의 한 부정적분을 $F(t)$라 하면
>
> $$\int_{1-x}^{1+x} e^t\ln(t+3)\,dt=\Big[F(t)\Big]_{1-x}^{1+x}=F(1+x)-F(1-x)$$
>
> $$\therefore \lim_{x\to0}\frac{1}{x}\int_{1-x}^{1+x} e^t\ln(t+3)\,dt$$
>
> $$=\lim_{x\to0}\frac{F(1+x)-F(1-x)}{x}$$
>
> $$=\lim_{x\to0}\frac{\{F(1+x)-F(1)\}-\{F(1-x)-F(1)\}}{x}$$
>
> $$=\lim_{x\to0}\frac{F(1+x)-F(1)}{x}+\lim_{x\to0}\frac{F(1-x)-F(1)}{-x}$$
>
> $$=F'(1)+F'(1)=2F'(1)$$
>
> $$=2f(1)=\mathbf{2e\ln 4}$$

정답과 풀이 **80**쪽

유제 **473** 다음 극한값을 구하여라.

(1) $\displaystyle\lim_{x\to1}\frac{1}{x^3-1}\int_1^x (3^t+\ln t)\,dt$

(2) $\displaystyle\lim_{x\to0}\frac{1}{x}\int_1^{1+2x}(\sin\pi t+\cos\pi t)\,dt$

풍산자 비법

일반적으로 '$\lim+\displaystyle\int$' 꼴의 극한값을 구하려면

➜ 미적분의 기본 정리를 이용한 후 미분계수의 정의를 이용하면 된다.

474

함수 $f(x)$가 $f(x)=x-\displaystyle\int_0^1 e^t f(t)dt$를 만족시킬 때, 함수 $f(x)$를 구하여라.

475

미분가능한 함수 $f(x)$가

$$f(x)=\sin x+x+\int_x^0 f'(t)\cos t\, dt$$

를 만족시킬 때, $f(\pi)$의 값을 구하여라.

476

함수 $f(x)$가 $\displaystyle\int_a^{\frac{1}{x}} f(t)dt=x-2$를 만족시킬 때, $af(1)$의 값을 구하여라. (단, a는 상수이다.)

477

함수 $f(x)$가

$$\int_1^x (x-t)f(t)dt=x^2\ln x+ax+b$$

를 만족시킬 때, 상수 a, b에 대하여 ab의 값을 구하여라.

478

함수 $f(x)=\displaystyle\int_{-2}^x (t^2+t-2)dt$의 극대값을 α, 극솟값을 β라 할 때, $\alpha+\beta$의 값을 구하여라.

479

$\displaystyle\lim_{x\to 2}\frac{1}{x-2}\int_2^x \frac{1}{1+t^2}dt$의 값을 구하여라.

3 정적분과 급수

01 | 구분구적법

모든 다각형의 넓이는 삼각형으로 쪼개서 계산할 수 있다.
그렇다면 곡선으로 둘러싸인 도형의 넓이는 어떻게 구할
까? 바로 이때 구분구적법이 등장한다.

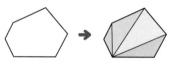

원의 넓이 공식은 πr^2이다. 여기서 이 공식을 증명해 보자.
원은 삼각형으로 쪼개지지 않는다.
발상의 전환이 필요하다. 다음과 같이 하자.

(1) 원에 내접한 정n각형의 넓이를 구한다.
(2) n을 ∞로 보낸다.

아래 그림을 보자. n이 커짐에 따라 다각형이 원에 접근함을 알 수 있다.
즉, 위의 두 과정을 거치고 나면 진짜 원의 넓이가 나온다.

(1) 자, 그럼 원에 내접한 정n각형의 넓이를 구하자.

정n각형을 오른쪽 그림과 같이 쪼갠다. n개의 삼각형으로 쪼개졌다.

삼각형 1개의 넓이는 $\dfrac{1}{2}ah$

따라서 정n각형의 넓이는 $S_n = \dfrac{1}{2}ah \times n = \dfrac{1}{2} \times na \times h$

(2) 이제, n을 ∞로 보내면 된다. 그럼 진짜 원의 넓이가 된다.

$$\lim_{n \to \infty} S_n = \lim_{n \to \infty} \left(\frac{1}{2} \times na \times h \right)$$

여기서 $n \to \infty$일 때, h는 반지름 r로 접근한다.
또, na는 다각형의 둘레의 길이이다.
따라서 $n \to \infty$일 때, na는 원의 둘레의 길이 $2\pi r$로 접근한다.

$$\therefore \lim_{n \to \infty} S_n = \lim_{n \to \infty} \left(\frac{1}{2} \times na \times h \right) = \frac{1}{2} \times 2\pi r \times r = \pi r^2$$

원의 넓이의 계산은 다음 두 단계를 거쳤다.

(1) S_n을 구한다.　　　　　　　　　　　(2) $\lim\limits_{n\to\infty} S_n$을 구한다.

이것이 바로 구분구적법.

즉, 곡선으로 둘러싸인 도형의 넓이를 구하기 위해 먼저 도형을 기본 도형으로 세분하여 기본
도형의 넓이의 합을 구한다.

그리고 $\lim$를 씌운다.

이 두 단계를 통해 진짜 넓이를 구하는 것이 바로 구분구적법이다.

> **구분구적법**
>
> 다음과 같은 방법으로 도형의 넓이나 부피를 구하는 것을 **구분구적법**이라 한다.
>
> (1) 주어진 도형을 n개의 기본 도형으로 세분한다.
>
> (2) n개의 기본 도형의 넓이의 합 S_n 또는 부피의 합 V_n을 구한다.
>
> (3) $\lim\limits_{n\to\infty} S_n$ 또는 $\lim\limits_{n\to\infty} V_n$을 구한다.

| 설명 |　아래 그림에서 모눈의 크기를 충분히 작게 하면 곡선 내부에 있는 정사각형의 넓이의 합은 도형의 넓이
에 한없이 가까워진다.

즉, 정사각형이 n개일 때 그 넓이의 합을 S_n이라 하면 $\lim\limits_{n\to\infty} S_n$은 도형의 진짜 넓이가 된다.

이와 같은 방법으로 도형의 넓이나 부피를 구하는 것을 구분구적법이라 한다.

| 참고 |　**구분구적법을 이용하여 곡선과 x축으로 둘러싸인 부분의 넓이 구하기**

구간 $[a,\ b]$에서 곡선 $y=f(x)$와 x축 사이의 넓이를 구분구적법으로 구
하는 방법은 두 가지가 있다.

(1) 오른쪽 끝점을 기준으로 하기

　① [그림 1]과 같이 구간 $[a,\ b]$를 n등분하고 n등분한 각 소구간의 오
　　른쪽 끝점을 기준으로 직사각형을 세워 준다.

　② 직사각형의 넓이의 합 S_n을 구한다.

　③ $\lim\limits_{n\to\infty} S_n$을 구한다.

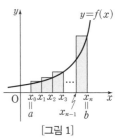

[그림 1]

(2) 왼쪽 끝점을 기준으로 하기

　① [그림 2]와 같이 구간 $[a,\ b]$를 n등분하고 n등분한 각 소구간의 왼
　　쪽 끝점을 기준으로 직사각형을 세워 준다.

　② 직사각형의 넓이의 합 S_n을 구한다.

　③ $\lim\limits_{n\to\infty} S_n$을 구한다.

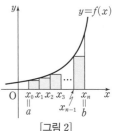

[그림 2]

오른쪽 끝점을 기준으로 하든 왼쪽 끝점을 기준으로 하든 어느 방법을 택
해도 결과는 같다.

480 곡선 $y=x^2$과 직선 $x=1$ 및 x축으로 둘러싸인 부분의 넓이 S를 구분구적법으로 구하여라.

풍산자日 n개의 직사각형의 넓이의 합 S_n을 구한 후, $\lim\limits_{n \to \infty} S_n$을 구하면 된다.

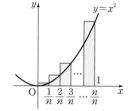

▶ 풀이 오른쪽 그림과 같이 구간 $[0, 1]$을 n등분하면 양 끝점을 포함한 각 분점의 x좌표는

$$0=\frac{0}{n}, \frac{1}{n}, \frac{2}{n}, \frac{3}{n}, \cdots, \frac{n}{n}=1 \impliedby \text{분점 사이의 거리는 } \frac{1}{n}$$

또, n등분한 소구간의 오른쪽 끝점을 기준으로 직사각형을 세우면 각 직사각형의 높이는

$$\left(\frac{1}{n}\right)^2, \left(\frac{2}{n}\right)^2, \left(\frac{3}{n}\right)^2, \cdots, \left(\frac{n}{n}\right)^2$$

이들 직사각형의 넓이의 합을 S_n이라 하면

$$S_n=\frac{1}{n}\times\left(\frac{1}{n}\right)^2+\frac{1}{n}\times\left(\frac{2}{n}\right)^2+\frac{1}{n}\times\left(\frac{3}{n}\right)^2+\cdots+\frac{1}{n}\times\left(\frac{n}{n}\right)^2$$

$$=\frac{1}{n^3}(1^2+2^2+3^2+\cdots+n^2)$$

$$=\frac{1}{n^3}\times\frac{n(n+1)(2n+1)}{6}$$

$$=\frac{n(n+1)(2n+1)}{6n^3}$$

따라서 구하는 넓이 S는

$$S=\lim_{n\to\infty}S_n=\lim_{n\to\infty}\frac{n(n+1)(2n+1)}{6n^3}=\frac{1}{3}$$

▶ 다른 풀이 오른쪽 그림과 같이 왼쪽 끝점을 기준으로 직사각형을 세우고, 이들의 넓이의 합을 $S_n{}'$이라 하면

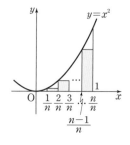

$$S_n{}'=\frac{1}{n}\times\left(\frac{1}{n}\right)^2+\frac{1}{n}\times\left(\frac{2}{n}\right)^2+\frac{1}{n}\times\left(\frac{3}{n}\right)^2$$

$$+\cdots+\frac{1}{n}\times\left(\frac{n-1}{n}\right)^2$$

$$=\frac{1}{n^3}\times\frac{(n-1)n(2n-1)}{6}$$

$$=\frac{(n-1)n(2n-1)}{6n^3}$$

$$\therefore S=\lim_{n\to\infty}S_n{}'=\lim_{n\to\infty}\frac{(n-1)n(2n-1)}{6n^3}=\frac{1}{3}$$

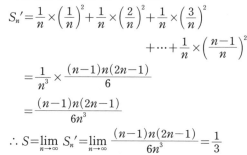

정답과 풀이 **81**쪽

유제 **481** 곡선 $y=x^3$과 직선 $x=1$ 및 x축으로 둘러싸인 부분의 넓이 S를 구분구적법으로 구하여라.

482 밑면인 원의 반지름의 길이가 r이고, 높이가 h인 원뿔의 부피 V를 구분구적법으로 구하여라.

풍산자터 n개의 원기둥의 부피의 합 V_n을 구한 후, $\lim\limits_{n\to\infty} V_n$을 구하면 된다.

> **풀이** 오른쪽 그림과 같이 원뿔의 높이를 n등분하여 n개의 원기둥을 만들면 각 원기둥의 높이는 $\dfrac{h}{n}$이고, 밑면의 반지름의 길이는 위에서부터 차례로

$$\frac{r}{n},\ \frac{2r}{n},\ \frac{3r}{n},\ \cdots,\ \frac{nr}{n}$$

이들 원기둥의 부피의 합을 V_n이라 하면

$$V_n = \pi\left(\frac{r}{n}\right)^2 \times \frac{h}{n} + \pi\left(\frac{2r}{n}\right)^2 \times \frac{h}{n} + \pi\left(\frac{3r}{n}\right)^2 \times \frac{h}{n}$$
$$+ \cdots + \pi\left(\frac{nr}{n}\right)^2 \times \frac{h}{n}$$
$$= \frac{\pi r^2 h}{n^3}(1^2 + 2^2 + 3^2 + \cdots + n^2) = \frac{\pi r^2 h}{n^3} \times \frac{n(n+1)(2n+1)}{6}$$
$$= \frac{\pi r^2 h(n+1)(2n+1)}{6n^2}$$
$$\therefore V = \lim_{n\to\infty} V_n = \lim_{n\to\infty} \frac{\pi r^2 h(n+1)(2n+1)}{6n^2} = \frac{1}{3}\pi r^2 h$$

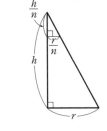

> **다른 풀이** 오른쪽 그림과 같이 원뿔의 높이를 n등분하여 $(n-1)$개의 원기둥을 만들면 각 원기둥의 밑면의 반지름의 길이는 위에서부터 차례로

$$\frac{r}{n},\ \frac{2r}{n},\ \frac{3r}{n},\ \cdots,\ \frac{(n-1)r}{n}$$

이들 원기둥의 부피의 합을 $V_n{}'$이라 하면

$$V_n{}' = \pi\left(\frac{r}{n}\right)^2 \times \frac{h}{n} + \pi\left(\frac{2r}{n}\right)^2 \times \frac{h}{n} + \pi\left(\frac{3r}{n}\right)^2 \times \frac{h}{n}$$
$$+ \cdots + \pi\left\{\frac{(n-1)r}{n}\right\}^2 \times \frac{h}{n}$$
$$= \frac{\pi r^2 h}{n^3}\{1^2 + 2^2 + 3^2 + \cdots + (n-1)^2\}$$
$$= \frac{\pi r^2 h}{n^3} \times \frac{(n-1)n(2n-1)}{6} = \frac{\pi r^2 h(n-1)(2n-1)}{6n^2}$$
$$\therefore V = \lim_{n\to\infty} V_n{}' = \lim_{n\to\infty} \frac{\pi r^2 h(n-1)(2n-1)}{6n^2} = \frac{1}{3}\pi r^2 h$$

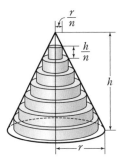

정답과 풀이 **82쪽**

유제 **483** 밑면은 한 변의 길이가 a인 정사각형이고, 높이가 h인 정사각뿔의 부피를 구분구적법으로 구하여라.

풍산자 비법

구분구적법 사용 시 Key Point ➡ 넓이 또는 부피를 구하기 쉬운 기본 도형으로 설정

[1] 급수의 합을 이용한 정적분의 정의

함수 $f(x)$가 닫힌구간 $[a, b]$에서 연속일 때, $f(x)$의 한 부정적분 $F(x)$에 대하여 $f(x)$의 a에서 b까지의 정적분을 $\int_a^b f(x)dx=\left[F(x)\right]_a^b=F(b)-F(a)$라 하였다.

또, 곡선 $y=f(x)$와 x축 및 두 직선 $x=a$, $x=b$로 둘러싸인 도형의 넓이 S는

$$S=\int_a^b |f(x)|dx였다.$$

이처럼 정적분과 넓이는 밀접한 관련이 있다.

그렇다. 정적분이란 앞에서 배운 구분구적법을 체계적으로 정리해 놓은 것에 불과하다.

미적분학의 창시자들인 뉴턴과 라이프니츠는 부정적분을 이용해 넓이를 아주 쉽게 계산하는 방법을 알아냈는데, 바로 이 부분이 구분구적법에서 정적분으로 변신하는 순간이다.

그 방법이 바로 미적분의 기본 정리, 즉 위에서 표현한 정적분의 정의이다.

정적분은 구분구적법과 급수의 합을 이용하여 다음과 같이 나타낼 수도 있다.

> **급수의 합을 이용한 정적분의 정의** 중요
>
> 함수 $f(x)$가 닫힌구간 $[a, b]$에서 연속일 때,
>
> $$\int_a^b f(x)dx=\lim_{n\to\infty}\sum_{k=1}^n f(x_k)\Delta x \left(\text{단, } \Delta x=\frac{b-a}{n}, \ x_k=a+k\Delta x\right)$$
>
> 를 함수 $f(x)$의 a에서 b까지의 정적분이라 한다.

| 설명 |　구분구적법으로 곡선 $y=f(x)$와 x축 및 두 직선 $x=a$, $x=b$로 둘러싸인 도형의 넓이 S를 구해 보자.

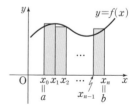

닫힌구간 $[a, b]$를 n등분하여 양 끝점과 각 등분점의 x좌표를 차례로

$$x_0(=a), \ x_1, \ x_2, \ \cdots, \ x_{n-1}, \ x_n(=b)$$

이라 하고, 각 소구간의 길이를 $\Delta x=\frac{b-a}{n}$라 하자.

오른쪽 그림과 같이 각 소구간의 오른쪽 끝점에서의 함숫값을 높이로 하는 직사각형의 넓이의 합을 S_n이라 하면

$$S_n=f(x_1)\Delta x+f(x_2)\Delta x+\cdots+f(x_n)\Delta x=\sum_{k=1}^n f(x_k)\Delta x$$

따라서 구하는 넓이는 $S=\lim_{n\to\infty} S_n=\lim_{n\to\infty}\sum_{k=1}^n f(x_k)\Delta x$

이 극한값을 함수 $f(x)$의 a에서 b까지의 정적분이라 하고, $\int_a^b f(x)dx$와 같이 나타낸다.

| 참고 |　급수의 합으로 나타낸 정적분의 정의에서 각 부분은 다음과 같은 의미를 가지고 있다.

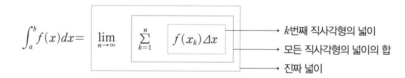

$$\int_a^b f(x)dx= \quad \lim_{n\to\infty} \quad \sum_{k=1}^n \quad f(x_k)\Delta x$$

→ k번째 직사각형의 넓이
→ 모든 직사각형의 넓이의 합
→ 진짜 넓이

[2] 정적분과 급수의 합의 관계

급수의 계산은 복잡하다. 정적분의 계산은 간단하다. 급수를 정적분으로 고치면?

그렇게만 된다면 어려운 급수의 계산이 쉬운 정적분으로 변한다.

이 단원의 핵심은 바로 이 급수를 정적분으로 고치는 비법을 터득하는 것.

정적분과 급수의 합의 관계 중요

(1) $\displaystyle\lim_{n\to\infty}\sum_{k=1}^{n}f\left(a+\frac{(b-a)k}{n}\right)\times\frac{b-a}{n}=\int_{a}^{b}f(x)dx$ ← 정적분의 정의

(2) $\displaystyle\lim_{n\to\infty}\sum_{k=1}^{n}f\left(a+\frac{pk}{n}\right)\times\frac{p}{n}=\int_{a}^{a+p}f(x)dx$ ← (1)에서 $b-a=p$

(3) $\displaystyle\lim_{n\to\infty}\sum_{k=1}^{n}f\left(\frac{pk}{n}\right)\times\frac{p}{n}=\int_{0}^{b}f(x)dx$ ← (2)에서 $a=0$, 아래끝이 0에 고정

(4) $\displaystyle\lim_{n\to\infty}\sum_{k=1}^{n}f\left(\frac{k}{n}\right)\times\frac{1}{n}=\int_{0}^{1}f(x)dx$ ← (3)에서 $p=1$, 적분구간이 $[0, 1]$로 고정

$\displaystyle\lim_{n\to\infty}\sum_{k=1}^{n}f(x_k)\varDelta x=\int_{a}^{b}f(x)dx$에 의해 급수는 다음과 같은 대응으로 정적분으로 바뀐다고 생각할 수 있다.

$$\lim_{n\to\infty}\sum_{k=1}^{n} \;\Rightarrow\; \int_{a}^{b}, \quad x_k \;\Rightarrow\; x, \quad \varDelta x \;\Rightarrow\; dx$$

여기서 알 수 있는 것처럼 급수를 정적분으로 바꿀 때는 '아래끝과 위끝, x로 바뀌는 것, dx로 바뀌는 것'의 3가지만 찾아내면 된다. 먼저 무엇을 x로 바꿀지 결정한다.

무엇을 x로 놓느냐에 따라 dx, 아래끝, 위끝이 다음과 같이 자동으로 결정된다.

① dx ➡ k의 계수 ② 아래끝 ➡ $k=0$일 때의 값 ③ 위끝 ➡ $k=n$일 때의 값

| 개념확인 |

급수 $\displaystyle\lim_{n\to\infty}\sum_{k=1}^{n}\left(1+\frac{8k}{n}\right)^3\times\frac{8}{n}$을 정적분으로 나타내어 보자.

➤ 풀이   (1) $1+\dfrac{8k}{n}$를 x로 바꾸는 경우

    ① dx ➡ k의 계수인 $\dfrac{8}{n}$

    ② 아래끝 ➡ $k=0$일 때의 값인 1

    ③ 위끝   ➡ $k=n$일 때의 값인 9

$$\lim_{n\to\infty}\sum_{k=1}^{n}\left(1+\boxed{\frac{8k}{n}}\right)^3\times\boxed{\frac{8}{n}}$$
$$\int_{1}^{9} \qquad x \qquad dx$$
$$=\int_{1}^{9}x^3 dx$$

  (2) $\dfrac{8k}{n}$를 x로 바꾸는 경우

    ① dx ➡ k의 계수인 $\dfrac{8}{n}$

    ② 아래끝 ➡ $k=0$일 때의 값인 0

    ③ 위끝   ➡ $k=n$일 때의 값인 8

$$\lim_{n\to\infty}\sum_{k=1}^{n}\left(1+\boxed{\frac{8k}{n}}\right)^3\boxed{\frac{8}{n}}$$
$$\int_{0}^{8} \qquad x \qquad dx$$
$$=\int_{0}^{8}(1+x)^3 dx$$

  (3) $\dfrac{k}{n}$를 x로 바꾸는 경우

    ① dx ➡ k의 계수인 $\dfrac{1}{n}$

    ② 아래끝 ➡ $k=0$일 때의 값인 0

    ③ 위끝   ➡ $k=n$일 때의 값인 1

$$\lim_{n\to\infty}\sum_{k=1}^{n}\left(1+8\times\boxed{\frac{k}{n}}\right)^3\times 8\times\boxed{\frac{1}{n}}$$
$$\int_{0}^{1} \qquad x \qquad dx$$
$$=\int_{0}^{1}\{(1+8x)^3\times 8\}dx$$

484 정적분을 이용하여 다음 극한값을 구하여라.

(1) $\lim\limits_{n\to\infty}\sum\limits_{k=1}^{n}\left(1+\dfrac{3k}{n}\right)^2\times\dfrac{2}{n}$

(2) $\lim\limits_{n\to\infty}\sum\limits_{k=1}^{n}\left(\dfrac{2k}{n}\right)^3\times\dfrac{3}{n}$

(3) $\lim\limits_{n\to\infty}\dfrac{1}{n}\sum\limits_{k=1}^{n}\sqrt[n]{e^{2k}}$

(4) $\lim\limits_{n\to\infty}\dfrac{1}{n^2}\sum\limits_{k=1}^{n}k\sin\dfrac{k\pi}{n}$

풍산자팁 무엇을 x로 놓느냐에 따라 dx, 아래끝, 위끝이 다음과 같이 자동으로 결정된다.

① dx ➡ k의 계수   ② 아래끝 ➡ $k=0$일 때의 값   ③ 위끝 ➡ $k=n$일 때의 값

풀이 (1) ( ) 안의 k의 계수가 $\dfrac{3}{n}$이다. ( ) 밖에도 반드시 $\dfrac{3}{n}$이 있어야 한다.

따라서 ( ) 밖의 $\dfrac{2}{n}$를 $\dfrac{3}{n}$으로 조정해 주어야 한다.

$1+\dfrac{3k}{n}$를 x로 바꾸면 $\dfrac{3}{n}$은 dx가 되고 적분구간은 구간 $[1,\,4]$가 되므로

$\lim\limits_{n\to\infty}\sum\limits_{k=1}^{n}\left(1+\dfrac{3k}{n}\right)^2\times\dfrac{2}{n}=\lim\limits_{n\to\infty}\sum\limits_{k=1}^{n}\left(1+\dfrac{3k}{n}\right)^2\times\dfrac{3}{n}\times\dfrac{2}{3}=\dfrac{2}{3}\lim\limits_{n\to\infty}\sum\limits_{k=1}^{n}\left(1+\dfrac{3k}{n}\right)^2\times\dfrac{3}{n}$

$=\dfrac{2}{3}\int_1^4 x^2 dx=\dfrac{2}{3}\left[\dfrac{1}{3}x^3\right]_1^4=\mathbf{14}$

(2) $\dfrac{2k}{n}$를 x로 바꾸면 $\dfrac{2}{n}$는 dx가 되고, 적분구간은 구간 $[0,\,2]$가 되므로

$\lim\limits_{n\to\infty}\sum\limits_{k=1}^{n}\left(\dfrac{2k}{n}\right)^3\times\dfrac{3}{n}=\lim\limits_{n\to\infty}\sum\limits_{k=1}^{n}\left(\dfrac{2k}{n}\right)^3\times\dfrac{2}{n}\times\dfrac{3}{2}=\dfrac{3}{2}\lim\limits_{n\to\infty}\sum\limits_{k=1}^{n}\left(\dfrac{2k}{n}\right)^3\times\dfrac{2}{n}$

$=\dfrac{3}{2}\int_0^2 x^3 dx=\dfrac{3}{2}\left[\dfrac{1}{4}x^4\right]_0^2=\mathbf{6}$

(3) $\lim\limits_{n\to\infty}\dfrac{1}{n}\sum\limits_{k=1}^{n}\sqrt[n]{e^{2k}}=\dfrac{1}{2}\lim\limits_{n\to\infty}\sum\limits_{k=1}^{n}e^{\frac{2k}{n}}\times\dfrac{2}{n}$에서

$\dfrac{2k}{n}$를 x로 바꾸면 $\dfrac{2}{n}$는 dx가 되고 적분구간은 구간 $[0,\,2]$가 되므로

(주어진 식)$=\dfrac{1}{2}\int_0^2 e^x dx=\dfrac{1}{2}\left[e^x\right]_0^2=\dfrac{1}{2}(e^2-1)$

(4) $\lim\limits_{n\to\infty}\dfrac{1}{n^2}\sum\limits_{k=1}^{n}k\sin\dfrac{k\pi}{n}=\lim\limits_{n\to\infty}\sum\limits_{k=1}^{n}\dfrac{k}{n}\sin\dfrac{k\pi}{n}\times\dfrac{1}{n}$에서

$\dfrac{k}{n}$를 x로 바꾸면 $\dfrac{1}{n}$은 dx가 되고 적분구간은 구간 $[0,\,1]$이 되므로

(주어진 식)$=\int_0^1 x\sin\pi x\,dx$

$f(x)=x$, $g'(x)=\sin\pi x$라 하면 $f'(x)=1$, $g(x)=-\dfrac{1}{\pi}\cos\pi x$이므로

(주어진 식)$=\int_0^1 x\sin\pi x\,dx=\left[-\dfrac{1}{\pi}x\cos\pi x\right]_0^1-\int_0^1\left(-\dfrac{1}{\pi}\cos\pi x\right)dx$

$=\dfrac{1}{\pi}+\left[\dfrac{1}{\pi^2}\sin\pi x\right]_0^1=\dfrac{1}{\pi}$

정답과 풀이 **82**쪽

유제 **485** 정적분을 이용하여 다음 극한값을 구하여라.

(1) $\lim\limits_{n\to\infty}\sum\limits_{k=1}^{n}\left(1+\dfrac{2k}{n}\right)^3\times\dfrac{7}{n}$

(2) $\lim\limits_{n\to\infty}\sum\limits_{k=1}^{n}\left(\dfrac{3k}{n}\right)^2\times\dfrac{2}{n}$

(3) $\lim\limits_{n\to\infty}\dfrac{1}{n^2}\sum\limits_{k=1}^{n}k\sqrt[n]{e^k}$

(4) $\lim\limits_{n\to\infty}\dfrac{1}{n^2}\sum\limits_{k=1}^{n}k\cos\dfrac{k\pi}{n}$

486 정적분을 이용하여 다음 극한값을 구하여라.

(1) $\lim\limits_{n\to\infty} \dfrac{1^4+2^4+3^4+\cdots+n^4}{n^5}$

(2) $\lim\limits_{n\to\infty} \dfrac{(n+1)^3+(n+2)^3+(n+3)^3+\cdots+(2n)^3}{n^4}$

(3) $\lim\limits_{n\to\infty}\left(\dfrac{n}{n^2+1^2}+\dfrac{n}{n^2+2^2}+\dfrac{n}{n^2+3^2}+\cdots+\dfrac{n}{n^2+n^2}\right)$

풍산자팁 일단 합으로 표현된 $a_1+a_2+a_3+\cdots+a_n$인 부분을 $\sum$로 고친 후 딴 생각을 한다.

$\sum$로 고치는 요령 ➡ 규칙적으로 변하는 부분을 k에 대한 식으로 나타낸다.

▶ 풀이

(1) (주어진 식)$=\lim\limits_{n\to\infty}\sum\limits_{k=1}^{n}k^4\times\dfrac{1}{n^5}=\lim\limits_{n\to\infty}\sum\limits_{k=1}^{n}\left(\dfrac{k}{n}\right)^4\times\dfrac{1}{n}=\displaystyle\int_0^1 x^4 dx=\left[\dfrac{1}{5}x^5\right]_0^1=\boldsymbol{\dfrac{1}{5}}$

(2) $(n+1)^3+(n+2)^3+(n+3)^3+\cdots+(2n)^3=\sum\limits_{k=1}^{n}(n+k)^3$이므로

(주어진 식)$=\lim\limits_{n\to\infty}\sum\limits_{k=1}^{n}(n+k)^3\times\dfrac{1}{n^4}=\lim\limits_{n\to\infty}\sum\limits_{k=1}^{n}\dfrac{(n+k)^3}{n^3}\times\dfrac{1}{n}=\lim\limits_{n\to\infty}\sum\limits_{k=1}^{n}\left(1+\dfrac{k}{n}\right)^3\times\dfrac{1}{n}$

$=\displaystyle\int_1^2 x^3 dx=\left[\dfrac{1}{4}x^4\right]_1^2=\boldsymbol{\dfrac{15}{4}}$

(3) (주어진 식)$=\lim\limits_{n\to\infty}\sum\limits_{k=1}^{n}\dfrac{n}{n^2+k^2}=\lim\limits_{n\to\infty}\sum\limits_{k=1}^{n}\dfrac{1}{1+\left(\dfrac{k}{n}\right)^2}\times\dfrac{1}{n}=\displaystyle\int_0^1\dfrac{1}{1+x^2}dx$

$x=\tan\theta\left(-\dfrac{\pi}{2}<\theta<\dfrac{\pi}{2}\right)$로 놓으면 $dx=\sec^2\theta\,d\theta$

$x=0$일 때 $\theta=0$, $x=1$일 때 $\theta=\dfrac{\pi}{4}$이므로

(주어진 식)$=\displaystyle\int_0^{\frac{\pi}{4}}\dfrac{1}{1+\tan^2\theta}\times\sec^2\theta\,d\theta=\int_0^{\frac{\pi}{4}}\dfrac{1}{\sec^2\theta}\times\sec^2\theta\,d\theta$

$=\displaystyle\int_0^{\frac{\pi}{4}}d\theta=\left[\theta\right]_0^{\frac{\pi}{4}}=\boldsymbol{\dfrac{\pi}{4}}$

정답과 풀이 **83**쪽

유제 487 정적분을 이용하여 다음 극한값을 구하여라.

(1) $\lim\limits_{n\to\infty}\dfrac{1^5+2^5+3^5+\cdots+n^5}{n^6}$

(2) $\lim\limits_{n\to\infty}\dfrac{(3n+1)^3+(3n+2)^3+(3n+3)^3+\cdots+(4n)^3}{n^4}$

(3) $\lim\limits_{n\to\infty}\left(\dfrac{1}{n^2+1^2}+\dfrac{2}{n^2+2^2}+\dfrac{3}{n^2+3^2}+\cdots+\dfrac{n}{n^2+n^2}\right)$

🧙 풍산자 비법

$\lim\limits_{n\to\infty}\sum\limits_{k=1}^{n}f(x_k)\varDelta x=\displaystyle\int_a^b f(x)dx$에 의해 급수는 다음과 같은 대응으로 정적분으로 바뀐다고 생각하자.

$\lim\limits_{n\to\infty}\sum\limits_{k=1}^{n}$ ➡ $\displaystyle\int_a^b$, x_k ➡ x, $\varDelta x$ ➡ dx

488

곡선 $y=x^2$과 x축 및 직선 $x=2$로 둘러싸인 도형의 넓이를 구분구적법을 이용하여 구하여라.

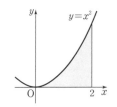

489

급수 $\displaystyle\lim_{x\to\infty}\sum_{k=1}^{n}f\left(2+\frac{3k}{n}\right)\times\frac{5}{n}$를 정적분으로 나타낼 때, 다음 중 옳지 <u>않은</u> 것은?

① $5\displaystyle\int_{0}^{1}f(2+3x)dx$　　② $\dfrac{5}{3}\displaystyle\int_{0}^{3}f(2+x)dx$

③ $5\displaystyle\int_{2}^{3}f(x)dx$　　④ $\dfrac{5}{3}\displaystyle\int_{2}^{5}f(x)dx$

⑤ $5\displaystyle\int_{2}^{3}f(3x-4)dx$

490

함수 $f(x)=e^{2x}$에 대하여 $\displaystyle\lim_{n\to\infty}\sum_{k=1}^{n}f\left(\frac{k}{n}\right)\times\frac{4}{n}$의 값을 구하여라.

491

이차함수 $y=f(x)$의 그래프는 그림과 같고 $f(0)=0$, $f(3)=0$, $f'(1)=1$일 때, $\displaystyle\lim_{n\to\infty}\frac{6}{n}\sum_{k=1}^{n}f\left(\frac{k}{n}\right)$의 값을 구하여라.

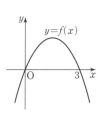

492

함수 $f(x)=2e^x-ax$에 대하여 $\displaystyle\lim_{n\to\infty}\frac{1}{n}\sum_{k=1}^{n}f\left(\frac{2}{n}k\right)=f(2)$일 때, 상수 a의 값을 구하여라.

중단원 마무리

▶ 여러 가지 함수의 정적분

정적분의 성질	(1) $\int_a^a f(x)dx=0$ (2) $\int_b^a f(x)dx=-\int_a^b f(x)dx$ (3) $\int_a^b f(x)dx=\int_a^b f(t)dt$ (4) $\int_a^b kf(x)dx=k\int_a^b f(x)dx$ (단, k는 상수) (5) $\int_a^b f(x)dx\pm\int_a^b g(x)dx=\int_a^b \{f(x)\pm g(x)\}dx$ (복부호 동순) (6) $\int_a^c f(x)dx+\int_c^b f(x)dx=\int_a^b f(x)dx$
우함수, 기함수, 주기함수	(1) $f(x)$가 우함수 $\Rightarrow \int_{-a}^a f(x)dx=2\int_0^a f(x)dx$ (2) $f(x)$가 기함수 $\Rightarrow \int_{-a}^a f(x)dx=0$ (3) $f(x)$의 주기가 p $\Rightarrow \int_a^b f(x)dx=\int_{a+p}^{b+p} f(x)dx$, $\int_a^{a+p} f(x)dx=\int_b^{b+p} f(x)dx$
치환적분법	$f(x)$: 구간 $[a,\ b]$에서 연속이고 $x=g(t)$ 미분가능 $g'(t)$: 구간 $[a,\ \beta]$에서 연속이고 $a=g(\alpha),\ b=g(\beta)$ $\Rightarrow \int_a^b f(x)dx=\int_\alpha^\beta f(g(t))g'(t)dt$
삼각치환법	(1) $\sqrt{a^2-x^2}$, $\dfrac{1}{\sqrt{a^2-x^2}}$ $(a>0)$의 꼴 $\Rightarrow x=a\sin\theta \left(-\dfrac{\pi}{2}\leq\theta\leq\dfrac{\pi}{2}\right)$로 치환 (2) $\dfrac{1}{a^2+x^2}$ $(a>0)$의 꼴 $\Rightarrow x=a\tan\theta \left(-\dfrac{\pi}{2}<\theta<\dfrac{\pi}{2}\right)$로 치환
부분적분법	$f(x),\ g(x)$는 미분가능하고, $f'(x),\ g'(x)$는 닫힌구간 $[a,\ b]$에서 연속이면 $\Rightarrow \int_a^b f(x)g'(x)dx=\Big[f(x)g(x)\Big]_a^b-\int_a^b f'(x)g(x)dx$

▶ 정적분으로 정의된 함수

정적분의 미분	(1) $\dfrac{d}{dx}\int_a^x f(t)dt=f(x)$ (단, a는 상수) (2) $\dfrac{d}{dx}\int_x^{x+a} f(t)dt=f(x+a)-f(x)$
정적분의 등식	$A=B+\int_a^b f(t)dt$의 꼴 $\Rightarrow \int_a^b f(t)dt=k$ (k는 상수)로 놓기. $A=B+\int_a^x f(t)dt$의 꼴 $\Rightarrow$ (ⅰ) 양변을 x에 대하여 미분 (ⅱ) 양변에 $x=a$를 대입
정적분의 극한	(1) $\displaystyle\lim_{x\to a} \dfrac{1}{x-a}\int_a^x f(t)dt=f(a)$ (2) $\displaystyle\lim_{x\to 0} \dfrac{1}{x}\int_a^{x+a} f(t)dt=f(a)$

▶ 정적분과 급수

정적분과 급수	(1) $\displaystyle\lim_{n\to\infty}\sum_{k=1}^n f\left(a+\dfrac{(b-a)k}{n}\right)\times\dfrac{b-a}{n}=\int_a^b f(x)dx$ (2) $\displaystyle\lim_{n\to\infty}\sum_{k=1}^n f\left(a+\dfrac{pk}{n}\right)\times\dfrac{p}{n}=\int_a^{a+p} f(x)dx$ (3) $\displaystyle\lim_{n\to\infty}\sum_{k=1}^n f\left(\dfrac{pk}{n}\right)\times\dfrac{p}{n}=\int_0^p f(x)dx$ (4) $\displaystyle\lim_{n\to\infty}\sum_{k=1}^n f\left(\dfrac{k}{n}\right)\times\dfrac{1}{n}=\int_0^1 f(x)dx$

실전 연습문제

STEP 1

493
함수 $f(x)=x\cos 2x$에 대하여 정적분
$\displaystyle\int_0^2 f(x)dx-\int_\pi^2 f(x)dx$의 값을 구하여라.

494
$\displaystyle\int_0^a \frac{e^{2x}}{e^x-1}dx+\int_a^0 \frac{1}{e^x-1}dx=e^3+2$일 때, 양수
a의 값을 구하여라.

495
함수 $f(x)=\begin{cases} e^{-x} & (x\leq 0) \\ 1-\sin 2x & (x\geq 0) \end{cases}$ 에 대하여
$\displaystyle\int_{-\pi}^{\frac{\pi}{2}} f(x)dx$의 값을 구하여라.

496
정적분 $\displaystyle\int_0^{\frac{\pi}{2}} |\sin 2x-\cos x|\,dx$의 값을 구하여라.

497
정적분 $\displaystyle\int_{-\pi}^{\pi} (-x|x|+\sin 2x+3x^2)dx$의 값은?

① 0   ② π^2 ③ $2\pi^2$

④ π^3 ⑤ $2\pi^3$

498
$\displaystyle\int_{-\frac{\pi}{6}}^{\frac{\pi}{6}} (x-\sin 2x+k)\cos 3x\,dx=2$일 때, 상수
k의 값을 구하여라.

499

연속함수 $f(x)$의 닫힌구간 $[0, 2]$에서의 그래프가 그림과 같고, 함수 $f(x)$가 임의의 실수 x에 대하여 다음 조건을 만족시킬 때, $\int_{-10}^{10} f(x)dx$의 값을 구하여라.

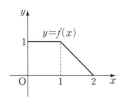

> (가) $f(-x)=f(x)$ (나) $f(x+4)=f(x)$

500

함수 $f(x)=x^2+2\cos x$에 대하여

$G(x)=\int_0^x (x-t)f'(t)dt$일 때, $G'(x)$를 구하여라.

501

$\displaystyle\lim_{x\to 1}\frac{1}{x-1}\int_1^{x^2}\left(e^t+\ln t+\sin\frac{\pi}{2}t\right)dt$의 값은?

① $e-1$ ② $e+1$ ③ $e+2$

④ $2(e-1)$ ⑤ $2(e+1)$

502

정적분을 이용하여 $\displaystyle\lim_{n\to\infty}\sum_{k=1}^n \frac{k}{n^3}\sqrt{n^2-k^2}$의 값을 구하여라.

STEP2

503

임의의 실수 a에 대하여 정적분

$\int_a^{a+\pi}|\sin 2x|dx$의 값을 구하여라.

504

$0\le x\le 4$에서 정의된 함수 $y=f(x)$의 그래프가 그림과 같을 때, $\int_2^3 f(2x-3)dx$의 값을 구하여라.

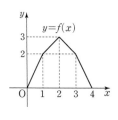

505

$\displaystyle\int_0^k \frac{1}{k^2+x^2}\,dx=\frac{\pi}{16}$ 일 때, 양수 k의 값을 구하여라.

506

$f(x)=e^x+\displaystyle\int_0^1 f(t)dt+\int_0^2 f(t)dt$를 만족시키는 함수 $f(x)$를 구하여라.

507

미분가능한 함수 $f(x)$가

$$xf(x)+3x=\int_e^x f(t)dt$$

를 만족시킬 때, $f\left(\dfrac{1}{e}\right)$의 값을 구하여라.

508

$x>0$에서 함수 $f(x)=\displaystyle\int_{e^x}^{e^{2x}} \frac{\ln t}{t^2}\,dt$는 $x=a$일 때, 극댓값을 가진다. 상수 a의 값을 구하여라.

509

$0<x<\pi$에서 함수

$$f(x)=\int_0^x (1-2\sin t)\cos t\,dt$$

의 극댓값을 M, 극솟값을 m이라 할 때, $M+m$의 값을 구하여라.

510

$\overline{\mathrm{AB}}=2$, $\overline{\mathrm{BC}}=1$, $\angle\mathrm{B}=90°$인 직각삼각형 ABC가 있다. 변 AB를 n등분한 점을 그림과 같이 B_1, B_2, B_3, $\cdots$, B_{n-1}이라 하고, 각 점에서 변 BC에 평행하게 직선을 그어 변 AC와 만나는 점을 각각 C_1, C_2, C_3, $\cdots$, C_{n-1}이라 할 때, $\displaystyle\lim_{n\to\infty}\frac{2\pi}{n}\sum_{k=1}^{n-1}\overline{\mathrm{B}_k\mathrm{C}_k}^2$의 값을 구하여라.

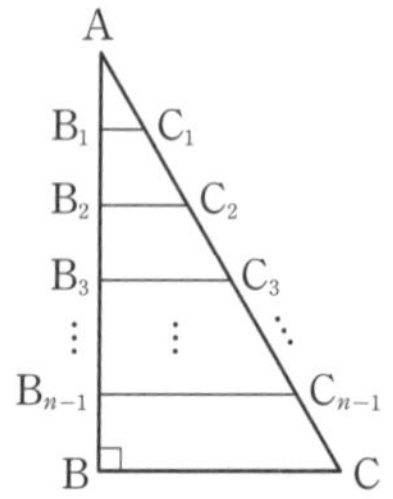

3

정적분의 활용

정적분의 계산이 익숙해졌다면
정적분의 고향인 넓이, 부피로 돌아가
그 활용을 배워 보자.

1 도형의 넓이

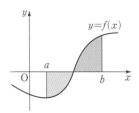

$$S=\int_a^b |f(x)|\,dx$$

2 입체도형의 부피

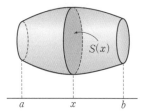

$$V=\int_a^b S(x)\,dx$$

3 속도와 거리

$$s=\int_a^b |\vec{v}|\,dt=\int_a^b \sqrt{\left(\frac{dx}{dt}\right)^2+\left(\frac{dy}{dt}\right)^2}\,dt=\int_a^b \sqrt{\{f'(t)\}^2+\{g'(t)\}^2}\,dt$$

1 도형의 넓이

01 | 곡선과 좌표축 사이의 넓이

우리는 [수학Ⅱ]에서 곡선과 좌표축 사이의 넓이를 구할 때에는 곡선이 좌표축의 어느 쪽에
있는지가 중요함을 이미 배웠다.

이 단원에서는 곡선이 다양해질 뿐, 그 원리는 같다.

> **곡선과 x축 사이의 넓이**
> 함수 $y=f(x)$가 닫힌구간 $[a,\ b]$에서 연속일 때, 곡선 $y=f(x)$와
> x축 및 두 직선 $x=a$, $x=b$로 둘러싸인 도형의 넓이 S는 다음과 같다.
> $$S=\int_a^b |f(x)|\,dx \quad \text{중요}$$

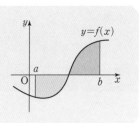

| 설명 |

(1) 곡선이 x축의 위쪽

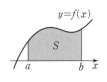

(넓이)=(정적분)

➡ $S=\displaystyle\int_a^b f(x)dx$

(2) 곡선이 x축의 아래쪽

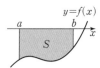

(넓이)=-(정적분)

➡ $S=-\displaystyle\int_a^b f(x)dx$

(3) 일반적인 경우

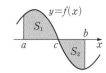

➡ $S=\displaystyle\int_a^b |f(x)|\,dx \leftarrow S_1+S_2$

> **곡선과 y축 사이의 넓이**
> 함수 $x=g(y)$가 닫힌구간 $[a,\ b]$에서 연속일 때, 곡선 $x=g(y)$와 y축
> 및 두 직선 $y=a$, $y=b$로 둘러싸인 도형의 넓이 S는 다음과 같다.
> $$S=\int_a^b |g(y)|\,dy$$

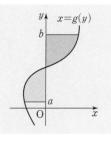

| 설명 |

(1) 곡선이 y축의 오른쪽

(넓이)=(정적분)

➡ $S=\displaystyle\int_a^b f(y)dy$

(2) 곡선이 y축의 왼쪽

(넓이)=-(정적분)

➡ $S=-\displaystyle\int_a^b f(y)dy$

(3) 일반적인 경우

➡ $S=\displaystyle\int_a^b |f(y)|\,dy \leftarrow S_1+S_2$

---

511 다음을 구하여라.

(1) 곡선 $y=\dfrac{1}{x}$과 x축 및 두 직선 $x=1$, $x=e$로 둘러싸인 도형의 넓이

(2) 곡선 $y=\sin x\ (0\leq x\leq 2\pi)$와 x축으로 둘러싸인 도형의 넓이

풍산자팁 곡선과 x축 사이의 넓이에서는 그래프가 x축의 위쪽에 있는지 아래쪽에 있는지가 중요하다.

위쪽과 아래쪽의 경계는 x절편. x절편을 이용해 그래프를 그린다.

이때 그래프가 x축의 위쪽에 있는지, 아래쪽에 있는지만 궁금할 뿐 그래프의 자세한 모양은 전혀 알 필요가 없다.

그런데 각 구간에서 그래프가 x축의 위쪽에 있는지, 아래쪽에 있는지는 어떻게 판정할까?

➡ 각 구간에서 임의의 x의 값을 골라 식에 대입하여 양수이면 위쪽, 음수이면 아래쪽.

한편, 그래프의 x절편이 없는 경우는 그래프가 완전히 위쪽이나 아래쪽에 있는 것이다.

> 풀이　(1) 구하는 값은 오른쪽 그림의 색칠한 부분의 넓이.

그래프가 x축의 위쪽에 있을 때이므로

$$S=\int_1^e \frac{1}{x}\,dx=\Big[\ln|x|\Big]_1^e=\mathbf{1}$$

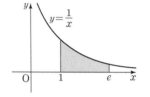

(2) 구하는 값은 오른쪽 그림의 색칠한 부분의 넓이.

$$S_1=\int_0^\pi \sin x\,dx=\Big[-\cos x\Big]_0^\pi$$
$$=1+1=2$$
$$S_2=-\int_\pi^{2\pi}\sin x\,dx=-\Big[-\cos x\Big]_\pi^{2\pi}$$
$$=1+1=2$$
$$\therefore\ S=S_1+S_2=\mathbf{4}$$

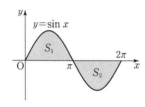

정답과 풀이 **88**쪽

유제 512 다음을 구하여라.

(1) 곡선 $y=-\sqrt{x+1}$과 x축 및 직선 $x=3$으로 둘러싸인 도형의 넓이

(2) 곡선 $y=\ln x$와 x축 빛 두 직선 $x=\dfrac{1}{e}$, $x=e$로 둘러싸인 도형의 넓이

513 다음을 구하여라.

(1) 곡선 $y=e^{-x}+1$과 y축 및 직선 $y=4$로 둘러싸인 도형의 넓이

(2) 곡선 $y=\ln x$와 y축 및 두 직선 $y=-1$, $y=2$로 둘러싸인 도형의 넓이

> **풍산자日** 곡선과 y축 사이의 넓이에서는 그래프가 y축의 왼쪽에 있는지 오른쪽에 있는지가 중요하다.
> 먼저 $x=f(y)$의 꼴로 고친 후 y에 대하여 적분한다.

> **풀이** (1) 구하는 값은 오른쪽 그림의 색칠한 부분의 넓이.
> 그래프가 y축의 왼쪽에 있을 때이다.
> 이때 $y=e^{-x}+1$에서
> $e^{-x}=y-1$ $\quad \therefore \ x=-\ln(y-1)$
> $\therefore \ S=-\displaystyle\int_2^4 \{-\ln(y-1)\}dy=\int_2^4 \ln(y-1)dy$
> $y-1=t$로 놓으면
> $\dfrac{dy}{dt}=1 \quad \therefore \ dy=dt$
> $y=2$일 때 $t=1$, $y=4$일 때 $t=3$
> $\therefore \ S=\displaystyle\int_2^4 \ln(y-1)dy=\int_1^3 \ln t\,dt$
> $\qquad =\Big[t\ln t-t\Big]_1^3=\mathbf{3\ln 3-2}$

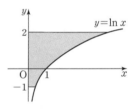

(2) 구하는 값은 오른쪽 그림의 색칠한 부분의 넓이.
그래프가 y축의 오른쪽에 있을 때이다.
이때 $y=\ln x$에서 $x=e^y$
$\therefore \ S=\displaystyle\int_{-1}^2 e^y dy=\Big[e^y\Big]_{-1}^2=\boldsymbol{e^2-\dfrac{1}{e}}$

> **참고** (1)에서 $\displaystyle\int_2^4 \ln(y-1)dy$를 구할 때 $y-1=t$로 놓고 $\displaystyle\int_1^3 \ln t\,dt$로 변형하여 계산하였다.
> 왜냐? $\displaystyle\int \ln x\,dx$의 꼴로 바꾸면 적분하기 쉬우니까.
> $\displaystyle\int \ln x\,dx=x\ln x-x+C$쯤은 외우고 있도록 하자.

정답과 풀이 **88**쪽

유제 514 다음을 구하여라.

(1) 곡선 $y=\sqrt{2x}$와 y축 및 직선 $y=2$로 둘러싸인 도형의 넓이

(2) 곡선 $y=-\dfrac{1}{x}$과 y축 및 두 직선 $y=1$, $y=3$으로 둘러싸인 도형의 넓이

02 │ 두 곡선 사이의 넓이

우리는 [수학Ⅱ]에서 두 곡선 사이의 넓이를 구할 때 두 곡선 중 어느 것이 위쪽(또는 오른쪽)에 있는지가 중요함을 이미 배웠다.

이 단원에서는 곡선이 다양해질 뿐, 그 원리는 같다.

> **두 곡선 사이의 넓이**
> 함수 $y=f(x)$와 $y=g(x)$가 닫힌구간 $[a,\ b]$에서 연속일 때, 두 곡선 $y=f(x)$와 $y=g(x)$및 두 직선 $x=a$, $x=b$로 둘러싸인 도형의 넓이 S는 다음과 같다.
>
> $$S=\int_a^b |f(x)-g(x)|\,dx$$ 중요
>
>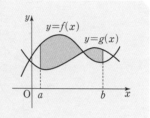

| 설명 |　(1) x축 적분 꼴의 두 곡선 사이의 넓이　　　　　　(2) y축 적분 꼴의 두 곡선 사이의 넓이

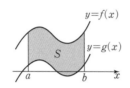　　　　　　　　　　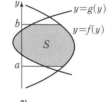

$$\Rightarrow\ S=\int_a^b \{f(x)-g(x)\}dx \qquad\qquad \Rightarrow\ S=\int_a^b \{f(y)-g(y)\}dy$$

모든 역함수 관련 문제의 핵심 아이디어는 원래 함수와 역함수가 직선 $y=x$에 대하여 대칭 관계라는 것이다. 이에 착안하면 원래 함수와 역함수로 둘러싸인 부분의 넓이에 대한 다음과 같은 정리를 얻는다.

> **함수와 그 역함수의 그래프로 둘러싸인 부분의 넓이**
> 함수 $y=f(x)$의 그래프와 그 역함수 $y=g(x)$의 그래프로 둘러싸인 부분의 넓이는
> ➡ 곡선 $y=f(x)$와 직선 $y=x$로 둘러싸인 부분의 넓이의 2배
>
>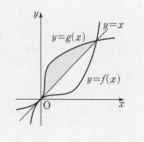

| 설명 |　함수 $f(x)$의 역함수를 $g(x)$라 할 때, 두 함수 $y=f(x)$, $y=g(x)$의 그래프는 직선 $y=x$에 대하여 대칭이다.

따라서 두 곡선 $y=f(x)$와 $y=g(x)$로 둘러싸인 부분의 넓이는 곡선 $y=f(x)$와 직선 $y=x$로 둘러싸인 부분의 넓이를 2배하여 구할 수 있다.

이때 $f(x)$의 역함수인 $g(x)$의 식을 직접 구하여 계산할 수도 있지만, 함수에 따라서는 역함수를 식으로 나타내기가 쉽지 않은 경우도 많다. 또, 식으로 나타냈다고 하더라도 적분하기가 쉽지 않은 경우가 많기 때문에 대칭성을 이용하여 계산하는 것이 편리하다.

역함수와 넓이의 관계 – 원래 함수의 정적분과 역함수의 정적분의 합

증가함수 $f(x)$의 역함수가 $g(x)$이고 a, b, c, d가 양수일 때, $f(a)=c$, $f(b)=d$이면

$\Rightarrow \displaystyle\int_a^b f(x)dx + \int_c^d g(x)dx = bd - ac = ($위끝의 곱$) - ($아래끝의 곱$)$

| **증명 1** | 모든 역함수 관련 문제의 핵심 아이디어는 원래 함수 $y=f(x)$의 그래프와 그 역함수 $y=g(x)$의 그래프가 직선 $y=x$에 대하여 대칭 관계라는 것.

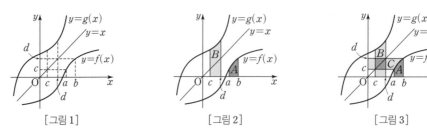

[그림 1]　　　　　[그림 2]　　　　　[그림 3]

(ⅰ) $f(a)=c$, $f(b)=d$이므로 점들의 배치는 [그림 1]과 같다.

(ⅱ) $\displaystyle\int_a^b f(x)dx$는 [그림 2]의 A의 넓이.

　　$\displaystyle\int_c^d g(x)dx$는 [그림 2]의 B의 넓이.

(ⅲ) B는 직선 $y=x$에 대하여 대칭시키면 [그림 3]의 C와 같다.

따라서 구하는 넓이는 [그림 3]의 $A+C$가 된다.

$\therefore \displaystyle\int_a^b f(x)dx + \int_c^d g(x)dx = ($큰 직사각형의 넓이$) - ($작은 직사각형의 넓이$)$

$\qquad\qquad\qquad\qquad\qquad = bd - ac$

| **증명 2** | 원래 함수 $f(x)$에 x 대신 y, y 대신 x를 대입하면 역함수 $g(x)$가 된다.

따라서 $y=f(x)$의 그래프의 x축을 y축으로, y축을 x축으로 보면 $y=g(x)$의 그래프가 된다.

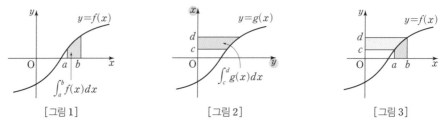

[그림 1]　　　　　[그림 2]　　　　　[그림 3]

$\therefore \displaystyle\int_a^b f(x)dx + \int_c^d g(x)dx = bd - ac$

大 원칙 ┆ 두 곡선 사이의 넓이를 구할 때
　　　　⇒ 두 곡선의 교점의 x좌표(또는 y좌표)를 구한다.

515 다음 곡선 또는 직선으로 둘러싸인 도형의 넓이를 구하여라.

(1) $y=\sin x,\ y=\sin 2x\ (0 \le x \le \pi)$

(2) $y=\ln x,\ y=-\ln x,\ y=2$

[풍산자티] 두 곡선 $y=f(x)$와 $y=g(x)$ 사이의 넓이에서는 어느 것이 위쪽(또는 오른쪽)에 있는지가 중요할 뿐 두 곡선의 정확한 모양은 알 필요 없다.

위쪽과 아래쪽의 경계는 바로 두 곡선의 교점. 교점을 이용해 그래프를 그린다.

즉, 교점이 생기는 경우는 일단 교점의 좌표부터 구해 놓고, 교점을 이용해 그래프를 그린다.

이때 잘 아는 그래프는 원칙대로 그래프를 그린 후 교점을 구한다.

> **풀이**

(1) (i) $y=\sin x$의 주기는 2π이고,

$y=\sin 2x$의 주기는 π이다.

따라서 오른쪽 그림과 같은 상황.

$\sin x = \sin 2x$에서 $\sin x = 2\sin x \cos x$

$\sin x(2\cos x - 1) = 0$

$\therefore\ \sin x = 0$ 또는 $\cos x = \dfrac{1}{2}$

$\therefore\ x = 0$ 또는 $x = \dfrac{\pi}{3}$ 또는 $x = \pi\ (\because 0 \le x \le \pi)$

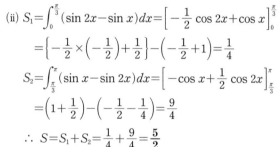

(ii) $S_1 = \displaystyle\int_0^{\frac{\pi}{3}} (\sin 2x - \sin x)\,dx = \left[-\dfrac{1}{2}\cos 2x + \cos x \right]_0^{\frac{\pi}{3}}$

$= \left\{ -\dfrac{1}{2} \times \left(-\dfrac{1}{2} \right) + \dfrac{1}{2} \right\} - \left(-\dfrac{1}{2} + 1 \right) = \dfrac{1}{4}$

$S_2 = \displaystyle\int_{\frac{\pi}{3}}^{\pi} (\sin x - \sin 2x)\,dx = \left[-\cos x + \dfrac{1}{2}\cos 2x \right]_{\frac{\pi}{3}}^{\pi}$

$= \left(1 + \dfrac{1}{2} \right) - \left(-\dfrac{1}{2} - \dfrac{1}{4} \right) = \dfrac{9}{4}$

$\therefore\ S = S_1 + S_2 = \dfrac{1}{4} + \dfrac{9}{4} = \dfrac{5}{2}$

(2) 구하는 값은 오른쪽 그림의 색칠한 부분의 넓이.

$y = \ln x$에서 $x = e^y$

$y = -\ln x$에서 $x = e^{-y}$

$\therefore\ S = \displaystyle\int_0^2 (e^y - e^{-y})\,dy = \left[e^y + e^{-y} \right]_0^2$

$= e^2 + \dfrac{1}{e^2} - 2$

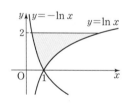

정답과 풀이 **88**쪽

유제 **516** 다음 곡선 또는 직선으로 둘러싸인 도형의 넓이를 구하여라.

(1) $y = e^x,\ y = e^{-x},\ x = -1,\ x = 2$

(2) $y = \sin x,\ y = \cos x\ (0 \le x \le 2\pi)$

517 곡선 $y=e^x$과 x축, y축 및 직선 $x=\ln 3$으로 둘러싸인 도형의 넓이를 직선 $x=k$가 이등분할 때, 양수 k의 값을 구하여라.

풍산자답 $\int_0^k e^x dx = \dfrac{1}{2}\int_0^{\ln 3} e^x dx$임을 이용한다.

▶ **풀이** 오른쪽 그림에서 곡선 $y=e^x$과 x축, y축 및 직선 $x=\ln 3$으로 둘러싸인 도형의 넓이를 S_1이라 하면

$$S_1 = \int_0^{\ln 3} e^x dx = \Big[e^x \Big]_0^{\ln 3} = 2$$

곡선 $y=e^x$과 x축, y축 및 직선 $x=k$로 둘러싸인 도형의 넓이를 S_2라 하면

$$S_2 = \int_0^k e^x dx = \Big[e^x \Big]_0^k = e^k - 1$$

$S_2 = \dfrac{1}{2} S_1$이므로 $e^k - 1 = 1$, $e^k = 2$ ∴ $k = \mathbf{ln\,2}$

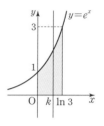

정답과 풀이 **88쪽**

유제 **518** 곡선 $y=\sqrt{x}$와 x축 및 직선 $x=1$로 둘러싸인 도형의 넓이를 곡선 $y=\sqrt{ax}$가 이등분할 때, 양수 a의 값을 구하여라.

519 원점에서 곡선 $y=\ln x$에 그은 접선과 x축 및 이 곡선으로 둘러싸인 도형의 넓이를 구하여라.

풍산자답 일단 접선을 구해 놓고 보면 평범한 두 그래프 사이의 넓이를 구하는 문제가 된다.

▶ **풀이** [1단계] 원점에서 곡선 $y=\ln x$에 그은 접선의 방정식을 $y=ax$로 놓고
접점의 x좌표를 t라 하면 곡선과 직선이 접할 때는
(ⅰ) $\ln t = at$ ← 그냥 같다.
(ⅱ) $\dfrac{1}{t} = a$ ← 미분해서 같다.

∴ $t = e$, $a = \dfrac{1}{e}$

따라서 접선의 방정식은 $y = \dfrac{1}{e}x$이고 그림과 같은 상황.

[2단계] 그림을 보니 x축 적분보다는 y축 적분이 좀 더 적합한 상황.

$y = \ln x$에서 $x = e^y$, $y = \dfrac{1}{e}x$에서 $x = ey$

∴ $S = \int_0^1 (e^y - ey) dy = \Big[e^y - \dfrac{1}{2} ey^2 \Big]_0^1 = \dfrac{1}{2}\mathbf{e} - \mathbf{1}$

정답과 풀이 **89쪽**

유제 **520** 곡선 $y=e^{x+1}$과 이 곡선 위의 점 $(1,\ e^2)$에서의 접선 및 y축으로 둘러싸인 도형의 넓이를 구하여라.

521 함수 $f(x)=e^x$의 역함수를 $g(x)$라 할 때, $\displaystyle\int_0^1 f(x)dx+\int_1^e g(x)dx$의 값을 구하여라.

> **풍산자日** 역함수에 관한 문제를 만나면 일단 원래 함수와 그 역함수의 그래프는 직선 $y=x$에 대하여 대칭임을 떠올리고 본다.

> ▶ **풀이** (i) $f(0)=1$, $f(1)=e$이므로
> $\qquad y=f(x)$의 그래프는 오른쪽 그림과 같다.
> $\qquad\qquad \therefore \displaystyle\int_0^1 f(x)dx=S_1$
> (ii) $y=f(x)$의 그래프의 x축을 y축으로, y축을 x축으로 보면
> $\qquad y=g(x)$의 그래프가 된다.
> $\qquad\qquad \therefore \displaystyle\int_1^e g(x)dx=S_2$
> (i), (ii)에서
> $\qquad \displaystyle\int_0^1 f(x)dx+\int_1^e g(x)dx=S_1+S_2=(\text{색칠한 직사각형의 넓이})=1\times e=\boldsymbol{e}$

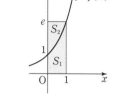

> ▶ **다른 풀이** 공식을 이용하면 $f(0)=1$, $f(1)=e$이므로
> $\qquad \displaystyle\int_0^1 f(x)dx+\int_1^e g(x)dx=(\text{위끝의 곱})-(\text{아래끝의 곱})=1\times e-0\times 1=\boldsymbol{e}$

정답과 풀이 89쪽

유제 **522** 함수 $f(x)=\tan x\left(-\dfrac{\pi}{2}<x<\dfrac{\pi}{2}\right)$의 역함수를 $g(x)$라 할 때, $\displaystyle\int_0^{\frac{\pi}{4}} f(x)dx+\int_0^1 g(x)dx$ 의 값을 구하여라.

523 함수 $f(x)=\sqrt{3x-2}$의 그래프와 그 역함수 $y=g(x)$의 그래프로 둘러싸인 도형의 넓이 를 구하여라.

> **풍산자日** 함수 $f(x)$의 그래프와 직선 $y=x$ 사이의 넓이를 2배 하면 함수와 그 역함수의 그래프로 둘 러싸인 부분의 넓이를 쉽게 구할 수 있다.

> ▶ **풀이** 구하는 넓이는 곡선 $y=f(x)$와 직선 $y=x$로 둘러싸인
> $\qquad$도형의 넓이의 2배이다.
> $\qquad$곡선 $y=\sqrt{3x-2}$와 직선 $y=x$의 교점의 x좌표는
> $\qquad\sqrt{3x-2}=x$에서 $3x-2=x^2$, $x^2-3x+2=0$
> $\qquad(x-1)(x-2)=0$ $\qquad \therefore x=1$ 또는 $x=2$
> $\qquad$따라서 구하는 넓이는
> $\qquad S=2\displaystyle\int_1^2(\sqrt{3x-2}-x)dx=2\left[\frac{2}{9}(3x-2)^{\frac{3}{2}}-\frac{1}{2}x^2\right]_1^2=\boldsymbol{\frac{1}{9}}$

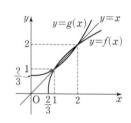

정답과 풀이 89쪽

유제 **524** 두 곡선 $y=2\sqrt{x}$, $x=2\sqrt{y}$로 둘러싸인 도형의 넓이를 구하여라.

525

다음을 구하여라.

(1) 곡선 $y=e^x-1$과 x축 및 두 직선 $x=-1$, $x=1$로 둘러싸인 도형의 넓이

(2) 곡선 $y=\cos 2x \left(0 \le x \le \dfrac{\pi}{2}\right)$와 x축 및 두 직선 $x=0$, $x=\dfrac{\pi}{2}$로 둘러싸인 도형의 넓이

526

다음을 구하여라.

(1) 곡선 $y=\sqrt{x-1}$과 y축 및 두 직선 $y=0$, $y=1$로 둘러싸인 도형의 넓이

(2) 곡선 $y=\ln(x-1)$과 y축 및 두 직선 $y=-1$, $y=1$로 둘러싸인 도형의 넓이

527

다음 곡선 또는 직선으로 둘러싸인 도형의 넓이를 구하여라.

(1) $y=x^2$, $y=\sqrt{x}$

(2) $y=\ln x$, $y=x$, $y=-1$, $y=1$

528

곡선 $y=\dfrac{1}{x}$과 x축 및 두 직선 $x=1$, $x=3$으로 둘러싸인 도형의 넓이를 직선 $x=k$가 이등분할 때, k의 값을 구하여라. (단, $1<k<3$)

529

원점에서 곡선 $y=\sqrt{x-1}$에 그은 접선과 x축 및 이 곡선으로 둘러싸인 도형의 넓이를 구하여라.

530

함수 $f(x)=\ln(x-1)$의 역함수를 $g(x)$라 할 때, $\displaystyle\int_{2}^{e+1} f(x)dx + \int_{0}^{1} g(x)dx$의 값을 구하여라.

2 입체도형의 부피

01 | 입체도형의 부피

우리는 앞에서 입체도형의 부피를 구분구적법을 이용하여 구할 수 있음을 배웠다.

이 단원에서는 정적분을 이용하여 입체도형의 부피를 구하는 방법을 배운다.

기본 아이디어는 구분구적법과 급수의 합을 이용한 정적분의 정의를 이용하는 것이다.

입체도형의 부피

닫힌구간 $[a,\ b]$의 임의의 점 x에서 x축에 수직인 평면으로 자른 입체도형의 단면의 넓이가 $S(x)$일 때, 이 입체도형의 부피 V는

$$V = \lim_{n \to \infty} \underset{n\text{개 기둥의 부피의 합}}{\underbrace{\sum_{k=1}^{n} \overset{\text{꼬마 기둥의 부피}}{\overbrace{S(x_k)\,\Delta x}}}} = \underset{\text{정적분의 정의}}{\underbrace{\int_a^b S(x)dx}}$$

입체도형의 부피

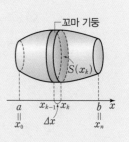

(단, $S(x)$는 닫힌구간 $[a,\ b]$에서 연속)

| **설명** | 오른쪽 그림과 같이 어떤 입체도형이 주어져 있을 때, 한 직선을 x축으로 정하고 x좌표가 $a,\ b$인 두 점을 각각 지나고 x축에 수직인 두 평면 사이에 있는 부분의 부피 V를 구해 보자.

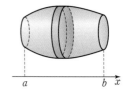

x축 위의 닫힌구간 $[a,\ b]$를 n등분하여 양 끝점과 각 등분점의 x좌표를 차례로

$$x_0(=a),\ x_1,\ x_2,\ \cdots,\ x_{n-1},\ x_n(=b)$$

라 하면 각 소구간의 길이 Δx는 $\Delta x = \dfrac{b-a}{n}$이다.

x좌표가 $x_k(k=0,\ 1,\ \cdots,\ n)$인 점을 지나면서 x축에 수직인 평면으로 입체도형을 자를 때 생기는 단면의 넓이를 $S(x_k)$라 하면 이 단면을 밑면으로 하고 높이가 Δx인 꼬마기둥의 부피는 $S(x_k)\Delta x$이다. 따라서 이들 n개의 기둥의 부피의 합 V_n은 $V_n = \sum\limits_{k=1}^{n} S(x_k)\Delta x$이므로 주어진 입체도형의 부피 V는 정적분의 정의에 따라 다음과 같다.

$$V = \lim_{n \to \infty} V_n = \lim_{n \to \infty} \sum_{k=1}^{n} S(x_k)\Delta x = \int_a^b S(x)dx$$

즉, 입체도형의 부피는 단면의 넓이를 적분하면 구할 수 있나.

정적분을 이용하여 입체도형의 부피를 구할 때는 x축을 어떻게 잡느냐가 전체 풀이의 핵심이다. x축은 무조건 단면의 넓이 $S(x)$가 쉽게 구해지도록 잡아야 한다.

원칙

구간 $[a,\ b]$에서 곡선 $f(x)$를 적분하면 넓이 ➡ $S = \int_a^b |f(x)|dx$

구간 $[a,\ b]$에서 단면의 넓이 $S(x)$를 적분하면 부피 ➡ $V = \int_a^b S(x)dx$

정적분을 이용한 원기둥, 원뿔, 구의 부피

밑면인 원의 반지름의 길이가 r이고 높이가 h인 원기둥과 원뿔, 반지름의 길이가 r인 구의 부피를 정적분을 이용하여 구해 보자.

다음 그림과 같이 밑면으로부터 높이가 x인 지점을 지나고 밑면에 평행한 평면으로 원기둥, 원뿔, 반구를 자를 때 생기는 단면의 넓이를 각각 $S_1(x)$, $S_2(x)$, $S_3(x)$라 하면 원기둥, 원뿔, 구의 부피를 구할 수 있다.

(1)   (2)   (3)

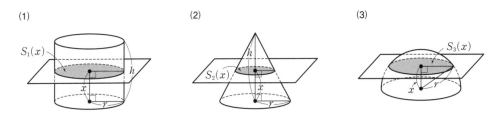

(1) 원기둥의 부피

$S_1(x)=\pi r^2$이므로

$$(원기둥의 부피)=\int_0^h S_1(x)dx=\int_0^h \pi r^2 dx$$
$$=\pi r^2\Big[x\Big]_0^h$$
$$=\pi r^2 h$$

(2) 원뿔의 부피

$S_2(x)=\pi\Big(r\times\dfrac{h-x}{h}\Big)^2=\dfrac{\pi r^2}{h^2}(h-x)^2$이므로

$$(원뿔의 부피)=\int_0^h S_2(x)dx=\int_0^h \dfrac{\pi r^2}{h^2}(h-x)^2 dx$$
$$=\dfrac{\pi r^2}{h^2}\Big[-\dfrac{1}{3}(h-x)^3\Big]_0^h$$
$$=\dfrac{1}{3}\pi r^2 h$$

(3) 구의 부피

$S_3(x)=\pi(\sqrt{r^2-x^2})^2=\pi(r^2-x^2)$이므로

$$(구의 부피)=2\int_0^r S_3(x)dx=2\int_0^r \pi(r^2-x^2)dx$$
$$=2\pi\Big[r^2 x-\dfrac{1}{3}x^3\Big]_0^r$$
$$=\dfrac{4}{3}\pi r^3$$

531 그림과 같이 높이가 10 cm인 그릇이 있다. 그릇에 담긴 물의 깊이가 x cm일 때, 수면은 한 변의 길이가 $\sqrt{x^3+1}$ cm인 정삼각형이다. 이 그릇의 부피 V를 구하여라.

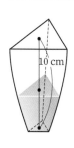

풍산자 🔑 정적분을 이용하여 입체도형의 부피를 구할 때 x축을 어떻게 잡느냐가 풀이의 핵심이다.

항상 다음 두 가지를 생각하자.

(i) x축을 어떻게 잡을 것인가?

(ii) x축에 수직으로 자른 단면의 모양은?

▶ 풀이 　[1단계] x축 설정하기

오른쪽 그림과 같이 밑면의 중심을 원점 O로 하고 입체도형에 수직인 직선을 x축으로 정한다.

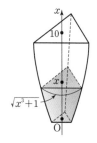

[2단계] 단면의 넓이 구하기

한 변의 길이가 a인 정삼각형의 넓이는 $\dfrac{\sqrt{3}}{4}a^2$이므로

밑면으로부터 높이가 x cm인 부분의 단면의 넓이 $S(x)$는

$$S(x)=\frac{\sqrt{3}}{4}(\sqrt{x^3+1})^2=\frac{\sqrt{3}}{4}(x^3+1)\,(\text{cm}^2)$$

[3단계] 부피 구하기

$$\therefore V=\int_0^{10} S(x)dx=\int_0^{10}\frac{\sqrt{3}}{4}(x^3+1)dx$$

$$=\frac{\sqrt{3}}{4}\Big[\frac{1}{4}x^4+x\Big]_0^{10}$$

$$=\frac{1255\sqrt{3}}{2}\,(\text{cm}^3)$$

정답과 풀이 **91**쪽

유제 532 **다음 물음에 답하여라.**

(1) 어떤 그릇에 물을 채우는데 물의 깊이가 x일 때 수면은 반지름의 길이가 $\sqrt{2-x^2}$인 원이라 한다. 물의 깊이가 1일 때, 이 그릇에 담겨 있는 물의 부피 V를 구하여라.

(2) 그림과 같이 한 변의 길이가 a인 정사각형을 밑면으로 하고 높이가 h인 정사각뿔의 부피 V를 정적분을 이용하여 구하여라.

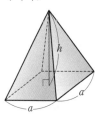

533 그림과 같이 곡선 $y=\sin x$ $(0 \leq x \leq \pi)$와 x축으로 둘러 싸인 부분을 밑면으로 하는 입체도형을 x축에 수직인 평면으로 자른 단면이 정삼각형일 때, 이 입체도형의 부피 V를 구하여라.

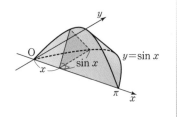

풍산자티 입체도형의 밑면을 이루는 곡선이 주어진 경우에는 x축에 수직인 평면으로 자른 단면의 넓이 가 $S(x)$이다.

▶ **풀이** (i) x축에 수직인 평면으로 자른 단면이 정삼각형이므로 이 정삼각형의 넓이가 $S(x)$가 된다.

이 넓이를 구해 $\displaystyle\int_0^\pi S(x)dx$를 계산하면 끝.

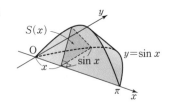

(ii) $S(x)=$(한 변의 길이가 $\sin x$인 정삼각형의 넓이)

$$=\frac{\sqrt{3}}{4}\sin^2 x$$

(iii) $\displaystyle V=\int_0^\pi S(x)dx=\int_0^\pi \frac{\sqrt{3}}{4}\sin^2 x\, dx$

$$=\frac{\sqrt{3}}{4}\int_0^\pi \frac{1-\cos 2x}{2}dx$$

$$=\frac{\sqrt{3}}{8}\left[x-\frac{1}{2}\sin 2x\right]_0^\pi=\frac{\sqrt{3}}{8}\pi$$

정답과 풀이 **91**쪽

유제 **534** 그림과 같이 곡선 $y=\sqrt{1-x^2}$ $(0 \leq x \leq 1)$ 위의 점 $\mathrm{P}(x,\ \sqrt{1-x^2})$에서 x축에 내린 수선의 발을 H라 하고, 선분 PH를 밑변으로 하고 $\angle\mathrm{P}=90°$인 직각이등변삼각형을 x축에 수직인 평면 위에 그린다. 점 P의 x좌표가 $x=0$에서 $x=1$까지 변할 때, 이 직각이등변삼각형이 만드는 입체도형의 부피 V를 구하여라.

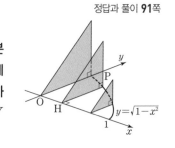

풍산자 비법

입체도형의 부피를 구하는 방법

[1단계] 넓이를 적분할 x축을 잡는다.

[2단계] 구간 $[a,\ b]$의 임의의 점 x에서 x축에 수직으로 자른 단면의 넓이 $S(x)$를 구한다.

[3단계] $\displaystyle\int_a^b S(x)dx$를 계산한다.

535

어떤 그릇에 물을 넣으면 물의 깊이가 x일 때, 수면은 반지름의 길이가 $|\cos x|$인 원이라 한다. 물의 깊이가 2π일 때, 이 그릇에 담겨 있는 물의 부피 V를 구하여라.

536

그림과 같은 모양의 물통이 있다. 이 물통의 높이는 4이고, 채워진 물의 높이가 x일 때의 수면은 한 변의 길이가 $\sqrt{e^{\frac{x}{2}}+1}$인 정사각형이다. 이 물통의 부피를 구하여라.

537

그림과 같이 밑면인 원의 반지름의 길이가 2, 높이가 4인 원기둥이 있다. 이 원기둥의 밑면의 중심을 지나고 밑면과 45°의 각을 이루는 평면으로 이 원기둥을 자를 때 생기는 두 입체도형 중 작은 것의 부피를 구하여라.

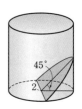

538

그림과 같이 곡선 $y=\sqrt{\sin 2x}\ \left(0\le x\le\dfrac{\pi}{2}\right)$와 x축으로 둘러싸인 도형을 밑면으로 하는 입체도형을 x축에 수직인 평면으로 자른 단면이 직각이등변삼각형일 때, 이 입체도형의 부피 V를 구하여라.

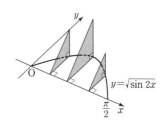

3 | 속도와 거리

01 | 평면 위에서 점이 움직인 거리

수직선 위에서 점이 움직인 거리는 [수학Ⅱ]에서 배웠다.

이 단원에서는 평면 위에서 점이 움직인 거리에 대하여 배운다.

수직선 위의 운동이든, 평면 위의 운동이든 속력을 적분하면 움직인 거리가 된다.

미분에서 배웠다.

평면 운동에서의 점의 위치 (x, y)가 $x=f(t)$, $y=g(t)$일 때

평면 운동에서의 속도는 $\vec{v}=\left(\dfrac{dx}{dt}, \dfrac{dy}{dt}\right)=(f'(t), g'(t))$

평면 운동에서의 속력은 $|\vec{v}|=\sqrt{\left(\dfrac{dx}{dt}\right)^2+\left(\dfrac{dy}{dt}\right)^2}=\sqrt{\{f'(t)\}^2+\{g'(t)\}^2}$

다음과 같은 결론을 얻을 수 있다.

> **평면 위에서 점이 움직인 거리**
> 좌표평면 위를 움직이는 점 P의 시각 t에서의 위치 (x, y)가 $x=f(t)$, $y=g(t)$일 때, 시각 $t=a$
> 에서 $t=b$까지 점 P가 움직인 거리를 s라 하면
> $$s=\int_a^b |\vec{v}|\,dt=\int_a^b \sqrt{\left(\frac{dx}{dt}\right)^2+\left(\frac{dy}{dt}\right)^2}\,dt=\int_a^b \sqrt{\{f'(t)\}^2+\{g'(t)\}^2}\,dt \text{ 중요}$$

| 설명 | 좌표평면 위를 움직이는 점 P의 시각 t에서의 위치 (x, y)가 $x=f(t)$, $y=g(t)$일 때, 시각 a에서 t $(a\leq t\leq b)$까지 움직인 거리를 $s(t)$라 하자.

오른쪽 그림과 같이 시각 t에서 $P(x, y)$에 있던 점 P가 시각 $t+\Delta t$에서 $Q(x+\Delta x, y+\Delta y)$로 이동했을 때, 움직인 거리 s의 증분 Δs는 $\Delta s=s(t+\Delta t)-s(t)$이다.

한편 $\overline{PQ}=\sqrt{(\Delta x)^2+(\Delta y)^2}$이고,

Δt가 0에 가까워질 때, Δs는 $\overline{PQ}$에 가까워지므로

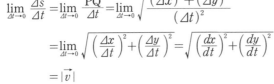

$$\lim_{\Delta t\to 0}\frac{\Delta s}{\Delta t}=\lim_{\Delta t\to 0}\frac{\overline{PQ}}{\Delta t}=\lim_{\Delta t\to 0}\sqrt{\frac{(\Delta x)^2+(\Delta y)^2}{(\Delta t)^2}}$$

$$=\lim_{\Delta t\to 0}\sqrt{\left(\frac{\Delta x}{\Delta t}\right)^2+\left(\frac{\Delta y}{\Delta t}\right)^2}=\sqrt{\left(\frac{dx}{dt}\right)^2+\left(\frac{dy}{dt}\right)^2}$$

$$=|\vec{v}|$$

즉, $\dfrac{ds}{dt}=|\vec{v}|$이므로 $s(t)$는 시각 t에 대한 $|\vec{v}|$의 한 부정적분이다.

따라서 수직선 위의 운동에서와 마찬가지로 $t=a$에서 $t=b$까지 점 P가 움직인 거리 s는 $|\vec{v}|$의 정적분으로 다음과 같이 나타낼 수 있다.

$$s=\int_a^b |\vec{v}|\,dt=\int_a^b \sqrt{\left(\frac{dx}{dt}\right)^2+\left(\frac{dy}{dt}\right)^2}\,dt=\int_a^b \sqrt{\{f'(t)\}^2+\{g'(t)\}^2}\,dt$$

539 원점을 출발하여 수직선 위를 움직이는 점 P의 시각 t에서의 속도가 $v(t)=\sin \pi t$일 때, 다음 물음에 답하여라.

(1) 시각 t에서 점 P의 위치

(2) 시각 $t=1$에서 $t=3$까지 점 P가 움직인 거리

풍산자 수직선 위를 움직이는 점 P의 시각 t에서의 속도를 $v(t)$, 위치를 $x(t)$라 하면

(i) 시각 $t=a$에서 $t=b$까지 점 P의 위치의 변화량 $\Rightarrow \displaystyle\int_a^b v(t)\,dt$

(ii) 시각 $t=a$에서 $t=b$까지 점 P가 움직인 거리 $\Rightarrow \displaystyle\int_a^b |v(t)|\,dt$

(iii) 시각 $t=a$에서 점 P의 위치 $\Rightarrow x(a)=x(0)+\displaystyle\int_0^a v(t)\,dt$

> 풀이 (1) 시각 $t=0$에서 점 P의 위치가 $x=0$이므로 구하는 위치 x는

$$x=0+\int_0^t \sin \pi t\,dt=\left[-\frac{1}{\pi}\cos \pi t\right]_0^t=\frac{1}{\pi}-\frac{1}{\pi}\cos \pi t$$

(2) $\displaystyle\int_1^3 |\sin \pi t|\,dt=\int_1^2 (-\sin \pi t)\,dt+\int_2^3 \sin \pi t\,dt$

$$=\left[\frac{1}{\pi}\cos \pi t\right]_1^2+\left[-\frac{1}{\pi}\cos \pi t\right]_2^3=\frac{2}{\pi}+\frac{2}{\pi}=\frac{4}{\pi}$$

정답과 풀이 **92**쪽

유제 **540** 원점을 출발하여 수직선 위를 움직이는 점 P의 시각 t에서의 속도가 $v(t)=te^{-t}$일 때, 다음을 구하여라.

(1) 시각 t에서 점 P의 위치

(2) 시각 $t=1$에서 $t=2$까지 점 P가 움직인 거리

541 좌표평면 위를 움직이는 점 P의 시각 t에서의 위치 (x, y)가 $x=2t^2-1$, $y=\dfrac{3}{2}t^2-1$일 때, 시각 $t=1$에서 $t=3$까지 점 P가 움직인 거리를 구하여라.

풍산자 점의 위치 $\Rightarrow$ (위치의 미분)=(속도) $\Rightarrow$ |속도|=(속력) $\Rightarrow$ (이동 거리)=$\int$(속력)dt

> 풀이 $\dfrac{dx}{dt}=4t$, $\dfrac{dy}{dt}=3t$이므로 $t=1$에서 $t=3$까지 점 P가 움직인 거리는

$$\int_1^3 \sqrt{\left(\frac{dx}{dt}\right)^2+\left(\frac{dy}{dt}\right)^2}\,dt=\int_1^3 \sqrt{(4t)^2+(3t)^2}\,dt=\int_1^3 5t\,dt=\left[\frac{5}{2}t^2\right]_1^3=20$$

정답과 풀이 **92**쪽

유제 **542** 좌표평면 위를 움직이는 점 P의 시각 t에서의 위치 (x, y)가 $x=3\sin t+4\cos t$, $y=4\sin t-3\cos t$ 일 때, 시각 $t=0$에서 $t=\pi$까지 점 P가 움직인 거리를 구하여라.

도형이 가지는 중요한 양은 크게 3가지 ➡ 길이, 넓이, 부피

우리는 적분을 통해 도형의 넓이와 부피를 구할 수 있게 되었다.

이제 곡선의 길이마저 구할 수 있게 된다.

좌표평면 위를 움직이는 점 P의 시각 t에서의 위치가 $x=f(t)$, $y=g(t)$일 때, $t=a$에서 $t=b$까지 점 P가 그리는 곡선의 길이는 점 P가 움직인 경로가 겹치지 않으면 점 P가 움직인 거리와 같다. 이때 곡선의 길이 l은 다음과 같다.

$$l=\int_a^b \sqrt{\left(\frac{dx}{dt}\right)^2+\left(\frac{dy}{dt}\right)^2}\,dt$$

즉, 매개변수로 주어진 곡선의 길이는 점이 움직인 거리와 같으므로 매개변수로 주어진 곡선의 길이는 얼마든지 구할 수 있다.

그럼 매개변수로 주어지지 않고 $y=f(x)$의 꼴로 주어진 곡선의 길이는?

매개변수로 고쳐 놓으면 쉽게 유도된다. ➡ $x=t$로 놓으면 $y=f(t)$

곡선의 길이 중요

(1) 매개변수로 나타낸 곡선 $x=f(t)$, $y=g(t)$의 $t=a$에서 $t=b$까지의 곡선의 길이 l은

$$l=\int_a^b \sqrt{\left(\frac{dx}{dt}\right)^2+\left(\frac{dy}{dt}\right)^2}\,dt$$

(2) $x=a$에서 $x=b$까지의 곡선 $y=f(x)$의 길이 l은

$$l=\int_a^b \sqrt{1+\{f'(x)\}^2}\,dx$$

| 설명 | 곡선 $y=f(x)\,(a\leq x\leq b)$는 점 P의 시각 t에서의 위치가 $x=t$, $y=f(t)\,(a\leq t\leq b)$인 곡선으로 볼 수 있다.

따라서 곡선의 길이 l은 다음과 같다.

$$l=\int_a^b \sqrt{\left(\frac{dx}{dt}\right)^2+\left(\frac{dy}{dt}\right)^2}\,dt=\int_a^b \sqrt{1+\left(\frac{dy}{dt}\right)^2}\,dt$$

$$=\int_a^b \sqrt{1+\{f'(t)\}^2}\,dt=\int_a^b \sqrt{1+\{f'(x)\}^2}\,dx$$

大 원칙 | 속력을 적분 ➡ 움직인 거리 또는 곡선의 길이

543 **다음 곡선의 길이를 구하여라.**

(1) $\theta=0$에서 $\theta=2\pi$까지의 곡선 $x=\theta-\sin\theta$, $y=1-\cos\theta$의 길이

(2) $x=-1$에서 $x=1$까지의 곡선 $y=\dfrac{e^x+e^{-x}}{2}$의 길이

풍산자曰 속력을 적분하면 움직인 거리, 즉 곡선의 길이가 된다.

$$\int_a^b \sqrt{\left(\frac{dx}{dt}\right)^2+\left(\frac{dy}{dt}\right)^2}\,dt=\int_a^b \sqrt{1+\left(\frac{dy}{dt}\right)^2}\,dt=\int_a^b \sqrt{1+\{f'(x)\}^2}\,dx$$

▶풀이 (1) $\dfrac{dx}{d\theta}=1-\cos\theta$, $\dfrac{dy}{d\theta}=\sin\theta$이므로 구하는 곡선의 길이는

$$\int_0^{2\pi}\sqrt{(1-\cos\theta)^2+(\sin\theta)^2}\,d\theta=\int_0^{2\pi}\sqrt{2(1-\cos\theta)}\,d\theta$$
$$=\int_0^{2\pi}\sqrt{4\sin^2\frac{\theta}{2}}\,d\theta \quad\Leftarrow\ \sin^2\frac{\theta}{2}=\frac{1-\cos\theta}{2}$$
$$=\int_0^{2\pi}\left|2\sin\frac{\theta}{2}\right|\,d\theta$$
$$=\int_0^{2\pi}2\sin\frac{\theta}{2}\,d\theta \quad\Leftarrow\ 0\le\frac{\theta}{2}\le\pi에서\ \sin\frac{\theta}{2}\ge0$$
$$=\left[-4\cos\frac{\theta}{2}\right]_0^{2\pi}=8$$

(2) $y'=\dfrac{e^x-e^{-x}}{2}$이므로 구하는 곡선의 길이는

$$\int_{-1}^1\sqrt{1+\left(\frac{e^x-e^{-x}}{2}\right)^2}\,dx=\int_{-1}^1\sqrt{\left(\frac{e^x+e^{-x}}{2}\right)^2}\,dx=\int_{-1}^1\frac{e^x+e^{-x}}{2}\,dx$$
$$=\left[\frac{e^x-e^{-x}}{2}\right]_{-1}^1=e-\frac{1}{e}$$

정답과 풀이 **92**쪽

유제 544 **다음 곡선의 길이를 구하여라.**

(1) $\theta=0$에서 $\theta=\dfrac{\pi}{2}$까지의 곡선 $x=4\cos^3\theta$, $y=4\sin^3\theta$의 길이

(2) $x=1$에서 $x=3$까지의 곡선 $y=\dfrac{1}{8}x^2-\ln x$의 길이

풍산자 비법

- 점 P가 움직인 경로가 겹치지 않으면 점 P가 움직인 거리 ➡ 점 P가 그리는 곡선의 길이
- $y=f(x)$의 꼴로 주어진 곡선의 길이 ➡ $x=t$, $y=f(t)$로 놓고 생각하면 쉽다.

545

좌표평면 위를 움직이는 점 P의 시각 t에서의 위치 (x, y)가

$$x=e^t \cos t, \ y=e^t \sin t$$

일 때, 시각 $t=0$에서 $t=2\pi$까지 점 P가 움직인 거리를 구하여라.

546

좌표평면 위를 움직이는 점 P의 시각 t에서의 위치 (x, y)가

$$x=\frac{1}{2}t^2-t, \ y=\frac{4}{3}t\sqrt{t}$$

일 때, 시각 $t=1$에서 x좌표가 다시 0이 될 때까지 점 P가 움직인 거리를 구하여라.

547

$t=1$에서 $t=e$까지의 곡선 $x=\ln t$, $y=\dfrac{t}{2}+\dfrac{1}{2t}$

의 길이를 구하여라.

548

닫힌구간 $[4, \ 9]$에서 곡선 $y=\dfrac{\sqrt{2}}{3}(x-2)^{\frac{3}{2}}$의 길이를 구하여라.

549

$x=1$에서 $x=2$까지의 곡선 $y=\dfrac{1}{12}x^3+\dfrac{1}{x}$의 길이를 구하여라.

중단원 마무리

▶ 도형의 넓이

x축 기준	$y=f(x)$의 그래프와 x축 및 두 직선 $x=a$, $x=b$로 둘러싸인 도형의 넓이 ➡ $S=\displaystyle\int_a^b |f(x)|\,dx$
y축 기준	$x=g(y)$의 그래프와 y축 및 두 직선 $y=a$, $y=b$로 둘러싸인 도형의 넓이 ➡ $S=\displaystyle\int_a^b |g(y)|\,dy$
두 곡선 사이의 넓이	$y=f(x)$, $y=g(x)$의 그래프와 두 직선 $x=a$, $x=b$로 둘러싸인 도형의 넓이 ➡ $S=\displaystyle\int_a^b |f(x)-g(x)|\,dx$
함수와 그 역함수 사이의 넓이	$y=f(x)$와 그 역함수 $y=g(x)$의 그래프로 둘러싸인 부분의 넓이 ➡ 곡선 $y=f(x)$와 직선 $y=x$로 둘러싸인 부분의 넓이의 2배

▶ 입체도형의 부피

입체도형의 부피	x축에 수직인 평면으로 자른 단면의 넓이가 $S(x)$일 때, 이 입체도형의 부피 ➡ $V=\displaystyle\lim_{n\to\infty}\sum_{k=1}^{n}\overset{\text{꼬마 기둥의 부피}}{S(x_k)\,\Delta x}=\underset{\text{정적분의 정의}}{\int_a^b S(x)\,dx}$ $\underset{\text{입체도형의 부피}}{\underbrace{\quad}_{n\text{개 기둥의 부피의 합}}}$

▶ 속도와 거리

평면 위에서 점이 움직인 거리	점 P의 시각 t에서의 위치 (x, y)가 $x=f(t)$, $y=g(t)$일 때, 시각 $t=a$에서 $t=b$까지 점 P가 움직인 거리 ➡ $s=\displaystyle\int_a^b |\vec{v}|\,dt-\int_a^b \sqrt{\left(\frac{dx}{dt}\right)^2+\left(\frac{dy}{dt}\right)^2}\,dt=\int_a^b \sqrt{\{f'(t)\}^2+\{g'(t)\}^2}\,dt$
곡선의 길이	(1) $x=f(t)$, $y=g(t)$일 때 $t=a$에서 $t=b$까지의 곡선의 길이 ➡ $l=\displaystyle\int_a^b \sqrt{\left(\frac{dx}{dt}\right)^2+\left(\frac{dy}{dt}\right)^2}\,dt$ (2) $x=a$에서 $x=b$까지의 곡선 $y=f(x)$의 길이 ➡ $l=\displaystyle\int_a^b \sqrt{1+\{f'(x)\}^2}\,dx$

실전 연습문제

STEP1

550

곡선 $y = \dfrac{x}{x+1}$ 와 x축 및 직선 $x=2$로 둘러싸인 도형의 넓이를 구하여라.

551

곡선 $y = (x-1)^2 \ (x \leq 1)$과 x축, y축 및 직선 $y=4$로 둘러싸인 도형의 넓이를 구하여라.

552

곡선 $y = \dfrac{2}{x}$ 와 직선 $y = -x+3$으로 둘러싸인 도형의 넓이를 구하여라.

553

곡선 $y = e^x$과 x축, y축 및 직선 $x = \ln 2$로 둘러싸인 도형의 넓이를 직선 $x=a$가 이등분할 때, 상수 a의 값을 구하여라.

554

함수 $f(x) = e^x - 1$의 역함수를 $g(x)$라 할 때,

$$\int_0^{\ln 3} f(x)dx + \int_0^{f(\ln 3)} g(x)dx \text{의 값을 구하여라.}$$

555

높이가 4인 그릇이 있다. 이 그릇의 밑면에서부터의 높이가 x인 곳에서 수평으로 자른 단면의 넓이는 $S(x) = xe^{-\frac{1}{2}x}$이다. 단면의 넓이 $S(x)$가 최대가 되는 높이까지 물을 채웠을 때, 물의 부피를 구하여라.

556

그림과 같이 구간 $[0, \pi]$에서 곡선 $y=3\sqrt{\sin x}$와 x축으로 둘러싸인 도형을 밑면으로 하는 입체도형을 x축에 수직인 평면으로 자른 단면이 정사각형일 때, 이 입체도형의 부피 V를 구하여라.

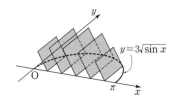

557

실수 전체의 집합에서 이계도함수를 갖고 $f(0)=0$, $f(1)=\sqrt{3}$을 만족시키는 모든 함수 $f(x)$에 대하여 $\int_0^1 \sqrt{1+\{f'(x)\}^2}\,dx$의 최솟값은?

① $\sqrt{2}$ ② 2 ③ $1+\sqrt{2}$

④ $\sqrt{5}$ ⑤ $1+\sqrt{3}$

558

$x=0$에서 $x=6$까지의 곡선 $y=\dfrac{1}{3}(x^2+2)^{\frac{3}{2}}$의 길이를 구하여라.

STEP2

559

곡선 $y=\sin x+\sqrt{3}\cos x \left(-\dfrac{\pi}{3}\leq x \leq \dfrac{2}{3}\pi\right)$와 x축으로 둘러싸인 도형의 넓이를 구하여라.

560

곡선 $y=\sqrt{\dfrac{x}{a}}$와 y축 및 직선 $y=3$으로 둘러싸인 도형의 넓이가 18일 때, 양수 a의 값을 구하여라.

561

두 곡선 $y=xe^x$, $y=e^x$과 y축으로 둘러싸인 도형의 넓이를 구하여라.

562

두 곡선 $y=2\sin x$, $y=a\cos 2x$와 y축 및 직선 $x=\dfrac{\pi}{4}$로 둘러싸인 두 도형의 넓이가 서로 같을 때, 양수 a의 값을 구하여라.

563

그림과 같이 밑면인 원의 반지름의 길이가 1이고 높이가 2인 원기둥이 있다. 밑면의 중심을 지나고 밑면과 60°의 각을 이루는 평면으로 이 원기둥을 자를 때 생기는 두 입체도형 중에서 작은 쪽의 부피를 구하여라.

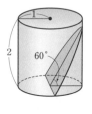

564

그림과 같이 지름의 길이가 4인 반원을 밑면으로 하는 입체도형이 있다. 이 반원의 지름 AB에 수직인 평면으로 자른 단면이 반원일 때, 이 입체도형의 부피는 $k\pi$이다. 상수 k의 값을 구하여라.

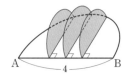

565

좌표평면 위를 움직이는 점 $P(x,\ y)$의 시각 t에서의 위치가

$$x=9\cos t-\cos 9t,\ y=9\sin t-\sin 9t$$

일 때, 시각 $t=0$에서 $t=\dfrac{\pi}{8}$까지 점 P가 움직인 거리를 구하여라.

빨간 정답

빨리 간편하게 정답을 체크한다.

I. 수열의 극한 9p

002 (1) 수렴, 극한값: 1 (2) 발산
(3) 수렴, 극한값: 0 (4) 발산

004 9

006 (1) -3 (2) 0 (3) $-\infty$ (4) 3

008 (1) $\dfrac{1}{2}$ (2) $\dfrac{1}{2}$ (3) 0

010 (1) 0 (2) 2 (3) ∞ (4) ∞

012 10 **014** 16 **016** 2

018 1 **019** (1) 발산 (2) 발산 (3) 발산

020 24 **021** $\dfrac{7}{3}$ **022** -10

023 4 **024** 18

026 (1) 수렴 (2) 발산

028 (1) 0 (2) -12 (3) ∞

030 $|r|<1$일 때 0, $r=1$일 때 $\dfrac{1}{2}$, $|r|>1$일 때 1

032 (1) $-4<x\le-2$ (2) $x=-2$ 또는 $\dfrac{1}{3}<x\le1$

033 $\dfrac{1}{2}$ **034** 2 **035** 4

036 -2 **037** 3 **038** -5

039 6 **040** ① **041** ②

042 ② **043** ⑤ **044** ③

045 -2 **046** ② **047** ⑤

048 $\dfrac{1}{2}$ **049** $\dfrac{2}{3}$ **050** ⑤

052 (1) 수렴, 합: $\dfrac{3}{2}$ (2) 발산

054 (1) 수렴, 합: $\dfrac{1}{2}$ (2) 발산

056 $\log 2$ **058** 1

060 (1) 수렴, 합:1 (2) 수렴, 합:1

062 풀이 참조

064 $\dfrac{1}{2}$ **066** 2 **067** 7

068 (1) 2 (2) $\dfrac{1}{2}$ **069** ③ **070** 8

071 $\dfrac{1}{2}$ **072** -49

074 (1) 수렴, 합: $\dfrac{3}{2}$ (2) 발산

076 (1) 6 (2) 1 (3) $\dfrac{3}{4}$

078 $0\le x<1$ **080** $\dfrac{9}{2}$

082 (1) $\dfrac{64}{333}$ (2) $\dfrac{611}{990}$

084 $\dfrac{32}{3}$ **086** $\left(\dfrac{9}{5},\ \dfrac{6}{5}\right)$ **087** 12

088 $\dfrac{1}{3}$ **089** $0<x<1$ **090** 2

091 $\dfrac{5}{18}$ **092** $4\sqrt{3}$ **093** 2

094 $\dfrac{1}{2}$ **095** ① **096** ③

097 ④ **098** 3 **099** ②

100 30 m **101** ④ **102** $\dfrac{1}{4}$

103 $\dfrac{11}{16}$ **104** $\dfrac{8}{7}$ **105** 5

106 $\dfrac{1}{14}$ **107** $(3\sqrt{2}+3)\pi$

109 (1) 0   (2) -1 (3) 1   (4) ∞ (5) 0   (6) $-\dfrac{1}{2}$

111 (1) ∞ (2) 2   (3) 0   (4) $\log_5 \dfrac{3}{2}$

113 (1) $e^{\frac{9}{2}}$ (2) e^5 (3) $\sqrt{e}$ (4) $\dfrac{1}{e^4}$ (5) $\dfrac{1}{\sqrt{e}}$ (6) $\dfrac{1}{e}$

115 (1) $\dfrac{4}{7}$ (2) 1   (3) $\dfrac{2}{5}$ (4) $\dfrac{5}{3\ln 2}$

117 (1) -1 (2) 2

119 (1) $a=4$, $b=1$ (2) $a=1$, $b=\dfrac{3}{10}$

121 (1) $y'=\dfrac{e^{x-1}}{3}$ (2) $y'=e^{-x}(1-x)$

123 (1) $y'=2\times 3^{2x+1}\ln 3$

     (2) $y'=3e^{3x}+5^x\ln 5$

     (3) $y'=2^x\{(3x+1)\ln 2+3\}$

     (4) $y'=\left(\dfrac{1}{3}\right)^x\left\{(x^2+2)\ln \dfrac{1}{3}+2x\right\}$

125 $9\ln 3$

127 (1) $y'=\dfrac{3}{x}$ (2) $y'=\dfrac{5}{x}$ (3) $y'=12x\ln x+6x-\dfrac{2}{x}$

129 (1) $y'=\dfrac{1}{x\ln 5}$

     (2) $y'=2\log_3 4x+\dfrac{2x+1}{x\ln 3}$

     (3) $y'=3^x\left(\ln 3\times\log_2 x+\dfrac{1}{x\ln 2}\right)$

131 $2e$ **133** $a=1$, $b=1$ **134** ㄱ, ㄷ

135 2   **136** $\dfrac{1}{10}$ **137** $\dfrac{2\ln 9}{3}$

138 $16e^2$ **139** $5e$

141 $\csc\theta=-2$, $\sec\theta=-\dfrac{2\sqrt{3}}{3}$, $\cot\theta=\sqrt{3}$

143 $2\cot\theta$ **145** $\dfrac{\sqrt{3}}{3}$

147 (1) $\dfrac{\sqrt{6}-\sqrt{2}}{4}$ (2) $\dfrac{\sqrt{2}-\sqrt{6}}{4}$ (3) $2+\sqrt{3}$

149 (1) $\dfrac{1}{2}$ (2) $\dfrac{1}{2}$ (3) $\dfrac{\sqrt{3}}{3}$

151 1

153 (1) $-\dfrac{1+2\sqrt{30}}{12}$ (2) $-\dfrac{2\sqrt{2}+\sqrt{15}}{12}$

     (3) $-\dfrac{32\sqrt{2}+9\sqrt{15}}{7}$

155 $\dfrac{\pi}{4}$

157 $\sin 2\theta=\dfrac{4\sqrt{2}}{9}$, $\cos 2\theta=-\dfrac{7}{9}$, $\tan 2\theta=-\dfrac{4\sqrt{2}}{7}$

159 (1) $\dfrac{8}{9}$ (2) $\dfrac{13}{27}$

161 $\sin\dfrac{\theta}{2}=\dfrac{3\sqrt{10}}{10}$, $\cos\dfrac{\theta}{2}=\dfrac{\sqrt{10}}{10}$, $\tan\dfrac{\theta}{2}=3$

163 (1) $2\sin\left(x+\dfrac{\pi}{6}\right)$, $2\cos\left(x-\dfrac{\pi}{3}\right)$

     (2) $\sqrt{2}\sin\left(x+\dfrac{\pi}{4}\right)$, $\sqrt{2}\cos\left(x-\dfrac{\pi}{4}\right)$

165 $2\sin\left(x+\dfrac{3}{4}\pi\right)$

167 (1) 최댓값: $2\sqrt{3}$, 최솟값: $-2\sqrt{3}$, 주기: $\dfrac{2\pi}{3}$

     (2) 최댓값: 2, 최솟값: -2, 주기: 2π

168 5   **169** $-\dfrac{1}{5}$ **170** -5

171 $\tan 2\theta=-\dfrac{4}{3}$, $\cos 2\theta=-\dfrac{3}{5}$, $\sin 2\theta=\dfrac{4}{5}$

172 $-\dfrac{7}{25}$ **173** $\dfrac{15}{4}$ **174** 4

176 (1) -1 (2) 2   (3) 0

178 (1) 5   (2) $\dfrac{1}{2}$ (3) 1   (4) 4

180 (1) 2   (2) $\dfrac{1}{2}$

182 (1) 1   (2) $\dfrac{6}{\pi}$

184 (1) $a=-1$, $b=1$ (2) $a=\dfrac{1}{2}$, $b=0$

     (3) $a=3$, $b=-\dfrac{3}{2}\pi$

186 2

188 (1) $y'=-x\sin x$ (2) $y'=2\cos 2x$

     (3) $y'=\dfrac{\cos x}{x}-\ln x\sin x$

190 $\dfrac{3}{2}$ **192** -7 **193** (1) 4   (2) $\dfrac{3}{2}$

194 $\dfrac{1}{8}$ **195** 4

196 (1) 1   (2) -1 (3) 2   (4) 5

197 2   **198** 5   **199** e

200 2   **201** 12   **202** 8

203 $\dfrac{3}{4}$ **204** $\dfrac{19}{32}$ **205** $\dfrac{9}{13}$

206 $7-4\sqrt{3}$ **207** $a=0$, $b=\dfrac{1}{3}$

208 3   **209** -2 **210** $\dfrac{2}{3}\pi$

211 0   **212** 1   **213** 10

214 2   **215** $\dfrac{3}{5}$ **216** 2

218 (1) $y'=\dfrac{7}{(2x+1)^2}$ (2) $y'=-\dfrac{(x-1)^2}{e^x}$

(3) $y'=-\dfrac{1}{x(\ln x)^2}$

220 (1) $y'=-\dfrac{15}{x^6}$ (2) $y'=\dfrac{8}{x^3}$ (3) $y'=2x-\dfrac{1}{x^2}$

222 (1) $y'=-\csc x\,(\csc x-\cot x)$

(2) $y'=2x\tan x+x^2\sec^2 x$

(3) $y'=\sec x\,(\tan^2 x+\sec^2 x)$

224 (1) $y'=\dfrac{\sin x-x\cos x}{\sin^2 x}$

(2) $y'=-\dfrac{\csc x\,(x\cot x+2)}{x^3}$

(3) $y'=\dfrac{2\sec^2 x}{(1-\tan x)^2}$

226 (1) $y'=3(2x+1)(x^2+x)^2$

(2) $y'=-\dfrac{5(2x+1)}{(x^2+x+1)^6}$

(3) $y'=(x^2-2)(6x^3+5x^2-8x-2)$

(4) $y'=4\Big(1+\dfrac{2}{x^2}\Big)\Big(x-\dfrac{2}{x}\Big)^3$

228 (1) $y'=-(3x^2+2)\sin(x^3+2x+3)$

(2) $y'=-4\cot(2x+1)\csc^2(2x+1)$

(3) $y'=\cos x\cos(\sin x)$

230 -1

232 (1) $y'=e^{\tan x}\sec^2 x$ (2) $y'=-3\times 5^{1-3x}\ln 5$

(3) $y'=2(e^{2x}-e^{-2x})$ (4) $y'=-\dfrac{4\ln 2}{(2^x-2^{-x})^2}$

234 (1) $y'=\dfrac{e^x}{e^x-1}$ (2) $y'=\dfrac{\cot x}{\ln 2}$

(3) $y'=\dfrac{2(1-2\ln|x|)}{x^3}$

(4) $y'=\dfrac{1}{(\ln 5)^2 x\log_5|x|}$

236 (1) $y'=x^{\cos x}\Big(-\sin x\ln x+\dfrac{\cos x}{x}\Big)$

(2) $y'=2x^{\ln x-1}\ln x$

238 $y'=\dfrac{(x-1)(x-11)(x+1)(x-2)^2}{(x-3)^5}$

240 (1) $y'=\dfrac{4}{3}\sqrt[3]{x}$ (2) $y'=-\dfrac{7}{2x^4\sqrt{x}}$

(3) $y'=\dfrac{2}{5\sqrt[5]{(2x-4)^4}}$ (4) $y'=-ex^{-e-1}$

241 -55 **242** $\dfrac{2}{3}$ **243** $\sqrt{3}$

244 e **245** 2 **246** $\dfrac{16}{27}$

248 (1) $\dfrac{dy}{dx}=2$ (2) $\dfrac{dy}{dx}=\dfrac{t^2-1}{2t^3}$

250 (1) $\dfrac{dy}{dx}=-\dfrac{2x}{3y}$ (단, $y\neq 0$)

(2) $\dfrac{dy}{dx}=\dfrac{x-2y}{2x-3y}$ (단, $2x-3y\neq 0$)

(3) $\dfrac{dy}{dx}=-\dfrac{2y}{3x}$ (단, $x\neq 0$)

(4) $\dfrac{dy}{dx}=\dfrac{4x}{9y}$ (단, $y\neq 0$)

252 (1) $\dfrac{dy}{dx}=\dfrac{1}{\sqrt[4]{(4x-6)^3}}$ $\Big($단, $x\neq\dfrac{3}{2}\Big)$

(2) $\dfrac{dy}{dx}=\dfrac{2\sqrt{1+y}}{3y+2}$ $\Big($단, $y\neq-\dfrac{2}{3}\Big)$

254 $\dfrac{2\sqrt{3}}{3}$

256 (1) $y''=2\ln x+3$ (2) $y''=\dfrac{1}{(x^2+1)\sqrt{x^2+1}}$

258 -1 **259** $-\dfrac{3\sqrt{3}}{4}$ **260** -1

261 $\dfrac{1}{2}$ **262** ②   **263** 2

264 $-\sqrt{3}$ **265** 1 **266** 1

267 $2\sin x\cos x$

268 -1 **269** 32 **270** 12

271 3 **272** $\dfrac{43}{3}$ **273** $\dfrac{9}{4}$

274 48 **275** 0 **276** 4

277 2 **278** 21 **279** $\dfrac{1}{e}$

280 1 **281** 5 **282** 1

284 (1) $y=-5x+2$ (2) $y=2x-\dfrac{\pi}{2}+1$

(3) $y=x+2$ (4) $y=6x-3e$

286 (1) $y=-x-1$ (2) $y=3x+1$

288 (1) $-\dfrac{1}{e}$ (2) $\dfrac{5}{4}$

290 (1) $y=\dfrac{e^2}{4}x$ (2) $y=x-1$

292 (1) $x>1$에서 증가, $0<x<1$에서 감소

(2) $0<x<\dfrac{\pi}{2}$ 또는 $\dfrac{3}{2}\pi<x<2\pi$에서 증가,

$\dfrac{\pi}{2}<x<\dfrac{3}{2}\pi$에서 감소

294 $a\leq-\dfrac{1}{2}$

296 (1) 극솟값: e

(2) 극댓값: $\dfrac{\pi}{12}+\dfrac{\sqrt{3}}{2}$, 극솟값: $\dfrac{5}{12}\pi-\dfrac{\sqrt{3}}{2}$

(3) 극솟값: $-\dfrac{1}{e}$ (4) 극댓값: $2\sqrt{2}$

298 (1) 극댓값: $\dfrac{7}{6}\pi+\sqrt{3}$, 극솟값: $\dfrac{11}{6}\pi-\sqrt{3}$

(2) 극솟값: $-\dfrac{1}{2e}$

300 (1) $a=-4$, $b=-1$ (2) $a=-3$, 극솟값: $-e^2$

302 (1) $a<\dfrac{5}{4}$ (2) $a\leq-1$ 또는 $a\geq1$

303 $-4e$ **304** -3 **305** -1

306 1 **307** π **308** 1

310 (1) $\left(\dfrac{1}{2},\ \dfrac{1}{2}\right)$ (2) $\left(-\dfrac{1}{2},\ \dfrac{1}{\sqrt{e}}\right)$, $\left(\dfrac{1}{2},\ \dfrac{1}{\sqrt{e}}\right)$

(3) $\left(e\sqrt{e},\ \dfrac{3}{2e\sqrt{e}}\right)$ (4) $\left(\dfrac{\pi}{2},\ \dfrac{\pi}{2}\right)$, $\left(\dfrac{3}{2}\pi,\ \dfrac{3}{2}\pi\right)$

312 7

314 (1) $y=\dfrac{2}{e}x-1$ (2) $y=2x-\dfrac{\pi}{2}$

316 (1) 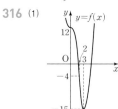 (2)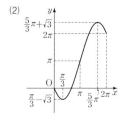

318 (1) 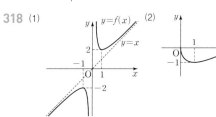 (2)

320 (1) 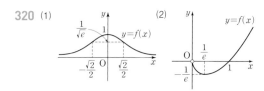 (2)

322 (1) 최댓값: $\dfrac{1}{6}$, 최솟값: $-\dfrac{1}{2}$

(2) 최댓값: 2, 최솟값: -2

324 (1) 최댓값: $\dfrac{1}{\sqrt{2e}}$, 최솟값: $-\dfrac{1}{\sqrt{2e}}$

(2) 최댓값: 0, 최솟값: $-\dfrac{1}{e}$

326 (1) 최댓값: $\dfrac{\sqrt{2}}{2}e^{\frac{\pi}{4}}$, 최솟값: $-e^{\pi}$

(2) 최댓값: $\dfrac{3\sqrt{3}}{4}$, 최솟값: 0

328 4 **330** $3\sqrt{3}$ **331** ②

332 3 **333** ㄱ, ㄷ   **334** 4

335 $-2e^3$ **336** $\dfrac{3\sqrt{3}}{2}$

338 (1) 1 (2) 2 (3) 1

340 (1) $0<a<1$

(2) $k<0$일 때 0개, $k=0$ 또는 $k>2$일 때 1개, $0<k\leq2$일 때 2개

342 $0<a<\dfrac{1}{e}$

344 (1) 풀이 참조 (2) 풀이 참조 (3) 풀이 참조

346 (1) $0<a<e$ (2) $a\leq1$

348 (1) 0

(2) 속도: $-\dfrac{\pi}{2}(1+\sqrt{3})$, 가속도: $-\dfrac{\pi^2}{2}(\sqrt{3}-1)$

(3) $t=\dfrac{1}{4},\ \dfrac{5}{4},\ \dfrac{9}{4},\ \dfrac{13}{4}$

350 (1) $\vec{v}=(-6\sin 3t,\ 6\cos 3t)$, $|\vec{v}|=6$

(2) $\vec{a}=(-18\cos 3t,\ -18\sin 3t)$, $|\vec{a}|=18$

352 시각: $t=\pi$, 속력: 2

354 $\dfrac{1}{50}$ 라디안/초

355 ㄱ, ㄴ   **356** $0<a<\dfrac{1}{2}$ **357** 3

358 $a\leq2$ **359** $\dfrac{\sqrt{5}}{4}$ **360** $(2,\ 0)$

361 $-\pi$ **362** e **363** 8

364 3 **365** ②   **366** 4

367 e **368** 0 **369** e^2

370 1 **371** $\pi-3\sqrt{3}$ **372** $2e$

373 e **374** 5 **375** $-\dfrac{1}{2}$

376 $\dfrac{1}{e}$ **377** $\dfrac{1}{e}<a<2e$ **378** 2

380 (1) $-\dfrac{2}{\sqrt{x}}+C$　(2) $\dfrac{2}{3}x\sqrt{x}+2\sqrt{x}+C$

382 (1) $\dfrac{1}{11}x^{11}-10\ln|x|-\dfrac{1}{9x^9}+C$

(2) $2x^2-3\ln|x|-\dfrac{1}{x}+C$

(3) $\dfrac{2}{5}x^2\sqrt{x}-3x^2+6x\sqrt{x}+C$

384 (1) $e^{x+2}+\dfrac{5^{x-1}}{\ln 5}+C$　(2) $\dfrac{4^x}{\ln 4}+C$

(3) $\dfrac{9^x}{\ln 9}-2x-\dfrac{9^{-x}}{\ln 9}+C$　(4) $\dfrac{e^{2x}}{2}-e^x+x+C$

386 (1) $-2\cos x-3\sin x+C$　(2) $x-\cos x+C$

(3) $-\cot x-2\csc x+C$

(4) $\tan x+2\sec x+C$　(5) $-\cot x-x+C$

(6) $\tan x-\cot x+C$

387 $F(x)=\dfrac{2}{3}x\sqrt{x}-2x+3$

388 2　　　**389** $5-3e$　　　**390** $\dfrac{4}{\ln 2}$

391 $-1+\sqrt{2}$　　**392** 385π

394 (1) $\dfrac{2}{5}\left(\dfrac{1}{2}x+3\right)^5+C$　(2) $\dfrac{1}{9}(x^3-3x^2+1)^3+C$

396 (1) $\dfrac{1}{3}(x^2+2x)\sqrt{x^2+2x}+C$

(2) $\dfrac{1}{3}(2x-5)\sqrt{2x+1}+C$

398 (1) $-\dfrac{1}{3}e^{-3x+5}+C$　(2) $\dfrac{2}{3}(e^x+1)\sqrt{e^x+1}+C$

(3) $\dfrac{1}{2}(\ln x)^2+C$　(4) $\dfrac{1}{4}\{\ln(x^2+1)\}^2+C$

400 (1) $\dfrac{1}{3}\sin(3x-2)+C$　(2) $\dfrac{1}{2}\tan^2 x+C$

(3) $-\dfrac{1}{8}(2\cos x+1)^4+C$

(4) $-\dfrac{1}{3}\sin^3 x+\sin x+C$

402 (1) $\ln|x^3+4x+1|+C$

(2) $\ln(e^x+e^{-x})+C$

(3) $\ln|\ln(x+1)|+C$

(4) $-\ln(\cos x+2)+C$

(5) $\ln|\sin x|+C$

404 (1) $\dfrac{1}{3}x^3+\dfrac{1}{2}x^2+x+C$

(2) $\dfrac{1}{2}x^2+5\ln|x+3|+C$

(3) $2\ln\left|\dfrac{x-2}{x+1}\right|+C$

(4) $\ln|x+1|+4\ln|x-3|+C$

406 (1) $-(x+1)e^{-x}+C$

(2) $-\dfrac{1}{2}(2x+1)\cos 2x+\dfrac{1}{2}\sin 2x+C$

(3) $\dfrac{1}{2}x^2\ln x-\dfrac{1}{4}x^2+C$

(4) $(x+1)\ln(x+1)-x+C$

408 (1) $\dfrac{1}{2}e^x(\cos x+\sin x)+C$

(2) $-\dfrac{1}{2}e^{-x}(\sin x+\cos x)+C$

(3) $(x^2-2x+3)e^x+C$

(4) $x(\ln x)^2-2x\ln x+2x+C$

409 $\dfrac{1}{8}$　　　**410** $2-e$　　　**411** 1

412 $F(x)=\dfrac{1}{2}\ln(x^2-4x+5)$

413 0　　　**414** $\dfrac{2}{3}e^3+1$　　**415** 1

416 ⑤　　　**417** $-\dfrac{3}{2}$　　**418** $2-\dfrac{1}{2}e^2$

419 -24　　**420** 3　　　**421** ①

422 ②　　　**423** ①　　　**424** $\dfrac{3}{4}$

425 $\pi+2$　　**426** $e+2$　　**427** 1

428 $\dfrac{\sqrt{3}}{2}$　　**429** $\dfrac{1}{e}$　　　**430** $-\ln 55$

431 $\ln\dfrac{e^2}{e^2-e+1}$

432 0　　　**433** ②

435 (1) 2　(2) $\dfrac{17}{6}$　(3) $4-\dfrac{1}{e}$　(4) $\ln\dfrac{4}{3}$

437 (1) e^4-e^2　(2) $\dfrac{15}{8\ln 2}-2$　(3) $\sqrt{3}-1$　(4) $\dfrac{\pi}{8}+\dfrac{1}{4}$

439 (1) π　(2) $\dfrac{1}{10}$　(3) $\dfrac{1}{2}e^4+\dfrac{1}{2}e^2-e+1$

441 $5e-1$　　**443** (1) 6　(2) $2(\sqrt{2}-1)$

445 (1) -10　(2) 0

447 9　　　　　**449** 2

451 (1) $\dfrac{1}{2}\ln 2$　(2) $\sqrt{3}$　(3) $\ln\dfrac{1+e^2}{2}$　(4) $\dfrac{1}{3}$　(5) $\dfrac{5}{4}$

453 (1) $\dfrac{\pi}{6}$　(2) $\dfrac{\pi}{3}$

455 (1) $1-\dfrac{2}{e}$　(2) $4\ln 2-2$　(3) $\dfrac{1}{2}e^\pi+\dfrac{1}{2}$

456 (1) $4+\dfrac{1}{e}$　(2) $\dfrac{1}{2}\left(\dfrac{\pi}{2}-1\right)$　(3) $\dfrac{7}{\ln 8}+1$　(4) e^2+5

457 2　　　**458** $\dfrac{3}{\ln 2}$　　**459** -4

460 2　　　**461** (1) -2π　(2) $2e^2-e$

463 (1) $f(x)=\ln x+\dfrac{1}{2-e}$ (2) $f(x)=\cos x-\dfrac{1}{4}$

465 (1) $f(x)=2e^{2x}-e^{x}$ (2) $f(x)=-\dfrac{1}{x}+1$

467 $a=e,\ f(x)=\dfrac{1}{x}$

469 $a=-1,\ b=-1,\ f(x)=\sin x$

471 (1) $\dfrac{3}{2}$ (2) $2\ln 2-4+e$

473 (1) 1 (2) -2

474 $f(x)=x-\dfrac{1}{e}$

475 π **476** $-\dfrac{1}{2}$ **477** -1

478 $-\dfrac{9}{2}$ **479** $\dfrac{1}{5}$ **481** $\dfrac{1}{4}$

483 $\dfrac{1}{3}a^{2}h$

485 (1) 70 (2) 6 (3) 1 (4) $-\dfrac{2}{\pi^{2}}$

487 (1) $\dfrac{1}{6}$ (2) $\dfrac{175}{4}$ (3) $\dfrac{1}{2}\ln 2$

488 $\dfrac{8}{3}$ **489** ③   **490** $2(e^{2}-1)$

491 7 **492** $e^{2}+1$ **493** 0

494 3 **495** $e^{\pi}+\dfrac{\pi}{2}-2$ **496** $\dfrac{1}{2}$

497 ⑤   **498** 3 **499** 15

500 $G'(x)=x^{2}+2\cos x-2$

501 ⑤   **502** $\dfrac{1}{3}$ **503** 2

504 $\dfrac{5}{2}$ **505** 4

506 $f(x)=e^{x}+\dfrac{2-e-e^{2}}{2}$

507 3 **508** $\ln 4$ **509** $\dfrac{1}{4}$

510 $\dfrac{2}{3}\pi$ **512** (1) $\dfrac{16}{3}$ (2) $2-\dfrac{2}{e}$

514 (1) $\dfrac{4}{3}$ (2) $\ln 3$

516 (1) $e^{2}+e+\dfrac{1}{e^{2}}+\dfrac{1}{e}-4$ (2) $2\sqrt{2}$

518 $\dfrac{1}{4}$ **520** $\dfrac{e^{2}}{2}-e$ **522** $\dfrac{\pi}{4}$

524 $\dfrac{16}{3}$ **525** (1) $\dfrac{1}{e}+e-2$ (2) 1

526 (1) $\dfrac{4}{3}$ (2) $e-\dfrac{1}{e}+2$

527 (1) $\dfrac{1}{3}$ (2) $e-\dfrac{1}{e}$

528 $\sqrt{3}$ **529** $\dfrac{1}{3}$ **530** $e+1$

532 (1) $\dfrac{5}{3}\pi$ (2) $\dfrac{1}{3}a^{2}h$

534 $\dfrac{1}{3}$ **535** π^{2} **536** $2e^{2}+2$

537 $\dfrac{16}{3}$ **538** $\dfrac{1}{2}$

540 (1) $-(t+1)e^{-t}+1$ (2) $\dfrac{2e-3}{e^{2}}$

542 5π **544** (1) 6 (2) $1+\ln 3$

545 $\sqrt{2}(e^{2\pi}-1)$ **546** $\dfrac{5}{2}$ **547** $\dfrac{e}{2}-\dfrac{1}{2e}$

548 $\dfrac{19\sqrt{2}}{3}$ **549** $\dfrac{13}{12}$ **550** $2-\ln 3$

551 2 **552** $\dfrac{3}{2}-2\ln 2$ **553** $\ln\dfrac{3}{2}$

554 $2\ln 3$ **555** $4-\dfrac{8}{e}$ **556** 18

557 ②   **558** 78 **559** 4

560 2 **561** $e-2$ **562** $4-2\sqrt{2}$

563 $\dfrac{2}{3}\sqrt{3}$ **564** $\dfrac{4}{3}$ **565** $\dfrac{9}{2}$

응급관 출동!

미ᄒᆫ곰

용군사

I 수열의 극한

1 수열의 극한

002

(1) n의 값이 한없이 커질 때, $\dfrac{n-1}{n}=1-\dfrac{1}{n}$의 값은 1

에 한없이 가까워지므로 수열 $\left\{\dfrac{n-1}{n}\right\}$은 수렴하고,

그 극한값은 1이다.

$\therefore \displaystyle\lim_{n\to\infty}\dfrac{n-1}{n}=1$

(2) n의 값이 한없이 커질 때, $-2n+1$의 값은 음수이

면서 그 절댓값이 한없이 커지므로 수열 $\{-2n+1\}$

은 음의 무한대로 발산한다.

$\therefore \displaystyle\lim_{n\to\infty}(-2n+1)=-\infty$ (극한값은 없다.)

(3) n의 값이 한없이 커질 때, $\left(-\dfrac{1}{2}\right)^n$의 값은

$-\dfrac{1}{2},\ \dfrac{1}{4},\ -\dfrac{1}{8},\ \dfrac{1}{16},\ \cdots$

과 같이 0에 한없이 가까워지므로 수열 $\left\{\left(-\dfrac{1}{2}\right)^n\right\}$은

수렴하고, 그 극한값은 0이다.

$\therefore \displaystyle\lim_{n\to\infty}\left(-\dfrac{1}{2}\right)^n=0$

(4) n의 값이 한없이 커질 때, $2\times(-1)^n$의 값은

$-2,\ 2,\ -2,\ 2,\ \cdots$

와 같이 일정한 수에 수렴하지도 않고, 양의 무한대

또는 음의 무한대로 발산하지도 않으므로 진동한다.

따라서 이 수열은 발산하므로 극한값은 없다.

답 (1) 수렴, 극한값: 1 (2) 발산

(3) 수렴, 극한값: 0 (4) 발산

004

$\displaystyle\lim_{n\to\infty}\dfrac{(b_n)^2}{2a_n-1}=\dfrac{\displaystyle\lim_{n\to\infty}b_n\times\lim_{n\to\infty}b_n}{2\displaystyle\lim_{n\to\infty}a_n-1}=\dfrac{3\times3}{2\times1-1}=9$

답 9

006

(1) n^3으로 분모, 분자를 각각 나누면

$(\text{주어진 식})=\displaystyle\lim_{n\to\infty}\dfrac{3+\dfrac{4}{n^2}-\dfrac{5}{n^3}}{-1+\dfrac{2}{n}-\dfrac{4}{n^3}}$

$=\dfrac{3+0-0}{-1+0-0}=-3$

(2) n^3으로 분모, 분자를 각각 나누면

$(\text{주어진 식})=\displaystyle\lim_{n\to\infty}\dfrac{\dfrac{5}{n}-\dfrac{6}{n^3}}{2-\dfrac{1}{n}+\dfrac{1}{n^3}}$

$=\dfrac{0-0}{2-0+0}=0$

(3) n으로 분모, 분자를 각각 나누면

$(\text{주어진 식})=\displaystyle\lim_{n\to\infty}\dfrac{-n+1+\dfrac{1}{n}}{1+\dfrac{1}{n}}$

$=\dfrac{-\infty+1+0}{1+0}=-\infty$

(4) n으로 분모, 분자를 각각 나누면

$(\text{주어진 식})=\displaystyle\lim_{n\to\infty}\dfrac{6}{\sqrt{1+\dfrac{3}{n^2}}+1}$

$=\dfrac{6}{\sqrt{1+0}+1}=3$

답 (1) -3 (2) 0 (3) $-\infty$ (4) 3

008

(1) $1+2+3+\cdots+n=\dfrac{n(n+1)}{2}$이므로

$(\text{주어진 식})=\displaystyle\lim_{n\to\infty}\dfrac{n^2+n}{2n^2}=\dfrac{1}{2}$

(2) (주어진 식)

$=\displaystyle\lim_{n\to\infty}\left(\dfrac{2^2-1}{2^2}\times\dfrac{3^2-1}{3^2}\times\dfrac{4^2-1}{4^2}\times\cdots\times\dfrac{n^2-1}{n^2}\right)$

$=\displaystyle\lim_{n\to\infty}\left\{\dfrac{1\times3}{2\times2}\times\dfrac{2\times4}{3\times3}\times\dfrac{3\times5}{4\times4}\times\cdots\right.$

$\left.\times\dfrac{(n-1)(n+1)}{n\times n}\right\}$

$=\displaystyle\lim_{n\to\infty}\left(\dfrac{1}{2}\times\dfrac{n+1}{n}\right)=\dfrac{1}{2}$

(3) $(\text{주어진 식})=\displaystyle\lim_{n\to\infty}\log\dfrac{n+3}{n+2}=\lim_{n\to\infty}\log\dfrac{1+\dfrac{3}{n}}{1+\dfrac{2}{n}}$

$=\log 1=0$

답 (1) $\dfrac{1}{2}$ (2) $\dfrac{1}{2}$ (3) 0

010

(1) (주어진 식)

$=\displaystyle\lim_{n\to\infty}\dfrac{(\sqrt{n+1}-\sqrt{n-1})(\sqrt{n+1}+\sqrt{n-1})}{\sqrt{n+1}+\sqrt{n-1}}$

$=\displaystyle\lim_{n\to\infty}\dfrac{2}{\sqrt{n+1}+\sqrt{n-1}}=0$

(2) (주어진 식)

$$=\lim_{n\to\infty}\frac{(\sqrt{n^2+2n}-\sqrt{n^2-2n})(\sqrt{n^2+2n}+\sqrt{n^2-2n})}{\sqrt{n^2+2n}+\sqrt{n^2-2n}}$$

$$=\lim_{n\to\infty}\frac{4n}{\sqrt{n^2+2n}+\sqrt{n^2-2n}}$$

$$=\lim_{n\to\infty}\frac{4}{\sqrt{1+\dfrac{2}{n}}+\sqrt{1-\dfrac{2}{n}}}=2$$

(3) (주어진 식)

$$=\lim_{n\to\infty}\frac{\sqrt{n+1}+\sqrt{n}}{(\sqrt{n+1}-\sqrt{n})(\sqrt{n+1}+\sqrt{n})}$$

$$=\lim_{n\to\infty}(\sqrt{n+1}+\sqrt{n})=\infty$$

(4) 최고차항인 n^3으로 묶어내면

$$(\text{주어진 식})=\lim_{n\to\infty}n^3\left(2-\frac{3}{n^2}+\frac{4}{n^3}\right)$$

$$=\infty\times2=\infty$$

답 (1) 0 (2) 2 (3) ∞ (4) ∞

012

$\displaystyle\lim_{n\to\infty}\frac{an^2+bn-3}{5n+2}$에서 $a\neq0$이면 발산하므로 $a=0$

$$(\text{좌변})=\lim_{n\to\infty}\frac{bn-3}{5n+2}=\lim_{n\to\infty}\frac{b-\dfrac{3}{n}}{5+\dfrac{2}{n}}$$

$$=\frac{b}{5}=2$$

$\therefore b=10$

$\therefore a+b=10$

답 10

014

$$\lim_{n\to\infty}(\sqrt{n^2+an}-n)$$

$$=\lim_{n\to\infty}\frac{(\sqrt{n^2+an}-n)(\sqrt{n^2+an}+n)}{\sqrt{n^2+an}+n}$$

$$=\lim_{n\to\infty}\frac{(n^2+an)-n^2}{\sqrt{n^2+an}+n}$$

$$=\lim_{n\to\infty}\frac{an}{\sqrt{n^2+an}+n}$$

$$=\lim_{n\to\infty}\frac{a}{\sqrt{1+\dfrac{a}{n}}+1}$$

$$=\frac{a}{2}=8$$

$\therefore a=16$

답 16

016

$\dfrac{2n+3}{n+5}<a_n<\dfrac{2n+4}{n+5}$에서

$\displaystyle\lim_{n\to\infty}\frac{2n+3}{n+5}=2$, $\displaystyle\lim_{n\to\infty}\frac{2n+4}{n+5}=2$이므로

$$\lim_{n\to\infty}a_n=2$$

답 2

018

$\dfrac{1}{n+3}<a_n<\dfrac{1}{n+1}$의 각 변에 n을 곱하면

$$\frac{n}{n+3}<na_n<\frac{n}{n+1}$$

이때 $\displaystyle\lim_{n\to\infty}\frac{n}{n+3}=1$, $\displaystyle\lim_{n\to\infty}\frac{n}{n+1}=1$이므로

$$\lim_{n\to\infty}na_n=1$$

답 1

019

(1) 수열 $\{1+(-1)^n\}$은 0, 2, 0, 2, $\cdots$이므로 발산(진동)한다.

(2) $\displaystyle\lim_{n\to\infty}(n-n^2)=\lim_{n\to\infty}n^2\left(\frac{1}{n}-1\right)$

$$=\infty\times(-1)=-\infty \ (\text{발산})$$

(3) $\displaystyle\lim_{n\to\infty}\frac{n^2}{n+1}=\lim_{n\to\infty}\frac{n}{1+\dfrac{1}{n}}=\infty \ (\text{발산})$

답 (1) 발산 (2) 발산 (3) 발산

020

$$\lim_{n\to\infty}a_n=\lim_{n\to\infty}\left(\frac{3}{n}-2\right)=-2$$

$$\lim_{n\to\infty}b_n=\lim_{n\to\infty}\left(3-\frac{2}{n+1}\right)=3$$

$\therefore \displaystyle\lim_{n\to\infty}a_n(3a_n-2b_n)=\lim_{n\to\infty}a_n\times(3\lim_{n\to\infty}a_n-2\lim_{n\to\infty}b_n)$

$$=-2\{3\times(-2)-2\times3\}=24$$

답 24

021

$\displaystyle\lim_{n\to\infty}\frac{(n+3)(n+4)-n^2}{(n+1)(n+2)-n^2}=\lim_{n\to\infty}\frac{(n^2+7n+12)-n^2}{(n^2+3n+2)-n^2}$

$$=\lim_{n\to\infty}\frac{7n+12}{3n+2}$$

$$=\lim_{n\to\infty}\frac{7+\dfrac{12}{n}}{3+\dfrac{2}{n}}=\frac{7}{3}$$

답 $\dfrac{7}{3}$

022

[1단계] $\lim\limits_{n\to\infty}\dfrac{an^2-bn+1}{6n+2}$에서

$a\neq0$이면 발산하므로 $a=0$

$\therefore \lim\limits_{n\to\infty}\dfrac{an^2-bn+1}{6n+2}=\lim\limits_{n\to\infty}\dfrac{-bn+1}{6n+2}$

$$=\lim\limits_{n\to\infty}\dfrac{-b+\dfrac{1}{n}}{6+\dfrac{2}{n}}$$

$$=-\dfrac{b}{6}$$

[2단계] $\lim\limits_{n\to\infty}\dfrac{an^2-bn+1}{6n+2}=\dfrac{5}{3}$에서 $-\dfrac{b}{6}=\dfrac{5}{3}$

$\therefore b=-10$

$\therefore a+b=-10$

답 -10

023

$\lim\limits_{n\to\infty}(\sqrt{n^2+an}-\sqrt{n^2-an}\,)$

$=\lim\limits_{n\to\infty}\dfrac{(\sqrt{n^2+an}-\sqrt{n^2-an}\,)(\sqrt{n^2+an}+\sqrt{n^2-an}\,)}{\sqrt{n^2+an}+\sqrt{n^2-an}}$

$=\lim\limits_{n\to\infty}\dfrac{2an}{\sqrt{n^2+an}+\sqrt{n^2-an}}$

$=\lim\limits_{n\to\infty}\dfrac{2a}{\sqrt{1+\dfrac{a}{n}}+\sqrt{1-\dfrac{a}{n}}}$

$=\dfrac{2a}{1+1}=a$

$\therefore a=4$

답 4

024

$\dfrac{9n^2+1}{n^2+3}<\dfrac{na_n}{2n+4}<\dfrac{9n^2+10}{n^2+3}$에서

$\dfrac{(2n+4)(9n^2+1)}{n(n^2+3)}<a_n<\dfrac{(2n+4)(9n^2+10)}{n(n^2+3)}$

$\therefore \lim\limits_{n\to\infty}\dfrac{(2n+4)(9n^2+1)}{n(n^2+3)}\leq\lim\limits_{n\to\infty}a_n$

$$\leq\lim\limits_{n\to\infty}\dfrac{(2n+4)(9n^2+10)}{n(n^2+3)}$$

이때 $\lim\limits_{n\to\infty}\dfrac{(2n+4)(9n^2+1)}{n(n^2+3)}=\dfrac{2\times9}{1}=18$이고

$\lim\limits_{n\to\infty}\dfrac{(2n+4)(9n^2+10)}{n(n^2+3)}=\dfrac{2\times9}{1}=18$이므로

$\lim\limits_{n\to\infty}a_n=18$

답 18

026

(1) $r=\dfrac{2}{3}$에서 $-1<r\leq1$이므로 $\lim\limits_{n\to\infty}\left(\dfrac{2}{3}\right)^n=0$

$\therefore$ 수렴

(2) $r=-\dfrac{3}{2}$에서 $r<-1$이므로 $\lim\limits_{n\to\infty}\left(-\dfrac{3}{2}\right)^n$은 진동

$\therefore$ 발산

답 (1) 수렴 (2) 발산

028

(1) 5^n으로 분모, 분자를 각각 나누면

(주어진 식) $=\lim\limits_{n\to\infty}\left\{\left(\dfrac{3}{5}\right)^n+\left(\dfrac{4}{5}\right)^n\right\}$

$$=0+0=0$$

(2) 3^n으로 분모, 분자를 각각 나누면

(주어진 식) $=\lim\limits_{n\to\infty}\dfrac{12}{5\times\left(\dfrac{2}{3}\right)^n-1}$

$$=\dfrac{12}{0-1}=-12$$

(3) 6^n으로 묶어내면

(주어진 식) $=\lim\limits_{n\to\infty}6^n\left\{1-\left(\dfrac{5}{6}\right)^n\right\}$

$$=\infty\times1=\infty$$

답 (1) 0 (2) -12 (3) ∞

030

(i) $|r|<1$일 때, $\lim\limits_{n\to\infty}r^n=0$이므로

$\lim\limits_{n\to\infty}\dfrac{r^n}{1+r^n}=\dfrac{0}{1+0}=0$

(ii) $r=1$일 때, $\lim\limits_{n\to\infty}r^n=1$이므로

$\lim\limits_{n\to\infty}\dfrac{r^n}{1+r^n}=\dfrac{1}{1+1}=\dfrac{1}{2}$

(iii) $|r|>1$일 때, $\lim\limits_{n\to\infty}\dfrac{1}{r^n}=0$이므로

$\lim\limits_{n\to\infty}\dfrac{r^n}{1+r^n}=\lim\limits_{n\to\infty}\dfrac{1}{\dfrac{1}{r^n}+1}=\dfrac{1}{0+1}=1$

답 $|r|<1$일 때 0, $r=1$일 때 $\dfrac{1}{2}$, $|r|>1$일 때 1

032

(1) 공비가 $x+3$이므로 수렴하려면

$-1<x+3\leq1$

$\therefore -4<x\leq-2$

(2) 첫째항이 $x+2$, 공비가 $3x-2$이므로 수렴하려면

$\quad x+2=0$ 또는 $-1<3x-2\leq1$

$\quad x+2=0$ 또는 $1<3x\leq3$

$\quad \therefore x=-2$ 또는 $\frac{1}{3}<x\leq1$

$\qquad\qquad$ 답 (1) $-4<x\leq-2$

$\qquad\qquad\qquad$ (2) $x=-2$ 또는 $\frac{1}{3}<x\leq1$

033

$f(x)$를 $x-1$로 나눈 나머지는

$\quad f(1)=2^n+3^n+1=a_n$

$f(x)$를 $x-2$로 나눈 나머지는

$\quad f(2)=4\times2^n+2\times3^n+1=b_n$

$\begin{aligned}\therefore \lim_{n\to\infty}\frac{a_n}{b_n}&=\lim_{n\to\infty}\frac{2^n+3^n+1}{4\times2^n+2\times3^n+1}\\&=\lim_{n\to\infty}\frac{\left(\frac{2}{3}\right)^n+1+\left(\frac{1}{3}\right)^n}{4\times\left(\frac{2}{3}\right)^n+2\times1+\left(\frac{1}{3}\right)^n}\\&=\frac{1}{2}\end{aligned}$

$\qquad\qquad\qquad\qquad\qquad\qquad$ 답 $\frac{1}{2}$

034

$\begin{aligned}f(-3)&=\lim_{n\to\infty}\frac{(-3)^{n+1}+3}{(-3)^n+1}\\&=\lim_{n\to\infty}\frac{-3+3\times\left(-\frac{1}{3}\right)^n}{1+\left(-\frac{1}{3}\right)^n}\\&=\frac{-3+0}{1+0}=-3\end{aligned}$

$f\left(\frac{1}{3}\right)=\lim_{n\to\infty}\frac{\left(\frac{1}{3}\right)^{n+1}+3}{\left(\frac{1}{3}\right)^n+1}=\frac{0+3}{0+1}=3$

$f(1)=\lim_{n\to\infty}\frac{1^{n+1}+3}{1^n+1}=\frac{1+3}{1+1}=2$

$\therefore f(-3)+f\left(\frac{1}{3}\right)+f(1)=-3+3+2=2$

$\qquad\qquad\qquad\qquad\qquad\qquad$ 답 2

035

등비수열 $\left\{\left(\frac{2x-1}{4}\right)^n\right\}$의 공비가 $\frac{2x-1}{4}$이므로

수렴하려면 $-1<\frac{2x-1}{4}\leq1$에서

$-4<2x-1\leq4,\ -3<2x\leq5$

$\therefore -\frac{3}{2}<x\leq\frac{5}{2}$

따라서 정수 x는 -1, 0, 1, 2의 4개이다.

$\qquad\qquad\qquad\qquad\qquad\qquad$ 답 4

036

등비수열 $\{(x^2-x-1)^n\}$이 수렴하므로

$\quad -1<x^2-x-1\leq1$

(ⅰ) $x^2-x-1>-1$에서

$\quad x^2-x>0,\ x(x-1)>0$

$\quad \therefore x<0$ 또는 $x>1$

(ⅱ) $x^2-x-1\leq1$에서

$\quad x^2-x-2\leq0,\ (x+1)(x-2)\leq0$

$\quad \therefore -1\leq x\leq2$

(ⅰ), (ⅱ)에서 $-1\leq x<0$ 또는 $1<x\leq2$

따라서 정수 x는 -1, 2이므로 그 곱은

$\quad -1\times2=-2$

$\qquad\qquad\qquad\qquad\qquad\qquad$ 답 -2

037

$36^n=(2^2\times3^2)^n=2^{2n}\times3^{2n}$의 양의 약수의 총합은

$\begin{aligned}f(n)&=(1+2+2^2+\cdots+2^{2n})(1+3+3^2+\cdots+3^{2n})\\&=\frac{2^{2n+1}-1}{2-1}\times\frac{3^{2n+1}-1}{3-1}\\&=\frac{(2\times4^n-1)(3\times9^n-1)}{2}\end{aligned}$

$\begin{aligned}\therefore \lim_{n\to\infty}\frac{f(n)}{36^n}&=\lim_{n\to\infty}\frac{\frac{(2\times4^n-1)(3\times9^n-1)}{2}}{36^n}\\&=\lim_{n\to\infty}\frac{(2\times4^n-1)(3\times9^n-1)}{2\times36^n}\\&=\lim_{n\to\infty}\frac{6\times36^n-2\times4^n-3\times9^n+1}{2\times36^n}\\&=\lim_{n\to\infty}\frac{6-2\times\left(\frac{1}{9}\right)^n-3\times\left(\frac{1}{4}\right)^n+\left(\frac{1}{36}\right)^n}{2}\\&=\frac{6}{2}=3\end{aligned}$

$\qquad\qquad\qquad\qquad\qquad\qquad$ 답 3

038

$\frac{a_{n+1}}{a_n}=\frac{a_{n+2}}{a_{n+1}}$이므로 수열 $\{a_n\}$은 등비수열이다.

이때 $a_1=3$, $a_2=15$이므로 수열 $\{a_n\}$은 첫째항이 3이고

공비가 5이다.

$\therefore a_n=3\times5^{n-1}$

$$\therefore \lim_{n \to \infty} \frac{-2^{n+1}+a_{n+1}}{2^n-a_n} = \lim_{n \to \infty} \frac{-2^{n+1}+3 \times 5^n}{2^n-3 \times 5^{n-1}}$$

$$= \lim_{n \to \infty} \frac{-4 \times \left(\frac{2}{5}\right)^{n-1}+15}{2 \times \left(\frac{2}{5}\right)^{n-1}-3}$$

$$= \frac{0+15}{0-3} = -5$$

답 -5

039

[방법 1] $\lim_{n \to \infty} a_n = x$로 놓으면

$$\lim_{n \to \infty} \frac{2a_n+3}{a_n-1} = \frac{2x+3}{x-1} = 3$$

$$2x+3 = 3x-3 \qquad \therefore x = 6$$

$$\therefore \lim_{n \to \infty} a_n = 6$$

[방법 2] $\dfrac{2a_n+3}{a_n-1} = b_n$으로 치환하면 $\lim_{n \to \infty} b_n = 3$

$\dfrac{2a_n+3}{a_n-1} = b_n$을 a_n에 관하여 풀면

$$2a_n+3 = a_n b_n - b_n, \quad (b_n-2)a_n = b_n+3$$

$$\therefore a_n = \frac{b_n+3}{b_n-2}$$

$$\therefore \lim_{n \to \infty} a_n = \lim_{n \to \infty} \frac{b_n+3}{b_n-2} = \frac{3+3}{3-2} = 6$$

답 6

040

두 수열 $\{a_n\}$, $\{b_n\}$이 각각 수렴하므로

$\lim_{n \to \infty} a_n = \alpha$, $\lim_{n \to \infty} b_n = \beta$라 하면

$$\lim_{n \to \infty} (a_n+b_n) = \alpha+\beta = 1 \qquad \cdots\cdots \text{㉠}$$

$$\lim_{n \to \infty} (2a_n-3b_n) = 2\alpha-3\beta = 12 \qquad \cdots\cdots \text{㉡}$$

㉠, ㉡을 연립하여 풀면 $\alpha = 3$, $\beta = -2$

$$\therefore \lim_{n \to \infty} \frac{4a_n}{b_n} = \frac{4\alpha}{\beta} = \frac{12}{-2} = -6$$

답 ①

041

$(n+1)^2 < n^2+4n+2 < (n+2)^2$이므로

$\sqrt{n^2+4n+2}$의 정수 부분은 $n+1$이고,

소수 부분은 $a_n = \sqrt{n^2+4n+2}-(n+1)$이다.

$$\therefore \lim_{n \to \infty} a_n = \lim_{n \to \infty} \frac{2n+1}{\sqrt{n^2+4n+2}+(n+1)} = \frac{2}{1+1} = 1$$

답 ②

042

모든 자연수 n에 대하여 $n \le a_n \le n+2$가 성립하므로

$\sum_{k=1}^{n} k \le \sum_{k=1}^{n} a_k \le \sum_{k=1}^{n} (k+2)$에서

$$\frac{n(n+1)}{2} \le S_n \le \frac{n(n+5)}{2}$$

이때 $\lim_{n \to \infty} \dfrac{n^2}{a_1+a_2+\cdots+a_n} = \lim_{n \to \infty} \dfrac{n^2}{S_n}$이고

$$2 = \lim_{n \to \infty} \frac{2n^2}{n(n+5)} \le \lim_{n \to \infty} \frac{n^2}{S_n} \le \lim_{n \to \infty} \frac{2n^2}{n(n+1)} = 2$$

이므로 $\lim_{n \to \infty} \dfrac{n^2}{S_n} = 2$

답 ②

043

(ⅰ) $0 < r < 1$일 때, $\lim_{n \to \infty} \dfrac{r^{n+1}+r+1}{r^n+1} = r+1 = \dfrac{5}{3}$

$\therefore r = \dfrac{2}{3}$

(ⅱ) $r = 1$일 때, $\lim_{n \to \infty} \dfrac{r^{n+1}+r+1}{r^n+1} = \dfrac{3}{2}$

(ⅲ) $r > 1$일 때, $\lim_{n \to \infty} \dfrac{r^{n+1}+r+1}{r^n+1} = r = \dfrac{5}{3}$

$\therefore r = \dfrac{5}{3}$

따라서 주어진 식을 만족하는 모든 r의 값의 합은

$$\frac{2}{3} + \frac{5}{3} = \frac{7}{3}$$

답 ⑤

044

[1단계] 수열 $\{x^{2n}\}$의 공비가 x^2이므로 수렴하려면

$$-1 < x^2 \le 1$$

$$\therefore -1 \le x \le 1 \qquad \cdots\cdots \text{㉠}$$

[2단계] 수열 $\{(x+1)(2x-1)^{n-1}\}$의 첫째항이 $x+1$,

공비가 $2x-1$이므로 수렴하려면

$$x+1 = 0 \text{ 또는 } -1 < 2x-1 \le 1$$

$$\therefore x = -1 \text{ 또는 } 0 < x \le 1 \qquad \cdots\cdots \text{㉡}$$

[3단계] ㉠, ㉡에서 $x = -1$ 또는 $0 < x \le 1$

따라서 정수 x는 -1, 1이므로 구하는 합은

$$-1+1 = 0$$

답 ③

045

이차방정식 $x^2-x+n-\sqrt{n^2+n} = 0$의 두 근이 α_n, β_n

이므로 근과 계수의 관계에 의하여

$$\alpha_n+\beta_n = 1, \quad \alpha_n \beta_n = n-\sqrt{n^2+n}$$

$$\therefore \lim_{n\to\infty}\left(\frac{1}{\alpha_n}+\frac{1}{\beta_n}\right)=\lim_{n\to\infty}\frac{\alpha_n+\beta_n}{\alpha_n\beta_n}$$
$$=\lim_{n\to\infty}\frac{1}{n-\sqrt{n^2+n}}$$
$$=\lim_{n\to\infty}\frac{n+\sqrt{n^2+n}}{(n-\sqrt{n^2+n})(n+\sqrt{n^2+n})}$$
$$=\lim_{n\to\infty}\frac{n+\sqrt{n^2+n}}{-n}$$
$$=\lim_{n\to\infty}\frac{1+\sqrt{1+\frac{1}{n}}}{-1}$$
$$=-2$$

답 -2

046

[1단계] 등차수열 $\{a_n\}$의 첫째항을 a, 공차를 d라 하면
$$a_n=a+(n-1)d=dn+(a-d)$$
[2단계] $\displaystyle\lim_{n\to\infty}\frac{a_n}{5n+3}=\lim_{n\to\infty}\frac{dn+(a-d)}{5n+3}$
$$=\lim_{n\to\infty}\frac{d+\frac{a-d}{n}}{5+\frac{3}{n}}$$
$$=\frac{d}{5}$$
[3단계] $\displaystyle\lim_{n\to\infty}\frac{a_n}{5n+3}=2$에서 $\frac{d}{5}=2$
$$\therefore d=10$$

답 ②

047

$\displaystyle\lim_{n\to\infty}a_n=\infty$이고 $\displaystyle\lim_{n\to\infty}(5a_n-2b_n)=1$이므로
$$\lim_{n\to\infty}\frac{5a_n-2b_n}{a_n}=0,\ \lim_{n\to\infty}\left\{5-2\times\left(\frac{b_n}{a_n}\right)\right\}=0$$
$$\therefore \lim_{n\to\infty}\frac{b_n}{a_n}=\frac{5}{2}$$
$$\therefore \lim_{n\to\infty}\frac{4a_n+8b_n}{7a_n-4b_n}=\lim_{n\to\infty}\frac{4+8\times\frac{b_n}{a_n}}{7-4\times\frac{b_n}{a_n}}=\frac{4+20}{7-10}=-8$$

답 ⑤

048

$S_n=2n+2^n$에서 $n\geq2$일 때,
$$a_n=S_n-S_{n-1}$$
$$=2n+2^n-\{2(n-1)+2^{n-1}\}$$
$$=2\times2^{n-1}+2-2^{n-1}$$
$$=2^{n-1}+2$$

$$\therefore \lim_{n\to\infty}\frac{a_n}{2^n}=\lim_{n\to\infty}\frac{2^{n-1}+2}{2^n}$$
$$=\lim_{n\to\infty}\left(\frac{1}{2}+\frac{1}{2^{n-1}}\right)$$
$$=\frac{1}{2}$$

답 $\frac{1}{2}$

049

등비수열 $\{a_n\}$의 첫째항이 3, 공비가 2이므로
$$a_n=3\times2^{n-1}\qquad\therefore a_{n+1}=3\times2^n$$
$$a_1+a_2+a_3+\cdots+a_n=\frac{3(2^n-1)}{2-1}$$
$$=3\times2^n-3$$
$$\therefore \lim_{n\to\infty}\frac{a_1+a_2+a_3+\cdots+a_n}{a_n+a_{n+1}}=\lim_{n\to\infty}\frac{3\times2^n-3}{3\times2^{n-1}+3\times2^n}$$
$$=\lim_{n\to\infty}\frac{3-\frac{3}{2^n}}{\frac{3}{2}+3}$$
$$=\frac{3-0}{\frac{9}{2}}=\frac{2}{3}$$

답 $\frac{2}{3}$

050

(ⅰ) $|r|<1$일 때, $\displaystyle\lim_{n\to\infty}r^{2n}=0$이므로
$$\lim_{n\to\infty}\frac{r^{2n-1}+2}{r^{2n}+1}=\frac{0+2}{0+1}=2$$

(ⅱ) $r=1$일 때,
$$\lim_{n\to\infty}\frac{r^{2n-1}+2}{r^{2n}+1}=\frac{1+2}{1+1}=\frac{3}{2}$$

(ⅲ) $r=-1$일 때,
$$n=\infty\frac{r^{2n-1}+2}{r^{2n}+1}=\frac{-1+2}{1+1}=\frac{1}{2}$$

(ⅳ) $|r|>1$일 때, $\displaystyle\lim_{n\to\infty}r^{2n}=\infty$이므로
$$\lim_{n\to\infty}\frac{r^{2n-1}+2}{r^{2n}+1}=\lim_{n\to\infty}\frac{\frac{1}{r}+\frac{2}{r^{2n}}}{1+\frac{1}{r^{2n}}}$$
$$=\frac{\frac{1}{r}+0}{1+0}=\frac{1}{r}$$

이때 $r=-3$이면 극한값은 $-\frac{1}{3}$이다.

따라서 주어진 수열의 극한값이 될 수 없는 것은 ⑤ 3이다.

답 ⑤

2 급수

052

(1) [1단계] 주어진 급수는 첫째항이 1, 공비가 $\frac{1}{3}$인 등비

수열의 합이므로 제n항까지의 부분합을 S_n이

라 하면

$$S_n=\frac{1-\left(\frac{1}{3}\right)^n}{1-\frac{1}{3}}=\frac{3}{2}\left\{1-\left(\frac{1}{3}\right)^n\right\}$$

[2단계] $\therefore \lim_{n\to\infty} S_n=\lim_{n\to\infty}\frac{3}{2}\left\{1-\left(\frac{1}{3}\right)^n\right\}=\frac{3}{2}$

따라서 주어진 급수는 수렴하고, 그 합은 $\frac{3}{2}$

이다.

(2) [1단계] 주어진 급수의 제n항까지의 부분합을 S_n이라

하면

$$S_n=3n$$

[2단계] $\therefore \lim_{n\to\infty} S_n=\lim_{n\to\infty} 3n=\infty$

따라서 주어진 급수는 양의 무한대로 발산한

다.

답 (1) 수렴, 합: $\frac{3}{2}$ (2) 발산

054

(1) 주어진 급수의 제n항까지의 부분합을 S_n이라 하면

$$S_n=\sum_{k=1}^{n}\frac{1}{(2k-1)(2k+1)}$$

$$=\frac{1}{2}\sum_{k=1}^{n}\left(\frac{1}{2k-1}-\frac{1}{2k+1}\right)$$

$$=\frac{1}{2}\left\{\left(1-\frac{1}{3}\right)+\left(\frac{1}{3}-\frac{1}{5}\right)+\left(\frac{1}{5}-\frac{1}{7}\right)+\cdots\right.$$

$$\left.+\left(\frac{1}{2n-1}-\frac{1}{2n+1}\right)\right\}$$

$$=\frac{1}{2}\left(1-\frac{1}{2n+1}\right)$$

$$\therefore \lim_{n\to\infty} S_n=\lim_{n\to\infty}\frac{1}{2}\left(1-\frac{1}{2n+1}\right)=\frac{1}{2}$$

따라서 주어진 급수는 수렴하고, 그 합은 $\frac{1}{2}$이다.

(2) 주어진 급수의 제n항까지의 부분합을 S_n이라 하면

$$S_n=\sum_{k=1}^{n}(\sqrt{k+2}-\sqrt{k+1})$$

$$=(\sqrt{3}-\sqrt{2})+(\sqrt{4}-\sqrt{3})+(\sqrt{5}-\sqrt{4})$$

$$+\cdots+(\sqrt{n+2}-\sqrt{n+1})$$

$$=\sqrt{n+2}-\sqrt{2}$$

$$\therefore \lim_{n\to\infty} S_n=\lim_{n\to\infty}(\sqrt{n+2}-\sqrt{2})=\infty$$

따라서 주어진 급수는 양의 무한대로 발산한다.

답 (1) 수렴, 합: $\frac{1}{2}$ (2) 발산

056

$$S_n=\sum_{k=2}^{n}\log\frac{k^2}{k^2-1}$$

$$=\sum_{k=2}^{n}\log\left(\frac{k}{k-1}\times\frac{k}{k+1}\right)$$

$$=\log\left(\frac{2}{1}\times\frac{2}{3}\right)+\log\left(\frac{3}{2}\times\frac{3}{4}\right)+\log\left(\frac{4}{3}\times\frac{4}{5}\right)+\cdots$$

$$+\log\left(\frac{n}{n-1}\times\frac{n}{n+1}\right)$$

$$=\log\left\{\left(\frac{2}{1}\times\frac{2}{3}\right)\left(\frac{3}{2}\times\frac{3}{4}\right)\left(\frac{4}{3}\times\frac{4}{5}\right)\times\cdots\right.$$

$$\left.\times\left(\frac{n}{n-1}\times\frac{n}{n+1}\right)\right\}$$

$$=\log\frac{2n}{n+1}$$

$$\therefore \text{(주어진 식)}=\lim_{n\to\infty} S_n=\lim_{n\to\infty}\log\frac{2n}{n+1}=\log 2$$

답 $\log 2$

058

$$S_n=\frac{n\{2\times 2+(n-1)\times 2\}}{2}=n(n+1)\text{이므로}$$

$$\sum_{k=1}^{n}\frac{1}{S_k}=\sum_{k=1}^{n}\frac{1}{k(k+1)}=\sum_{k=1}^{n}\left(\frac{1}{k}-\frac{1}{k+1}\right)$$

$$=\left(\frac{1}{1}-\frac{1}{2}\right)+\left(\frac{1}{2}-\frac{1}{3}\right)+\left(\frac{1}{3}-\frac{1}{4}\right)+\cdots$$

$$+\left(\frac{1}{n}-\frac{1}{n+1}\right)$$

$$=1-\frac{1}{n+1}$$

$$\therefore \lim_{n\to\infty}\sum_{k=1}^{n}\frac{1}{S_k}=\lim_{n\to\infty}\left(1-\frac{1}{n+1}\right)=1$$

답 1

060

주어진 급수의 제n항까지의 부분합을 S_n이라 하면

(1) $S_n=\left(1-\frac{1}{2}\right)+\left(\frac{1}{2}-\frac{1}{3}\right)+\left(\frac{1}{3}-\frac{1}{4}\right)+\cdots$

$$+\left(\frac{1}{n}-\frac{1}{n+1}\right)$$

$$=1-\frac{1}{n+1}$$

$$\therefore \lim_{n\to\infty} S_n=\lim_{n\to\infty}\left(1-\frac{1}{n+1}\right)=1$$

따라서 주어진 급수는 수렴하고, 그 합은 1이다.

(2) $S_1=1$, $S_2=1-\dfrac{1}{2}$

$\quad S_3=1$, $S_4=1-\dfrac{1}{3}$

$\quad S_5=1$, $S_6=1-\dfrac{1}{4}$

$\quad\quad\vdots$

$\quad S_{2n-1}=1$, $S_{2n}=1-\dfrac{1}{n+1}$

$\therefore \displaystyle\lim_{n\to\infty} S_{2n-1}=1$

$\quad \displaystyle\lim_{n\to\infty} S_{2n}=\lim_{n\to\infty}\left(1-\dfrac{1}{n+1}\right)=1$

따라서 주어진 급수는 수렴하고, 그 합은 1이다.

답 (1) 수렴, 합:1 (2) 수렴, 합:1

062

$\displaystyle\sum_{n=1}^{\infty}\dfrac{n}{2n-1}$에서 $a_n=\dfrac{n}{2n-1}$이라 하면

$\displaystyle\lim_{n\to\infty} a_n=\lim_{n\to\infty}\dfrac{n}{2n-1}$

$\quad\quad\quad =\displaystyle\lim_{n\to\infty}\dfrac{1}{2-\dfrac{1}{n}}=\dfrac{1}{2}$

따라서 $\displaystyle\lim_{n\to\infty} a_n\neq 0$이므로 주어진 급수는 발산한다.

답 풀이 참조

064

급수 $\displaystyle\sum_{n=1}^{\infty}\left(a_n-\dfrac{n}{2n+1}\right)$이 수렴하므로

$\displaystyle\lim_{n\to\infty}\left(a_n-\dfrac{n}{2n+1}\right)=0$

$\therefore \displaystyle\lim_{n\to\infty} a_n=\lim_{n\to\infty}\left\{\left(a_n-\dfrac{n}{2n+1}\right)+\dfrac{n}{2n+1}\right\}$

$\quad\quad\quad =\displaystyle\lim_{n\to\infty}\left(a_n-\dfrac{n}{2n+1}\right)+\lim_{n\to\infty}\dfrac{n}{2n+1}$

$\quad\quad\quad =0+\dfrac{1}{2}=\dfrac{1}{2}$

답 $\dfrac{1}{2}$

066

$3a_n-2b_n=c_n$으로 놓으면 $3a_n=2b_n+c_n$

$\therefore a_n=\dfrac{2}{3}b_n+\dfrac{1}{3}c_n$

주어진 조건에서 $\displaystyle\sum_{n=1}^{\infty}b_n=-2$, $\displaystyle\sum_{n=1}^{\infty}c_n=10$이므로

$\displaystyle\sum_{n=1}^{\infty}a_n=\sum_{n=1}^{\infty}\left(\dfrac{2}{3}b_n+\dfrac{1}{3}c_n\right)$

$\quad\quad =\dfrac{2}{3}\displaystyle\sum_{n=1}^{\infty}b_n+\dfrac{1}{3}\sum_{n=1}^{\infty}c_n$

$\quad\quad =\dfrac{2}{3}\times(-2)+\dfrac{1}{3}\times 10=2$

답 2

067

주어진 급수의 제n항까지의 부분합을 S_n이라 하면

$S_n=\displaystyle\sum_{k=1}^{n}\dfrac{1}{(3k-1)(3k+2)}$

$\quad =\displaystyle\sum_{k=1}^{n}\dfrac{1}{3}\left(\dfrac{1}{3k-1}-\dfrac{1}{3k+2}\right)$

$\quad =\dfrac{1}{3}\left\{\left(\dfrac{1}{2}-\dfrac{1}{5}\right)+\left(\dfrac{1}{5}-\dfrac{1}{8}\right)+\left(\dfrac{1}{8}-\dfrac{1}{11}\right)+\cdots\right.$

$\quad\quad\quad\quad\quad\quad\quad\quad\quad\left.+\left(\dfrac{1}{3n-1}-\dfrac{1}{3n+2}\right)\right\}$

$\quad =\dfrac{1}{3}\left(\dfrac{1}{2}-\dfrac{1}{3n+2}\right)$

$\therefore \displaystyle\lim_{n\to\infty} S_n=\lim_{n\to\infty}\dfrac{1}{3}\left(\dfrac{1}{2}-\dfrac{1}{3n+2}\right)$

$\quad\quad\quad =\dfrac{1}{3}\times\dfrac{1}{2}=\dfrac{1}{6}$

따라서 $a=6$, $b=1$이므로 $a+b=7$

답 7

068

(1) [1단계] 주어진 급수의 제n항을 a_n이라 하면

$a_n=\dfrac{1}{1+2+3+\cdots+n}$

$\quad =\dfrac{1}{\dfrac{n(n+1)}{2}}=\dfrac{2}{n(n+1)}$

$\quad =2\left(\dfrac{1}{n}-\dfrac{1}{n+1}\right)$

[2단계] 주어진 급수의 제n항까지의 부분합을 S_n이라 하면

$S_n=\displaystyle\sum_{k=1}^{n}2\left(\dfrac{1}{k}-\dfrac{1}{k+1}\right)$

$\quad =2\left\{\left(1-\dfrac{1}{2}\right)+\left(\dfrac{1}{2}-\dfrac{1}{3}\right)+\left(\dfrac{1}{3}-\dfrac{1}{4}\right)+\cdots\right.$

$\quad\quad\quad\quad\quad\quad\quad\quad\quad\left.+\left(\dfrac{1}{n}-\dfrac{1}{n+1}\right)\right\}$

$\quad =2\left(1-\dfrac{1}{n+1}\right)$

[3단계] $\therefore$ (주어진 식)$=\displaystyle\lim_{n\to\infty} S_n$

$\quad\quad\quad\quad\quad =\displaystyle\lim_{n\to\infty}2\left(1-\dfrac{1}{n+1}\right)$

$\quad\quad\quad\quad\quad =2$

(2) [1단계] 주어진 급수의 제n항을 a_n이라 하면
$$a_n = \frac{1}{(2n)^2 - 1} = \frac{1}{(2n-1)(2n+1)}$$
$$= \frac{1}{2}\left(\frac{1}{2n-1} - \frac{1}{2n+1}\right)$$

[2단계] 주어진 급수의 제n항까지의 부분합을 S_n이라 하면
$$S_n = \sum_{k=1}^{n} \frac{1}{2}\left(\frac{1}{2k-1} - \frac{1}{2k+1}\right)$$
$$= \frac{1}{2}\left\{\left(1 - \frac{1}{3}\right) + \left(\frac{1}{3} - \frac{1}{5}\right) + \left(\frac{1}{5} - \frac{1}{7}\right) + \cdots\right.$$
$$\left. + \left(\frac{1}{2n-1} - \frac{1}{2n+1}\right)\right\}$$
$$= \frac{1}{2}\left(1 - \frac{1}{2n+1}\right)$$

[3단계] $\therefore$ (주어진 식)$= \lim_{n \to \infty} S_n$
$$= \lim_{n \to \infty} \frac{1}{2}\left(1 - \frac{1}{2n+1}\right)$$
$$= \frac{1}{2}$$

답 (1) 2 (2) $\dfrac{1}{2}$

069

① 주어진 급수의 제n항까지의 부분합을 S_n이라 하면
$$S_1 = 1,\ S_2 = 0,\ S_3 = 1,\ S_4 = 0,\ \cdots$$
따라서 수열 $\{S_n\}$이 발산(진동)하므로 주어진 급수는 발산한다.

② $\displaystyle\sum_{n=1}^{\infty}(2n-1) = \lim_{n \to \infty}\sum_{k=1}^{n}(2k-1)$
$$= \lim_{n \to \infty}\{n(n+1) - n\}$$
$$= \lim_{n \to \infty} n^2 = \infty$$

③ (주어진 식)$= 1 + \dfrac{1}{2} + \left(\dfrac{1}{2}\right)^2 + \left(\dfrac{1}{2}\right)^3 + \cdots$
$$= \sum_{n=1}^{\infty}\left(\frac{1}{2}\right)^{n-1}$$
$$= \lim_{n \to \infty}\sum_{k=1}^{n}\left(\frac{1}{2}\right)^{k-1}$$
$$= \lim_{n \to \infty}\frac{1 - \left(\frac{1}{2}\right)^n}{1 - \frac{1}{2}}$$
$$= \lim_{n \to \infty} 2\left\{1 - \left(\frac{1}{2}\right)^n\right\}$$
$$= 2 \times 1 = 2$$

④ $\displaystyle\sum_{n=1}^{\infty}\frac{n}{n+1}$에서 $\displaystyle\lim_{n \to \infty}\frac{n}{n+1} = 1 \neq 0$이므로
$$\sum_{n=1}^{\infty}\frac{n}{n+1} = \infty$$

⑤ (주어진 식)$= \displaystyle\sum_{n=1}^{\infty}(\sqrt{2n+2} - \sqrt{2n})$
$$= \lim_{n \to \infty}\sum_{k=1}^{n}(\sqrt{2k+2} - \sqrt{2k})$$
$$= \lim_{n \to \infty}\{(\sqrt{4} - \sqrt{2}) + (\sqrt{6} - \sqrt{4})$$
$$+ (\sqrt{8} - \sqrt{6}) + \cdots$$
$$+ (\sqrt{2n+2} - \sqrt{2n})\}$$
$$= \lim_{n \to \infty}(\sqrt{2n+2} - \sqrt{2}) = \infty$$

답 ③

070

$\displaystyle\sum_{n=1}^{\infty}(a_{n+1} - a_n) = \lim_{n \to \infty}\{(a_2 - a_1) + (a_3 - a_2) + \cdots$
$$+ (a_{n+1} - a_n)\}$$
$$= \lim_{n \to \infty}(a_{n+1} - a_1) = 10 - 2 = 8$$

답 8

071

[1단계] (i) $n \geq 2$일 때,
$$a_n = S_n - S_{n-1}$$
$$= n^2 - (n-1)^2$$
$$= 2n - 1 \quad \cdots\cdots \text{㉠}$$

(ii) $n = 1$일 때,
$$a_1 = S_1 = 1$$
이때 $a_1 = 1$은 ㉠에 $n = 1$을 대입한 것과 같으므로
$$a_n = 2n - 1\,(n \geq 1)$$

[2단계] $a_n = 2n - 1$에서
$$a_{n+1} = 2(n+1) - 1 = 2n + 1$$이므로
$$\sum_{n=1}^{\infty}\frac{1}{a_n a_{n+1}} = \lim_{n \to \infty}\sum_{k=1}^{n}\frac{1}{a_k a_{k+1}}$$
$$= \lim_{n \to \infty}\sum_{k=1}^{n}\frac{1}{(2k-1)(2k+1)}$$
$$= \lim_{n \to \infty}\sum_{k=1}^{n}\frac{1}{2}\left(\frac{1}{2k-1} - \frac{1}{2k+1}\right)$$
$$= \lim_{n \to \infty}\frac{1}{2}\left\{\left(1 - \frac{1}{3}\right) + \left(\frac{1}{3} - \frac{1}{5}\right)\right.$$
$$+ \left(\frac{1}{5} - \frac{1}{7}\right) + \cdots$$
$$\left. + \left(\frac{1}{2n-1} - \frac{1}{2n+1}\right)\right\}$$
$$= \lim_{n \to \infty}\frac{1}{2}\left(1 - \frac{1}{2n+1}\right)$$
$$= \frac{1}{2}$$

답 $\dfrac{1}{2}$

072

$\sum\limits_{n=1}^{\infty} a_n = \alpha$, $\sum\limits_{n=1}^{\infty} b_n = \beta$라 하면

$\sum\limits_{n=1}^{\infty} (2a_n + b_n) = 10$, $\sum\limits_{n=1}^{\infty} (3a_n + 2b_n) = 33$에서

$2\sum\limits_{n=1}^{\infty} a_n + \sum\limits_{n=1}^{\infty} b_n = 10$, $3\sum\limits_{n=1}^{\infty} a_n + 2\sum\limits_{n=1}^{\infty} b_n = 33$

즉, $2\alpha + \beta = 10$, $3\alpha + 2\beta = 33$

두 식을 연립하여 풀면 $\alpha = -13$, $\beta = 36$

$\therefore \sum\limits_{n=1}^{\infty} (a_n - b_n) = \sum\limits_{n=1}^{\infty} a_n - \sum\limits_{n=1}^{\infty} b_n$
$= \alpha - \beta = -49$

답 -49

074

(1) $a = 1$, $r = \dfrac{1}{3}$에서 $-1 < r < 1$이므로 수렴하고,

그 합은 $\dfrac{1}{1 - \dfrac{1}{3}} = \dfrac{3}{2}$

(2) $r = -\sqrt{2}$에서 $r < -1$이므로 발산한다.

답 (1) 수렴, 합: $\dfrac{3}{2}$ (2) 발산

076

(1) $\sum\limits_{n=1}^{\infty} \left(\dfrac{6}{7}\right)^n = \dfrac{6}{7} + \left(\dfrac{6}{7}\right)^2 + \left(\dfrac{6}{7}\right)^3 + \cdots$

$= \dfrac{\dfrac{6}{7}}{1 - \dfrac{6}{7}} = 6$

(2) $\sum\limits_{n=1}^{\infty} 3^{n-1}\left(\dfrac{1}{4}\right)^n = \dfrac{1}{3}\sum\limits_{n=1}^{\infty} \left(\dfrac{3}{4}\right)^n = \dfrac{1}{3} \times \dfrac{\dfrac{3}{4}}{1 - \dfrac{3}{4}} = 1$

(3) $\sum\limits_{n=1}^{\infty} \dfrac{5^n - 2^n}{10^n} = \sum\limits_{n=1}^{\infty} \left(\dfrac{1}{2}\right)^n - \sum\limits_{n=1}^{\infty} \left(\dfrac{1}{5}\right)^n$

$= \dfrac{\dfrac{1}{2}}{1 - \dfrac{1}{2}} - \dfrac{\dfrac{1}{5}}{1 - \dfrac{1}{5}}$

$= 1 - \dfrac{1}{4} = \dfrac{3}{4}$

답 (1) 6 (2) 1 (3) $\dfrac{3}{4}$

078

주어진 등비급수의 첫째항은 x, 공비는 $1 - 2x$이므로
수렴하려면 $x = 0$ 또는 $-1 < 1 - 2x < 1$이어야 한다.
$-1 < 1 - 2x < 1$에서 $-1 < 2x - 1 < 1$
$0 < 2x < 2$ $\quad \therefore 0 < x < 1$
따라서 구하는 x의 값의 범위는 $0 \le x < 1$

답 $0 \le x < 1$

080

등비수열 $\{a_n\}$의 공비를 r라 하면

$a_n = 2 \times r^{n-1}$이므로

$\sum\limits_{n=1}^{\infty} a_n = \sum\limits_{n=1}^{\infty} (2 \times r^{n-1}) = \dfrac{2}{1 - r} = 3$

$\therefore r = \dfrac{1}{3}$

수열 $\{(a_n)^2\}$의 첫째항은 $(a_1)^2 = 4$, 공비는

$r^2 = \left(\dfrac{1}{3}\right)^2 = \dfrac{1}{9}$이므로

$\sum\limits_{n=1}^{\infty} (a_n)^2 = \sum\limits_{n=1}^{\infty} \left\{4 \times \left(\dfrac{1}{9}\right)^{n-1}\right\}$

$= \dfrac{4}{1 - \dfrac{1}{9}} = \dfrac{9}{2}$

답 $\dfrac{9}{2}$

082

(1) $0.\dot{1}9\dot{2} = 0.192 + 0.000192 + 0.000000192 + \cdots$

$= \dfrac{0.192}{1 - 0.001} = \dfrac{0.192}{0.999}$

$= \dfrac{192}{999} = \dfrac{64}{333}$

(2) $0.6\dot{1}\dot{7} = 0.6 + 0.017 + 0.00017 + 0.0000017 + \cdots$

$= 0.6 + \dfrac{0.017}{1 - 0.01} = \dfrac{6}{10} + \dfrac{17}{990} = \dfrac{611}{990}$

답 (1) $\dfrac{64}{333}$ (2) $\dfrac{611}{990}$

084

삼각형 A_1의 넓이는 8이고,
오른쪽 그림에서 삼각형 A_2의
넓이는 삼각형 A_1의 넓이의 $\dfrac{1}{4}$
이므로

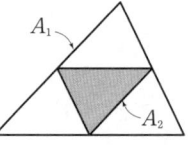

$8 \times \dfrac{1}{4} = 2$

같은 방법으로 생각하면 삼각형 A_3의 넓이는 삼각형

A_2의 넓이의 $\dfrac{1}{4}$이므로

$2 \times \dfrac{1}{4} = \dfrac{1}{2}$

따라서 구하는 삼각형의 넓이의 총합은

$8 + 2 + \dfrac{1}{2} + \cdots = \dfrac{8}{1 - \dfrac{1}{4}} = \dfrac{32}{3}$

답 $\dfrac{32}{3}$

086

[1단계] x좌표는 오른쪽으로 1만큼 전진

$\Rightarrow \dfrac{4}{9}$ 만큼 전진 $\Rightarrow \dfrac{16}{81}$ 만큼 전진 $\Rightarrow \cdots$

$\therefore (x$좌표$)=1+\dfrac{4}{9}+\dfrac{16}{81}+\cdots$

$\qquad\qquad =\dfrac{1}{1-\dfrac{4}{9}}=\dfrac{9}{5}$

[2단계] y좌표는 위쪽으로 $\dfrac{2}{3}$ 만큼 상승

$\Rightarrow \dfrac{8}{27}$ 만큼 상승 $\Rightarrow \dfrac{32}{243}$ 만큼 상승 $\Rightarrow \cdots$

$\therefore (y$좌표$)=\dfrac{2}{3}+\dfrac{8}{27}+\dfrac{32}{243}+\cdots$

$\qquad\qquad =\dfrac{\dfrac{2}{3}}{1-\dfrac{4}{9}}=\dfrac{6}{5}$

따라서 구하는 점의 좌표는 $\left(\dfrac{9}{5}, \dfrac{6}{5}\right)$이다.

답 $\left(\dfrac{9}{5}, \dfrac{6}{5}\right)$

087

공비가 $r=\dfrac{1}{5}$이므로

$\displaystyle\sum_{n=1}^{\infty} a_n=\dfrac{a_1}{1-r}=\dfrac{a_1}{1-\dfrac{1}{5}}=\dfrac{5}{4}a_1=15$

$\therefore a_1=12$

답 12

088

[1단계] 이차방정식 $2x^2+x-4=0$의 두 근이 α, β이므로 근과 계수의 관계에 의해

$\alpha+\beta=-\dfrac{1}{2}, \ \alpha\beta=-2$

$\therefore \dfrac{1}{\alpha}+\dfrac{1}{\beta}=\dfrac{\alpha+\beta}{\alpha\beta}$

$\qquad\qquad =\dfrac{-\dfrac{1}{2}}{-2}=\dfrac{1}{4}$

[2단계] $\displaystyle\sum_{n=1}^{\infty}\left(\dfrac{1}{\alpha}+\dfrac{1}{\beta}\right)^n=\sum_{n=1}^{\infty}\left(\dfrac{1}{4}\right)^n$

$\qquad\qquad =\dfrac{\dfrac{1}{4}}{1-\dfrac{1}{4}}=\dfrac{1}{3}$

답 $\dfrac{1}{3}$

089

주어진 급수는 공비가 x^2-x+1인 등비급수이므로 수렴하려면

$-1<x^2-x+1<1$

(i) $-1<x^2-x+1$에서 $x^2-x+2>0$

$\left(x-\dfrac{1}{2}\right)^2+\dfrac{7}{4}>0$

즉, x는 모든 실수

(ii) $x^2-x+1<1$에서 $x^2-x<0$

$x(x-1)<0$

$\therefore 0<x<1$

(i), (ii)에서 실수 x의 값의 범위는 $0<x<1$

답 $0<x<1$

090

급수 $\displaystyle\sum_{n=1}^{\infty}\left(\dfrac{2x-1}{3}\right)^n$이 수렴하기 위해서는

$-1<\dfrac{2x-1}{3}<1$에서 $-3<2x-1<3$

$-2<2x<4 \qquad \therefore -1<x<2$

따라서 정수 x는 $0, 1$의 2개이다.

답 2

091

[1단계] 주어진 등비급수의 첫째항을 a, 공비를 r이라 하면 첫째항이 $0.\dot{2}$, 제3항이 $0.00\dot{8}$이므로

$a=0.\dot{2}=\dfrac{2}{9}$ $\qquad\cdots\cdots$ ㉠

$ar^2=0.00\dot{8}=\dfrac{8}{900}$ $\qquad\cdots\cdots$ ㉡

㉠을 ㉡에 대입하면

$\dfrac{2}{9}r^2=\dfrac{8}{900}$

$\therefore r^2=\dfrac{4}{100}=\dfrac{1}{25}$

이때 모든 항이 양수이므로 $r>0$이다.

$\therefore r=\dfrac{1}{5}$

[2단계] 첫째항이 $\dfrac{2}{9}$, 공비가 $\dfrac{1}{5}$인 등비급수의 합은

$\dfrac{\dfrac{2}{9}}{1-\dfrac{1}{5}}=\dfrac{5}{18}$

답 $\dfrac{5}{18}$

092

정삼각형 $A_1B_1C_1$의 한 변의 길이는 $2\sqrt{3}$이므로

$$S_1=\frac{\sqrt{3}}{4}\times(2\sqrt{3})^2=3\sqrt{3}$$

정삼각형 $A_2B_2C_2$의 한 변의 길이는 $\sqrt{3}$이므로

$$S_2=\frac{\sqrt{3}}{4}\times(\sqrt{3})^2=\frac{3\sqrt{3}}{4}$$

정삼각형 $A_3B_3C_3$의 한 변의 길이는 $\frac{\sqrt{3}}{2}$이므로

$$S_3=\frac{\sqrt{3}}{4}\times\left(\frac{\sqrt{3}}{2}\right)^2=\frac{3\sqrt{3}}{16}$$

$\cdots$

따라서 $S_n=3\sqrt{3}\times\left(\frac{1}{4}\right)^{n-1}$이므로

$$\sum_{n=1}^{\infty}S_n=\frac{3\sqrt{3}}{1-\frac{1}{4}}=4\sqrt{3}$$

답 $4\sqrt{3}$

093

주어진 급수가 수렴하므로 $\displaystyle\lim_{n\to\infty}\left(\frac{a_n}{n}-4\right)=0$

$\therefore \displaystyle\lim_{n\to\infty}\frac{a_n}{n}=4$

$\therefore \displaystyle\lim_{n\to\infty}\frac{2n+a_n}{7n-a_n}=\lim_{n\to\infty}\frac{2+\dfrac{a_n}{n}}{7-\dfrac{a_n}{n}}=\frac{2+4}{7-4}=2$

답 2

094

$\displaystyle\sum_{n=1}^{\infty}(2a_n-3)$이 수렴하므로

$\displaystyle\lim_{n\to\infty}(2a_n-3)=0$

$\therefore \displaystyle\lim_{n\to\infty}a_n=\frac{3}{2}$

$\therefore \displaystyle\lim_{n\to\infty}\left(\frac{n^2+3n+1}{3n^2+n}\right)a_n=\frac{1}{3}\times\frac{3}{2}=\frac{1}{2}$

답 $\dfrac{1}{2}$

095

등비수열 $\left\{\left(\dfrac{2r-1}{3}\right)^n\right\}$이 수렴하므로

$-1<\dfrac{2r-1}{3}\le1$에서 $-3<2r-1\le3$

$-2<2r\le4$ $\therefore -1<r\le2$

ㄱ. $\left(\dfrac{1-r}{2}\right)^{2n-1}=\dfrac{1-r}{2}\times\left\{\left(\dfrac{1-r}{2}\right)^2\right\}^{n-1}$에서

공비는 $\left(\dfrac{1-r}{2}\right)^2$이다.

$-1<r\le2$에서 $-2\le-r<1$

$-1\le1-r<2$, $-\dfrac{1}{2}\le\dfrac{1-r}{2}<1$

$\therefore 0\le\left(\dfrac{1-r}{2}\right)^2<1$

따라서 $\displaystyle\sum_{n=1}^{\infty}\left(\dfrac{1-r}{2}\right)^{2n-1}$은 수렴한다.

ㄴ. $\left(\dfrac{1+r}{3}\right)^n$에서 공비는 $\dfrac{1+r}{3}$이다.

$-1<r\le2$에서 $0<1+r\le3$

$\therefore 0<\dfrac{1+r}{3}\le1$

$\dfrac{1+r}{3}=1$일 때, $\displaystyle\sum_{n=1}^{\infty}\left(\dfrac{1+r}{3}\right)^n$은 발산한다.

ㄷ. $\left(\dfrac{1}{1+r}\right)^n$에서 공비는 $\dfrac{1}{1+r}$이다.

$-1<r\le2$에서 $0<1+r\le3$

$\therefore \dfrac{1}{1+r}\ge\dfrac{1}{3}$

$\dfrac{1}{1+r}\ge1$일 때, $\displaystyle\sum_{n=1}^{\infty}\left(\dfrac{1}{1+r}\right)^n$은 발산한다.

따라서 수렴하는 것은 ㄱ이다.

답 ①

096

등비수열 $\left\{\left(\dfrac{2x-1}{3}\right)^{2n-1}\right\}$에서

$$\left(\frac{2x-1}{3}\right)^{2n-1}=\frac{2x-1}{3}\left\{\left(\frac{2x-1}{3}\right)^2\right\}^{n-1}$$

이 등비수열은 첫째항이 $\dfrac{2x-1}{3}$, 공비가 $\left(\dfrac{2x-1}{3}\right)^2$이므로 수렴하려면

$\dfrac{2x-1}{3}=0$ 또는 $-1<\left(\dfrac{2x-1}{3}\right)^2\le1$

(i) $\dfrac{2x-1}{3}=0$에서

$2x-1=0$

$\therefore x=\dfrac{1}{2}$

(ii) $-1<\dfrac{(2x-1)^2}{9}\le1$에서 $-9<(2x-1)^2\le9$

$-3\le2x-1\le3$, $-2\le2x\le4$

$\therefore -1\le x\le2$

(i), (ii)에서

$-1\le x\le2$ $\cdots\cdots$ ㉠

등비급수 $1+\dfrac{(1-x)^2}{4}+\dfrac{(1-x)^4}{16}+\dfrac{(1-x)^6}{64}+\cdots$의

공비는 $\dfrac{(1-x)^2}{4}$이므로 수렴하려면

$-1<\dfrac{(1-x)^2}{4}<1$에서 $-4<(1-x)^2<4$

$-2<1-x<2,\ -3<-x<1$

$\therefore\ -1<x<3$ …… ㉡

㉠, ㉡을 모두 만족하는 x의 값의 범위는 $-1<x\le2$이므로 정수 x는 0, 1, 2의 3개이다.

답 ③

097

ㄱ. $-|a_n|\le a_n\le|a_n|$에서

$\displaystyle\lim_{n\to\infty}(-|a_n|)=\lim_{n\to\infty}|a_n|=0$이므로

$\displaystyle\lim_{n\to\infty}a_n=0$ (참)

ㄴ. 등비수열 $\{a_n\}$의 첫째항을 a, 공비를 r라 하면 등비수열 $\{a_{2n}\}$의 첫째항은 ar, 공비는 r^2이다.

$\displaystyle\sum_{n=1}^{\infty}a_{2n}$이 수렴하므로 $ar=0$ 또는 $-1<r^2<1$

$\therefore\ a=0$ 또는 $-1<r<1$

따라서 $\displaystyle\sum_{n=1}^{\infty}a_n$도 수렴한다. (참)

ㄷ. $\{a_n\}:1,\ 0,\ 1,\ 0,\ 1,\ \cdots$

$\{b_n\}:0,\ 1,\ 0,\ 1,\ 0,\ \cdots$

이면 $\displaystyle\sum_{n=1}^{\infty}a_nb_n=0$으로 $\displaystyle\sum_{n=1}^{\infty}a_nb_n$은 수렴하지만 $\displaystyle\lim_{n\to\infty}a_n\ne0,\ \lim_{n\to\infty}b_n\ne0$이다.

따라서 옳은 것은 ㄱ, ㄴ이다.

답 ④

098

$a_1=7,\ a_2=9,\ a_3=3,\ a_4=1,\ a_5=7,\ \cdots$이므로

$\displaystyle\sum_{n=1}^{\infty}\dfrac{a_{2n-1}}{3^n}=\dfrac{7}{3}+\dfrac{3}{3^2}+\dfrac{7}{3^3}+\dfrac{3}{3^4}+\cdots$

$\qquad\qquad=\left(\dfrac{7}{3}+\dfrac{7}{3^3}+\dfrac{7}{3^5}+\cdots\right)$

$\qquad\qquad\qquad+\left(\dfrac{3}{3^2}+\dfrac{3}{3^4}+\dfrac{3}{3^6}+\cdots\right)$

$\qquad\qquad=\dfrac{\frac{7}{3}}{1-\frac{1}{9}}+\dfrac{\frac{3}{9}}{1-\frac{1}{9}}=\dfrac{21}{8}+\dfrac{3}{8}=3$

답 3

099

설탕의 양을 이용하여 식을 세우면

$300\times\dfrac{a_1}{100}=240\times\dfrac{a_0}{100}+40\times\dfrac{0}{100}+20$이므로

$3a_1=\dfrac{12}{5}a_0+20$이고 $3a_n=\dfrac{12}{5}a_{n-1}+20$이다.

$3a_n=\dfrac{12}{5}a_{n-1}+20$의 양변을 3으로 나누면

$a_n=\dfrac{4}{5}a_{n-1}+\dfrac{20}{3}$

이때 $a_n-k=\dfrac{4}{5}(a_{n-1}-k)$로 놓으면

$a_n=\dfrac{4}{5}a_{n-1}+\dfrac{1}{5}k$

즉, $\dfrac{1}{5}k=\dfrac{20}{3}$에서 $k=\dfrac{100}{3}$

$\therefore\ a_n-\dfrac{100}{3}=\dfrac{4}{5}\left(a_{n-1}-\dfrac{100}{3}\right)$

수열 $\left\{a_n-\dfrac{100}{3}\right\}$은 첫째항이 $a_0-\dfrac{100}{3}$이고 공비가 $\dfrac{4}{5}$인 등비수열이므로

$a_n-\dfrac{100}{3}=\left(a_0-\dfrac{100}{3}\right)\times\left(\dfrac{4}{5}\right)^{n-1}$

$\therefore\ a_n=\left(a_0-\dfrac{100}{3}\right)\times\left(\dfrac{4}{5}\right)^{n-1}+\dfrac{100}{3}\ (n=1,\ 2,\ 3,\ \cdots)$

$\therefore\ \displaystyle\lim_{n\to\infty}a_n=\lim_{n\to\infty}\left\{\left(a_0-\dfrac{100}{3}\right)\times\left(\dfrac{4}{5}\right)^{n-1}+\dfrac{100}{3}\right\}$

$\qquad\qquad=\dfrac{100}{3}$

답 ②

100

공이 땅에 정지할 때까지 움직인 거리를 l이라 하면

$l=10+2\left\{10\times\dfrac{1}{2}+10\times\left(\dfrac{1}{2}\right)^2+10\times\left(\dfrac{1}{2}\right)^3+\cdots\right\}$

$\quad=10+2\times\dfrac{10\times\frac{1}{2}}{1-\frac{1}{2}}$

$\quad=10+20$

$\quad=30\,(\text{m})$

답 30 m

101

주어진 급수의 제n항까지의 부분합을 S_n이라 하면

ㄱ. $S_1=\dfrac{1}{2},\ S_2=0$

$\quad S_3=\dfrac{1}{3},\ S_4=0$

$\quad S_5=\dfrac{1}{4},\ S_6=0$

$\qquad\vdots$

$\quad S_{2n-1}=\dfrac{1}{n+1},\ S_{2n}=0$

$$\therefore \lim_{n\to\infty} S_{2n-1} = \lim_{n\to\infty} \frac{1}{n+1} = 0, \ \lim_{n\to\infty} S_{2n} = 0$$

즉, $\lim\limits_{n\to\infty} S_{2n-1} = \lim\limits_{n\to\infty} S_{2n} = 0$이므로

주어진 급수는 0으로 수렴한다. (참)

ㄴ. $S_1 = \dfrac{1}{2}, \ S_2 = 0$

$S_3 = \dfrac{2}{3}, \ S_4 = 0$

$S_5 = \dfrac{3}{4}, \ S_6 = 0$

$\vdots$

$S_{2n-1} = \dfrac{n}{n+1}, \ S_{2n} = 0$

$$\therefore \lim_{n\to\infty} S_{2n-1} = \lim_{n\to\infty} \frac{n}{n+1} = 1, \ \lim_{n\to\infty} S_{2n} = 0$$

즉, $\lim\limits_{n\to\infty} S_{2n-1} \neq \lim\limits_{n\to\infty} S_{2n}$이므로

주어진 급수는 발산한다. (거짓)

ㄷ. $S_n = \sum\limits_{k=1}^{n}\left(\sqrt{\dfrac{k-1}{k}} - \sqrt{\dfrac{k}{k+1}}\right)$

$\quad = \left(\sqrt{\dfrac{0}{1}} - \sqrt{\dfrac{1}{2}}\right) + \left(\sqrt{\dfrac{1}{2}} - \sqrt{\dfrac{2}{3}}\right)$

$\qquad + \left(\sqrt{\dfrac{2}{3}} - \sqrt{\dfrac{3}{4}}\right) + \cdots$

$\qquad\qquad\qquad + \left(\sqrt{\dfrac{n-1}{n}} - \sqrt{\dfrac{n}{n+1}}\right)$

$\quad = -\sqrt{\dfrac{n}{n+1}}$

$$\therefore \sum_{n=1}^{\infty}\left(\sqrt{\frac{n-1}{n}} - \sqrt{\frac{n}{n+1}}\right) = \lim_{n\to\infty} S_n$$
$$= \lim_{n\to\infty}\left(-\sqrt{\frac{n}{n+1}}\right)$$
$$= -1 \ (참)$$

따라서 옳은 것은 ㄱ, ㄷ이다.

답 ④

102

주어진 급수가 수렴하므로

$$\lim_{n\to\infty}\left\{a_n - \frac{2+4+6+\cdots+2n}{(2n-1)^2}\right\} = 0$$

이때

$2+4+6+\cdots+2n = 2(1+2+3+\cdots+n)$

$\qquad\qquad\qquad = 2 \times \dfrac{n(n+1)}{2} = n^2+n$

이므로 $\lim\limits_{n\to\infty}\left(a_n - \dfrac{n^2+n}{4n^2-4n+1}\right) = 0$

$$\therefore \lim_{n\to\infty} a_n = \lim_{n\to\infty}\left\{\left(a_n - \frac{n^2+n}{4n^2-4n+1}\right) + \frac{n^2+n}{4n^2-4n+1}\right\}$$
$$= \lim_{n\to\infty}\left(a_n - \frac{n^2+n}{4n^2-4n+1}\right) + \lim_{n\to\infty}\frac{n^2+n}{4n^2-4n+1}$$
$$= 0 + \frac{1}{4} = \frac{1}{4}$$

답 $\dfrac{1}{4}$

103

$$1+3+3^2+\cdots+3^n = \frac{3^{n+1}-1}{3-1} = \frac{3^{n+1}-1}{2}$$

$$\therefore (\text{주어진 식}) = \sum_{n=1}^{\infty}\frac{3^{n+1}-1}{2\times 9^n}$$
$$= \frac{1}{2}\left[\sum_{n=1}^{\infty}\left\{3\times\left(\frac{1}{3}\right)^n\right\} - \sum_{n=1}^{\infty}\left(\frac{1}{9}\right)^n\right]$$
$$= \frac{1}{2}\left(3\times\frac{\frac{1}{3}}{1-\frac{1}{3}} - \frac{\frac{1}{9}}{1-\frac{1}{9}}\right)$$
$$= \frac{1}{2}\left(\frac{3}{2} - \frac{1}{8}\right) = \frac{11}{16}$$

답 $\dfrac{11}{16}$

104

[1단계] 등비수열 $\{a_n\}$의 첫째항을 a, 공비를 r라 하면

$$\sum_{n=1}^{\infty} a_n = a + ar + ar^2 + \cdots$$
$$= \frac{a}{1-r} = 2 \qquad\qquad \cdots\cdots \ \text{㉠}$$
$$\sum_{n=1}^{\infty}(a_n)^2 = a^2 + a^2r^2 + a^2r^4 + \cdots$$
$$= \frac{a^2}{1-r^2} = \frac{a\times a}{(1-r)(1+r)} = \frac{4}{3} \cdots\cdots \ \text{㉡}$$

[2단계] ㉠을 ㉡에 대입하면 $2\times\dfrac{a}{1+r} = \dfrac{4}{3}$

$$\therefore a = \frac{2}{3} + \frac{2}{3}r \qquad\qquad \cdots\cdots \ \text{㉢}$$

㉢을 ㉠에 대입하면 $\dfrac{2}{3} + \dfrac{2}{3}r = 2 - 2r$

$\dfrac{8}{3}r = \dfrac{4}{3} \qquad \therefore r = \dfrac{1}{2}$

이 값을 ㉢에 대입하면 $a = 1$

[3단계] $\sum\limits_{n=1}^{\infty}(a_n)^3 = a^3 + a^3r^3 + a^3r^6 + \cdots$

$$= \frac{a^3}{1-r^3} = \frac{1^3}{1-\left(\frac{1}{2}\right)^3}$$
$$= \frac{8}{7}$$

답 $\dfrac{8}{7}$

105

[1단계] 등비수열 $\left\{\left(\dfrac{r-2}{3}\right)^{2n}\right\}$의 공비는 $\left(\dfrac{r-2}{3}\right)^2$이므로

이 수열이 수렴하려면

$$-1<\left(\dfrac{r-2}{3}\right)^2\leq1$$

그런데 $\left(\dfrac{r-2}{3}\right)^2\geq0$이므로 $\left(\dfrac{r-2}{3}\right)^2\leq1$

$$-1\leq\dfrac{r-2}{3}\leq1,\ -3\leq r-2\leq3$$

$$\therefore\ -1\leq r\leq5\ \cdots\cdots\ \bigcirc$$

[2단계] 등비급수 $\displaystyle\sum_{n=1}^{\infty}\left(\dfrac{r+5}{9}\right)^{2n}$의 공비는 $\left(\dfrac{r+5}{9}\right)^2$이므

로 이 등비급수가 수렴하려면

$$-1<\left(\dfrac{r+5}{9}\right)^2<1$$

그런데 $\left(\dfrac{r+5}{9}\right)^2\geq0$이므로 $\left(\dfrac{r+5}{9}\right)^2<1$

$$-1<\dfrac{r+5}{9}<1,\ -9<r+5<9$$

$$\therefore\ -14<r<4\ \cdots\cdots\ \bigcirc$$

[3단계] $\bigcirc$, $\bigcirc$을 동시에 만족시키는 r의 값의 범위는

$$-1\leq r<4$$

따라서 정수 r는 -1, 0, 1, 2, 3의 5개이다.

답 5

106

$\{a_n\}$: 1, $\dfrac{1}{2}$, $-\dfrac{1}{2}$, -1, $-\dfrac{1}{2}$, $\dfrac{1}{2}$, 1, $\dfrac{1}{2}$, $-\dfrac{1}{2}$,

$\qquad -1$, $-\dfrac{1}{2}$, $\dfrac{1}{2}$, 1, $\cdots$

이므로

$\{a_{2n}\}$: $\dfrac{1}{2}$, -1, $\dfrac{1}{2}$, $\dfrac{1}{2}$, -1, $\dfrac{1}{2}$, $\dfrac{1}{2}$, -1, $\dfrac{1}{2}$, $\dfrac{1}{2}$, $\cdots$

$\left\{\dfrac{a_{2n}}{4^n}\right\}$: $\dfrac{\frac{1}{2}}{4}$, $-\dfrac{1}{4^2}$, $\dfrac{\frac{1}{2}}{4^3}$, $\dfrac{\frac{1}{2}}{4^4}$, $-\dfrac{1}{4^5}$, $\dfrac{\frac{1}{2}}{4^6}$, $\dfrac{\frac{1}{2}}{4^7}$, $\cdots$

$\displaystyle\therefore\ \sum_{n=1}^{\infty}\dfrac{a_{2n}}{4^n}=\dfrac{1}{2}\left(\dfrac{1}{4}+\dfrac{1}{4^4}+\dfrac{1}{4^7}+\cdots\right)-\left(\dfrac{1}{4^2}+\dfrac{1}{4^5}+\cdots\right)$

$$\qquad\qquad\qquad\qquad\qquad +\dfrac{1}{2}\left(\dfrac{1}{4^3}+\dfrac{1}{4^6}+\cdots\right)$$

$$=\dfrac{1}{2}\times\dfrac{\frac{1}{4}}{1-\frac{1}{64}}-\dfrac{\frac{1}{16}}{1-\frac{1}{64}}+\dfrac{1}{2}\times\dfrac{\frac{1}{64}}{1-\frac{1}{64}}$$

$$=\dfrac{8}{63}-\dfrac{4}{63}+\dfrac{1}{126}$$

$$=\dfrac{9}{126}=\dfrac{1}{14}$$

답 $\dfrac{1}{14}$

107

직각이등변삼각형 OAB의 점 O에서 $\overline{AB}$에 내린 수선

의 발을 H라 하면

$$\overline{OH}=6\times\dfrac{\sqrt{2}}{2}=3\sqrt{2}$$

$$\therefore\ l_1=\widehat{A_1B_1}=2\pi\times3\sqrt{2}\times\dfrac{1}{4}=\dfrac{3\sqrt{2}}{2}\pi$$

직각이등변삼각형 OA_1B_1의 점 O에서 $\overline{A_1B_1}$에 내린 수

선의 발을 H_1이라 하면

$$\overline{OH_1}=3\sqrt{2}\times\dfrac{\sqrt{2}}{2}=3$$

$$\therefore\ l_2=\widehat{A_2B_2}=2\pi\times3\times\dfrac{1}{4}=\dfrac{3}{2}\pi$$

직각이등변삼각형 OA_2B_2의 점 O에서 $\overline{A_2B_2}$에 내린 수

선의 발을 H_2라 하면

$$\overline{OH_2}=3\times\dfrac{\sqrt{2}}{2}=\dfrac{3\sqrt{2}}{2}$$

$$\therefore\ l_3=\widehat{A_3B_3}=2\pi\times\dfrac{3\sqrt{2}}{2}\times\dfrac{1}{4}=\dfrac{3\sqrt{2}}{4}\pi$$

$$\therefore\ \sum_{n=1}^{\infty}l_n=\dfrac{\frac{3\sqrt{2}}{2}\pi}{1-\frac{\sqrt{2}}{2}}=\dfrac{3\sqrt{2}\pi}{2-\sqrt{2}}=\dfrac{3\sqrt{2}(2+\sqrt{2})\pi}{2}$$

$$=(3\sqrt{2}+3)\pi$$

답 $(3\sqrt{2}+3)\pi$

II 미분법

1 여러 가지 함수의 미분

109

(1) $\displaystyle\lim_{x\to\infty}\frac{3^x}{2^{2x}}=\lim_{x\to\infty}\frac{3^x}{4^x}=\lim_{x\to\infty}\left(\frac{3}{4}\right)^x=0$

(2) $\displaystyle\lim_{x\to\infty}\frac{3^x}{3-3^x}=\lim_{x\to\infty}\frac{1}{\left(\frac{1}{3}\right)^{x-1}-1}=\frac{1}{0-1}=-1$

(3) $\displaystyle\lim_{x\to\infty}\frac{4^x+3^x}{4^x-3^x}=\lim_{x\to\infty}\frac{1+\left(\frac{3}{4}\right)^x}{1-\left(\frac{3}{4}\right)^x}=\frac{1+0}{1-0}=1$

(4) $\displaystyle\lim_{x\to\infty}(3^x-2^x)=\lim_{x\to\infty}3^x\left\{1-\left(\frac{2}{3}\right)^x\right\}$
$=\infty\times(1-0)=\infty$

(5) 분모, 분자에 각각 7^x을 곱하면
$\displaystyle\lim_{x\to-\infty}\frac{7^x}{7^x+7^{-x}}=\lim_{x\to-\infty}\frac{7^{2x}}{7^{2x}+1}=\frac{0}{0+1}=0$

(6) 분모, 분자에 각각 2^x을 곱하면
$\displaystyle\lim_{x\to-\infty}\frac{2^x-2^{-x}}{2^x+2^{-x+1}}=\lim_{x\to-\infty}\frac{2^{2x}-1}{2^{2x}+2}=\frac{0-1}{0+2}=-\frac{1}{2}$

▶ 다른 풀이

(5) $-x=t$로 놓으면

$x\to-\infty$ 일 때 $t\to\infty$ 이므로

$\displaystyle\lim_{x\to-\infty}\frac{7^x}{7^x+7^{-x}}=\lim_{t\to\infty}\frac{7^{-t}}{7^{-t}+7^t}=\lim_{t\to\infty}\frac{7^{-2t}}{7^{-2t}+1}$
$=\lim_{t\to\infty}\frac{\left(\frac{1}{49}\right)^t}{\left(\frac{1}{49}\right)^t+1}=\frac{0}{0+1}=0$

(6) $-x=t$로 놓으면

$x=-\infty$ 일 때 $t\to\infty$ 이므로

$\displaystyle\lim_{x\to-\infty}\frac{2^x-2^{-x}}{2^x+2^{-x+1}}=\lim_{t\to\infty}\frac{2^{-t}-2^t}{2^{-t}+2^{t+1}}=\lim_{t\to\infty}\frac{2^{-2t}-1}{2^{-2t}+2}$
$=\lim_{t\to\infty}\frac{\left(\frac{1}{4}\right)^t-1}{\left(\frac{1}{4}\right)^t+2}=\frac{0-1}{0+2}=-\frac{1}{2}$

답 (1) 0 (2) -1 (3) 1 (4) ∞ (5) 0 (6) $-\frac{1}{2}$

111

(1) $x-3=t$로 놓으면

$x\to3+$ 일 때 $t\to0+$ 이므로

$\displaystyle\lim_{x\to3+}\log_{\frac{1}{3}}(x-3)=\lim_{t\to0+}\log_{\frac{1}{3}}t=\infty$

(2) $\displaystyle\lim_{x\to\infty}\{\log_3(9x^2-5)-\log_3(x^2+2)\}$
$=\lim_{x\to\infty}\log_3\frac{9x^2-5}{x^2+2}=\lim_{x\to\infty}\log_3\frac{9-\frac{5}{x^2}}{1+\frac{2}{x^2}}$
$=\log_3 9=2$

(3) $\displaystyle\lim_{x\to\infty}\{\log_2 3^x-\log_2(3^x+1)\}$
$=\lim_{x\to\infty}\log_2\frac{3^x}{3^x+1}=\lim_{x\to\infty}\log_2\frac{1}{1+\left(\frac{1}{3}\right)^x}$
$=\log_2 1=0$

(4) $\displaystyle\lim_{x\to1}(\log_5|x^3-1|-\log_5|x^2-1|)$
$=\lim_{x\to1}\log_5\frac{|x^3-1|}{|x^2-1|}$
$=\lim_{x\to1}\log_5\left|\frac{(x-1)(x^2+x+1)}{(x-1)(x+1)}\right|$
$=\lim_{x\to1}\log_5\left|\frac{x^2+x+1}{x+1}\right|=\log_5\frac{3}{2}$

답 (1) ∞ (2) 2 (3) 0 (4) $\log_5\frac{3}{2}$

113

(1) $\displaystyle\lim_{x\to0}(1+3x)^{\frac{3}{2x}}=\lim_{x\to0}\left\{(1+3x)^{\frac{1}{3x}}\right\}^{\frac{9}{2}}=e^{\frac{9}{2}}$

(2) $\displaystyle\lim_{x\to\infty}\left(1+\frac{5}{x}\right)^x=\lim_{x\to\infty}\left\{\left(1+\frac{5}{x}\right)^{\frac{x}{5}}\right\}^5=e^5$

(3) $\displaystyle\lim_{x\to\infty}\left(\frac{x+1}{x}\right)^{\frac{x}{2}}=\lim_{x\to\infty}\left(1+\frac{1}{x}\right)^{\frac{x}{2}}=\lim_{x\to\infty}\left\{\left(1+\frac{1}{x}\right)^x\right\}^{\frac{1}{2}}$
$=e^{\frac{1}{2}}=\sqrt{e}$

(4) $\displaystyle\lim_{x\to0}(1-4x)^{\frac{1}{x}}=\lim_{x\to0}[\{1+(-4x)\}^{\frac{1}{-4x}}]^{-4}$
$=e^{-4}=\frac{1}{e^4}$

(5) $\displaystyle\lim_{x\to\infty}\left(1-\frac{1}{2x}\right)^x=\lim_{x\to\infty}\left[\left\{1+\left(-\frac{1}{2x}\right)\right\}^{-2x}\right]^{-\frac{1}{2}}$
$=e^{-\frac{1}{2}}=\frac{1}{\sqrt{e}}$

(6) $1-x=t$로 놓으면

$x\to1$일 때 $t\to0$이고, $x=1-t$이므로
$\displaystyle\lim_{x\to1}x^{\frac{1}{1-x}}=\lim_{t\to0}(1-t)^{\frac{1}{t}}=\lim_{t\to0}[\{1+(-t)\}^{\frac{1}{-t}}]^{-1}$
$=e^{-1}=\frac{1}{e}$

답 (1) $e^{\frac{9}{2}}$ (2) e^5 (3) $\sqrt{e}$ (4) $\frac{1}{e^4}$ (5) $\frac{1}{\sqrt{e}}$ (6) $\frac{1}{e}$

115

(1) $\displaystyle\lim_{x\to0}\frac{\ln(1+4x)}{7x}=\lim_{x\to0}\frac{\ln(1+4x)}{4x}\times\frac{4}{7}$
$=1\times\frac{4}{7}=\frac{4}{7}$

(2) $\displaystyle\lim_{x\to0}\frac{e^{3x}-e^{2x}}{x}=\lim_{x\to0}\frac{(e^{3x}-1)-(e^{2x}-1)}{x}$

$\qquad=\displaystyle\lim_{x\to0}\left(\frac{e^{3x}-1}{x}-\frac{e^{2x}-1}{x}\right)$

$\qquad=\displaystyle\lim_{x\to0}\left(\frac{e^{3x}-1}{3x}\times3-\frac{e^{2x}-1}{2x}\times2\right)$

$\qquad=1\times3-1\times2=1$

(3) $\displaystyle\lim_{x\to0}\frac{\ln(1+2x)}{e^{5x}-1}$

$\qquad=\displaystyle\lim_{x\to0}\left\{\frac{\ln(1+2x)}{2x}\times\frac{5x}{e^{5x}-1}\times\frac{2}{5}\right\}$

$\qquad=1\times1\times\dfrac{2}{5}=\dfrac{2}{5}$

(4) $\displaystyle\lim_{x\to0}\frac{\log_2(1+5x)}{3x}=\lim_{x\to0}\frac{\log_2(1+5x)}{5x}\times\frac{5}{3}$

$\qquad=\dfrac{5}{3\ln2}$

답 (1) $\dfrac{4}{7}$　(2) 1　(3) $\dfrac{2}{5}$　(4) $\dfrac{5}{3\ln2}$

117

(1) $x-1=t$로 놓으면

$x\to1$일 때 $t\to0$이고, $x=t+1$이므로

$\displaystyle\lim_{x\to1}\frac{e^{x-1}-x^2}{x-1}=\lim_{t\to0}\frac{e^t-(t+1)^2}{t}$

$\qquad=\displaystyle\lim_{t\to0}\frac{e^t-(t^2+2t+1)}{t}$

$\qquad=\displaystyle\lim_{t\to0}\frac{(e^t-1)-(t^2+2t)}{t}$

$\qquad=\displaystyle\lim_{t\to0}\left\{\frac{e^t-1}{t}-(t+2)\right\}$

$\qquad=1-2=-1$

(2) $\dfrac{1}{x}=t$로 놓으면

$x\to\infty$일 때 $t\to0$이므로

$\displaystyle\lim_{x\to\infty}x\{\ln(x+2)-\ln x\}$

$\qquad=\displaystyle\lim_{x\to\infty}x\ln\frac{x+2}{x}=\lim_{x\to\infty}x\ln\left(1+\frac{2}{x}\right)$

$\qquad=\displaystyle\lim_{t\to0}\frac{\ln(1+2t)}{t}=\lim_{t\to0}\frac{\ln(1+2t)}{2t}\times2$

$\qquad=1\times2=2$

답 (1) -1　(2) 2

119

(1) 0이 아닌 극한값이 존재하고 $x\to0$일 때
(분자)$\to0$이므로 (분모)$\to0$이어야 한다.

즉, $\displaystyle\lim_{x\to0}(e^{ax}-b)=0$이므로 $e^0-b=0$

$\therefore b=1$

$b=1$을 주어진 식에 대입하면

$\displaystyle\lim_{x\to0}\frac{2x}{e^{ax}-1}=\lim_{x\to0}\frac{ax}{e^{ax}-1}\times\frac{2}{a}=1\times\frac{2}{a}=\frac{2}{a}$

따라서 $\dfrac{2}{a}=\dfrac{1}{2}$이므로 $a=4$

(2) 극한값이 존재하고 $x\to0$일 때 (분모)$\to0$이므로
(분자)$\to0$이어야 한다.

즉, $\displaystyle\lim_{x\to0}\ln(a+3x)=0$이므로 $\ln a=0$

$\therefore a=1$

$a=1$을 주어진 식에 대입하면

$\displaystyle\lim_{x\to0}\frac{\ln(1+3x)}{e^{10x}-1}$

$\qquad=\displaystyle\lim_{x\to0}\left\{\frac{\ln(1+3x)}{3x}\times\frac{10x}{e^{10x}-1}\times\frac{3}{10}\right\}$

$\qquad=1\times1\times\dfrac{3}{10}=\dfrac{3}{10}$

$\therefore b=\dfrac{3}{10}$

답 (1) $a=4,\ b=1$　(2) $a=1,\ b=\dfrac{3}{10}$

121

(1) $y=\dfrac{e^{x-1}}{3}=\dfrac{e^x}{3e}$이므로

$\qquad y'=\dfrac{(e^x)'}{3e}=\dfrac{e^x}{3e}=\dfrac{e^{x-1}}{3}$

(2) $y=xe^{-x}=x\left(\dfrac{1}{e}\right)^x$이므로

$\qquad y'=(x)'\left(\dfrac{1}{e}\right)^x+x\left\{\left(\dfrac{1}{e}\right)^x\right\}'$

$\qquad=\left(\dfrac{1}{e}\right)^x+x\times\left(\dfrac{1}{e}\right)^x\ln\dfrac{1}{e}$

$\qquad=e^{-x}-xe^{-x}=e^{-x}(1-x)$

답 (1) $y'=\dfrac{e^{x-1}}{3}$　(2) $y'=e^{-x}(1-x)$

123

(1) $y=3^{2x+1}=3\times9^x$이므로

$\qquad y'=3\times(9^x)'=3\times9^x\ln9$

$\qquad=3\times3^{2x}\ln3^2=2\times3^{2x+1}\ln3$

(2) $y=e^{3x}+5^x=(e^3)^x+5^x$이므로

$\qquad y'=\{(e^3)^x\}'+(5^x)'=(e^3)^x\ln e^3+5^x\ln5$

$\qquad=3e^{3x}+5^x\ln5$

(3) $y=2^x(3x+1)$이므로

$\qquad y'=(2^x)'(3x+1)+2^x(3x+1)'$

$\qquad=2^x\ln2\times(3x+1)+2^x\times3$

$\qquad=2^x\{(3x+1)\ln2+3\}$

(4) $y=(x^2+2)\left(\dfrac{1}{3}\right)^x$이므로

$$y' = (x^2+2)'\left(\frac{1}{3}\right)^x + (x^2+2)\left\{\left(\frac{1}{3}\right)^x\right\}'$$
$$= 2x \times \left(\frac{1}{3}\right)^x + (x^2+2) \times \left(\frac{1}{3}\right)^x \ln \frac{1}{3}$$
$$= \left(\frac{1}{3}\right)^x \left\{(x^2+2) \ln \frac{1}{3} + 2x\right\}$$

답 (1) $y' = 2 \times 3^{2x+1} \ln 3$

(2) $y' = 3e^{3x} + 5^x \ln 5$

(3) $y' = 2^x\{(3x+1) \ln 2 + 3\}$

(4) $y' = \left(\frac{1}{3}\right)^x \left\{(x^2+2) \ln \frac{1}{3} + 2x\right\}$

125

$$\lim_{h \to 0} \frac{f(3+h)-f(3)}{3h} = \lim_{h \to 0} \frac{f(3+h)-f(3)}{h} \times \frac{1}{3}$$
$$= \frac{1}{3}f'(3)$$

$f(x) = 3^x$에서 $f'(x) = 3^x \ln 3$

$$\therefore \frac{1}{3}f'(3) = \frac{1}{3} \times 3^3 \ln 3 = 9 \ln 3$$

답 $9 \ln 3$

127

(1) $y = \dfrac{\ln x^9}{3} = \dfrac{9 \ln x}{3} = 3 \ln x$이므로

$$y' = \frac{3}{x}$$

(2) $y = \ln (4x)^5 = 5 \ln 4x = 5(\ln 4 + \ln x)$이므로

$$y' = \frac{5}{x}$$

(3) $y = (3x^2-1) \ln x^2 = (6x^2-2)\ln x$이므로

$$y' = (6x^2-2)' \ln x + (6x^2-2)(\ln x)'$$
$$= 12x \times \ln x + (6x^2-2) \times \frac{1}{x}$$
$$= 12x \ln x + 6x - \frac{2}{x}$$

답 (1) $y' = \dfrac{3}{x}$ (2) $y' = \dfrac{5}{x}$ (3) $y' = 12x \ln x + 6x - \dfrac{2}{x}$

129

(1) $y = \log_5 25x = \log_5 25 + \log_5 x = 2 + \log_5 x$이므로

$$y' = \frac{1}{x \ln 5}$$

(2) $y = (2x+1) \log_3 4x = (2x+1)(\log_3 4 + \log_3 x)$
이므로

$$y' = (2x+1)'(\log_3 4 + \log_3 x)$$
$$\qquad + (2x+1)(\log_3 4 + \log_3 x)'$$

$$= 2 \times (\log_3 4 + \log_3 x) + (2x+1) \times \frac{1}{x \ln 3}$$
$$= 2 \log_3 4x + \frac{2x+1}{x \ln 3}$$

(3) $y = 3^x \log_2 x$이므로

$$y' = (3^x)' \log_2 x + 3^x (\log_2 x)'$$
$$= 3^x \ln 3 \times \log_2 x + 3^x \times \frac{1}{x \ln 2}$$
$$= 3^x \left(\ln 3 \times \log_2 x + \frac{1}{x \ln 2}\right)$$

답 (1) $y' = \dfrac{1}{x \ln 5}$

(2) $y' = 2 \log_3 4x + \dfrac{2x+1}{x \ln 3}$

(3) $y' = 3^x \left(\ln 3 \times \log_2 x + \dfrac{1}{x \ln 2}\right)$

131

$$\lim_{x \to 1} \frac{f(x^2)-f(1)}{x-1} = \lim_{x \to 1} \left\{\frac{f(x^2)-f(1)}{x^2-1} \times (x+1)\right\}$$
$$= 2f'(1)$$

$f(x) = e^x \ln x$에서

$$f'(x) = e^x \times \ln x + e^x \times \frac{1}{x} = e^x \left(\ln x + \frac{1}{x}\right)$$

$$\therefore 2f'(1) = 2e^1 \left(\ln 1 + \frac{1}{1}\right) = 2e$$

답 $2e$

133

$$f(x) = \begin{cases} 3 + a \ln x & (0 < x \le 1) \\ bx+2 & (x > 1) \end{cases} \qquad \cdots\cdots \text{㉠에서}$$

$$f'(x) = \begin{cases} \dfrac{a}{x} & (0 < x < 1) \\ b & (x > 1) \end{cases} \qquad \cdots\cdots \text{㉡}$$

함수 $f(x)$가 $x=1$에서 미분가능하므로 $x=1$에서 연속이고, $x=1$에서의 미분계수 $f'(1)$이 존재한다.

(ⅰ) $x=1$에서 연속이므로 ㉠에서

$$3 = b + 2 \qquad \therefore b = 1 \qquad \cdots\cdots \text{㉢}$$

(ⅱ) $f'(1)$이 존재하므로 ㉡에서

$$\frac{a}{1} = b \qquad \therefore a = b \qquad \cdots\cdots \text{㉣}$$

㉢, ㉣에서 $a=1$, $b=1$

답 $a=1$, $b=1$

134

ㄱ. $\displaystyle\lim_{x \to \infty} \left(1 + \frac{2}{x}\right)^{\frac{x}{2}} = e$

ㄴ. $-x = t$로 놓으면

$x \to 0$일 때 $t \to 0$이므로

$$\lim_{x \to 0} (1-x)^{\frac{1}{x}} = \lim_{t \to 0} (1+t)^{-\frac{1}{t}}$$
$$= \lim_{t \to 0} \left\{ (1+t)^{\frac{1}{t}} \right\}^{-1}$$
$$= e^{-1} = \frac{1}{e}$$

ㄷ. $-x = t$로 놓으면

$x \to -\infty$일 때 $t \to \infty$이므로

$$\lim_{x \to -\infty} \left(\frac{x-1}{x} \right)^{-x} = \lim_{x \to -\infty} \left(1 - \frac{1}{x} \right)^{-x}$$
$$= \lim_{t \to \infty} \left(1 + \frac{1}{t} \right)^{t} = e$$

따라서 극한값이 e인 것은 ㄱ, ㄷ이다.

답 ㄱ, ㄷ

135

$x - 1 = t$로 놓으면

$x \to 1$일 때 $t \to 0$이고, $x = t + 1$이므로

$$\lim_{x \to 1} \frac{4^{x-1}-1}{x^2-1} = \lim_{t \to 0} \frac{4^t-1}{(t+1)^2-1} = \lim_{t \to 0} \frac{4^t-1}{t^2+2t}$$
$$= \lim_{t \to 0} \left\{ \frac{4^t-1}{t} \times \frac{1}{t+2} \right\} = \frac{1}{2} \ln 4$$
$$= \ln \sqrt{4} = \ln 2$$

$\therefore a = 2$

답 2

136

$$\lim_{x \to 0} \frac{\ln(ax+1)}{x^2+5x} = \lim_{x \to 0} \frac{\ln(ax+1)}{x(x+5)}$$
$$= \lim_{x \to 0} \left\{ \frac{\ln(ax+1)}{ax} \times \frac{a}{x+5} \right\}$$
$$= 1 \times \frac{a}{5} = \frac{a}{5}$$

따라서 $\frac{a}{5} = 4$이므로 $a = 20$

$$\therefore \lim_{x \to 0} \frac{\ln(2x+1)}{ax} = \lim_{x \to 0} \frac{\ln(2x+1)}{20x}$$
$$= \lim_{x \to 0} \frac{\ln(2x+1)}{2x} \times \frac{1}{10}$$
$$= 1 \times \frac{1}{10} = \frac{1}{10}$$

답 $\dfrac{1}{10}$

137

$$f(x) = (x^3+2)3^{2x-1} = (x^3+2)9^x \times 3^{-1}$$
$$= \frac{1}{3}(x^3+2)9^x$$

이므로

$$f'(x) = \frac{1}{3} \times 3x^2 \times 9^x + \frac{1}{3}(x^3+2) \times 9^x \ln 9$$
$$= x^2 \times 3^{2x} + (x^3+2)3^{2x-1} \ln 9$$

$$\therefore f'(0) = \frac{2 \ln 9}{3}$$

답 $\dfrac{2 \ln 9}{3}$

138

$$\lim_{h \to 0} \frac{f(e+h)-f(e-h)}{h}$$
$$= \lim_{h \to 0} \frac{f(e+h)-f(e)-f(e-h)+f(e)}{h}$$
$$= \lim_{h \to 0} \frac{f(e+h)-f(e)}{h} + \lim_{h \to 0} \frac{f(e-h)-f(e)}{-h}$$
$$= f'(e) + f'(e) = 2f'(e)$$

$f(x) = x^3 \ln x^2 = 2x^3 \ln x$이므로

$$f'(x) = 6x^2 \times \ln x + 2x^3 \times \frac{1}{x} = 6x^2 \ln x + 2x^2$$

$$\therefore 2f'(e) = 2(6e^2+2e^2) = 16e^2$$

답 $16e^2$

139

$\displaystyle\lim_{x \to 1} \frac{f(x)-3}{x-1} = 5$에서 극한값이 존재하고

$x \to 1$일 때 (분모) $\to 0$이므로 (분자) $\to 0$이다.

즉, $\displaystyle\lim_{x \to 1} \{f(x)-3\} = 0$이므로 $f(1)-3 = 0$

$\therefore f(1) = 3$

$$\therefore \lim_{x \to 1} \frac{f(x)-3}{x-1} = \lim_{x \to 1} \frac{f(x)-f(1)}{x-1} = f'(1) = 5$$

한편, $f(x) = ax - bx \ln x$, $f'(x) = a - b \ln x - b$

이므로

$f(1) = 3$에서 $a = 3$

$f'(1) = 5$에서 $a - b = 5$

$\therefore b = a - 5 = -2$

따라서 $f(x) = 3x + 2x \ln x$이므로

$f(e) = 3e + 2e = 5e$

답 $5e$

141

오른쪽 그림과 같이 반지름의 길이가 1인 원에서 $\theta = \dfrac{7}{6}\pi$의 동경과 이 원의 교점을 P, 점 P에서 x축에 내린 수선의 발을 H라 하면 직각삼각형 POH에서

$\angle \mathrm{POH}=\dfrac{\pi}{6}$이므로 점 P의 좌표는 $\left(-\dfrac{\sqrt{3}}{2},\ -\dfrac{1}{2}\right)$이다.

$\therefore \csc\theta=\dfrac{1}{-\dfrac{1}{2}}=-2$

$\sec\theta=\dfrac{1}{-\dfrac{\sqrt{3}}{2}}=-\dfrac{2}{\sqrt{3}}=-\dfrac{2\sqrt{3}}{3}$

$\cot\theta=\dfrac{-\dfrac{\sqrt{3}}{2}}{-\dfrac{1}{2}}=\sqrt{3}$

답 $\csc\theta=-2,\ \sec\theta=-\dfrac{2\sqrt{3}}{3},\ \cot\theta=\sqrt{3}$

143

$\dfrac{\cos\theta}{\csc\theta+\cot\theta}+\dfrac{\cos\theta}{\csc\theta-\cot\theta}$

$=\dfrac{\cos\theta(\csc\theta-\cot\theta)}{(\csc\theta+\cot\theta)(\csc\theta-\cot\theta)}$

$\qquad\qquad+\dfrac{\cos\theta(\csc\theta+\cot\theta)}{(\csc\theta-\cot\theta)(\csc\theta+\cot\theta)}$

$=\dfrac{2\cos\theta\csc\theta}{\csc^2\theta-\cot^2\theta}$

$=\dfrac{2\cos\theta\csc\theta}{(1+\cot^2\theta)-\cot^2\theta}$ $\leftarrow 1+\cot^2\theta=\csc^2\theta$

$=2\cos\theta\dfrac{1}{\sin\theta}$

$=2\dfrac{\cos\theta}{\sin\theta}$

$=2\cot\theta$

답 $2\cot\theta$

145

$\tan\theta+\cot\theta=\dfrac{\sin\theta}{\cos\theta}+\dfrac{\cos\theta}{\sin\theta}=\dfrac{\sin^2\theta+\cos^2\theta}{\sin\theta\cos\theta}$

$\qquad\qquad=\dfrac{1}{\sin\theta\cos\theta}=3$

$\therefore \sin\theta\cos\theta=\dfrac{1}{3}$

이때 $\sin^2\theta-2\sin\theta\cos\theta+\cos^2\theta=1-\dfrac{2}{3}=\dfrac{1}{3}$이므로

$(\sin\theta-\cos\theta)^2=\dfrac{1}{3}$

$\therefore \sin\theta-\cos\theta=\dfrac{\sqrt{3}}{3}$ $(\because \sin\theta>\cos\theta)$

답 $\dfrac{\sqrt{3}}{3}$

147

(1) $\sin 15°=\sin(45°-30°)$

$=\sin 45°\cos 30°-\cos 45°\sin 30°$

$=\dfrac{\sqrt{2}}{2}\times\dfrac{\sqrt{3}}{2}-\dfrac{\sqrt{2}}{2}\times\dfrac{1}{2}=\dfrac{\sqrt{6}-\sqrt{2}}{4}$

(2) $\cos 105°=\cos(60°+45°)$

$=\cos 60°\cos 45°-\sin 60°\sin 45°$

$=\dfrac{1}{2}\times\dfrac{\sqrt{2}}{2}-\dfrac{\sqrt{3}}{2}\times\dfrac{\sqrt{2}}{2}=\dfrac{\sqrt{2}-\sqrt{6}}{4}$

(3) $\tan 75°=\tan(45°+30°)$

$=\dfrac{\tan 45°+\tan 30°}{1-\tan 45°\tan 30°}$

$=\dfrac{1+\dfrac{1}{\sqrt{3}}}{1-1\times\dfrac{1}{\sqrt{3}}}=\dfrac{\sqrt{3}+1}{\sqrt{3}-1}=2+\sqrt{3}$

답 (1) $\dfrac{\sqrt{6}-\sqrt{2}}{4}$ (2) $\dfrac{\sqrt{2}-\sqrt{6}}{4}$ (3) $2+\sqrt{3}$

149

(1) (주어진 식)$=\sin(110°-80°)=\sin 30°=\dfrac{1}{2}$

(2) (주어진 식)$=\cos(35°+25°)=\cos 60°=\dfrac{1}{2}$

(3) (주어진 식)$=\tan(20°+10°)=\tan 30°=\dfrac{\sqrt{3}}{3}$

답 (1) $\dfrac{1}{2}$ (2) $\dfrac{1}{2}$ (3) $\dfrac{\sqrt{3}}{3}$

151

이차방정식의 근과 계수의 관계에 의해

$\tan\alpha+\tan\beta=\dfrac{5}{2},\ \tan\alpha\tan\beta=-\dfrac{3}{2}$

$\therefore \tan(\alpha+\beta)=\dfrac{\tan\alpha+\tan\beta}{1-\tan\alpha\tan\beta}$

$\qquad\qquad=\dfrac{\dfrac{5}{2}}{1-\left(-\dfrac{3}{2}\right)}=1$

답 1

153

$0<\alpha<\dfrac{\pi}{2},\ \dfrac{\pi}{2}<\beta<\pi$에서 $\cos\alpha>0$, $\sin\beta>0$이므로

$\cos\alpha=\sqrt{1-\sin^2\alpha}=\sqrt{1-\left(\dfrac{1}{3}\right)^2}=\dfrac{2\sqrt{2}}{3}$

$\sin\beta=\sqrt{1-\cos^2\beta}=\sqrt{1-\left(-\dfrac{1}{4}\right)^2}=\dfrac{\sqrt{15}}{4}$

$\tan\alpha=\dfrac{\sin\alpha}{\cos\alpha}=\dfrac{\dfrac{1}{3}}{\dfrac{2\sqrt{2}}{3}}=\dfrac{\sqrt{2}}{4}$

$\tan\beta=\dfrac{\sin\beta}{\cos\beta}=\dfrac{\dfrac{\sqrt{15}}{4}}{-\dfrac{1}{4}}=-\sqrt{15}$

(1) $\sin(\alpha-\beta)=\sin\alpha\cos\beta-\cos\alpha\sin\beta$

$$=\frac{1}{3}\times\left(-\frac{1}{4}\right)-\frac{2\sqrt{2}}{3}\times\frac{\sqrt{15}}{4}$$

$$=-\frac{1+2\sqrt{30}}{12}$$

(2) $\cos(\alpha+\beta)=\cos\alpha\cos\beta-\sin\alpha\sin\beta$

$$=\frac{2\sqrt{2}}{3}\times\left(-\frac{1}{4}\right)-\frac{1}{3}\times\frac{\sqrt{15}}{4}$$

$$=-\frac{2\sqrt{2}+\sqrt{15}}{12}$$

(3) $\tan(\alpha-\beta)=\dfrac{\tan\alpha-\tan\beta}{1+\tan\alpha\tan\beta}$

$$=\dfrac{\dfrac{\sqrt{2}}{4}-(-\sqrt{15})}{1+\dfrac{\sqrt{2}}{4}\times(-\sqrt{15})}$$

$$=\frac{\sqrt{2}+4\sqrt{15}}{4-\sqrt{30}}=-\frac{32\sqrt{2}+9\sqrt{15}}{7}$$

답 (1) $-\dfrac{1+2\sqrt{30}}{12}$ (2) $-\dfrac{2\sqrt{2}+\sqrt{15}}{12}$

(3) $-\dfrac{32\sqrt{2}+9\sqrt{15}}{7}$

155

두 직선 $y=\dfrac{1}{2}x+1$, $y=-\dfrac{1}{3}x+2$가 x축의 양의 방향

과 이루는 각의 크기를 각각 α, β라 하면

$\tan\alpha=\dfrac{1}{2}$, $\tan\beta=-\dfrac{1}{3}$

두 직선이 이루는 예각의 크기를 θ라 하면

$\tan\theta=|\tan(\alpha-\beta)|=\left|\dfrac{\tan\alpha-\tan\beta}{1+\tan\alpha\tan\beta}\right|$

$$=\left|\dfrac{\dfrac{1}{2}-\left(-\dfrac{1}{3}\right)}{1+\dfrac{1}{2}\times\left(-\dfrac{1}{3}\right)}\right|=1$$

$\therefore \theta=\dfrac{\pi}{4}$

답 $\dfrac{\pi}{4}$

157

$\pi<\theta<\dfrac{3}{2}\pi$에서 $\sin\theta<0$이므로

$\sin\theta=-\sqrt{1-\cos^2\theta}=-\sqrt{1-\left(-\dfrac{1}{3}\right)^2}=-\dfrac{2\sqrt{2}}{3}$

$\therefore \sin 2\theta=2\sin\theta\cos\theta=2\times\left(-\dfrac{2\sqrt{2}}{3}\right)\times\left(-\dfrac{1}{3}\right)$

$$=\frac{4\sqrt{2}}{9}$$

$\cos 2\theta=2\cos^2\theta-1=2\times\left(-\dfrac{1}{3}\right)^2-1=-\dfrac{7}{9}$

$\tan 2\theta=\dfrac{\sin 2\theta}{\cos 2\theta}=\dfrac{\dfrac{4\sqrt{2}}{9}}{-\dfrac{7}{9}}=-\dfrac{4\sqrt{2}}{7}$

답 $\sin 2\theta=\dfrac{4\sqrt{2}}{9}$, $\cos 2\theta=-\dfrac{7}{9}$, $\tan 2\theta=-\dfrac{4\sqrt{2}}{7}$

159

(1) $\sin\theta-\cos\theta=\dfrac{1}{3}$의 양변을 제곱하면

$\sin^2\theta-2\sin\theta\cos\theta+\cos^2\theta=\dfrac{1}{9}$

$1-\sin 2\theta=\dfrac{1}{9}$

$\therefore \sin 2\theta=\dfrac{8}{9}$

(2) $\sin 2\theta=2\sin\theta\cos\theta=\dfrac{8}{9}$이므로

$\sin\theta\cos\theta=\dfrac{4}{9}$

$\therefore \sin^3\theta-\cos^3\theta$

$=(\sin\theta-\cos\theta)(\sin^2\theta+\sin\theta\cos\theta+\cos^2\theta)$

$$=\frac{1}{3}\left(1+\frac{4}{9}\right)=\frac{13}{27}$$

답 (1) $\dfrac{8}{9}$ (2) $\dfrac{13}{27}$

161

$\dfrac{\pi}{2}<\theta<\pi$에서 $\cos\theta<0$이므로

$\cos\theta=-\sqrt{1-\sin^2\theta}=-\sqrt{1-\left(\dfrac{3}{5}\right)^2}=-\dfrac{4}{5}$

$\dfrac{\pi}{4}<\dfrac{\theta}{2}<\dfrac{\pi}{2}$이므로

$\sin\dfrac{\theta}{2}>0$, $\cos\dfrac{\theta}{2}>0$, $\tan\dfrac{\theta}{2}>0$

$\sin^2\dfrac{\theta}{2}=\dfrac{1-\cos\theta}{2}=\dfrac{1-\left(-\dfrac{4}{5}\right)}{2}=\dfrac{9}{10}$

$\therefore \sin\dfrac{\theta}{2}=\dfrac{3\sqrt{10}}{10}$

$\cos^2\dfrac{\theta}{2}=\dfrac{1+\cos\theta}{2}=\dfrac{1+\left(-\dfrac{4}{5}\right)}{2}=\dfrac{1}{10}$

$\therefore \cos\dfrac{\theta}{2}=\dfrac{\sqrt{10}}{10}$

$\tan^2\dfrac{\theta}{2}=\dfrac{1-\cos\theta}{1+\cos\theta}=\dfrac{1-\left(-\dfrac{4}{5}\right)}{1+\left(-\dfrac{4}{5}\right)}=9$

$\therefore \tan\dfrac{\theta}{2}=3$

답 $\sin\dfrac{\theta}{2}=\dfrac{3\sqrt{10}}{10}$, $\cos\dfrac{\theta}{2}=\dfrac{\sqrt{10}}{10}$, $\tan\dfrac{\theta}{2}=3$

163

(1) $r=\sqrt{(\sqrt{3})^2+1^2}=2$

➡ 2로 묶은 후 덧셈정리를 쓴다.

(i) 사인합성: 사인함수의 덧셈정리를 쓴다.

$\sqrt{3}\sin x+\cos x$

$=2\left(\dfrac{\sqrt{3}}{2}\sin x+\dfrac{1}{2}\cos x\right)$

$=2\left(\cos\dfrac{\pi}{6}\sin x+\sin\dfrac{\pi}{6}\cos x\right)$

$=2\sin\left(x+\dfrac{\pi}{6}\right)$

(ii) 코사인합성: 코사인함수의 덧셈정리를 쓴다.

$\sqrt{3}\sin x+\cos x$

$=2\left(\dfrac{\sqrt{3}}{2}\sin x+\dfrac{1}{2}\cos x\right)$

$=2\left(\sin\dfrac{\pi}{3}\sin x+\cos\dfrac{\pi}{3}\cos x\right)$

$=2\cos\left(x-\dfrac{\pi}{3}\right)$

(2) $r=\sqrt{1^2+1^2}=\sqrt{2}$

➡ $\sqrt{2}$로 묶은 후 덧셈정리를 쓴다.

(i) 사인합성: 사인함수의 덧셈정리를 쓴다.

$\sin x+\cos x$

$=\sqrt{2}\left(\dfrac{1}{\sqrt{2}}\sin x+\dfrac{1}{\sqrt{2}}\cos x\right)$

$=\sqrt{2}\left(\cos\dfrac{\pi}{4}\sin x+\sin\dfrac{\pi}{4}\cos x\right)$

$=\sqrt{2}\sin\left(x+\dfrac{\pi}{4}\right)$

(ii) 코사인합성: 코사인함수의 덧셈정리를 쓴다.

$\sin x+\cos x$

$=\sqrt{2}\left(\dfrac{1}{\sqrt{2}}\sin x+\dfrac{1}{\sqrt{2}}\cos x\right)$

$=\sqrt{2}\left(\sin\dfrac{\pi}{4}\sin x+\cos\dfrac{\pi}{4}\cos x\right)$

$=\sqrt{2}\cos\left(x-\dfrac{\pi}{4}\right)$

답 (1) $2\sin\left(x+\dfrac{\pi}{6}\right)$, $2\cos\left(x-\dfrac{\pi}{3}\right)$

(2) $\sqrt{2}\sin\left(x+\dfrac{\pi}{4}\right)$, $\sqrt{2}\cos\left(x-\dfrac{\pi}{4}\right)$

165

$\cos\left(x-\dfrac{\pi}{4}\right)=\cos x\cos\dfrac{\pi}{4}+\sin x\sin\dfrac{\pi}{4}$

$\qquad\qquad=\dfrac{\sqrt{2}}{2}\sin x+\dfrac{\sqrt{2}}{2}\cos x$

이므로

$2\cos\left(x-\dfrac{\pi}{4}\right)-2\sqrt{2}\sin x$

$=2\left(\dfrac{\sqrt{2}}{2}\sin x+\dfrac{\sqrt{2}}{2}\cos x\right)-2\sqrt{2}\sin x$

$=-\sqrt{2}\sin x+\sqrt{2}\cos x$

따라서 $r=\sqrt{(-\sqrt{2})^2+(\sqrt{2})^2}=2$이므로

(주어진 식)$=2\left(-\dfrac{\sqrt{2}}{2}\sin x+\dfrac{\sqrt{2}}{2}\cos x\right)$

$\qquad\quad=2\left(\cos\dfrac{3}{4}\pi\sin x+\sin\dfrac{3}{4}\pi\cos x\right)$

$\qquad\quad=2\sin\left(x+\dfrac{3}{4}\pi\right)$

답 $2\sin\left(x+\dfrac{3}{4}\pi\right)$

167

(1) $3x+\dfrac{\pi}{3}=\theta$로 치환한 후 합성하면

$y=3\cos\theta+\sqrt{3}\sin\theta$

$=2\sqrt{3}\left(\dfrac{\sqrt{3}}{2}\cos\theta+\dfrac{1}{2}\sin\theta\right)$

$=2\sqrt{3}\left(\sin\dfrac{\pi}{3}\cos\theta+\cos\dfrac{\pi}{3}\sin\theta\right)$

$=2\sqrt{3}\sin\left(\theta+\dfrac{\pi}{3}\right)$

$=2\sqrt{3}\sin\left(3x+\dfrac{2}{3}\pi\right)$

따라서 최댓값은 $2\sqrt{3}$, 최솟값은 $-2\sqrt{3}$, 주기는 $\dfrac{2\pi}{3}$

이다.

(2) $\sin\left(x+\dfrac{\pi}{6}\right)=\sin x\cos\dfrac{\pi}{6}+\cos x\sin\dfrac{\pi}{6}$

$\qquad\qquad\quad=\dfrac{\sqrt{3}}{2}\sin x+\dfrac{1}{2}\cos x$

이므로

$y=2\sqrt{3}\sin\left(x+\dfrac{\pi}{6}\right)-4\sin x$

$=2\sqrt{3}\left(\dfrac{\sqrt{3}}{2}\sin x+\dfrac{1}{2}\cos x\right)-4\sin x$

$=\sqrt{3}\cos x-\sin x$

$=2\left(\dfrac{\sqrt{3}}{2}\cos x-\dfrac{1}{2}\sin x\right)$

$=2\left(\sin\dfrac{\pi}{3}\cos x-\cos\dfrac{\pi}{3}\sin x\right)$

$=2\sin\left(\dfrac{\pi}{3}-x\right)$

따라서 최댓값은 2, 최솟값은 -2, 주기는 2π이다.

답 (1) 최댓값: $2\sqrt{3}$, 최솟값: $-2\sqrt{3}$, 주기: $\dfrac{2\pi}{3}$

(2) 최댓값: 2, 최솟값: -2, 주기: 2π

168

$$(\text{주어진 식}) = (\sin^2\theta + 2 + \csc^2\theta) + (\cos^2\theta + 2 + \sec^2\theta)$$
$$- (\tan^2\theta + 2 + \cot^2\theta)$$
$$= (\sin^2\theta + \cos^2\theta) + (\sec^2\theta - \tan^2\theta)$$
$$+ (\csc^2\theta - \cot^2\theta) + 2$$
$$= 1 + 1 + 1 + 2 = 5$$

답 5

169

$\dfrac{\pi}{2} < \alpha < \pi$ 에서 $\cos\alpha < 0$ 이므로

$$\cos\alpha = -\sqrt{1 - \sin^2\alpha} = -\sqrt{1 - \left(\dfrac{1}{\sqrt{5}}\right)^2} = -\dfrac{2}{\sqrt{5}}$$

$0 < \beta < \dfrac{\pi}{2}$ 에서 $\sin\beta > 0$ 이므로

$$\sin\beta = \sqrt{1 - \cos^2\beta} = \sqrt{1 - \left(\dfrac{2}{\sqrt{5}}\right)^2} = \dfrac{1}{\sqrt{5}}$$

$\therefore \sin(\alpha - \beta) + \cos(\alpha + \beta)$

$\quad = \sin\alpha\cos\beta - \cos\alpha\sin\beta$
$$+ \cos\alpha\cos\beta - \sin\alpha\sin\beta$$
$$= \dfrac{1}{\sqrt{5}} \times \dfrac{2}{\sqrt{5}} - \left(-\dfrac{2}{\sqrt{5}}\right) \times \dfrac{1}{\sqrt{5}}$$
$$+ \left(-\dfrac{2}{\sqrt{5}}\right) \times \dfrac{2}{\sqrt{5}} - \dfrac{1}{\sqrt{5}} \times \dfrac{1}{\sqrt{5}}$$
$$= -\dfrac{1}{5}$$

답 $-\dfrac{1}{5}$

170

이차방정식의 근과 계수의 관계에 의해

$$\tan\alpha + \tan\beta = -\dfrac{k}{3}, \quad \tan\alpha\tan\beta = -\dfrac{7}{3}$$

이므로

$$\tan(\alpha + \beta) = \dfrac{\tan\alpha + \tan\beta}{1 - \tan\alpha\tan\beta}$$
$$= \dfrac{-\dfrac{k}{3}}{1 - \left(-\dfrac{7}{3}\right)} = \dfrac{1}{2}$$

에서 $-\dfrac{k}{10} = \dfrac{1}{2}$

$\therefore k = -5$

답 -5

171

$$\tan 2\theta = \dfrac{2\tan\theta}{1 - \tan^2\theta} = \dfrac{4}{1 - 4} = -\dfrac{4}{3}$$

$$\cos 2\theta = 2\cos^2\theta - 1 = \dfrac{2}{\sec^2\theta} - 1$$
$$= \dfrac{2}{1 + \tan^2\theta} - 1 = \dfrac{2}{1 + 4} - 1 = -\dfrac{3}{5}$$
$$\sin 2\theta = \tan 2\theta \times \cos 2\theta = \left(-\dfrac{4}{3}\right) \times \left(-\dfrac{3}{5}\right) = \dfrac{4}{5}$$

답 $\tan 2\theta = -\dfrac{4}{3}$, $\cos 2\theta = -\dfrac{3}{5}$, $\sin 2\theta = \dfrac{4}{5}$

172

$\sin^2\dfrac{\theta}{2} = \dfrac{1 - \cos\theta}{2} = \dfrac{1}{5}$ 이므로 $\cos\theta = \dfrac{3}{5}$

$$\therefore \cos 2\theta = 2\cos^2\theta - 1 = 2 \times \left(\dfrac{3}{5}\right)^2 - 1 = -\dfrac{7}{25}$$

답 $-\dfrac{7}{25}$

173

$r = \sqrt{4^2 + 3^2} = 5$ 이므로

$$4\sin x + 3\cos x = 5\left(\dfrac{4}{5}\sin x + \dfrac{3}{5}\cos x\right)$$
$$= 5(\cos\alpha\sin x + \sin\alpha\cos x)$$
$$= 5\sin(x + \alpha)$$
$$\left(\text{단, } \cos\alpha = \dfrac{4}{5}, \ \sin\alpha = \dfrac{3}{5}\right)$$

$$\therefore r\tan\alpha = 5 \times \dfrac{\sin\alpha}{\cos\alpha} = 5 \times \dfrac{\dfrac{3}{5}}{\dfrac{4}{5}} = \dfrac{15}{4}$$

답 $\dfrac{15}{4}$

174

$$\sin\left(x + \dfrac{\pi}{3}\right) = \sin x\cos\dfrac{\pi}{3} + \cos x\sin\dfrac{\pi}{3}$$
$$= \dfrac{1}{2}\sin x + \dfrac{\sqrt{3}}{2}\cos x$$

이므로

$$y = 2\sin\left(x + \dfrac{\pi}{3}\right) - 2\sqrt{3}\cos x$$
$$= 2\left(\dfrac{1}{2}\sin x + \dfrac{\sqrt{3}}{2}\cos x\right) - 2\sqrt{3}\cos x$$
$$= \sin x - \sqrt{3}\cos x$$
$$= 2\left(\dfrac{1}{2}\sin x - \dfrac{\sqrt{3}}{2}\cos x\right)$$
$$= 2\left(\cos\dfrac{\pi}{3}\sin x - \sin\dfrac{\pi}{3}\cos x\right)$$
$$= 2\sin\left(x - \dfrac{\pi}{3}\right)$$

따라서 주기는 2π 이고, 최솟값은 -2 이므로
$a = 2$, $b = -2$

$$\therefore a-b=2-(-2)=4$$

답 4

176

(1) $\displaystyle\lim_{x\to 0}\frac{\sin x-\cos x}{1-\sin x}=\frac{\sin 0-\cos 0}{1-\sin 0}=\frac{-1}{1}=-1$

(2) $\cos^2 x=1-\sin^2 x$임을 이용하여 인수분해한 후 약분한다.

$$\begin{aligned}\lim_{x\to\frac{\pi}{2}}\frac{\cos^2 x}{1-\sin x}&=\lim_{x\to\frac{\pi}{2}}\frac{1-\sin^2 x}{1-\sin x}\\&=\lim_{x\to\frac{\pi}{2}}\frac{(1-\sin x)(1+\sin x)}{1-\sin x}\\&=\lim_{x\to\frac{\pi}{2}}(1+\sin x)\\&=1+\sin\frac{\pi}{2}=1+1=2\end{aligned}$$

(3) $\tan x=\dfrac{\sin x}{\cos x}$, $\sec x=\dfrac{1}{\cos x}$임을 이용하여 $\sin x$, $\cos x$로 통일한다.

$$\begin{aligned}&\lim_{x\to\frac{\pi}{2}}(\tan x-\sec x)\\&=\lim_{x\to\frac{\pi}{2}}\left(\frac{\sin x}{\cos x}-\frac{1}{\cos x}\right)\\&=\lim_{x\to\frac{\pi}{2}}\frac{\sin x-1}{\cos x}\\&=\lim_{x\to\frac{\pi}{2}}\frac{-(1-\sin x)(1+\sin x)}{\cos x(1+\sin x)}\\&=\lim_{x\to\frac{\pi}{2}}\frac{-(1-\sin^2 x)}{\cos x(1+\sin x)}\\&=\lim_{x\to\frac{\pi}{2}}\frac{-\cos^2 x}{\cos x(1+\sin x)}\\&=\lim_{x\to\frac{\pi}{2}}\frac{-\cos x}{1+\sin x}\\&=\frac{-\cos\frac{\pi}{2}}{1+\sin\frac{\pi}{2}}=\frac{0}{1+1}=0\end{aligned}$$

답 (1) -1 (2) 2 (3) 0

178

[방법 1] 정통 풀이를 한다.

(1) $\displaystyle\lim_{x\to 0}\frac{\sin 10x}{\sin 2x}$

$=\displaystyle\lim_{x\to 0}\left(\frac{\sin 10x}{10x}\times\frac{2x}{\sin 2x}\times\frac{10}{2}\right)=5$

(2) $\displaystyle\lim_{x\to 0}\frac{\sin x}{x+\tan x}=\lim_{x\to 0}\frac{\dfrac{\sin x}{x}}{1+\dfrac{\tan x}{x}}=\frac{1}{1+1}=\frac{1}{2}$

(3) $\displaystyle\lim_{x\to 0}\frac{\sin 9x}{\sin x+\sin 3x+\sin 5x}$

$=\displaystyle\lim_{x\to 0}\frac{\dfrac{\sin 9x}{x}}{\dfrac{\sin x}{x}+\dfrac{\sin 3x}{x}+\dfrac{\sin 5x}{x}}$

$=\displaystyle\lim_{x\to 0}\frac{\dfrac{\sin 9x}{9x}\times 9}{\dfrac{\sin x}{x}+\dfrac{\sin 3x}{3x}\times 3+\dfrac{\sin 5x}{5x}\times 5}$

$=\dfrac{9}{1+3+5}=1$

(4) $\displaystyle\lim_{x\to 0}\frac{\sin(3x^3+5x^2+4x)}{2x^3+2x^2+x}$

$=\displaystyle\lim_{x\to 0}\left\{\frac{\sin(3x^3+5x^2+4x)}{3x^3+5x^2+4x}\times\frac{3x^3+5x^2+4x}{2x^3+2x^2+x}\right\}$

$=\displaystyle\lim_{x\to 0}\frac{3x^2+5x+4}{2x^2+2x+1}=\frac{4}{1}=4$

[방법 2] 비법을 이용한다.

(1) (주어진 식)$=\displaystyle\lim_{x\to 0}\frac{10x}{2x}=5$

(2) (주어진 식)$=\displaystyle\lim_{x\to 0}\frac{x}{x+x}=\lim_{x\to 0}\frac{x}{2x}=\frac{1}{2}$

(3) (주어진 식)$=\displaystyle\lim_{x\to 0}\frac{9x}{x+3x+5x}=\lim_{x\to 0}\frac{9x}{9x}=1$

(4) (주어진 식)$=\displaystyle\lim_{x\to 0}\frac{3x^3+5x^2+4x}{2x^3+2x^2+x}$

$=\displaystyle\lim_{x\to 0}\frac{3x^2+5x+4}{2x^2+2x+1}$

$=\dfrac{4}{1}=4$

답 (1) 5 (2) $\dfrac{1}{2}$ (3) 1 (4) 4

180

(1) $\displaystyle\lim_{x\to 0}\frac{x\sin x}{1-\cos x}=\lim_{x\to 0}\frac{x\sin x(1+\cos x)}{(1-\cos x)(1+\cos x)}$

$=\displaystyle\lim_{x\to 0}\frac{x\sin x(1+\cos x)}{1-\cos^2 x}$

$=\displaystyle\lim_{x\to 0}\frac{x\sin x(1+\cos x)}{\sin^2 x}$

$=\displaystyle\lim_{x\to 0}\left\{\frac{x}{\sin x}\times(1+\cos x)\right\}$

$=1\times(1+1)=2$

(2) $\displaystyle\lim_{x\to 0}\frac{x^2}{1-\cos 2x}$

$=\displaystyle\lim_{x\to 0}\frac{x^2(1+\cos 2x)}{(1-\cos 2x)(1+\cos 2x)}$

$=\displaystyle\lim_{x\to 0}\frac{x^2(1+\cos 2x)}{1-\cos^2 2x}$

$=\displaystyle\lim_{x\to 0}\frac{x^2(1+\cos 2x)}{\sin^2 2x}$

$$=\lim_{x\to 0}\left\{\left(\frac{2x}{\sin 2x}\times\frac{1}{2}\right)^2\times(1+\cos 2x)\right\}$$

$$=\left(\frac{1}{2}\right)^2\times(1+1)=\frac{1}{2}$$

답 (1) 2　(2) $\frac{1}{2}$

182

(1) $x-\frac{\pi}{2}=t$로 치환하면

$x\to\frac{\pi}{2}$일 때 $t\to 0$이고, $x=\frac{\pi}{2}+t$이므로

$$\lim_{x\to\frac{\pi}{2}}\frac{\cos x}{\frac{\pi}{2}-x}=\lim_{t\to 0}\frac{\cos\left(\frac{\pi}{2}+t\right)}{-t}=\lim_{t\to 0}\frac{-\sin t}{-t}$$

$$=\lim_{t\to 0}\frac{\sin t}{t}=1$$

(2) $x-3=t$로 치환하면

$x\to 3$일 때 $t\to 0$이고, $x=3+t$이므로

$$\lim_{x\to 3}\frac{9-x^2}{\sin\pi x}=\lim_{t\to 0}\frac{9-(3+t)^2}{\sin(3\pi+\pi t)}$$

$$=\lim_{t\to 0}\frac{-t(6+t)}{-\sin\pi t}$$

$$=\lim_{t\to 0}\left(\frac{\pi t}{\sin\pi t}\times\frac{6+t}{\pi}\right)$$

$$=1\times\frac{6}{\pi}=\frac{6}{\pi}$$

답 (1) 1　(2) $\frac{6}{\pi}$

184

(1) 극한값이 존재하고 $\lim\limits_{x\to 0}\tan x=0$이므로

$$\lim_{x\to 0}(e^x+a)=e^0+a=0\quad\therefore a=-1$$

$$\therefore \lim_{x\to 0}\frac{e^x+a}{\tan x}=\lim_{x\to 0}\frac{e^x-1}{\tan x}$$

$$=\lim_{x\to 0}\left(\frac{e^x-1}{x}\times\frac{x}{\tan x}\right)$$

$$=1\times 1=1$$

$$\therefore b=1$$

(2) 0이 아닌 극한값이 존재하고

$\lim\limits_{x\to 0}(1-\cos x)=0$이므로

$$\lim_{x\to 0}(ax^2+b)=0+b=0$$

$$\therefore b=0$$

$$\therefore \lim_{x\to 0}\frac{1-\cos x}{ax^2+b}$$

$$=\lim_{x\to 0}\frac{1-\cos x}{ax^2}$$

$$=\lim_{x\to 0}\frac{(1-\cos x)(1+\cos x)}{ax^2(1+\cos x)}$$

$$=\lim_{x\to 0}\frac{\sin^2 x}{ax^2(1+\cos x)}$$

$$=\lim_{x\to 0}\left\{\frac{1}{a}\times\left(\frac{\sin x}{x}\right)^2\times\frac{1}{1+\cos x}\right\}$$

$$=\frac{1}{a}\times 1^2\times\frac{1}{1+1}=\frac{1}{2a}=1$$

$$\therefore a=\frac{1}{2}$$

(3) 0이 아닌 극한값이 존재하고 $\lim\limits_{x\to\frac{\pi}{2}}\cos x=0$이므로

$$\lim_{x\to\frac{\pi}{2}}(ax+b)=\frac{\pi}{2}a+b=0$$

$$\therefore b=-\frac{\pi}{2}a$$

$$\therefore \lim_{x\to\frac{\pi}{2}}\frac{\cos x}{ax+b}$$

$$=\lim_{x\to\frac{\pi}{2}}\frac{\cos x}{ax-\frac{\pi}{2}a}$$

$$=\frac{1}{a}\lim_{x\to\frac{\pi}{2}}\frac{\cos x}{x-\frac{\pi}{2}}=-\frac{1}{3}\qquad\cdots\cdots\text{㉠}$$

$x-\frac{\pi}{2}=t$로 치환하면

$x\to\frac{\pi}{2}$일 때 $t\to 0$이고, $x=\frac{\pi}{2}+t$이므로

$$\lim_{x\to\frac{\pi}{2}}\frac{\cos x}{x-\frac{\pi}{2}}=\lim_{t\to 0}\frac{\cos\left(\frac{\pi}{2}+t\right)}{t}$$

$$=\lim_{t\to 0}\frac{-\sin t}{t}=-1$$

따라서 ㉠에서 $\frac{1}{a}\times(-1)=-\frac{1}{3}$이므로 $a=3$

$$\therefore b=-\frac{\pi}{2}a=-\frac{3}{2}\pi$$

답 (1) $a=-1$, $b=1$　(2) $a=\frac{1}{2}$, $b=0$

(3) $a=3$, $b=-\frac{3}{2}\pi$

186

$\overline{OH}=\overline{OC}\cos\theta=4\cos\theta$이므로

$\overline{BH}=\overline{OB}-\overline{OH}=4-4\cos\theta=4(1-\cos\theta)$

$$\therefore \lim_{\theta\to 0+}\frac{\overline{BH}}{\theta^2}=\lim_{\theta\to 0+}\frac{4(1-\cos\theta)}{\theta^2}$$

$$=\lim_{\theta\to 0+}\frac{4(1-\cos\theta)(1+\cos\theta)}{\theta^2(1+\cos\theta)}$$

$$=\lim_{\theta\to 0+}\frac{4\sin^2\theta}{\theta^2(1+\cos\theta)}$$

$$=\lim_{\theta\to 0+}\left\{\left(\frac{\sin\theta}{\theta}\right)^2\times\frac{4}{1+\cos\theta}\right\}$$

$$=1^2\times\frac{4}{1+1}=2$$

답 2

188

(1) $y'=(x)'\cos x+x(\cos x)'-(\sin x)'$

$=\cos x-x\sin x-\cos x$

$=-x\sin x$

(2) $y=\sin 2x=2\sin x\cos x$이므로

$y'=2(\sin x)'\cos x+2\sin x(\cos x)'$

$=2\cos x\cos x+2\sin x(-\sin x)$

$=2(\cos^2 x-\sin^2 x)=2\cos 2x$

(3) $y'=(\ln x)'\cos x+\ln x(\cos x)'$

$=\dfrac{\cos x}{x}-\ln x\sin x$

답 (1) $y'=-x\sin x$ (2) $y'=2\cos 2x$

(3) $y'=\dfrac{\cos x}{x}-\ln x\sin x$

190

$\displaystyle\lim_{h\to 0}\dfrac{f\left(\dfrac{\pi}{6}+2h\right)-f\left(\dfrac{\pi}{6}-h\right)}{h}$

$=\displaystyle\lim_{h\to 0}\dfrac{f\left(\dfrac{\pi}{6}+2h\right)-f\left(\dfrac{\pi}{6}\right)+f\left(\dfrac{\pi}{6}\right)-f\left(\dfrac{\pi}{6}-h\right)}{h}$

$=\displaystyle\lim_{h\to 0}\dfrac{f\left(\dfrac{\pi}{6}+2h\right)-f\left(\dfrac{\pi}{6}\right)}{2h}\times 2$

$+\displaystyle\lim_{h\to 0}\dfrac{f\left(\dfrac{\pi}{6}-h\right)-f\left(\dfrac{\pi}{6}\right)}{-h}$

$=2f'\left(\dfrac{\pi}{6}\right)+f'\left(\dfrac{\pi}{6}\right)=3f'\left(\dfrac{\pi}{6}\right)$

이때

$f'(x)=(\sin x)'\cos x+\sin x(\cos x)'$

$=\cos^2 x-\sin^2 x=\cos 2x$

이므로

$3f'\left(\dfrac{\pi}{6}\right)=3\cos\dfrac{\pi}{3}=3\times\dfrac{1}{2}=\dfrac{3}{2}$

답 $\dfrac{3}{2}$

192

$f(x)=\begin{cases}ae^x+3x & (x\geq 0)\\ \cos x+b & (x<0)\end{cases}$ …… ㉠에서

$f'(x)=\begin{cases}ae^x+3 & (x>0)\\ -\sin x & (x<0)\end{cases}$ …… ㉡

함수 $f(x)$가 $x=0$에서 미분가능하므로 $x=0$에서 연속이고, $x=0$에서의 미분계수 $f'(0)$이 존재한다.

(i) $x=0$에서 연속이므로 ㉠에서

$ae^0=\cos 0+b$ $\therefore a=1+b$

(ii) $f'(0)$이 존재하므로 ㉡에서

$ae^0+3=-\sin 0$ $\therefore a=-3$

$\therefore b=a-1=-4$

$\therefore a+b=(-3)+(-4)=-7$

답 -7

193

(1) $\displaystyle\lim_{x\to\frac{\pi}{2}}\dfrac{\sin 2x}{\sec x-\tan x}$

$=\displaystyle\lim_{x\to\frac{\pi}{2}}\dfrac{2\sin x\cos x}{\dfrac{1}{\cos x}-\dfrac{\sin x}{\cos x}}$

$=\displaystyle\lim_{x\to\frac{\pi}{2}}\dfrac{2\sin x\cos^2 x}{1-\sin x}$

$=\displaystyle\lim_{x\to\frac{\pi}{2}}\dfrac{2\sin x(1-\sin^2 x)}{1-\sin x}$

$=\displaystyle\lim_{x\to\frac{\pi}{2}}\dfrac{2\sin x(1+\sin x)(1-\sin x)}{1-\sin x}$

$=\displaystyle\lim_{x\to\frac{\pi}{2}}2\sin x(1+\sin x)$

$=2\sin\dfrac{\pi}{2}\left(1+\sin\dfrac{\pi}{2}\right)$

$=2\times 1\times(1+1)=4$

(2) [방법 1] 정통 풀이를 한다.

$\displaystyle\lim_{x\to 0}\dfrac{\sin(\tan 3x)}{\sin 2x}$

$=\displaystyle\lim_{x\to 0}\left\{\dfrac{\sin(\tan 3x)}{\tan 3x}\times\dfrac{\tan 3x}{3x}\times\dfrac{2x}{\sin 2x}\times\dfrac{3}{2}\right\}$

$=1\times 1\times 1\times\dfrac{3}{2}=\dfrac{3}{2}$

[방법 2] 비법을 이용한다.

$\displaystyle\lim_{x\to 0}\dfrac{\sin(\tan 3x)}{\sin 2x}=\displaystyle\lim_{x\to 0}\dfrac{\tan 3x}{2x}=\displaystyle\lim_{x\to 0}\dfrac{3x}{2x}=\dfrac{3}{2}$

답 (1) 4 (2) $\dfrac{3}{2}$

194

$\displaystyle\lim_{x\to 0}\dfrac{1-\cos x}{x\tan 4x}$

$=\displaystyle\lim_{x\to 0}\dfrac{(1-\cos x)(1+\cos x)}{x\tan 4x(1+\cos x)}$

$=\displaystyle\lim_{x\to 0}\dfrac{1-\cos^2 x}{x\tan 4x(1+\cos x)}$

$=\displaystyle\lim_{x\to 0}\dfrac{\sin^2 x}{x\tan 4x(1+\cos x)}$

$=\displaystyle\lim_{x\to 0}\left\{\left(\dfrac{\sin x}{x}\right)^2\times\dfrac{4x}{\tan 4x}\times\dfrac{1}{4(1+\cos x)}\right\}$

$=1^2\times 1\times\dfrac{1}{4\times 2}=\dfrac{1}{8}$

답 $\dfrac{1}{8}$

195

ㄱ. 옳다. 왜냐? 공식이다.

ㄴ. 옳다. 왜냐? 분모는 엄청나게 커지는데 분자는 -1 과 1 사이에서 깔짝거린다.

ㄷ. 옳다. 왜냐? x는 0으로 가는데 $\sin \dfrac{1}{x}$은 -1과 1 사이에서 깔짝거린다.

ㄹ. 옳다. 왜냐? 이건 계산이 좀 필요하다.

$\dfrac{1}{x}=t$로 치환하면 $x \to \infty$일 때 $t \to 0$이고,

$x=\dfrac{1}{t}$이므로

$$\lim_{x \to \infty} x \sin \frac{1}{x} = \lim_{t \to 0} \frac{\sin t}{t} = 1$$

따라서 ㄱ, ㄴ, ㄷ, ㄹ 모두 옳으므로 옳은 것은 4개이다.

[참고]

ㄷ. $\displaystyle\lim_{x \to 0} x \sin \dfrac{1}{x}$에서

$x \neq 0$일 때, $-1 \le \sin \dfrac{1}{x} \le 1$이므로

각 변에 $|x|$를 곱하면

$$-|x| \le |x| \sin \frac{1}{x} \le |x|$$

이때 $\displaystyle\lim_{x \to 0}(-|x|) = \lim_{x \to 0}|x| = 0$이므로

$$\lim_{x \to 0} |x| \sin \frac{1}{x} = 0$$

$\therefore \displaystyle\lim_{x \to 0} x \sin \dfrac{1}{x} = 0$

답 4

196

(1) $\dfrac{1}{x}=t$로 치환하면

$x \to \infty$일 때 $t \to 0$이고, $x=\dfrac{1}{t}$이므로

$$\lim_{x \to \infty} x \tan \frac{1}{x} = \lim_{t \to 0} \frac{\tan t}{t} = 1$$

(2) $x-\dfrac{\pi}{2}=t$로 치환하면

$x \to \dfrac{\pi}{2}$일 때 $t \to 0$이고, $x=\dfrac{\pi}{2}+t$이므로

$$\lim_{x \to \frac{\pi}{2}} \left(x - \frac{\pi}{2} \right) \tan x = \lim_{t \to 0} t \tan \left(\frac{\pi}{2} + t \right)$$
$$= \lim_{t \to 0} t(-\cot t)$$
$$= \lim_{t \to 0} \left(-\frac{t}{\tan t} \right) = -1$$

(3) $\displaystyle\lim_{x \to 0} \dfrac{\ln(1+6x)}{\sin 3x}$

$$= \lim_{x \to 0} \left\{ \frac{\ln(1+6x)}{6x} \times \frac{3x}{\sin 3x} \times \frac{6}{3} \right\}$$
$$= 1 \times 1 \times 2 = 2$$

(4) $\displaystyle\lim_{x \to 0} \dfrac{\tan 10x}{e^{2x}-1} = \lim_{x \to 0} \left\{ \dfrac{\tan 10x}{10x} \times \dfrac{2x}{e^{2x}-1} \times \dfrac{10}{2} \right\}$

$$= 1 \times 1 \times 5 = 5$$

답 (1) 1 (2) -1 (3) 2 (4) 5

197

$f(x)=x^2 \sin x + 2x \cos x$이므로

$f'(x)=(x^2)' \sin x + x^2 (\sin x)'$
$\qquad\qquad + (2x)' \cos x + 2x(\cos x)'$
$\quad = 2x \sin x + x^2 \cos x + 2 \cos x - 2x \sin x$
$\quad = (x^2+2) \cos x$

$\therefore f'(0)=(0+2) \times 1 = 2$

답 2

198

$$\lim_{h \to 0} \frac{f\left(\frac{\pi}{4}+3h\right) - f\left(\frac{\pi}{4}-2h\right)}{h}$$

$$= \lim_{h \to 0} \frac{f\left(\frac{\pi}{4}+3h\right) - f\left(\frac{\pi}{4}\right) + f\left(\frac{\pi}{4}\right) - f\left(\frac{\pi}{4}-2h\right)}{h}$$

$$= \lim_{h \to 0} \frac{f\left(\frac{\pi}{4}+3h\right) - f\left(\frac{\pi}{4}\right)}{3h} \times 3$$
$$\quad + \lim_{h \to 0} \frac{f\left(\frac{\pi}{4}-2h\right) - f\left(\frac{\pi}{4}\right)}{-2h} \times 2$$

$$= 3f'\left(\frac{\pi}{4}\right) + 2f'\left(\frac{\pi}{4}\right) = 5f'\left(\frac{\pi}{4}\right)$$

이때 $f(x)=\sin^2 x = \sin x \sin x$에서

$f'(x)=(\sin x)' \sin x + \sin x (\sin x)'$
$\quad = \cos x \sin x + \sin x \cos x$
$\quad = 2 \sin x \cos x = \sin 2x$

$\therefore 5f'\left(\dfrac{\pi}{4}\right) = 5 \sin \dfrac{\pi}{2} = 5 \times 1 = 5$

답 5

199

$$\lim_{n \to \infty} \left\{ \frac{1}{2}\left(1+\frac{1}{n}\right)\left(1+\frac{1}{n+1}\right)\left(1+\frac{1}{n+2}\right) \right.$$
$$\left. \times \cdots \times \left(1+\frac{1}{2n}\right) \right\}^{2n}$$

$$= \lim_{n \to \infty} \left(\frac{1}{2} \times \frac{n+1}{n} \times \frac{n+2}{n+1} \times \frac{n+3}{n+2} \times \cdots \times \frac{2n+1}{2n} \right)^{2n}$$

$$= \lim_{n \to \infty} \left(\frac{2n+1}{2n} \right)^{2n} = \lim_{n \to \infty} \left(1 + \frac{1}{2n} \right)^{2n}$$

$$= e$$

답 e

200

$$\lim_{x \to 0} \frac{f(x)}{x} = \lim_{x \to 0} \left\{ \frac{e^{4x}-1}{x} \times \frac{f(x)}{e^{4x}-1} \right\}$$
$$= \lim_{x \to 0} \left\{ \frac{e^{4x}-1}{4x} \times 4 \times \frac{f(x)}{e^{4x}-1} \right\}$$
$$= 1 \times 4 \times \frac{1}{2} = 2$$

답 2

201

극한값이 존재하고 $x \to 0$일 때 (분모)$\to 0$이므로 (분자)$\to 0$이다.

즉, $\lim_{x \to 0} (\sqrt{ax+b}-2)=0$이므로 $\sqrt{b}-2=0$

$\therefore b=4$

$b=4$를 주어진 식에 대입하면

$$\lim_{x \to 0} \frac{\sqrt{ax+b}-2}{\ln(1+2x)}$$
$$= \lim_{x \to 0} \frac{(\sqrt{ax+4}-2)(\sqrt{ax+4}+2)}{\ln(1+2x) \times (\sqrt{ax+4}+2)}$$
$$= \lim_{x \to 0} \frac{ax}{\ln(1+2x) \times (\sqrt{ax+4}+2)}$$
$$= \lim_{x \to 0} \left\{ \frac{2x}{\ln(1+2x)} \times \frac{a}{\sqrt{ax+4}+2} \times \frac{1}{2} \right\}$$
$$= 1 \times \frac{a}{\sqrt{4}+2} \times \frac{1}{2} = \frac{a}{8}$$

따라서 $\frac{a}{8}=1$이므로 $a=8$

$\therefore a+b=8+4=12$

답 12

202

$f(x)=(2x-a)e^{x+b}=e^b(2x-a)e^x$이므로

$f'(x)=e^b \times 2 \times e^x + e^b(2x-a) \times e^x$
$\quad = e^{x+b}(2x-a+2)$

$f'(0)=0$에서 $e^b(-a+2)=0$

$\therefore a=2 \ (\because e^b>0)$

$f'(2)=4$에서 $e^{2+b}(6-a)=4$

$e^{2+b} \times 4=4$, $e^{2+b}=1$, $b+2=0$

$\therefore b=-2$

$\therefore a^2+b^2=2^2+(-2)^2=8$

답 8

203

$\cos \theta - 3 \sin \theta = 0$에서 $1-3 \times \frac{\sin \theta}{\cos \theta}=0$

$1-3 \tan \theta = 0 \qquad \therefore \tan \theta = \frac{1}{3}$

$$\therefore \tan 2\theta = \frac{2 \tan \theta}{1-\tan^2 \theta} = \frac{2 \times \frac{1}{3}}{1-\left(\frac{1}{3}\right)^2} = \frac{3}{4}$$

답 $\frac{3}{4}$

204

$\sin \alpha + \sin \beta = \frac{3}{4}$의 양변을 제곱하면

$\sin^2 \alpha + \sin^2 \beta + 2 \sin \alpha \sin \beta = \frac{9}{16}$ ...... ㉠

$\cos \alpha - \cos \beta = \frac{1}{2}$의 양변을 제곱하면

$\cos^2 \alpha + \cos^2 \beta - 2 \cos \alpha \cos \beta = \frac{1}{4}$ ...... ㉡

㉠$+$㉡을 하면

$(\sin^2 \alpha + \cos^2 \alpha) + (\sin^2 \beta + \cos^2 \beta)$
$\qquad\qquad -2(\cos \alpha \cos \beta - \sin \alpha \sin \beta) = \frac{13}{16}$

$2-2\cos(\alpha+\beta)=\frac{13}{16}$, $2\cos(\alpha+\beta)=\frac{19}{16}$

$\therefore \cos(\alpha+\beta)=\frac{19}{32}$

답 $\frac{19}{32}$

205

오른쪽 그림과 같이 $\angle BAC=\alpha$, $\angle CAD=\beta$라 하면

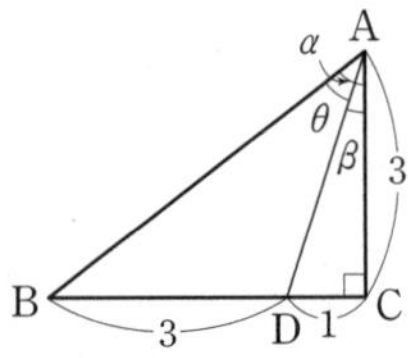

$\tan \alpha = \dfrac{\overline{BC}}{\overline{AC}} = \dfrac{4}{3}$

$\tan \beta = \dfrac{\overline{CD}}{\overline{AC}} = \dfrac{1}{3}$

$\therefore \tan \theta = \tan(\alpha-\beta) = \dfrac{\tan \alpha - \tan \beta}{1+\tan \alpha \tan \beta}$

$$= \frac{\dfrac{4}{3}-\dfrac{1}{3}}{1+\dfrac{4}{3} \times \dfrac{1}{3}} = \frac{9}{13}$$

답 $\frac{9}{13}$

206

$\dfrac{1+\tan^2 \theta}{1-\tan^2 \theta}=2$에서 $1+\tan^2 \theta = 2-2\tan^2 \theta$

$3\tan^2 \theta = 1 \qquad \therefore \tan^2 \theta = \dfrac{1}{3}$

$\sec^2 \theta = 1+\tan^2 \theta = 1+\dfrac{1}{3}=\dfrac{4}{3}$이므로

$\cos^2 \theta = \dfrac{1}{\sec^2 \theta} = \dfrac{3}{4}$

$\therefore \cos \theta = \dfrac{\sqrt{3}}{2} \left(\because 0<\theta<\dfrac{\pi}{2} \right)$

$$\therefore \tan^2 \frac{\theta}{2} = \frac{1-\cos\theta}{1+\cos\theta} = \frac{1-\frac{\sqrt{3}}{2}}{1+\frac{\sqrt{3}}{2}}$$

$$= \frac{2-\sqrt{3}}{2+\sqrt{3}} = 7-4\sqrt{3}$$

답 $7-4\sqrt{3}$

207

극한값이 존재하고 $\lim\limits_{x \to a} 3\sin(x-a)=0$이므로

$\lim\limits_{x \to a}(e^x-1)=e^a-1=0$

$\therefore a=0$

$\therefore b = \lim\limits_{x \to 0} \frac{e^x-1}{3\sin x} = \lim\limits_{x \to 0}\left(\frac{e^x-1}{x} \times \frac{x}{\sin x} \times \frac{1}{3}\right)$

$\qquad = 1 \times 1 \times \frac{1}{3} = \frac{1}{3}$

답 $a=0,\ b=\frac{1}{3}$

208

함수 $f(x)$가 $x=0$에서 연속이려면

$\lim\limits_{x \to 0} f(x)=f(0)$이어야 하므로

$\lim\limits_{x \to 0} \frac{\ln(a+6x)}{e^{2x}-1}=b$ ...... ㉠

극한값이 존재하고 $x \to 0$일 때 (분모)$\to 0$이므로
(분자)$\to 0$이다.

즉, $\lim\limits_{x \to 0}\ln(a+6x)=0$이므로 $\ln a=0$

$\therefore a=1$

$a=1$을 ㉠에 대입하면

$b = \lim\limits_{x \to 0} \frac{\ln(1+6x)}{e^{2x}-1}$

$\quad = \lim\limits_{x \to 0}\left\{\frac{\ln(1+6x)}{6x} \times \frac{2x}{e^{2x}-1} \times \frac{6}{2}\right\}$

$\quad = 1 \times 1 \times 3 = 3$

$\therefore ab = 1 \times 3 = 3$

답 3

209

$x - \frac{\pi}{2} = t$로 치환하면

$x \to \frac{\pi}{2}$일 때 $t \to 0$이고, $x=\frac{\pi}{2}+t$이므로

$\lim\limits_{x \to \frac{\pi}{2}} \frac{\left(x-\frac{\pi}{2}\right)\cos x}{1-\sin x}$

$= \lim\limits_{t \to 0} \frac{t \cos\left(\frac{\pi}{2}+t\right)}{1-\sin\left(\frac{\pi}{2}+t\right)}$

$= \lim\limits_{t \to 0} \frac{-t\sin t}{1-\cos t}$

$= \lim\limits_{t \to 0} \frac{-t\sin t\,(1+\cos t)}{(1-\cos t)(1+\cos t)}$

$= \lim\limits_{t \to 0} \frac{-t\sin t\,(1+\cos t)}{1-\cos^2 t}$

$= \lim\limits_{t \to 0} \frac{-t\sin t\,(1+\cos t)}{\sin^2 t}$

$= \lim\limits_{t \to 0} \frac{-t(1+\cos t)}{\sin t}$

$= \lim\limits_{t \to 0}\left\{\frac{t}{\sin t} \times (-1) \times (1+\cos t)\right\}$

$= 1 \times (-1) \times (1+1) = -2$

답 -2

210

$f(x)=\sin x - \sqrt{3}\cos x$에서

$f'(x) = \cos x + \sqrt{3}\sin x = 2\left(\frac{1}{2}\cos x + \frac{\sqrt{3}}{2}\sin x\right)$

$\qquad = 2\sin\left(x+\frac{\pi}{6}\right)$

이때 $f'(\alpha)=\sqrt{3}$이므로

$2\sin\left(\alpha+\frac{\pi}{6}\right)=\sqrt{3}$

$\therefore \sin\left(\alpha+\frac{\pi}{6}\right)=\frac{\sqrt{3}}{2}$

$0<\alpha<\pi$에서 $\frac{\pi}{6}<\alpha+\frac{\pi}{6}<\frac{7}{6}\pi$이므로

$\alpha+\frac{\pi}{6}=\frac{\pi}{3}$ 또는 $\alpha+\frac{\pi}{6}=\frac{2}{3}\pi$

$\therefore \alpha=\frac{\pi}{6}$ 또는 $\alpha=\frac{\pi}{2}$

따라서 구하는 α의 값의 합은

$\frac{\pi}{6}+\frac{\pi}{2}=\frac{2}{3}\pi$

답 $\frac{2}{3}\pi$

211

함수 $f(x)$가 $x=\frac{\pi}{2}$에서 연속이므로

$\lim\limits_{x \to \frac{\pi}{2}} \frac{ax-\pi}{\cos x}=b$

극한값이 존재하고 $\lim\limits_{x \to \frac{\pi}{2}}\cos x=0$이므로

$\lim\limits_{x \to \frac{\pi}{2}}(ax-\pi)=\frac{\pi}{2}a-\pi=0$

$\therefore a=2$

$\lim\limits_{x \to \frac{\pi}{2}} \frac{2x-\pi}{\cos x}=b$에서 $x-\frac{\pi}{2}=t$로 치환하면

$x \rightarrow \dfrac{\pi}{2}$일 때 $t \rightarrow 0$이고, $x = \dfrac{\pi}{2} + t$이므로

$$b = \lim_{x \to \frac{\pi}{2}} \frac{2x - \pi}{\cos x} = \lim_{t \to 0} \frac{2\left(\dfrac{\pi}{2} + t\right) - \pi}{\cos\left(\dfrac{\pi}{2} + t\right)}$$

$$= \lim_{t \to 0} \frac{2t}{-\sin t} = -2$$

$$\therefore a + b = 2 + (-2) = 0$$

답 0

212

$$S(t) = \frac{1}{2} \times \overline{AB} \times \overline{PB} = \frac{1}{2} \times (t-1) \times 2\ln t$$

$$= (t-1)\ln t$$

이므로

$$\lim_{t \to 1+} \frac{S(t)}{(t-1)^2} = \lim_{t \to 1+} \frac{(t-1)\ln t}{(t-1)^2}$$

$$= \lim_{t \to 1+} \frac{\ln t}{t-1}$$

이때 $t - 1 = p$로 놓으면

$t \rightarrow 1+$일 때 $p \rightarrow 0+$이고, $t = 1 + p$이므로

$$\lim_{t \to 1+} \frac{\ln t}{t-1} = \lim_{p \to 0+} \frac{\ln(1+p)}{p} = 1$$

답 1

213

오른쪽 그림에서 $\angle A = \theta$로
놓으면

$$\overline{AP} = 2\cos\theta$$

$$\overline{BP} = 2\sin\theta$$

$$\therefore 3\overline{AP} + 4\overline{BP}$$

$$= 6\cos\theta + 8\sin\theta$$

$$= 10\left(\frac{3}{5}\cos\theta + \frac{4}{5}\sin\theta\right)$$

$$= 10\sin(\theta + \alpha) \left(\text{단}, \ \sin\alpha = \frac{3}{5}, \ \cos\alpha = \frac{4}{5}\right)$$

따라서 구하는 최댓값은 10이다.

답 10

214

$$y = \sin^2 x + 2\sin x \cos x + 3\cos^2 x$$

$$= \frac{1 - \cos 2x}{2} + \sin 2x + 3 \times \frac{1 + \cos 2x}{2}$$

$$= \sin 2x + \cos 2x + 2$$

$$= \sqrt{2}\left(\frac{1}{\sqrt{2}}\sin 2x + \frac{1}{\sqrt{2}}\cos 2x\right) + 2$$

$$= \sqrt{2}\left(\cos\frac{\pi}{4}\sin 2x + \sin\frac{\pi}{4}\cos 2x\right) + 2$$

$$= \sqrt{2}\sin\left(2x + \frac{\pi}{4}\right) + 2$$

따라서 최댓값은 $M = 2 + \sqrt{2}$, 최솟값은 $m = 2 - \sqrt{2}$
이므로

$$Mm = (2 + \sqrt{2})(2 - \sqrt{2}) = 2$$

답 2

215

오른쪽 그림과 같이 꼭짓점
A에서 $\overline{BC}$에 내린 수선의
발을 H라 하면

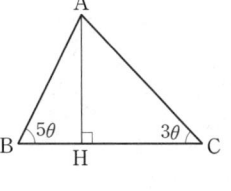

$$\overline{AB} = \frac{\overline{AH}}{\sin 5\theta}$$

$$\overline{AC} = \frac{\overline{AH}}{\sin 3\theta}$$

$$\therefore \lim_{\theta \to 0+} \frac{\overline{AB}}{\overline{AC}} = \lim_{\theta \to 0+} \frac{\dfrac{\overline{AH}}{\sin 5\theta}}{\dfrac{\overline{AH}}{\sin 3\theta}}$$

$$= \lim_{\theta \to 0+} \frac{\sin 3\theta}{\sin 5\theta}$$

$$= \lim_{\theta \to 0+} \left(\frac{\sin 3\theta}{3\theta} \times \frac{5\theta}{\sin 5\theta} \times \frac{3}{5}\right)$$

$$= 1 \times 1 \times \frac{3}{5} = \frac{3}{5}$$

답 $\dfrac{3}{5}$

216

$$f(x) = \begin{cases} e^x \cos x + ax & (x \geq 0) \\ x\sin x + b & (x < 0) \end{cases} \quad \cdots\cdots \ \textcircled{\footnotesize ㄱ}$$

에서

$$f'(x) = \begin{cases} e^x \cos x - e^x \sin x + a & (x > 0) \\ \sin x + x\cos x & (x < 0) \end{cases} \quad \cdots\cdots \ \textcircled{\footnotesize ㄴ}$$

함수 $f(x)$가 $x = 0$에서 미분가능하므로 $x = 0$에서 연
속이고, $x = 0$에서의 미분계수 $f'(0)$이 존재한다.

(i) $x = 0$에서 연속이므로 ㄱ에서

$$e^0 \cos 0 = b \qquad \therefore b = 1$$

(ii) $f'(0)$이 존재하므로 ㄴ에서

$$e^0 \cos 0 - e^0 \sin 0 + a = \sin 0$$

$$1 + a = 0 \qquad \therefore a = -1$$

$$\therefore a^2 + b^2 = (-1)^2 + 1^2 = 2$$

답 2

218

(1) $y' = \dfrac{(x-3)'(2x+1) - (x-3)(2x+1)'}{(2x+1)^2}$

$= \dfrac{1 \times (2x+1) - (x-3) \times 2}{(2x+1)^2}$

$= \dfrac{7}{(2x+1)^2}$

(2) $y' = \dfrac{(x^2+1)'e^x - (x^2+1)(e^x)'}{(e^x)^2}$

$= \dfrac{2xe^x - (x^2+1)e^x}{e^{2x}}$

$= \dfrac{-e^x(x^2-2x+1)}{e^{2x}}$

$= -\dfrac{(x-1)^2}{e^x}$

(3) $y' = -\dfrac{(\ln x)'}{(\ln x)^2} = -\dfrac{\frac{1}{x}}{(\ln x)^2} = -\dfrac{1}{x(\ln x)^2}$

📋 (1) $y' = \dfrac{7}{(2x+1)^2}$ (2) $y' = -\dfrac{(x-1)^2}{e^x}$

(3) $y' = -\dfrac{1}{x(\ln x)^2}$

220

(1) $y' = (3x^{-5})' = -15x^{-5-1} = -15x^{-6} = -\dfrac{15}{x^6}$

(2) $y = -4x^{-2}$이므로

$y' = (-4x^{-2})' = 8x^{-2-1} = 8x^{-3} = \dfrac{8}{x^3}$

(3) $y = \dfrac{x^3 - x + 1}{x} = \dfrac{x^3}{x} - \dfrac{x}{x} + \dfrac{1}{x} = x^2 - 1 + x^{-1}$이므로

$y' = (x^2 - 1 + x^{-1})' = 2x - x^{-2} = 2x - \dfrac{1}{x^2}$

❯ 다른 풀이

(3) $y' = \dfrac{(x^3-x+1)'x - (x^3-x+1)(x)'}{x^2}$

$= \dfrac{(3x^2-1)x - (x^3-x+1) \times 1}{x^2}$

$= \dfrac{2x^3-1}{x^2} = 2x - \dfrac{1}{x^2}$

📋 (1) $y' = -\dfrac{15}{x^6}$ (2) $y' = \dfrac{8}{x^3}$ (3) $y' = 2x - \dfrac{1}{x^2}$

222

(1) $y' = (\cot x)' - (\csc x)'$

$= -\csc^2 x - (-\csc x \cot x)$

$= -\csc x(\csc x - \cot x)$

(2) $y' = (x^2)' \tan x + x^2 (\tan x)'$

$= 2x \tan x + x^2 \sec^2 x$

(3) $y' = (\sec x)' \tan x + \sec x (\tan x)'$

$= \sec x \tan^2 x + \sec x \sec^2 x$

$= \sec x (\tan^2 x + \sec^2 x)$

📋 (1) $y' = -\csc x(\csc x - \cot x)$

(2) $y' = 2x \tan x + x^2 \sec^2 x$

(3) $y' = \sec x(\tan^2 x + \sec^2 x)$

224

(1) $y' = \dfrac{(x)' \sin x - x(\sin x)'}{\sin^2 x}$

$= \dfrac{\sin x - x \cos x}{\sin^2 x}$

(2) $y' = \dfrac{(\csc x)' x^2 - \csc x(x^2)'}{(x^2)^2}$

$= \dfrac{-\csc x \cot x \times x^2 - \csc x \times 2x}{x^4}$

$= -\dfrac{\csc x(x \cot x + 2)}{x^3}$

(3) $y' = \dfrac{(1+\tan x)'(1-\tan x) - (1+\tan x)(1-\tan x)'}{(1-\tan x)^2}$

$= \dfrac{\sec^2 x(1-\tan x) - (1+\tan x)(-\sec^2 x)}{(1-\tan x)^2}$

$= \dfrac{2 \sec^2 x}{(1-\tan x)^2}$

📋 (1) $y' = \dfrac{\sin x - x \cos x}{\sin^2 x}$

(2) $y' = -\dfrac{\csc x(x \cot x + 2)}{x^3}$

(3) $y' = \dfrac{2 \sec^2 x}{(1-\tan x)^2}$

226

(1) $y' = 3(x^2+x)^2(x^2+x)' = 3(2x+1)(x^2+x)^2$

(2) $y = \dfrac{1}{(x^2+x+1)^5} = (x^2+x+1)^{-5}$이므로

$y' = -5(x^2+x+1)^{-6}(x^2+x+1)'$

$= -\dfrac{5(2x+1)}{(x^2+x+1)^6}$

(3) $y' = \{(x^2-2)^2\}'(x^2+x-1) + (x^2-2)^2(x^2+x-1)'$

$= 2(x^2-2)(x^2-2)'(x^2+x-1) + (x^2-2)^2(2x+1)$

$= 2(x^2-2) \times 2x(x^2+x-1) + (x^2-2)^2(2x+1)$

$= (x^2-2)(6x^3+5x^2-8x-2)$

(4) $y = \left(x - \dfrac{2}{x}\right)^4 = (x - 2x^{-1})^4$이므로

$y' = 4(x-2x^{-1})^3(x-2x^{-1})'$

$= 4(x-2x^{-1})^3(1+2x^{-2})$

$$=4\Big(1+\frac{2}{x^2}\Big)\Big(x-\frac{2}{x}\Big)^3$$

답 (1) $y'=3(2x+1)(x^2+x)^2$

(2) $y'=-\dfrac{5(2x+1)}{(x^2+x+1)^6}$

(3) $y'=(x^2-2)(6x^3+5x^2-8x-2)$

(4) $y'=4\Big(1+\dfrac{2}{x^2}\Big)\Big(x-\dfrac{2}{x}\Big)^3$

228

(1) $y'=-\sin(x^3+2x+3)\times(x^3+2x+3)'$

$\qquad =-\sin(x^3+2x+3)\times(3x^2+2)$

$\qquad =-(3x^2+2)\sin(x^3+2x+3)$

(2) $y=\cot^2(2x+1)=\{\cot(2x+1)\}^2$이므로

$\quad y'=2\cot(2x+1)\times\{\cot(2x+1)\}'$

$\qquad =2\cot(2x+1)\times\{-\csc^2(2x+1)\times(2x+1)'\}$

$\qquad =-4\cot(2x+1)\csc^2(2x+1)$

(3) $y'=\cos(\sin x)\times(\sin x)'=\cos x\cos(\sin x)$

답 (1) $y'=-(3x^2+2)\sin(x^3+2x+3)$

(2) $y'=-4\cot(2x+1)\csc^2(2x+1)$

(3) $y'=\cos x\cos(\sin x)$

230

$h(x)=g(f(x))=\dfrac{4}{(x^2-x+2)^2}=4(x^2-x+2)^{-2}$

이므로

$h'(x)=-8(x^2-x+2)^{-3}\times(x^2-x+2)'$

$\qquad =-\dfrac{8(2x-1)}{(x^2-x+2)^3}$

$\therefore h'(1)=-\dfrac{8(2-1)}{(1-1+2)^3}=-1$

답 -1

232

(1) $y=e^{\tan x}(\tan x)'=e^{\tan x}\sec^2 x$

(2) $y'=5^{1-3x}(1-3x)'\ln 5=-3\times5^{1-3x}\ln 5$

(3) $y'=2(e^x+e^{-x})(e^x+e^{-x})'$

$\qquad =2(e^x+e^{-x})(e^x-e^{-x})$

$\qquad =2(e^{2x}-e^{-2x})$

(4) $y'=\dfrac{(2^x+2^{-x})'(2^x-2^{-x})-(2^x+2^{-x})(2^x-2^{-x})'}{(2^x-2^{-x})^2}$

$\qquad =\dfrac{(2^x-2^{-x})\ln 2\times(2^x-2^{-x})-(2^x+2^{-x})(2^x+2^{-x})\ln 2}{(2^x-2^{-x})^2}$

$\qquad =\dfrac{\{(2^x-2^{-x})^2-(2^x+2^{-x})^2\}\ln 2}{(2^x-2^{-x})^2}$

$\qquad =-\dfrac{4\ln 2}{(2^x-2^{-x})^2}$

답 (1) $y'=e^{\tan x}\sec^2 x$ (2) $y'=-3\times5^{1-3x}\ln 5$

(3) $y'=2(e^{2x}-e^{-2x})$ (4) $y'=-\dfrac{4\ln 2}{(2^x-2^{-x})^2}$

234

(1) $y'=\dfrac{(e^x-1)'}{e^x-1}=\dfrac{e^x}{e^x-1}$

(2) $y'=\dfrac{(\sin x)'}{\sin x\ln 2}=\dfrac{\cos x}{\sin x\ln 2}=\dfrac{\cot x}{\ln 2}$

(3) $y=\dfrac{\ln|x|^2}{x^2}=\dfrac{2\ln|x|}{x^2}$이므로

$\quad y'=\dfrac{(2\ln|x|)'x^2-2\ln|x|(x^2)'}{(x^2)^2}$

$\qquad =\dfrac{\dfrac{2}{x}\times x^2-2\ln|x|\times 2x}{x^4}$

$\qquad =\dfrac{2x-4x\ln|x|}{x^4}$

$\qquad =\dfrac{2x(1-2\ln|x|)}{x^4}$

$\qquad =\dfrac{2(1-2\ln|x|)}{x^3}$

(4) $y'=\dfrac{(\log_5|x|)'}{\log_5|x|\times\ln 5}=\dfrac{\dfrac{1}{x\ln 5}}{\log_5|x|\times\ln 5}$

$\qquad =\dfrac{1}{(\ln 5)^2 x\log_5|x|}$

답 (1) $y'=\dfrac{e^x}{e^x-1}$

(2) $y'=\dfrac{\cot x}{\ln 2}$

(3) $y'=\dfrac{2(1-2\ln|x|)}{x^3}$

(4) $y'=\dfrac{1}{(\ln 5)^2 x\log_5|x|}$

236

(1) 양변에 자연로그를 취하면

$\quad \ln y=\ln x^{\cos x}$

$\quad \therefore \ln y=\cos x\ln x$

양변을 x에 대하여 미분하면

$\dfrac{y'}{y}=(\cos x)'\ln x+\cos x(\ln x)'$

$\qquad =-\sin x\ln x+\cos x\times\dfrac{1}{x}$

$\therefore y'=y\Big(-\sin x\ln x+\dfrac{\cos x}{x}\Big)$

$\qquad =x^{\cos x}\Big(-\sin x\ln x+\dfrac{\cos x}{x}\Big)$

(2) 양변에 자연로그를 취하면

$\quad \ln y=\ln x^{\ln x}$

$\quad \therefore \ln y=\ln x\times\ln x=(\ln x)^2$

양변을 x에 대하여 미분하면

$$\frac{y'}{y} = 2\ln x(\ln x)' = 2\ln x \times \frac{1}{x}$$

$$\therefore y' = y \times 2\ln x \times \frac{1}{x}$$

$$= x^{\ln x} \times 2\ln x \times x^{-1}$$

$$= 2x^{\ln x - 1}\ln x$$

답 (1) $y' = x^{\cos x}\left(-\sin x\ln x + \dfrac{\cos x}{x}\right)$

(2) $y' = 2x^{\ln x - 1}\ln x$

238

양변의 절댓값에 자연로그를 취하면

$$\ln|y| = \ln\left|\frac{(x+1)^2(x-2)^3}{(x-3)^4}\right|$$

$$= 2\ln|x+1| + 3\ln|x-2| - 4\ln|x-3|$$

양변을 x에 대하여 미분하면

$$\frac{y'}{y} = \frac{2}{x+1} + \frac{3}{x-2} - \frac{4}{x-3}$$

$$= \frac{x^2 - 12x + 11}{(x+1)(x-2)(x-3)}$$

$$= \frac{(x-1)(x-11)}{(x+1)(x-2)(x-3)}$$

$$\therefore y' = y \times \frac{(x-1)(x-11)}{(x+1)(x-2)(x-3)}$$

$$= \frac{(x-1)(x-11)(x+1)(x-2)^2}{(x-3)^5}$$

답 $y' = \dfrac{(x-1)(x-11)(x+1)(x-2)^2}{(x-3)^5}$

240

(1) $y = \sqrt[3]{x^4} = x^{\frac{4}{3}}$이므로

$$y' = (x^{\frac{4}{3}})' = \frac{4}{3}x^{\frac{4}{3}-1} = \frac{4}{3}x^{\frac{1}{3}} = \frac{4}{3}\sqrt[3]{x}$$

(2) $y = \dfrac{1}{x^2\sqrt{x^3}} = (x^{2+\frac{3}{2}})^{-1} = x^{-\frac{7}{2}}$이므로

$$y' = (x^{-\frac{7}{2}})' = -\frac{7}{2}x^{-\frac{7}{2}-1} = -\frac{7}{2}x^{-\frac{9}{2}} = -\frac{7}{2x^4\sqrt{x}}$$

(3) $y = \sqrt[5]{2x-4} = (2x-4)^{\frac{1}{5}}$이므로

$$y' = \{(2x-4)^{\frac{1}{5}}\}' = \frac{1}{5}(2x-4)^{\frac{1}{5}-1}(2x-4)'$$

$$= \frac{1}{5}(2x-4)^{-\frac{4}{5}} \times 2 = \frac{2}{5\sqrt[5]{(2x-4)^4}}$$

(4) $y' = (x^{-e})' = -ex^{-e-1}$

답 (1) $y' = \dfrac{4}{3}\sqrt[3]{x}$ (2) $y' = -\dfrac{7}{2x^4\sqrt{x}}$

(3) $y' = \dfrac{2}{5\sqrt[5]{(2x-4)^4}}$ (4) $y' = -ex^{-e-1}$

241

$f(x) = x^{-1} + x^{-2} + x^{-3} + \cdots + x^{-10}$이므로

$$f'(x) = -x^{-2} - 2x^{-3} - 3x^{-4} - \cdots - 10x^{-11}$$

$$\therefore f'(1) = -1 - 2 - 3 - \cdots - 10$$

$$= -(1 + 2 + 3 + \cdots + 10)$$

$$= -\frac{10 \times 11}{2} = -55$$

답 -55

242

$$f'(x) = \frac{(\tan x)'(1+\sec x) - \tan x(1+\sec x)'}{(1+\sec x)^2}$$

$$= \frac{\sec^2 x(1+\sec x) - \tan x \times \sec x\tan x}{(1+\sec x)^2}$$

$$= \frac{\sec x(\sec x + \sec^2 x - \tan^2 x)}{(1+\sec x)^2}$$

$$= \frac{\sec x(\sec x + 1)}{(1+\sec x)^2} = \frac{\sec x}{1+\sec x}$$

$$\therefore f'\left(\frac{\pi}{3}\right) = \frac{\sec\dfrac{\pi}{3}}{1+\sec\dfrac{\pi}{3}} = \frac{2}{1+2} = \frac{2}{3}$$

답 $\dfrac{2}{3}$

243

$h(x) = f(g(x)) = \sin^2 2x$이므로

$$h'(x) = 2\sin 2x(\sin 2x)' = 2\sin 2x \times \cos 2x \times 2$$

$$= 4\sin 2x\cos 2x$$

$$\therefore h'\left(\frac{\pi}{6}\right) = 4\sin\frac{\pi}{3}\cos\frac{\pi}{3} = 4 \times \frac{\sqrt{3}}{2} \times \frac{1}{2} = \sqrt{3}$$

답 $\sqrt{3}$

244

$$f'(x) = (e^{x^2+1})'\tan x + e^{x^2+1}(\tan x)'$$

$$= 2xe^{x^2+1}\tan x + e^{x^2+1}\sec^2 x$$

$$= e^{x^2+1}(2x\tan x + \sec^2 x)$$

$$\therefore f'(0) = e(0+1) = e$$

답 e

245

$$f'(x) = \frac{(\sec^2 x)'}{\sec^2 x} = \frac{2\sec x \times \sec x\tan x}{\sec^2 x} = 2\tan x$$

$$\therefore f'\left(\frac{\pi}{4}\right) = 2\tan\frac{\pi}{4} = 2 \times 1 = 2$$

답 2

246

주어진 식의 양변의 절댓값에 자연로그를 취하면

$$\ln|f(x)| = \ln\left|\frac{x^2(x+1)^4}{(x-1)^3}\right|$$
$$= 2\ln|x| + 4\ln|x+1| - 3\ln|x-1|$$

양변을 x에 대하여 미분하면

$$\frac{f'(x)}{f(x)} = \frac{2}{x} + \frac{4}{x+1} - \frac{3}{x-1}$$

따라서 $f'(x) = f(x)\left(\dfrac{2}{x} + \dfrac{4}{x+1} - \dfrac{3}{x-1}\right)$이므로

$$f'(-2) = f(-2) \times (-1-4+1)$$
$$= \left(-\frac{4}{27}\right) \times (-4) = \frac{16}{27}$$

답 $\dfrac{16}{27}$

248

(1) $\dfrac{dx}{dt} = (t^2 - t + 1)' = 2t - 1$

$\dfrac{dy}{dt} = (2t^2 - 2t + 3)' = 4t - 2$

$\therefore \dfrac{dy}{dx} = \dfrac{\frac{dy}{dt}}{\frac{dx}{dt}} = \dfrac{4t-2}{2t-1} = 2$

(2) $\dfrac{dx}{dt} = (t^2)' = 2t$

$\dfrac{dy}{dt} = \left(t + \dfrac{1}{t}\right)' = 1 - \dfrac{1}{t^2}$

$\therefore \dfrac{dy}{dx} = \dfrac{\frac{dy}{dt}}{\frac{dx}{dt}} = \dfrac{1 - \frac{1}{t^2}}{2t} = \dfrac{t^2 - 1}{2t^3}$

답 (1) $\dfrac{dy}{dx} = 2$ (2) $\dfrac{dy}{dx} = \dfrac{t^2-1}{2t^3}$

250

(1) 양변을 x에 대하여 미분하면

$$\frac{d}{dx}(2x^2) + \frac{d}{dx}(3y^2) = \frac{d}{dx}(6)$$

$$4x + 6y\frac{dy}{dx} = 0$$

$$\therefore \frac{dy}{dx} = -\frac{2x}{3y} \ (\text{단}, \ y \neq 0)$$

(2) 양변을 x에 대하여 미분하면

$$\frac{d}{dx}(x^2) + \frac{d}{dx}(3y^2) = \frac{d}{dx}(4xy)$$

$$2x + 6y\frac{dy}{dx} = 4y + 4x\frac{dy}{dx}$$

$$(4x - 6y)\frac{dy}{dx} = 2x - 4y$$

$$\therefore \frac{dy}{dx} = \frac{2x-4y}{4x-6y} = \frac{x-2y}{2x-3y} \ (\text{단}, \ 2x-3y \neq 0)$$

(3) 양변을 x에 대하여 미분하면

$$\frac{d}{dx}(x^2 y^3) = \frac{d}{dx}(3)$$

$$2xy^3 + 3x^2 y^2 \frac{dy}{dx} = 0$$

$$\therefore \frac{dy}{dx} = -\frac{2y}{3x} \ (\text{단}, \ x \neq 0)$$

(4) 양변을 x에 대하여 미분하면

$$\frac{d}{dx}\left(\frac{x^2}{9}\right) - \frac{d}{dx}\left(\frac{y^2}{4}\right) = \frac{d}{dx}(1)$$

$$\frac{2}{9}x - \frac{2}{4}y\frac{dy}{dx} = 0$$

$$\therefore \frac{dy}{dx} = \frac{4x}{9y} \ (\text{단}, \ y \neq 0)$$

답 (1) $\dfrac{dy}{dx} = -\dfrac{2x}{3y}$ (단, $y \neq 0$)

(2) $\dfrac{dy}{dx} = \dfrac{x-2y}{2x-3y}$ (단, $2x-3y \neq 0$)

(3) $\dfrac{dy}{dx} = -\dfrac{2y}{3x}$ (단, $x \neq 0$)

(4) $\dfrac{dy}{dx} = \dfrac{4x}{9y}$ (단, $y \neq 0$)

252

(1) 주어진 식의 양변을 네제곱하면

$$y^4 = 4x - 6 \qquad \therefore x = \frac{1}{4}y^4 + \frac{3}{2}$$

양변을 y에 대하여 미분하면 $\dfrac{dx}{dy} = y^3$

$$\therefore \frac{dy}{dx} = \frac{1}{\frac{dx}{dy}} = \frac{1}{y^3} = \frac{1}{\sqrt[4]{(4x-6)^3}} \ \left(\text{단}, \ x \neq \frac{3}{2}\right)$$

(2) 주어진 식의 양변을 y에 대하여 미분하면

$$\frac{dx}{dy} = \sqrt{1+y} + y \times \frac{1}{2\sqrt{1+y}} = \frac{3y+2}{2\sqrt{1+y}}$$

$$\therefore \frac{dy}{dx} = \frac{1}{\frac{dx}{dy}} = \frac{2\sqrt{1+y}}{3y+2} \ \left(\text{단}, \ y \neq -\frac{2}{3}\right)$$

답 (1) $\dfrac{dy}{dx} = \dfrac{1}{\sqrt[4]{(4x-6)^3}}$ $\left(\text{단}, \ x \neq \dfrac{3}{2}\right)$

(2) $\dfrac{dy}{dx} = \dfrac{2\sqrt{1+y}}{3y+2}$ $\left(\text{단}, \ y \neq -\dfrac{2}{3}\right)$

254

$f^{-1}\left(\dfrac{1}{2}\right) = k$라 하면

$f(k) = \dfrac{1}{2}$에서 $\sin k = \dfrac{1}{2}$

$\therefore k = \dfrac{\pi}{6} \ \left(\because -\dfrac{\pi}{2} < k < \dfrac{\pi}{2}\right)$

따라서 $f^{-1}\left(\dfrac{1}{2}\right)=\dfrac{\pi}{6}$이고 $f'(x)=\cos x$이므로

$$(f^{-1})'\left(\dfrac{1}{2}\right)=\dfrac{1}{f'\left(f^{-1}\left(\dfrac{1}{2}\right)\right)}=\dfrac{1}{f'\left(\dfrac{\pi}{6}\right)}=\dfrac{1}{\cos\dfrac{\pi}{6}}$$

$$=\dfrac{2\sqrt{3}}{3}$$

답 $\dfrac{2\sqrt{3}}{3}$

256

(1) $y'=2x\ln x+x^2\times\dfrac{1}{x}=x(2\ln x+1)$이므로

$y''=2\ln x+1+x\times\dfrac{2}{x}=2\ln x+3$

(2) $y'=\dfrac{2x}{2\sqrt{x^2+1}}=\dfrac{x}{\sqrt{x^2+1}}$이므로

$$y''=\dfrac{\sqrt{x^2+1}-x\times\dfrac{2x}{2\sqrt{x^2+1}}}{(\sqrt{x^2+1})^2}$$

$$=\dfrac{1}{(x^2+1)\sqrt{x^2+1}}$$

답 (1) $y''=2\ln x+3$

(2) $y''=\dfrac{1}{(x^2+1)\sqrt{x^2+1}}$

258

$y'=ae^{ax}\sin x+e^{ax}\cos x=e^{ax}(a\sin x+\cos x)$

$y''=ae^{ax}(a\sin x+\cos x)+e^{ax}(a\cos x-\sin x)$

$\quad=e^{ax}\{(a^2-1)\sin x+2a\cos x\}$

$y''+2y'+2y=0$에 $y,\ y',\ y''$을 대입하면

$e^{ax}\{(a^2-1)\sin x+2a\cos x\}+2e^{ax}(a\sin x+\cos x)$

$\qquad\qquad\qquad\qquad\qquad +2e^{ax}\sin x=0$

$e^{ax}\{(a^2+2a+1)\sin x+(2a+2)\cos x\}=0$

$(a+1)^2\sin x+2(a+1)\cos x=0\ (\because e^{ax}>0)$

이 등식이 모든 실수 x에 대하여 성립하므로

$a+1=0\qquad\therefore a=-1$

답 -1

259

$x=4\cos\theta$에서 $\dfrac{dx}{d\theta}=-4\sin\theta$

$y=3\sin\theta$에서 $\dfrac{dy}{d\theta}=3\cos\theta$

$$\therefore \dfrac{dy}{dx}=\dfrac{\dfrac{dy}{d\theta}}{\dfrac{dx}{d\theta}}=\dfrac{3\cos\theta}{-4\sin\theta}=-\dfrac{3}{4}\cot\theta$$

따라서 $\theta=\dfrac{\pi}{6}$일 때, $\dfrac{dy}{dx}$는

$$-\dfrac{3}{4}\cot\dfrac{\pi}{6}=-\dfrac{3}{4}\times\sqrt{3}=-\dfrac{3\sqrt{3}}{4}$$

답 $-\dfrac{3\sqrt{3}}{4}$

260

$\sqrt{x}+\sqrt{2y}=3$의 양변을 x에 대하여 미분하면

$\dfrac{d}{dx}(\sqrt{x})+\dfrac{d}{dx}(\sqrt{2y})=\dfrac{d}{dx}(3)$

$\dfrac{1}{2\sqrt{x}}+\dfrac{2}{2\sqrt{2y}}\times\dfrac{dy}{dx}=0$

$\therefore \dfrac{dy}{dx}=-\dfrac{\sqrt{2y}}{2\sqrt{x}}$ (단, $x\neq 0$)

따라서 $x=1,\ y=2$일 때, $\dfrac{dy}{dx}$의 값은

$$-\dfrac{\sqrt{4}}{2\sqrt{1}}=-\dfrac{2}{2}=-1$$

답 -1

261

$x=\ln(\tan y)$의 양변을 y에 대하여 미분하면

$$\dfrac{dx}{dy}=\dfrac{(\tan y)'}{\tan y}=\dfrac{\sec^2 y}{\tan y}=\dfrac{\dfrac{1}{\cos^2 y}}{\dfrac{\sin y}{\cos y}}=\dfrac{1}{\sin y\cos y}$$

$\therefore \dfrac{dy}{dx}=\sin y\cos y$

따라서 $y=\dfrac{\pi}{4}$일 때, $\dfrac{dy}{dx}$의 값은

$$\sin\dfrac{\pi}{4}\cos\dfrac{\pi}{4}=\dfrac{1}{\sqrt{2}}\times\dfrac{1}{\sqrt{2}}=\dfrac{1}{2}$$

답 $\dfrac{1}{2}$

262

함수 $f(x)$의 역함수가 $g(x)$이므로

$f(g(x))=x$

이 식의 양변을 x에 대하여 미분하면

$f'(g(x))\times g'(x)=1$

$\therefore g'(x)=\dfrac{1}{f'(g(x))}$

$\therefore g'(a)=\dfrac{1}{f'(g(a))}=\dfrac{1}{f'(b)}$

답 ②

263

$g(1)=k$라 하면 $f(k)=1$

즉, $\dfrac{3k-2}{k+2}=1$이므로

$3k-2=k+2\qquad\therefore k=2$

$$\therefore g(1)=2$$

이때 $f'(x)=\dfrac{3(x+2)-(3x-2)}{(x+2)^2}=\dfrac{8}{(x+2)^2}$ 이므로

$$g'(1)=\dfrac{1}{f'(g(1))}=\dfrac{1}{f'(2)}=\dfrac{1}{\dfrac{8}{4^2}}=2$$

🅐 2

264

$$f'(x)=\cos x\cos x+\sin x\,(-\sin x)$$
$$=\cos^2 x-\sin^2 x$$
$$f''(x)=2\cos x(-\sin x)-2\sin x\cos x$$
$$=-4\sin x\cos x$$
$$\therefore f''\left(\dfrac{\pi}{6}\right)=-4\sin\dfrac{\pi}{6}\cos\dfrac{\pi}{6}$$
$$=-4\times\dfrac{1}{2}\times\dfrac{\sqrt{3}}{2}=-\sqrt{3}$$

❭ 다른 풀이

$f(x)=\sin x\cos x=\dfrac{1}{2}\sin 2x$ 이므로

$$f'(x)=\dfrac{1}{2}\cos 2x\times 2=\cos 2x$$
$$f''(x)=-\sin 2x\times 2=-2\sin 2x$$
$$\therefore f''\left(\dfrac{\pi}{6}\right)=-2\sin\dfrac{\pi}{3}=-2\times\dfrac{\sqrt{3}}{2}=-\sqrt{3}$$

🅐 $-\sqrt{3}$

265

$$f'(x)=\dfrac{(ax^2+bx-6)'(x-2)-(ax^2+bx-6)(x-2)'}{(x-2)^2}$$
$$=\dfrac{(2ax+b)(x-2)-(ax^2+bx-6)}{(x-2)^2}$$
$$=\dfrac{ax^2-4ax-2b+6}{(x-2)^2}$$

$f'(0)=4$ 에서 $\dfrac{-2b+6}{4}=4$

$$\therefore b=-5$$

또, $f'(1)=-2$ 에서 $a-4a+16=-2$

$$\therefore a=6$$
$$\therefore a+b=6+(-5)=1$$

🅐 1

266

$f(x)=\dfrac{4x}{x^3-1}$ 에서 $f(-1)=\dfrac{-4}{-2}=2$ 이므로

$$\lim_{h\to 0}\dfrac{f(h-1)-2}{h}=\lim_{h\to 0}\dfrac{f(-1+h)-f(-1)}{h}$$
$$=f'(-1)$$

$$f'(x)=\dfrac{(4x)'(x^3-1)-4x(x^3-1)'}{(x^3-1)^2}$$
$$=\dfrac{4(x^3-1)-4x\times 3x^2}{(x^3-1)^2}=\dfrac{-8x^3-4}{(x^3-1)^2}$$
$$\therefore f'(-1)=\dfrac{8-4}{4}=1$$

🅐 1

267

$f(x)=\sin^2 x$ 로 놓으면

$$\lim_{h\to 0}\dfrac{\sin^2(x+h)-\sin^2 x}{h}=\lim_{h\to 0}\dfrac{f(x+h)-f(x)}{h}$$
$$=f'(x)$$
$$=2\sin x\,(\sin x)'$$
$$=2\sin x\cos x$$

🅐 $2\sin x\cos x$

268

$$f'(x)=\dfrac{(\sin x)'(\sin x-\cos x)-\sin x\,(\sin x-\cos x)'}{(\sin x-\cos x)^2}$$
$$=\dfrac{\cos x\,(\sin x-\cos x)-\sin x\,(\cos x+\sin x)}{(\sin x-\cos x)^2}$$
$$=\dfrac{-\cos^2 x-\sin^2 x}{(\sin x-\cos x)^2}$$
$$=\dfrac{-1}{(\sin x-\cos x)^2}$$
$$\therefore a=-1$$

🅐 -1

269

$f(x)$ 를 $(x-2)^2$ 으로 나누었을 때의 몫을 $Q(x)$ 라 하면

$$\dfrac{1}{4}x^6-ax+b=(x-2)^2 Q(x) \qquad \cdots\cdots ㉠$$

㉠의 양변을 x에 대하여 미분하면

$$\dfrac{3}{2}x^5-a=2(x-2)Q(x)+(x-2)^2 Q'(x) \qquad \cdots\cdots ㉡$$

㉠, ㉡의 양변에 $x=2$를 각각 대입하면

$$16-2a+b=0, \quad 48-a=0$$

두 식을 연립하여 풀면 $a=48$, $b=80$

$$\therefore b-a=80-48=32$$

🅐 32

270

$\displaystyle\lim_{x\to 2}\dfrac{f(x)+4}{x-2}=3$ 에서 $x\to 2$일 때 극한값이 존재하고 (분모) $\to 0$ 이므로 (분자) $\to 0$ 이다.

즉, $\displaystyle\lim_{x\to 2}\{f(x)+4\}=0$ 이므로 $f(2)=-4$

Ⅱ. 미분법   **37**

$$\therefore \lim_{x \to 2} \frac{f(x)+4}{x-2} = \lim_{x \to 2} \frac{f(x)-f(2)}{x-2} = f'(2) = 3$$

또, $\lim_{x \to 1} \frac{g(x)-2}{x-1} = 4$에서 $x \to 1$일 때 극한값이 존재

하고 (분모) $\to 0$이므로 (분자) $\to 0$이다.

즉, $\lim_{x \to 1}\{g(x)-2\}=0$이므로 $g(1)=2$

$$\therefore \lim_{x \to 1} \frac{g(x)-2}{x-1} = \lim_{x \to 1} \frac{g(x)-g(1)}{x-1} = g'(1) = 4$$

한편, $h(x)=f(g(x))$라 하면

$h(1)=f(g(1))=f(2)=-4$

$$\therefore \lim_{x \to 1} \frac{f(g(x))+4}{x-1} = \lim_{x \to 1} \frac{h(x)-h(1)}{x-1} = h'(1)$$

따라서 $h'(x)=f'(g(x))g'(x)$이므로

$h'(1)=f'(g(1))g'(1)=f'(2)g'(1)=3 \times 4 = 12$

답 12

271

$$f'(x) = \frac{(x+\sqrt{x^2-5})'}{x+\sqrt{x^2-5}} = \frac{1+\dfrac{2x}{2\sqrt{x^2-5}}}{x+\sqrt{x^2-5}}$$

$$= \frac{\dfrac{\sqrt{x^2-5}+x}{\sqrt{x^2-5}}}{x+\sqrt{x^2-5}} = \frac{1}{\sqrt{x^2-5}}$$

이때 $2f'(a)-1=0$에서 $f'(a)=\dfrac{1}{2}$이므로

$$\frac{1}{\sqrt{a^2-5}} = \frac{1}{2}, \quad \sqrt{a^2-5}=2$$

$a^2-5=4, \ a^2=9$

$\therefore a=3 \ (\because a>0)$

답 3

272

$x=t^2-\dfrac{1}{2}t+\dfrac{1}{3}$에서 $\dfrac{dx}{dt}=2t-\dfrac{1}{2}$

$y=\dfrac{1}{3}t^2+at+1$에서 $\dfrac{dy}{dt}=\dfrac{2}{3}t+a$

$$\therefore \frac{dy}{dx} = \frac{\dfrac{dy}{dt}}{\dfrac{dx}{dt}} = \frac{\dfrac{2}{3}t+a}{2t-\dfrac{1}{2}}$$

$t=1$일 때, $\dfrac{dy}{dx}=10$이므로

$$\frac{\dfrac{2}{3}+a}{2-\dfrac{1}{2}}=10, \quad \frac{2}{3}+a=15$$

$\therefore a=\dfrac{43}{3}$

답 $\dfrac{43}{3}$

273

$$\lim_{h \to 0} \frac{f(3+3h)-f(3)}{h} = 3 \lim_{h \to 0} \frac{f(3+3h)-f(3)}{3h}$$
$$= 3f'(3) \quad \cdots\cdots ㉠$$

$x=t^2+2t$에서 $\dfrac{dx}{dt}=2t+2$

$y=t^3+1$에서 $\dfrac{dy}{dt}=3t^2$

$$\therefore f'(x)=\frac{dy}{dx}=\frac{\dfrac{dy}{dt}}{\dfrac{dx}{dt}}=\frac{3t^2}{2t+2} \quad \cdots\cdots ㉡$$

한편, $x=3$일 때의 t의 값을 구하면

$t^2+2t=3$에서 $t^2+2t-3=0$

$(t+3)(t-1)=0 \quad \therefore t=1 \ (\because t>0)$

따라서 ㉠, ㉡에서

$$\lim_{h \to 0} \frac{f(3+3h)-f(3)}{h} = 3f'(3) = 3 \times \frac{3 \times 1^2}{2 \times 1+2} = \frac{9}{4}$$

답 $\dfrac{9}{4}$

274

$x^2+ay^2+b=0$의 양변을 x에 대하여 미분하면

$$\frac{d}{dx}(x^2)+\frac{d}{dx}(ay^2)+\frac{d}{dx}(b)=0$$

$2x+2ay\dfrac{dy}{dx}=0$

$\therefore \dfrac{dy}{dx}=-\dfrac{x}{ay}$ (단, $y \neq 0$)

$x=4, \ y=1$일 때, $\dfrac{dy}{dx}$의 값이 1이므로

$1=-\dfrac{4}{a} \qquad \therefore a=-4$

$x^2+ay^2+b=0$에 $x=4, \ y=1$을 대입하면

$16+a+b=0 \quad \therefore b=-a-16=-12$

$\therefore ab=(-4) \times (-12)=48$

답 48

275

$f'(x)=e^{ax-b}+x \times ae^{ax-b}=(1+ax)e^{ax-b}$

$f''(x)=ae^{ax-b}+(1+ax)ae^{ax-b}=ae^{ax-b}(2+ax)$

$f'(0)=e^2$에서 $e^{-b}=e^2, \ -b=2$

$\therefore b=-2$

$f''(0)=4e^2$에서 $2ae^{-b}=4e^2, \ 2a=4$

$\therefore a=2$

$\therefore a+b=2+(-2)=0$

답 0

276

$y' = 2e^{2x}(\sin x - \cos x) + e^{2x}(\cos x + \sin x)$
$\quad = e^{2x}(3 \sin x - \cos x)$

$y'' = 2e^{2x}(3 \sin x - \cos x) + e^{2x}(3 \cos x + \sin x)$
$\quad = e^{2x}(7 \sin x + \cos x)$

$y'' + 5y = ay'$에 y, y', y''을 대입하면

$e^{2x}(7 \sin x + \cos x) + 5e^{2x}(\sin x - \cos x)$
$= ae^{2x}(3 \sin x - \cos x)$

$e^{2x}(12 \sin x - 4 \cos x) = ae^{2x}(3 \sin x - \cos x)$

$e^{2x}\{3(4-a) \sin x - (4-a) \cos x\} = 0$

$e^{2x}(4-a)(3 \sin x - \cos x) = 0$

$(4-a)(3 \sin x - \cos x) = 0 \quad (\because e^{2x} > 0)$

이 등식이 x의 값에 관계없이 항상 성립하므로

$4 - a = 0 \qquad \therefore a = 4$

답 4

277

$h'(x) = g'(f(x))f'(x)$이므로 $h'(2) = 18$에서

$g'(f(2))f'(2) = 18$

이때 $f(2) = 4 \times 2 = 8$이므로

$g'(8)f'(2) = 18 \qquad \cdots\cdots \text{㉠}$

$f(x) = (3x-2)\sqrt{3x-2} = (3x-2)^{\frac{3}{2}}$에서

$f'(x) = \frac{3}{2}(3x-2)^{\frac{1}{2}}(3x-2)' = \frac{9}{2}\sqrt{3x-2}$

$\therefore f'(2) = \frac{9}{2} \times 2 = 9$

이것을 ㉠에 대입하면 $g'(8) \times 9 = 18$

$\therefore g'(8) = 2$

답 2

278

$f(x) = \ln(e^x + e^{2x} + e^{3x} + \cdots + e^{20x})$으로 놓으면

$f(0) = \ln(\underbrace{1+1+1+\cdots+1}_{20개}) = \ln 20$이므로

$\lim_{x \to 0} \frac{2}{x} \ln \frac{e^x + e^{2x} + e^{3x} + \cdots + e^{20x}}{20}$

$= 2 \lim_{x \to 0} \frac{\ln(e^x + e^{2x} + e^{3x} + \cdots + e^{20x}) - \ln 20}{x}$

$= 2 \lim_{x \to 0} \frac{f(x) - f(0)}{x} = 2f'(0)$

이때 $f'(x) = \dfrac{e^x + 2e^{2x} + 3e^{3x} + \cdots + 20e^{20x}}{e^x + e^{2x} + e^{3x} + \cdots + e^{20x}}$이므로

$f'(0) = \dfrac{1+2+3+\cdots+20}{20} = \dfrac{\frac{20 \times 21}{2}}{20} = \dfrac{21}{2}$

$\therefore 2f'(0) = 2 \times \frac{21}{2} = 21$

답 21

279

$\lim_{x \to e} \frac{f(x) - f(e)}{x^2 - e^2} = \lim_{x \to e} \left\{ \frac{f(x) - f(e)}{x - e} \times \frac{1}{x + e} \right\}$
$\qquad\qquad\qquad = \frac{1}{2e} f'(e)$

$f(x) = x^{\ln x}$의 양변에 자연로그를 취하면

$\ln f(x) = \ln x^{\ln x}$

$\therefore \ln f(x) = (\ln x)^2$

양변을 x에 대하여 미분하면

$\frac{f'(x)}{f(x)} = 2 \ln x \times \frac{1}{x} = \frac{2 \ln x}{x}$

$\therefore f'(x) = f(x) \times \frac{2 \ln x}{x} = x^{\ln x} \times 2 \ln x \times x^{-1}$
$\qquad = 2x^{\ln x - 1} \ln x$

따라서 $f'(e) = 2e^{1-1} \times 1 = 2$이므로

$\frac{1}{2e} f'(e) = \frac{2}{2e} = \frac{1}{e}$

답 $\dfrac{1}{e}$

280

$x = t^2 + t^4 + t^6 + \cdots + t^{2n}$에서

$\frac{dx}{dt} = 2t + 4t^3 + 6t^5 + \cdots + 2nt^{2n-1}$

$y = t + t^3 + t^5 + \cdots + t^{2n-1}$에서

$\frac{dy}{dt} = 1 + 3t^2 + 5t^4 + \cdots + (2n-1)t^{2n-2}$

즉, $\dfrac{dy}{dx} = \dfrac{\frac{dy}{dt}}{\frac{dx}{dt}} = \dfrac{1 + 3t^2 + 5t^4 + \cdots + (2n-1)t^{2n-2}}{2t + 4t^3 + 6t^5 + \cdots + 2nt^{2n-1}}$

이므로

$\lim_{t \to 1} \frac{dy}{dx} = \lim_{t \to 1} \frac{1 + 3t^2 + 5t^4 + \cdots + (2n-1)t^{2n-2}}{2t + 4t^3 + 6t^5 + \cdots + 2nt^{2n-1}}$

$= \frac{1 + 3 + 5 + \cdots + (2n-1)}{2 + 4 + 6 + \cdots + 2n}$

$= \dfrac{\sum_{k=1}^{n}(2k-1)}{\sum_{k=1}^{n}2k} = \dfrac{2 \times \frac{n(n+1)}{2} - n}{2 \times \frac{n(n+1)}{2}}$

$= \frac{n^2}{n^2 + n} = \frac{n}{n+1}$

$\therefore \lim_{n \to \infty}\left(\lim_{t \to 1}\frac{dy}{dx}\right) = \lim_{n \to \infty}\frac{n}{n+1} = \lim_{n \to \infty}\frac{1}{1 + \frac{1}{n}} = 1$

답 1

281

$\lim\limits_{x \to -1} \dfrac{g(x)-3}{x+1} = \dfrac{1}{5}$에서 $x \to -1$일 때 극한값이 존재

하고 (분모)$\to 0$이므로 (분자)$\to 0$이다.

즉, $\lim\limits_{x \to -1}\{g(x)-3\}=0$이므로 $g(-1)=3$

$\therefore f(3)=-1$

$\lim\limits_{x \to -1} \dfrac{g(x)-3}{x+1} = \lim\limits_{x \to -1} \dfrac{g(x)-g(-1)}{x-(-1)} = g'(-1)$

따라서 $g'(-1)=\dfrac{1}{5}$이므로

$f'(3)=\dfrac{1}{g'(f(3))}=\dfrac{1}{g'(-1)}=5$

답 5

282

조건 (나)에서 $x \to 1$일 때 극한값이 존재하고

(분모)$\to 0$이므로 (분자)$\to 0$이다.

즉, $\lim\limits_{x \to 1}\{f'(f(x))-1\}=0$이므로 $f'(f(1))=1$

$\therefore \lim\limits_{x \to 1} \dfrac{f'(f(x))-1}{x-1}$

$\quad = \lim\limits_{x \to 1} \dfrac{f'(f(x))-f'(f(1))}{x-1}$

$\quad = \lim\limits_{x \to 1} \left\{ \dfrac{f'(f(x))-f'(f(1))}{f(x)-f(1)} \times \dfrac{f(x)-f(1)}{x-1} \right\}$

$\quad = f''(f(1))f'(1) = f''(2) \times 3 \ (\because \text{(가)})$

따라서 $3f''(2)=3$이므로 $f''(2)=1$

답 1

3 도함수의 활용

284

(1) $f(x)=\dfrac{2x+1}{x-2}$로 놓으면

$f'(x)=\dfrac{2(x-2)-(2x+1)\times 1}{(x-2)^2}=-\dfrac{5}{(x-2)^2}$

이 곡선 위의 점 $(1, -3)$에서의 접선의 기울기는

$f'(1)=-\dfrac{5}{(-1)^2}=-5$

따라서 점 $(1, -3)$을 지나고 기울기가 -5인

접선의 방정식은

$y+3=-5(x-1)$ $\quad \therefore y=-5x+2$

(2) $f(x)=\tan x$로 놓으면 $f'(x)=\sec^2 x$

이 곡선 위의 점 $\left(\dfrac{\pi}{4}, 1\right)$에서의 접선의 기울기는

$f'\left(\dfrac{\pi}{4}\right)=\sec^2 \dfrac{\pi}{4}=2$

따라서 점 $\left(\dfrac{\pi}{4}, 1\right)$을 지나고 기울기가 2인

접선의 방정식은

$y-1=2\left(x-\dfrac{\pi}{4}\right)$ $\quad \therefore y=2x-\dfrac{\pi}{2}+1$

(3) $f(x)=e^x+\cos x$로 놓으면 $f'(x)=e^x-\sin x$

이 곡선 위의 점 $(0, 2)$에서의 접선의 기울기는

$f'(0)=1-0=1$

따라서 점 $(0, 2)$를 지나고 기울기가 1인

접선의 방정식은

$y-2=1\times(x-0)$ $\quad \therefore y=x+2$

(4) $f(x)=3x \ln x$로 놓으면 $f'(x)=3 \ln x+3$

이 곡선 위의 점 $(e, 3e)$에서의 접선의 기울기는

$f'(e)=3\times 1+3=6$

따라서 점 $(e, 3e)$를 지나고 기울기가 6인

접선의 방정식은

$y-3e=6(x-e)$ $\quad \therefore y=6x-3e$

답 (1) $y=-5x+2$ (2) $y=2x-\dfrac{\pi}{2}+1$

$\quad$ (3) $y=x+2$ (4) $y=6x-3e$

286

(1) x축의 양의 방향과 이루는 각의 크기가 $135°$인

직선의 기울기는 $\tan 135°=-1$이다.

$f(x)=\cos x-x$로 놓으면 $f'(x)=-\sin x-1$

접점의 좌표를 $(a, \cos a-a)$로 놓으면

접선의 기울기가 -1이므로

$f'(a)=-\sin a-1=-1,\ \sin a=0$

$\therefore a=\pi\ (\because 0<a<2\pi)$

접점의 좌표는 $(\pi,\ \cos\pi-\pi)$, 즉 $(\pi,\ -1-\pi)$이다. 따라서 기울기가 -1이고 점 $(\pi,\ -1-\pi)$를 지나는 접선의 방정식은

$y+1+\pi=-(x-\pi)$ $\therefore y=-x-1$

(2) $f(x)=2x+e^x$으로 놓으면 $f'(x)=2+e^x$

접점의 좌표를 $(a,\ 2a+e^a)$으로 놓으면

접선의 기울기가 3이므로

$f'(a)=2+e^a=3,\ e^a=1$ $\therefore a=0$

접점의 좌표는 $(0,\ 0+e^0)$, 즉 $(0,\ 1)$이다.

따라서 기울기가 3이고 점 $(0,\ 1)$을 지나는 접선의 방정식은

$y-1=3(x-0)$ $\therefore y=3x+1$

답 (1) $y=-x-1$ (2) $y=3x+1$

288

(1) $f(x)=\dfrac{a}{x}$, $g(x)=e^x$으로 놓으면

$f'(x)=-\dfrac{a}{x^2},\ g'(x)=e^x$

두 곡선의 접점의 x좌표를 t라 하면

$f(t)=g(t)$에서 $\dfrac{a}{t}=e^t$ …… ㉠

$f'(t)=g'(t)$에서 $-\dfrac{a}{t^2}=e^t$ …… ㉡

㉠에서 $a=te^t$이므로 ㉡에 대입하면

$-\dfrac{te^t}{t^2}=e^t$ $\therefore t=-1$

$\therefore a=-e^{-1}=-\dfrac{1}{e}$

(2) $f(x)=a-\sin^2 x$, $g(x)=\cos x$로 놓으면

$f'(x)=-2\sin x\cos x,\ g'(x)=-\sin x$

두 곡선의 접점의 x좌표를 t라 하면

$f(t)=g(t)$에서 $a-\sin^2 t=\cos t$ …… ㉠

$f'(t)=g'(t)$에서 $-2\sin t\cos t=-\sin t$

$\sin t(2\cos t-1)=0$

$\therefore \cos t=\dfrac{1}{2}\ (\because 0<t<\pi$에서 $\sin t>0)$ …… ㉡

㉡을 ㉠에 대입하면

$a-\left\{1-\left(\dfrac{1}{2}\right)^2\right\}=\dfrac{1}{2}$ ⬅ $\sin^2 t=1-\cos^2 t$

$a-\dfrac{3}{4}=\dfrac{1}{2}$ $\therefore a=\dfrac{5}{4}$

답 (1) $-\dfrac{1}{e}$ (2) $\dfrac{5}{4}$

290

[방법 1]

(1) $f(x)=\dfrac{e^x}{x}$으로 놓으면

$f'(x)=\dfrac{e^x\times x-e^x\times 1}{x^2}=\dfrac{e^x(x-1)}{x^2}$

접점의 좌표를 $\left(a,\ \dfrac{e^a}{a}\right)$으로 놓으면

접선의 기울기는 $f'(a)=\dfrac{e^a(a-1)}{a^2}$이므로

접선의 방정식은

$y-\dfrac{e^a}{a}=\dfrac{e^a(a-1)}{a^2}(x-a)$ …… ㉠

이 접선이 원점을 지나므로

$0-\dfrac{e^a}{a}=\dfrac{e^a(a-1)}{a^2}(0-a),\ a-1=1$

$\therefore a=2$

$a=2$를 ㉠에 대입하면 구하는 접선의 방정식은

$y-\dfrac{e^2}{2}=\dfrac{e^2}{4}(x-2)$ $\therefore y=\dfrac{e^2}{4}x$

(2) $f(x)=x\ln x$로 놓으면 $f'(x)=\ln x+1$

접점의 좌표를 $(a,\ a\ln a)$로 놓으면

접선의 기울기는 $f'(a)=\ln a+1$이므로

접선의 방정식은

$y-a\ln a=(\ln a+1)(x-a)$ …… ㉠

이 접선이 점 $(0,\ -1)$을 지나므로

$-1-a\ln a=(\ln a+1)(0-a)$

$\therefore a=1$

$a=1$을 ㉠에 대입하면 구하는 접선의 방정식은

$y-\ln 1=(\ln 1+1)(x-1)$ $\therefore y=x-1$

[방법 2]

(1) 구하는 접선은 원점을 지나는 직선이므로 $y=ax$로 놓으면 주어진 문제는 다음과 같이 변신한다.

> 곡선 $y=\dfrac{e^x}{x}$과 직선 $y=ax$가 접할 때, 상수 a 의 값은?

$f(x)=\dfrac{e^x}{x}$, $g(x)=ax$로 놓으면

$f'(x)=\dfrac{e^x(x-1)}{x^2},\ g'(x)=a$

접점의 x좌표를 t라 하면

$f(t)=g(t)$에서 $\dfrac{e^t}{t}=at$ …… ㉠

$f'(t)=g'(t)$에서 $\dfrac{e^t(t-1)}{t^2}=a$ …… ㉡

㉠에서 $a=\dfrac{e^t}{t^2}$이므로 ㉡에 대입하면

$\dfrac{e^t(t-1)}{t^2}=\dfrac{e^t}{t^2}$, $t-1=1$

$\therefore t=2$

$\therefore a=\dfrac{e^2}{4}$

따라서 구하는 접선의 방정식은 $y=\dfrac{e^2}{4}x$

(2) 구하는 접선은 점 $(0,\ -1)$을 지나는 직선이므로
$y=ax-1$로 놓으면 주어진 문제는 다음과 같이 변신한다.

> 곡선 $y=x\ln x$와 직선 $y=ax-1$이 접할 때,
> 상수 a의 값은?

$f(x)=x\ln x$, $g(x)=ax-1$로 놓으면

$f'(x)=\ln x+1$, $g'(x)=a$

접점의 x좌표를 t라 하면

$f(t)=g(t)$에서 $t\ln t=at-1$ ……㉠

$f'(t)=g'(t)$에서 $\ln t+1=a$ ……㉡

㉡을 ㉠에 대입하면

$t\ln t=(\ln t+1)t-1$, $t-1=0$

$\therefore t=1$

$\therefore a=1$

따라서 구하는 접선의 방정식은 $y=x-1$

답 (1) $y=\dfrac{e^2}{4}x$ (2) $y=x-1$

292

(1) $f'(x)=1-\dfrac{1}{x}=\dfrac{x-1}{x}$

$f'(x)=0$에서 $x=1$

$x>0$에서 함수 $f(x)$의 증가와 감소를 표로 나타내면 다음과 같다.

x	(0)	$\cdots$	1	$\cdots$
$f'(x)$		$-$	0	$+$
$f(x)$		$\searrow$	1	$\nearrow$

따라서 함수 $f(x)$는 $x>1$에서 증가하고,
$0<x<1$에서 감소한다.

(2) $f'(x)=-\sin x+\sin x+x\cos x=x\cos x$

$f'(x)=0$에서 $x\cos x=0$

$\therefore x=\dfrac{\pi}{2}$ 또는 $x=\dfrac{3}{2}\pi$ $(\because 0<x<2\pi)$

$0<x<2\pi$에서 함수 $f(x)$의 증가와 감소를 표로 나타내면 다음과 같다.

x	(0)	$\cdots$	$\dfrac{\pi}{2}$	$\cdots$	$\dfrac{3}{2}\pi$	$\cdots$	(2π)
$f'(x)$		$+$	0	$-$	0	$+$	
$f(x)$		$\nearrow$	$\dfrac{\pi}{2}$	$\searrow$	$-\dfrac{3}{2}\pi$	$\nearrow$	

따라서 함수 $f(x)$는 $0<x<\dfrac{\pi}{2}$ 또는 $\dfrac{3}{2}\pi<x<2\pi$에서 증가하고, $\dfrac{\pi}{2}<x<\dfrac{3}{2}\pi$에서 감소한다.

답 (1) $x>1$에서 증가, $0<x<1$에서 감소

(2) $0<x<\dfrac{\pi}{2}$ 또는 $\dfrac{3}{2}\pi<x<2\pi$에서 증가,

$\dfrac{\pi}{2}<x<\dfrac{3}{2}\pi$에서 감소

294

$f'(x)=a+\dfrac{2x}{x^2+4}=\dfrac{ax^2+2x+4a}{x^2+4}$

함수 $f(x)$가 실수 전체의 집합에서 감소하려면
$f'(x)\leq0$이어야 하므로

$ax^2+2x+4a\leq0$ $(\because x^2+4>0)$ ……㉠

(ⅰ) $a=0$일 때, 부등식 ㉠에서 $x\leq0$

그런데 이 부등식은 모든 실수 x에 대하여 항상 성립하는 것은 아니다.

(ⅱ) $a\neq0$일 때, 이차부등식 ㉠이 모든 실수 x에 대하여 성립해야 하므로 이차방정식 $ax^2+2x+4a=0$의 판별식을 D라 하면 $a<0$ ……㉡

$\dfrac{D}{4}=1-4a^2\leq0$, $(2a+1)(2a-1)\geq0$

$\therefore a\leq-\dfrac{1}{2}$ 또는 $a\geq\dfrac{1}{2}$ ……㉢

㉡, ㉢의 공통부분을 구하면 $a\leq-\dfrac{1}{2}$

(ⅰ), (ⅱ)에서 $a\leq-\dfrac{1}{2}$

답 $a\leq-\dfrac{1}{2}$

296

(1) $f'(x)=\dfrac{e^x\times x-e^x\times1}{x^2}=\dfrac{e^x(x-1)}{x^2}$

$f'(x)=0$에서 $x=1$

$x>0$에서 함수 $f(x)$의 증가와 감소를 표로 나타내면 다음과 같다.

x	(0)	$\cdots$	1	$\cdots$
$f'(x)$		$-$	0	$+$
$f(x)$		$\searrow$	극소	$\nearrow$

따라서 $x=1$에서 극소이고 극솟값은 $f(1)=e$

(2) $f'(x) = \dfrac{1}{2} - \sin x$

$f'(x) = 0$에서 $\sin x = \dfrac{1}{2}$

$\therefore x = \dfrac{\pi}{6}$ 또는 $x = \dfrac{5}{6}\pi$ ($\because 0 < x < \pi$)

$0 < x < \pi$에서 함수 $f(x)$의 증가와 감소를 표로 나타내면 다음과 같다.

x	(0)	$\cdots$	$\dfrac{\pi}{6}$	$\cdots$	$\dfrac{5}{6}\pi$	$\cdots$	(π)
$f'(x)$		$+$	0	$-$	0	$+$	
$f(x)$		↗	극대	↘	극소	↗	

따라서 $x = \dfrac{\pi}{6}$에서 극대이고 극댓값은

$f\left(\dfrac{\pi}{6}\right) = \dfrac{\pi}{12} + \dfrac{\sqrt{3}}{2}$

$x = \dfrac{5}{6}\pi$에서 극소이고 극솟값은

$f\left(\dfrac{5}{6}\pi\right) = \dfrac{5}{12}\pi - \dfrac{\sqrt{3}}{2}$

(3) $f'(x) = \ln x + x \times \dfrac{1}{x} = \ln x + 1$

$f'(x) = 0$에서 $\ln x = -1$ $\qquad \therefore x = \dfrac{1}{e}$

$x > 0$에서 함수 $f(x)$의 증가와 감소를 표로 나타내면 다음과 같다.

x	(0)	$\cdots$	$\dfrac{1}{e}$	$\cdots$
$f'(x)$		$-$	0	$+$
$f(x)$		↘	극소	↗

따라서 $x = \dfrac{1}{e}$에서 극소이고 극솟값은 $f\left(\dfrac{1}{e}\right) = -\dfrac{1}{e}$

(4) $f'(x) = 1 + \dfrac{-2x}{2\sqrt{4-x^2}} = \dfrac{\sqrt{4-x^2} - x}{\sqrt{4-x^2}}$

$f'(x) = 0$에서 $\sqrt{4-x^2} = x$

$4 - x^2 = x^2$, $x^2 = 2$ $\qquad \therefore x = \sqrt{2}$ ($\because 0 < x < 2$)

$0 < x < 2$에서 함수 $f(x)$의 증가와 감소를 표로 나타내면 다음과 같다.

x	(0)	$\cdots$	$\sqrt{2}$	$\cdots$	(2)
$f'(x)$		$+$	0	$-$	
$f(x)$		↗	극대	↘	

따라서 $x = \sqrt{2}$에서 극대이고 극댓값은
$f(\sqrt{2}) = 2\sqrt{2}$

답 (1) 극솟값: e

　　(2) 극댓값: $\dfrac{\pi}{12} + \dfrac{\sqrt{3}}{2}$, 극솟값: $\dfrac{5}{12}\pi - \dfrac{\sqrt{3}}{2}$

　　(3) 극솟값: $-\dfrac{1}{e}$ 　　(4) 극댓값: $2\sqrt{2}$

298

(1) $f'(x) = 1 + 2\sin x$이므로

$f'(x) = 0$에서 $\sin x = -\dfrac{1}{2}$

$\therefore x = \dfrac{7}{6}\pi$ 또는 $x = \dfrac{11}{6}\pi$ ($\because 0 \le x \le 2\pi$)

$f''(x) = 2\cos x$이므로

$f''\left(\dfrac{7}{6}\pi\right) = -\sqrt{3} < 0$ ➡ 극대

$f''\left(\dfrac{11}{6}\pi\right) = \sqrt{3} > 0$ ➡ 극소

따라서 $x = \dfrac{7}{6}\pi$에서 극대이고 극댓값은

$f\left(\dfrac{7}{6}\pi\right) = \dfrac{7}{6}\pi + \sqrt{3}$

$x = \dfrac{11}{6}\pi$에서 극소이고 극솟값은

$f\left(\dfrac{11}{6}\pi\right) = \dfrac{11}{6}\pi - \sqrt{3}$

(2) $f'(x) = e^{2x} + 2xe^{2x} = e^{2x}(1+2x)$이므로

$f'(x) = 0$에서 $1 + 2x = 0$

$\therefore x = -\dfrac{1}{2}$

$f''(x) = 2e^{2x}(1+2x) + e^{2x} \times 2 = 4e^{2x}(1+x)$이므로

$f''\left(-\dfrac{1}{2}\right) = \dfrac{2}{e} > 0$ ➡ 극소

따라서 $x = -\dfrac{1}{2}$에서 극소이고 극솟값은

$f\left(-\dfrac{1}{2}\right) = -\dfrac{1}{2}e^{-1} = -\dfrac{1}{2e}$

답 (1) 극댓값: $\dfrac{7}{6}\pi + \sqrt{3}$, 극솟값: $\dfrac{11}{6}\pi - \sqrt{3}$

　　(2) 극솟값: $-\dfrac{1}{2e}$

300

(1) $f'(x) = \dfrac{(2x+a)(x+1) - (x^2+ax+b) \times 1}{(x+1)^2}$

$\quad = \dfrac{x^2 + 2x + a - b}{(x+1)^2}$

함수 $f(x)$가 $x=1$에서 극솟값 -2를 가지므로

$f(1) = \dfrac{1+a+b}{2} = -2$, $f'(1) = \dfrac{3+a-b}{4} = 0$

두 식을 연립하여 풀면

$a = -4$, $b = -1$

(2) $f'(x) = \ln x + 1 + a$

함수 $f(x)$가 $x = e^2$에서 극솟값을 가지므로

$f'(e^2) = \ln e^2 + 1 + a = 0$

$\therefore a = -3$

따라서 $f(x)$의 극솟값은
$$f(e^2)=e^2 \ln e^2 - 3e^2 = -e^2$$

답 (1) $a=-4$, $b=-1$ (2) $a=-3$, 극솟값 : $-e^2$

302

(1) $f'(x)=(2x+1)e^x+(x^2+x+a)e^x$
$$\qquad =(x^2+3x+a+1)e^x$$
$f'(x)=0$에서 $x^2+3x+a+1=0$ $\qquad$ …… ㉠
함수 $f(x)$가 극값을 가지려면 이차방정식 ㉠이 서로 다른 두 실근을 가져야 하므로 ㉠의 판별식을 D라 하면
$$D=3^2-4(a+1)>0 \qquad \therefore a<\frac{5}{4}$$

(2) $f'(x)=a-\cos x$
함수 $f(x)$가 극값을 갖지 않으려면 모든 실수 x에 대하여 $f'(x)\le 0$ 또는 $f'(x)\ge 0$이어야 하므로
$a-\cos x\le 0$ 또는 $a-\cos x\ge 0$
$\therefore \cos x\ge a$ 또는 $\cos x\le a$
그런데 $-1\le \cos x\le 1$이므로
$a\le -1$ 또는 $a\ge 1$

답 (1) $a<\dfrac{5}{4}$ (2) $a\le -1$ 또는 $a\ge 1$

303

$f(x)=x \ln x+2x$로 놓으면
$$f'(x)=\ln x+x\times \frac{1}{x}+2=\ln x+3$$
이 곡선 위의 점 $(e, 3e)$에서의 접선의 기울기는
$$f'(e)=1+3=4$$
즉, 점 $(e, 3e)$를 지나고 기울기가 4인 접선의 방정식은
$$y-3e=4(x-e) \qquad \therefore y=4x-e$$
따라서 $a=4$, $b=-e$이므로 $ab=-4e$

답 $-4e$

304

$f(x)=2e^{2x}-ax$, $g(x)=\dfrac{b}{x}$로 놓으면
$$f'(x)=4e^{2x}-a,\ g'(x)=-\frac{b}{x^2}$$
두 곡선이 $x=1$인 점에서 공통인 접선을 가지므로
$f(1)=g(1)$에서 $2e^2-a=b$ $\qquad$ …… ㉠
$f'(1)=g'(1)$에서 $4e^2-a=-b$ $\qquad$ …… ㉡
㉠, ㉡을 연립하여 풀면 $a=3e^2$, $b=-e^2$

$$\therefore \frac{a}{b}=\frac{3e^2}{-e^2}=-3$$

답 -3

305

$f(x)=e^{-x+a}$으로 놓으면
$$f'(x)=-e^{-x+a}$$
접점의 좌표를 (t, e^{-t+a})으로 놓으면 접선의 기울기가 $f'(t)=-e^{-t+a}$이므로 접선의 방정식은
$$y-e^{-t+a}=-e^{-t+a}(x-t) \qquad …… ㉠$$
이 접선이 원점을 지나므로
$$0-e^{-t+a}=-e^{-t+a}(0-t)$$
$$\therefore t=-1$$
$t=-1$을 ㉠에 대입하면 접선의 방정식은
$$y-e^{1+a}=-e^{1+a}(x+1)$$
$$\therefore y=-e^{1+a}x$$
이 접선이 점 $(1, -1)$을 지나므로
$$-1=-e^{1+a},\ 1+a=0$$
$$\therefore a=-1$$

▶ 다른 풀이

접선이 두 점 $(0, 0)$, $(1, -1)$을 지나므로 접선의 방정식은 $y=-x$
이제 주어진 문제는 다음과 같이 변신한다.

> 곡선 $y=e^{-x+a}$과 직선 $y=-x$가 접할 때, 상수 a의 값은?

$f(x)=e^{-x+a}$, $g(x)=-x$로 놓으면
$$f'(x)=-e^{-x+a},\ g'(x)=-1$$
접점의 x좌표를 t라 하면
$f(t)=g(t)$에서 $e^{-t+a}=-t$ $\qquad …… ㉠$
$f'(t)=g'(t)$에서 $-e^{-t+a}=-1$ $\qquad …… ㉡$
㉡에서 $e^{-t+a}=1$, $-t+a=0$
$$\therefore t=a$$
이것을 ㉠에 대입하면 $e^{-a+a}=-a$
$$\therefore a=-1$$

답 -1

306

$f(x)=x+\sqrt{1-x^2}$에서 $1-x^2\ge 0$
$$\therefore -1\le x\le 1$$
$$f'(x)=1-\frac{2x}{2\sqrt{1-x^2}}=\frac{\sqrt{1-x^2}-x}{\sqrt{1-x^2}}$$
$f'(x)=0$에서 $\sqrt{1-x^2}=x$ $\qquad …… ㉠$

양변을 제곱하여 정리하면 $x^2=\dfrac{1}{2}$

$\therefore x=\dfrac{1}{\sqrt{2}}$ $\left(\because\ \text{㉠에서}\ x\geq0\right)$

함수 $f(x)$의 증가와 감소를 표로 나타내면 다음과 같다.

x	-1	$\cdots$	$\dfrac{1}{\sqrt{2}}$	$\cdots$	1
$f'(x)$		$+$	0	$-$	
$f(x)$		↗	극대	↘	

따라서 $f(x)$는 $x=\dfrac{1}{\sqrt{2}}$에서 극댓값 $f\left(\dfrac{1}{\sqrt{2}}\right)=\sqrt{2}$ 를 가지므로 $a=\dfrac{1}{\sqrt{2}}$, $b=\sqrt{2}$

$\therefore ab=\dfrac{1}{\sqrt{2}}\times\sqrt{2}=1$

답 1

307

$f'(x)=\dfrac{\cos x\times e^x-\sin x\times e^x}{e^{2x}}=\dfrac{\cos x-\sin x}{e^x}$

$f'(x)=0$에서 $\cos x-\sin x=0$

$\therefore x=\dfrac{\pi}{4}$ 또는 $x=\dfrac{5}{4}\pi$ $(\because\ 0\leq x\leq2\pi)$

함수 $f(x)$의 증가와 감소를 표로 나타내면 다음과 같다.

x	0	$\cdots$	$\dfrac{\pi}{4}$	$\cdots$	$\dfrac{5}{4}\pi$	$\cdots$	2π
$f'(x)$		$+$	0	$-$	0	$+$	
$f(x)$	0	↗	극대	↘	극소	↗	0

따라서 $f(x)$는 $x=\dfrac{\pi}{4}$에서 극대이고 $x=\dfrac{5}{4}\pi$에서 극소이므로 $\alpha=\dfrac{\pi}{4}$, $\beta=\dfrac{5}{4}\pi$

$\therefore \beta-\alpha=\pi$

답 π

308

$f'(x)=\cos x-\sqrt{3}\sin x$

$f'(x)=0$에서 $\cos x-\sqrt{3}\sin x=0$

$1-\sqrt{3}\tan x=0$, $\tan x=\dfrac{1}{\sqrt{3}}$

$\therefore x=\dfrac{\pi}{6}$ 또는 $x=\dfrac{7}{6}\pi$ $(\because\ 0\leq x\leq2\pi)$

$f''(x)=-\sin x-\sqrt{3}\cos x$에서

$f''\left(\dfrac{\pi}{6}\right)=-\dfrac{1}{2}-\dfrac{3}{2}=-2<0$

$f''\left(\dfrac{7}{6}\pi\right)=\dfrac{1}{2}+\dfrac{3}{2}=2>0$

이때 $f(x)$는 $x=\dfrac{\pi}{6}$에서 극대이고 극댓값이 5이므로

$f\left(\dfrac{\pi}{6}\right)=\dfrac{1}{2}+\dfrac{3}{2}+a=5$

$\therefore a=3$

따라서 $f(x)$는 $x=\dfrac{7}{6}\pi$에서 극소이고 극솟값은

$f\left(\dfrac{7}{6}\pi\right)=-\dfrac{1}{2}-\dfrac{3}{2}+3=1$

답 1

310

(1) $f(x)=2x^3-3x^2+1$로 놓으면

$f'(x)=6x^2-6x=6x(x-1)$

$f''(x)=12x-6=6(2x-1)$

$f'(x)=0$에서 $x=0$ 또는 $x=1$

$f''(x)=0$에서 $x=\dfrac{1}{2}$

함수 $f(x)$의 증가와 감소를 표로 나타내면 다음과 같다.

x	$\cdots$	0	$\cdots$	$\dfrac{1}{2}$	$\cdots$	1	$\cdots$
$f'(x)$	$+$	0	$-$	$-$	$-$	0	$+$
$f''(x)$	$-$	$-$	$-$	0	$+$	$+$	$+$
$f(x)$	↗	1	↘	$\dfrac{1}{2}$	↘	0	↗

따라서 곡선 $y=f(x)$는

$x<\dfrac{1}{2}$일 때 $f''(x)<0$이므로 위로 볼록,

$x>\dfrac{1}{2}$일 때 $f''(x)>0$이므로 아래로 볼록이고,

변곡점의 좌표는 $\left(\dfrac{1}{2},\ \dfrac{1}{2}\right)$이다.

(2) $f(x)=e^{-2x^2}$으로 놓으면

$f'(x)=-4xe^{-2x^2}$

$f''(x)=-4e^{-2x^2}+16x^2e^{-2x^2}=4e^{-2x^2}(4x^2-1)$
$\qquad=4e^{-2x^2}(2x+1)(2x-1)$

$f'(x)=0$에서 $x=0$

$f''(x)=0$에서 $x=-\dfrac{1}{2}$ 또는 $x=\dfrac{1}{2}$

함수 $f(x)$의 증가와 감소를 표로 나타내면 다음과 같다.

x	$\cdots$	$-\dfrac{1}{2}$	$\cdots$	0	$\cdots$	$\dfrac{1}{2}$	$\cdots$
$f'(x)$	$+$	$+$	$+$	0	$-$	$-$	$-$
$f''(x)$	$+$	0	$-$	$-$	$-$	0	$+$
$f(x)$	↗	$\dfrac{1}{\sqrt{e}}$	↗	1	↘	$\dfrac{1}{\sqrt{e}}$	↘

따라서 곡선 $y=f(x)$는

$-\dfrac{1}{2}<x<\dfrac{1}{2}$일 때 $f''(x)<0$이므로 위로 볼록,

$x<-\dfrac{1}{2}$ 또는 $x>\dfrac{1}{2}$일 때 $f''(x)>0$이므로 아래

로 볼록이고, 변곡점의 좌표는 $\left(-\dfrac{1}{2},\ \dfrac{1}{\sqrt{e}}\right)$,

$\left(\dfrac{1}{2},\ \dfrac{1}{\sqrt{e}}\right)$이다.

(3) $f(x)=\dfrac{\ln x}{x}$로 놓으면

$$f'(x)=\dfrac{\dfrac{1}{x}\times x-\ln x\times 1}{x^2}$$

$$=\dfrac{1-\ln x}{x^2}$$

$$f''(x)=\dfrac{-\dfrac{1}{x}\times x^2-(1-\ln x)\times 2x}{x^4}$$

$$=\dfrac{2\ln x-3}{x^3}$$

$f'(x)=0$에서 $1-\ln x=0$, $\ln x=1$

$\therefore x=e$

$f''(x)=0$에서 $2\ln x-3=0$, $\ln x=\dfrac{3}{2}$

$\therefore x=e\sqrt{e}$

$x>0$에서 함수 $f(x)$의 증가와 감소를 표로 나타내면 다음과 같다.

x	(0)	$\cdots$	e	$\cdots$	$e\sqrt{e}$	$\cdots$
$f'(x)$		$+$	0	$-$	$-$	$-$
$f''(x)$		$-$	$-$	$-$	0	$+$
$f(x)$		$\nearrow$	$\dfrac{1}{e}$	$\searrow$	$\dfrac{3}{2e\sqrt{e}}$	$\searrow$

따라서 곡선 $y=f(x)$는

$0<x<e\sqrt{e}$일 때 $f''(x)<0$이므로 위로 볼록,

$x>e\sqrt{e}$일 때 $f''(x)>0$이므로 아래로 볼록이고,

변곡점의 좌표는 $\left(e\sqrt{e},\ \dfrac{3}{2e\sqrt{e}}\right)$이다.

(4) $f(x)=x+2\cos x$로 놓으면

$f'(x)=1-2\sin x$, $f''(x)=-2\cos x$

$f'(x)=0$에서 $\sin x=\dfrac{1}{2}$

$\therefore x=\dfrac{\pi}{6}$ 또는 $x=\dfrac{5}{6}\pi$ $(\because 0\leq x\leq 2\pi)$

$f''(x)=0$에서 $\cos x=0$

$\therefore x=\dfrac{\pi}{2}$ 또는 $x=\dfrac{3}{2}\pi$ $(\because 0\leq x\leq 2\pi)$

$0\leq x\leq 2\pi$에서 함수 $f(x)$의 증가와 감소를 표로 나타내면 다음과 같다.

x	0	$\cdots$	$\dfrac{\pi}{6}$	$\cdots$	$\dfrac{\pi}{2}$	$\cdots$	$\dfrac{5}{6}\pi$	$\cdots$	$\dfrac{3}{2}\pi$	$\cdots$	2π
$f'(x)$		$+$	0	$-$	$-$	$-$	0	$+$	$+$	$+$	
$f''(x)$		$-$	$-$	$-$	0	$+$	$+$	$+$	0	$-$	
$f(x)$	2	$\nearrow$	$\dfrac{\pi}{6}+\sqrt{3}$	$\searrow$	$\dfrac{\pi}{2}$	$\searrow$	$\dfrac{5}{6}\pi-\sqrt{3}$	$\nearrow$	$\dfrac{3}{2}\pi$	$\nearrow$	$2\pi+2$

따라서 곡선 $y=f(x)$는

$0\leq x<\dfrac{\pi}{2}$ 또는 $\dfrac{3}{2}\pi<x\leq 2\pi$일 때 $f''(x)<0$이

므로 위로 볼록, $\dfrac{\pi}{2}<x<\dfrac{3}{2}\pi$일 때 $f''(x)>0$이므

로 아래로 볼록이고, 변곡점의 좌표는 $\left(\dfrac{\pi}{2},\ \dfrac{\pi}{2}\right)$,

$\left(\dfrac{3}{2}\pi,\ \dfrac{3}{2}\pi\right)$이다.

답 (1) $\left(\dfrac{1}{2},\ \dfrac{1}{2}\right)$

(2) $\left(-\dfrac{1}{2},\ \dfrac{1}{\sqrt{e}}\right)$, $\left(\dfrac{1}{2},\ \dfrac{1}{\sqrt{e}}\right)$

(3) $\left(e\sqrt{e},\ \dfrac{3}{2e\sqrt{e}}\right)$

(4) $\left(\dfrac{\pi}{2},\ \dfrac{\pi}{2}\right)$, $\left(\dfrac{3}{2}\pi,\ \dfrac{3}{2}\pi\right)$

312

$f(x)=ax^3+bx^2+cx$에서

$f'(x)=3ax^2+2bx+c$

$f''(x)=6ax+2b$

$x=1$인 점에서의 접선의 기울기가 3이므로

$f'(1)=3a+2b+c=3$ $\cdots\cdots$ ㉠

변곡점의 좌표가 $(2,\ 8)$이므로

$f(2)=8a+4b+2c=8$

$\therefore 4a+2b+c=4$ $\cdots\cdots$ ㉡

$f''(2)=12a+2b=0$

$\therefore 6a+b=0$ $\cdots\cdots$ ㉢

㉠, ㉡, ㉢을 연립하여 풀면

$a=1$, $b=-6$, $c=12$

$\therefore a+b+c=1+(-6)+12=7$

답 7

314

(1) $f(x)=(\ln x)^2$으로 놓으면

$$f'(x)=\dfrac{2\ln x}{x}$$

$$f''(x)=\dfrac{\dfrac{2}{x}\times x-2\ln x\times 1}{x^2}=\dfrac{2(1-\ln x)}{x^2}$$

$f''(x)=0$에서 $x=e$이고, $x=e$의 좌우에서 $f''(x)$

의 부호가 바뀌므로 변곡점의 좌표는 $(e,\ 1)$

또, $x=e$인 점에서의 접선의 기울기는

$$f'(e)=\frac{2}{e}$$

따라서 변곡점에서의 접선의 방정식은

$$y-1=\frac{2}{e}(x-e) \qquad \therefore y=\frac{2}{e}x-1$$

(2) $f(x)=x-\cos x$로 놓으면

$$f'(x)=1+\sin x, \ f''(x)=\cos x$$

$f''(x)=0$에서 $x=\frac{\pi}{2}$이고, $x=\frac{\pi}{2}$의 좌우에서

$f''(x)$의 부호가 바뀌므로 변곡점의 좌표는

$$\left(\frac{\pi}{2}, \ \frac{\pi}{2}\right)$$

또, $x=\frac{\pi}{2}$인 점에서의 접선의 기울기는

$$f'\left(\frac{\pi}{2}\right)=2$$

따라서 변곡점에서의 접선의 방정식은

$$y-\frac{\pi}{2}=2\left(x-\frac{\pi}{2}\right) \qquad \therefore y=2x-\frac{\pi}{2}$$

달 (1) $y=\dfrac{2}{e}x-1$ (2) $y=2x-\dfrac{\pi}{2}$

316

(1) $f'(x)=4x^3-12x^2=4x^2(x-3)$이므로

$f'(x)=0$에서 $x=0$ 또는 $x=3$

$f''(x)=12x^2-24x=12x(x-2)$이므로

$f''(x)=0$에서 $x=0$ 또는 $x=2$

함수 $f(x)$의 증가와 감소를 표로 나타내면 다음과
같다.

x	$\cdots$	0	$\cdots$	2	$\cdots$	3	$\cdots$
$f'(x)$	$-$	0	$-$	$-$	$-$	0	$+$
$f''(x)$	$+$	0	$-$	0	$+$	$+$	$+$
$f(x)$	$\searrow$	12	$\searrow$	-4	$\searrow$	-15	$\nearrow$

따라서 함수 $y=f(x)$의 그래프는
오른쪽 그림과 같다.

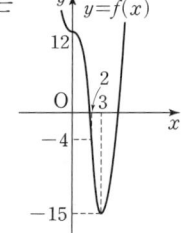

(2) $f'(x)=1-2\cos x$이므로

$f'(x)=0$에서 $\cos x=\dfrac{1}{2}$

$\therefore x=\dfrac{\pi}{3}$ 또는 $x=\dfrac{5}{3}\pi$ $(\because 0\le x\le 2\pi)$

$f''(x)=2\sin x$이므로

$f''(x)=0$에서 $\sin x=0$

$\therefore x=0$ 또는 $x=\pi$ 또는 $x=2\pi$ $(\because 0\le x\le 2\pi)$

$0\le x\le 2\pi$에서 함수 $f(x)$의 증가와 감소를 표로 나
타내면 다음과 같다.

x	0	$\cdots$	$\dfrac{\pi}{3}$	$\cdots$	π	$\cdots$	$\dfrac{5}{3}\pi$	$\cdots$	2π
$f'(x)$	$-$		0	$+$	$+$	$+$	0		$-$
$f''(x)$	0	$+$	$+$	$+$	0	$-$	$-$	$-$	0
$f(x)$	0	$\searrow$	$\dfrac{\pi}{3}$ $\sqrt{3}$	$\nearrow$	π	$\nearrow$	$\dfrac{5}{3}\pi+\sqrt{3}$	$\searrow$	2π

따라서 함수 $y=f(x)$의
그래프는 오른쪽 그림과
같다.

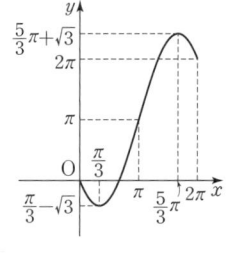

달 (1) 풀이 참조 (2) 풀이 참조

318

(1) ① $x\ne 0$이므로 정의역은 $x\ne 0$인 실수 전체의 집합
이다.

② 임의의 실수 x에 대하여 $f(-x)=-f(x)$이므
로 함수 $y=f(x)$의 그래프는 원점에 대하여 대
칭이다.

③ $f'(x)=\dfrac{2x\times x-(x^2+1)\times 1}{x^2}=\dfrac{x^2-1}{x^2}$

$\quad\ =\dfrac{(x+1)(x-1)}{x^2}$

이므로

$f'(x)=0$에서 $x=-1$ 또는 $x=1$

$f''(x)=\dfrac{2x\times x^2-(x^2-1)\times 2x}{x^4}=\dfrac{2}{x^3}$에서

$f''(x)=0$을 만족시키는 x의 값이 존재하지 않
으므로 변곡점이 없다.

함수 $f(x)$의 증가와 감소를 표로 나타내면 다음
과 같다.

x	$\cdots$	-1	$\cdots$	(0)	$\cdots$	1	$\cdots$
$f'(x)$	$+$	0	$-$		$-$	0	$+$
$f''(x)$	$-$	$-$	$-$		$+$	$+$	$+$
$f(x)$	$\nearrow$	-2	$\searrow$		$\searrow$	2	$\nearrow$

④ $f(x)=\dfrac{x^2+1}{x}=x+\dfrac{1}{x}$이므로 점근선의 방정식
은 $x=0$, $y=x$이다.

따라서 함수 $y=f(x)$의
그래프는 오른쪽 그림과
같다.

[참고]

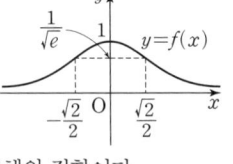

$\lim\limits_{x\to 0+} f(x)=\infty$,

$\lim\limits_{x\to 0-} f(x)=-\infty$,

$\lim\limits_{x\to\infty} \{f(x)-x\}=0$,

$\lim\limits_{x\to-\infty} \{f(x)-x\}=0$

이므로 함수 $f(x)$의 점근선의 방정식은 $x=0$,
$y=x$이다.

(2) ① 정의역은 $x\geq 0$인 실수 전체의 집합이다.

　② $f(x)=0$에서 $x=2\sqrt{x}$, $x^2=4x$

　　$x(x-4)=0$ 　　∴ $x=0$ 또는 $x=4$

　　즉, 점 $(0,0)$, $(4,0)$을 지난다.

　③ $f'(x)=1-\dfrac{1}{\sqrt{x}}$이므로

　　$f'(x)=0$에서 $x=1$

　　$f''(x)=\dfrac{1}{2x\sqrt{x}}$에서 $f''(x)=0$을 만족시키는 x

　　의 값이 존재하지 않으므로 변곡점이 없다.

　　$x\geq 0$에서 함수 $f(x)$의 증가와 감소를 표로 나타
　　내면 다음과 같다.

x	0	$\cdots$	1	$\cdots$
$f'(x)$		$-$	0	$+$
$f''(x)$		$+$	$+$	$+$
$f(x)$	0	$\searrow$	-1	$\nearrow$

따라서 함수 $y=f(x)$의 그
래프는 오른쪽 그림과 같다.

답 (1) 풀이 참조　(2) 풀이 참조

320

(1) ① 정의역은 실수 전체의 집합이다.

　② 임의의 실수 x에 대하여 $f(-x)=f(x)$이므로
　　함수 $y=f(x)$의 그래프는 y축에 대하여 대칭이
　　다.

　③ $f(0)=1$이므로 점 $(0,1)$을 지난다.

　④ $f'(x)=-2xe^{-x^2}$이므로

　　$f'(x)=0$에서 $x=0$

　　$f''(x)=-2e^{-x^2}+4x^2e^{-x^2}=2e^{-x^2}(2x^2-1)$

　　이므로

$f''(x)=0$에서 $x=-\dfrac{\sqrt{2}}{2}$ 또는 $x=\dfrac{\sqrt{2}}{2}$

함수 $f(x)$의 증가와 감소를 표로 나타내면 다음
과 같다.

x	$\cdots$	$-\dfrac{\sqrt{2}}{2}$	$\cdots$	0	$\cdots$	$\dfrac{\sqrt{2}}{2}$	$\cdots$
$f'(x)$	$+$	$+$	$+$	0	$-$	$-$	$-$
$f''(x)$	$+$	0	$-$	$-$	$-$	0	$+$
$f(x)$	$\nearrow$	$\dfrac{1}{\sqrt{e}}$	$\nearrow$	1	$\searrow$	$\dfrac{1}{\sqrt{e}}$	$\searrow$

⑤ $\lim\limits_{x\to\infty} f(x)=0$, $\lim\limits_{x\to-\infty} f(x)=0$이므로 점근선은
x축이다.

따라서 함수 $y=f(x)$의
그래프는 오른쪽 그림과
같다.

(2) ① 정의역은 $x>0$인 실수 전체의 집합이다.

　② $f(1)=0$이므로 점 $(1,0)$을 지난다.

　③ $f'(x)=\ln x+1$이므로 $f'(x)=0$에서 $x=\dfrac{1}{e}$

　　$f''(x)=\dfrac{1}{x}$에서 $f''(x)=0$을 만족시키는 x의

　　값이 존재하지 않으므로 변곡점이 없다.

　　$x>0$에서 함수 $f(x)$의 증가와 감소를 표로 나타
　　내면 다음과 같다.

x	(0)	$\cdots$	$\dfrac{1}{e}$	$\cdots$
$f'(x)$		$-$	0	$+$
$f''(x)$		$+$	$+$	$+$
$f(x)$		$\searrow$	$-\dfrac{1}{e}$	$\nearrow$

⑤ $\lim\limits_{x\to\infty} f(x)=\infty$이다.

따라서 함수 $y=f(x)$의 그래
프는 오른쪽 그림과 같다.

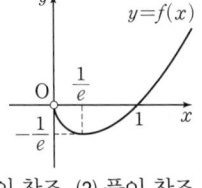

답 (1) 풀이 참조　(2) 풀이 참조

322

(1) $f'(x)=\dfrac{1\times(x^2+3)-(x-1)\times 2x}{(x^2+3)^2}$

　　$=-\dfrac{(x+1)(x-3)}{(x^2+3)^2}$

$f'(0)=0$에서 $x=-1$ 또는 $x=3$

구간 $[-1, 5]$에서 함수 $f(x)$의 증가와 감소를 표

로 나타내면 다음과 같다.

x	-1	$\cdots$	3	$\cdots$	5
$f'(x)$	0	$+$	0	$-$	
$f(x)$	$-\dfrac{1}{2}$	$\nearrow$	$\dfrac{1}{6}$	$\searrow$	$\dfrac{1}{7}$

따라서 최댓값은 $f(3)=\dfrac{1}{6}$,

$$\text{최솟값은 } f(-1)=-\dfrac{1}{2}$$

(2) $f'(x)=\sqrt{4-x^2}-\dfrac{2x^2}{2\sqrt{4-x^2}}=\dfrac{2(2-x^2)}{\sqrt{4-x^2}}$

$\qquad =-\dfrac{2(x+\sqrt{2})(x-\sqrt{2})}{\sqrt{4-x^2}}$

$f'(x)=0$에서 $x=-\sqrt{2}$ 또는 $x=\sqrt{2}$

$[-2,\ 2]$에서 함수 $f(x)$의 증가와 감소를 표로 나타내면 다음과 같다.

x	-2	$\cdots$	$-\sqrt{2}$	$\cdots$	$\sqrt{2}$	$\cdots$	2
$f'(x)$		$-$	0	$+$	0	$-$	
$f(x)$	0	$\searrow$	-2	$\nearrow$	2	$\searrow$	0

따라서 최댓값은 $f(\sqrt{2})=2$,

$$\text{최솟값은 } f(-\sqrt{2})=-2$$

답 (1) 최댓값: $\dfrac{1}{6}$, 최솟값: $-\dfrac{1}{2}$

$\qquad$ (2) 최댓값: 2, 최솟값: -2

324

(1) $f'(x)=e^{-x^2}-2x^2e^{-x^2}=(1-2x^2)e^{-x^2}$

$\qquad =-2\left(x+\dfrac{1}{\sqrt{2}}\right)\left(x-\dfrac{1}{\sqrt{2}}\right)e^{-x^2}$

$f'(x)=0$에서 $x=-\dfrac{1}{\sqrt{2}}$ 또는 $x=\dfrac{1}{\sqrt{2}}$

구간 $[-1,\ 1]$에서 함수 $f(x)$의 증가와 감소를 표로 나타내면 다음과 같다.

x	-1	$\cdots$	$-\dfrac{1}{\sqrt{2}}$	$\cdots$	$\dfrac{1}{\sqrt{2}}$	$\cdots$	1
$f'(x)$		$-$	0	$+$	0	$-$	
$f(x)$	$-\dfrac{1}{e}$	$\searrow$	$-\dfrac{1}{\sqrt{2e}}$	$\nearrow$	$\dfrac{1}{\sqrt{2e}}$	$\searrow$	$\dfrac{1}{e}$

따라서 최댓값은 $f\left(\dfrac{1}{\sqrt{2}}\right)=\dfrac{1}{\sqrt{2e}}$,

$$\text{최솟값은 } f\left(-\dfrac{1}{\sqrt{2}}\right)=-\dfrac{1}{\sqrt{2e}}$$

(2) $f'(x)=-\dfrac{1-\ln x}{x^2}=\dfrac{\ln x-1}{x^2}$

$f'(x)=0$에서 $x=e$

구간 $[1,\ e^2]$에서 함수 $f(x)$의 증가와 감소를 표로

나타내면 다음과 같다.

x	1	$\cdots$	e	$\cdots$	e^2
$f'(x)$		$-$	0	$+$	
$f(x)$	0	$\searrow$	$-\dfrac{1}{e}$	$\nearrow$	$-\dfrac{2}{e^2}$

따라서 최댓값은 $f(1)=0$, 최솟값은 $f(e)=-\dfrac{1}{e}$

답 (1) 최댓값: $\dfrac{1}{\sqrt{2e}}$, 최솟값: $-\dfrac{1}{\sqrt{2e}}$

$\qquad$ (2) 최댓값: 0, 최솟값: $-\dfrac{1}{e}$

326

(1) $f'(x)=e^x\cos x-e^x\sin x=e^x(\cos x-\sin x)$

$f'(x)=0$에서 $\cos x-\sin x=0$, $\tan x=1$

$\therefore x=\dfrac{\pi}{4}$ $(\because 0\le x\le\pi)$

구간 $[0,\ \pi]$에서 함수 $f(x)$의 증가와 감소를 표로 나타내면 다음과 같다.

x	0	$\cdots$	$\dfrac{\pi}{4}$	$\cdots$	π
$f'(x)$		$+$	0	$-$	
$f(x)$	1	$\nearrow$	$\dfrac{\sqrt{2}}{2}e^{\frac{\pi}{4}}$	$\searrow$	$-e^{\pi}$

따라서 최댓값은 $f\left(\dfrac{\pi}{4}\right)=\dfrac{\sqrt{2}}{2}e^{\frac{\pi}{4}}$,

$$\text{최솟값은 } f(\pi)=-e^{\pi}$$

(2) $f'(x)=(-\sin x)\sin x+(\cos x+1)\cos x$

$\qquad =-\sin^2 x+\cos^2 x+\cos x$

$\qquad =2\cos^2 x+\cos x-1$ ⬅ $\sin^2 x=1-\cos^2 x$

$\qquad =(\cos x+1)(2\cos x-1)$

$f'(x)=0$에서 $\cos x=-1$ 또는 $\cos x=\dfrac{1}{2}$

$\therefore x=\dfrac{\pi}{3}$ $\left(\because 0\le x\le\dfrac{\pi}{2}\right)$

구간 $\left[0,\ \dfrac{\pi}{2}\right]$에서 함수 $f(x)$의 증가와 감소를 표로 나타내면 다음과 같다.

x	0	$\cdots$	$\dfrac{\pi}{3}$	$\cdots$	$\dfrac{\pi}{2}$
$f'(x)$		$+$	0	$-$	
$f(x)$	0	$\nearrow$	$\dfrac{3\sqrt{3}}{4}$	$\searrow$	1

따라서 최댓값은 $f\left(\dfrac{\pi}{3}\right)=\dfrac{3\sqrt{3}}{4}$, 최솟값은 $f(0)=0$

답 (1) 최댓값: $\dfrac{\sqrt{2}}{2}e^{\frac{\pi}{4}}$, 최솟값: $-e^{\pi}$

$\qquad$ (2) 최댓값: $\dfrac{3\sqrt{3}}{4}$, 최솟값: 0

328

$f'(x) = a + \sqrt{2}\,a\cos x = a(1 + \sqrt{2}\cos x)$

$f'(x) = 0$에서 $\cos x = -\dfrac{1}{\sqrt{2}}$

$\therefore x = \dfrac{3}{4}\pi \ (\because 0 \le x \le \pi)$

구간 $[0, \pi]$에서 함수 $f(x)$의 증가와 감소를 표로 나타내면 다음과 같다.

x	0	$\cdots$	$\dfrac{3}{4}\pi$	$\cdots$	π
$f'(x)$		$+$	0	$-$	
$f(x)$	0	↗	$\dfrac{3a}{4}\pi + a$	↘	$a\pi$

따라서 $x = \dfrac{3}{4}\pi$에서 극대이면서 최대이고, 최댓값이 $3\pi + 4$이므로

$\dfrac{3a}{4}\pi + a = 3\pi + 4$

$\therefore a = 4$

답 4

330

(i) 변수를 정한다.

오른쪽 그림과 같이
$\angle\mathrm{COH} = \theta$로 놓자.

(ii) 식을 세운다.

$\overline{\mathrm{OH}} = 2\cos\theta$, $\overline{\mathrm{CH}} = 2\sin\theta$이므로

(사다리꼴 ABCD의 넓이)

$= \dfrac{1}{2}(\overline{\mathrm{AB}} + \overline{\mathrm{CD}}) \times \overline{\mathrm{CH}}$

$= \dfrac{1}{2}(\overline{\mathrm{AB}} + 2\overline{\mathrm{OH}}) \times \overline{\mathrm{CH}}$

$= \dfrac{1}{2}(4 + 4\cos\theta) \times 2\sin\theta$

$= 4(1 + \cos\theta)\sin\theta$

(iii) 범위를 찾는다.

점 C를 움직이며 관찰하면 θ는 직각삼각형의 내각이므로 θ의 값의 범위는 $0 < \theta < \dfrac{\pi}{2}$

이제 다음과 같은 단순한 문제로 변신한다.

> $f(\theta) = 4(1 + \cos\theta)\sin\theta \left(0 < \theta < \dfrac{\pi}{2}\right)$의 최댓값은?

$f'(\theta) = 4(-\sin\theta)\sin\theta + 4(1 + \cos\theta)\cos\theta$
$\qquad = 4(-\sin^2\theta + \cos\theta + \cos^2\theta)$

$= 4(2\cos^2\theta + \cos\theta - 1)$ ⬅ $\sin^2\theta = 1 - \cos^2\theta$
$= 4(\cos\theta + 1)(2\cos\theta - 1)$

$f'(\theta) = 0$에서 $\cos\theta = -1$ 또는 $\cos\theta = \dfrac{1}{2}$

$\therefore \theta = \dfrac{\pi}{3} \left(\because 0 < \theta < \dfrac{\pi}{2}\right)$

$0 < \theta < \dfrac{\pi}{2}$에서 함수 $f(\theta)$의 증가와 감소를 표로 나타내면 다음과 같다.

θ	(0)	$\cdots$	$\dfrac{\pi}{3}$	$\cdots$	$\left(\dfrac{\pi}{2}\right)$
$f'(\theta)$		$+$	0	$-$	
$f(\theta)$	↗		$3\sqrt{3}$	↘	

즉, $\theta = \dfrac{\pi}{3}$일 때 최댓값은 $3\sqrt{3}$이다.

따라서 등변사다리꼴의 넓이의 최댓값은 $3\sqrt{3}$이다.

답 $3\sqrt{3}$

331

$f(x) = x + 2\sin x$로 놓으면

$f'(x) = 1 + 2\cos x$, $f''(x) = -2\sin x$

곡선 $y = f(x)$가 위로 볼록하려면 $f''(x) < 0$이어야 하므로

$-2\sin x < 0$, $\sin x > 0$

$\therefore 0 < x < \pi \ (\because 0 < x < 2\pi)$

따라서 곡선 $y = f(x)$가 위로 볼록한 구간은 구간 $(0, \pi)$이다.

답 ②

332

$f'(x) = \cos x + a\sin x - b$

$f''(x) = -\sin x + a\cos x$

함수 $f(x)$가 $x = \dfrac{\pi}{6}$에서 극값을 가지므로

$f'\left(\dfrac{\pi}{6}\right) = \dfrac{\sqrt{3}}{2} + \dfrac{1}{2}a - b = 0$ $\qquad$ …… ㉠

또, 변곡점의 x좌표가 $\dfrac{\pi}{3}$이므로

$f''\left(\dfrac{\pi}{3}\right) = -\dfrac{\sqrt{3}}{2} + \dfrac{1}{2}a = 0$ $\quad \therefore a = \sqrt{3}$

$a = \sqrt{3}$을 ㉠에 대입하여 정리하면 $b = \sqrt{3}$

$\therefore ab = \sqrt{3} \times \sqrt{3} = 3$

답 3

333

$x^2 + 1 \ne 0$이므로 정의역은 실수 전체의 집합이다.

$f(0)=0$이므로 점 $(0, 0)$을 지난다.

$f'(x)=\dfrac{2x(x^2+1)-x^2\times 2x}{(x^2+1)^2}=\dfrac{2x}{(x^2+1)^2}$이므로

$f'(x)=0$에서 $x=0$

$f''(x)=\dfrac{2(x^2+1)^2-2x\times 2(x^2+1)\times 2x}{(x^2+1)^4}$

$\qquad=\dfrac{2(1-3x^2)}{(x^2+1)^3}=\dfrac{2(1+\sqrt{3}\,x)(1-\sqrt{3}\,x)}{(x^2+1)^3}$

이므로 $f''(x)=0$에서 $x=-\dfrac{1}{\sqrt{3}}$ 또는 $x=\dfrac{1}{\sqrt{3}}$

함수 $f(x)$의 증가와 감소를 표로 나타내면 다음과 같다.

x	$\cdots$	$-\dfrac{1}{\sqrt{3}}$	$\cdots$	0	$\cdots$	$\dfrac{1}{\sqrt{3}}$	$\cdots$
$f'(x)$	$-$	$-$	$-$	0	$+$	$+$	$+$
$f''(x)$	$-$	0	$+$	$+$	$+$	0	$-$
$f(x)$	$\searrow$	$\dfrac{1}{4}$	$\searrow$	0	$\nearrow$	$\dfrac{1}{4}$	$\nearrow$

$\displaystyle\lim_{x\to\infty}\dfrac{x^2}{x^2+1}=1$, $\displaystyle\lim_{x\to-\infty}\dfrac{x^2}{x^2+1}=1$이므로 점근선의 방정식은 $y=1$이다.

따라서 함수 $y=f(x)$의 그래프는 오른쪽 그림과 같다.

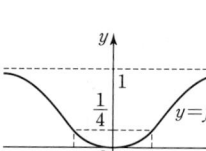

ㄱ. $f(-x)=f(x)$이므로 함수 $y=f(x)$의 그래프는 y축에 대하여 대칭이다. (참)

ㄴ. 치역은 $\{y\,|\,0\le y<1\}$이다. (거짓)

ㄷ. 변곡점은 $\left(-\dfrac{1}{\sqrt{3}},\ \dfrac{1}{4}\right)$, $\left(\dfrac{1}{\sqrt{3}},\ \dfrac{1}{4}\right)$의 2개이다.

(참)

따라서 옳은 것은 ㄱ, ㄷ이다.

답 ㄱ, ㄷ

334

$f(x)=x\sqrt{3-x}$ 에서 $3-x\ge 0$

$\therefore x\le 3$

$f'(x)=\sqrt{3-x}+x\times\dfrac{-1}{2\sqrt{3-x}}=\dfrac{2(3-x)-x}{2\sqrt{3-x}}$

$\qquad=\dfrac{3(2-x)}{2\sqrt{3-x}}$

$f'(x)=0$에서 $x=2$

$x\le 3$에서 함수 $f(x)$의 증가와 감소를 표로 나타내면 다음과 같다.

x	$\cdots$	2	$\cdots$	3
$f'(x)$	$+$	0	$-$	
$f(x)$	$\nearrow$	2	$\searrow$	0

따라서 함수 $f(x)$는 $x=2$에서 최댓값 2를 가지므로

$a=2$, $b=2$

$\therefore a+b=2+2=4$

답 4

335

$f'(x)=-2xe^x+(3-x^2)e^x=-(x^2+2x-3)e^x$

$\qquad=-(x+3)(x-1)e^x$

$f'(x)=0$에서 $x=1$ $(\because -1\le x\le 2)$

구간 $[-1, 2]$에서 함수 $f(x)$의 증가와 감소를 표로 나타내면 다음과 같다.

x	-1	$\cdots$	1	$\cdots$	2
$f'(x)$		$+$	0	$-$	
$f(x)$	$\dfrac{2}{e}$	$\nearrow$	$2e$	$\searrow$	$-e^2$

따라서 최댓값은 $f(1)=2e$, 최솟값은 $f(2)=-e^2$이므로 최댓값과 최솟값의 곱은

$2e\times(-e^2)=-2e^3$

답 $-2e^3$

336

$f'(x)=2\cos 2x-2\sin x$

$\qquad=2(1-2\sin^2 x)-2\sin x$

$\qquad\qquad\qquad\qquad\qquad\quad\leftarrow \cos 2x=1-2\sin^2 x$

$\qquad=-4\sin^2 x-2\sin x+2$

$\qquad=-2(\sin x+1)(2\sin x-1)$

$f'(x)=0$에서 $\sin x=-1$ 또는 $\sin x=\dfrac{1}{2}$

$\therefore x=\dfrac{\pi}{6}\ \left(\because 0\le x\le\dfrac{\pi}{2}\right)$

$0\le x\le\dfrac{\pi}{2}$에서 함수 $f(x)$의 증가와 감소를 표로 나타내면 다음과 같다.

x	0	$\cdots$	$\dfrac{\pi}{6}$	$\cdots$	$\dfrac{\pi}{2}$
$f'(x)$		$+$	0	$-$	
$f(x)$	2	$\nearrow$	$\dfrac{3\sqrt{3}}{2}$	$\searrow$	0

따라서 함수 $f(x)$의 최댓값은 $f\left(\dfrac{\pi}{6}\right)=\dfrac{3\sqrt{3}}{2}$

답 $\dfrac{3\sqrt{3}}{2}$

338

(1) $\dfrac{x}{e^x}=-1$에서

$e^x=-x$

이때 두 함수 $y=e^x$과

$y=-x$의 그래프를 그리면

오른쪽 그림과 같다.

따라서 한 점에서 만나므로 주어진 방정식의 실근은

1개이다.

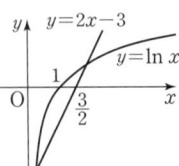

(2) $\ln x-2x+3=0$에서

$\ln x=2x-3$

이때 두 함수 $y=\ln x$와

$y=2x-3$의 그래프를 그리

면 오른쪽 그림과 같다.

따라서 두 점에서 만나므로

주어진 방정식의 실근은 2개이다.

(3) $x+\sin x=\dfrac{1}{2}$에서

$\sin x=-x+\dfrac{1}{2}$

이때 $-\pi \leq x \leq \pi$에서

두 함수 $y=\sin x$와

$y=-x+\dfrac{1}{2}$의 그래프를

그리면 오른쪽 그림과 같다.

따라서 한 점에서 만나므로 주어진 방정식의 실근은

1개이다.

답 (1) 1 (2) 2 (3) 1

340

(1) $\ln x-ax+1=0$에서 $\ln x=ax-1$

  (i) $y=ax-1$은 점 $(0,\,-1)$을 지나는 직선.

  점 $(0,\,-1)$을 중심으로 직선을 빙글빙글 돌리

  며 두 점에서 만나는 상황을 포착한다.

  (ii) 오른쪽 그림과 같은 상

  황.

  x축에 평행할 때와 접

  할 때를 경계로 교점의

  개수가 바뀜을 알 수

  있다.

  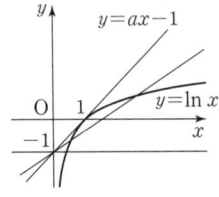

  x축에 평행할 때는 $a=0$

  (iii) 따라서 접할 때의 a의 값만 구하면 끝.

  곡선과 직선이 접할 때는

  무조건 그냥 같다. 미분해서 같다.

$f(x)=\ln x,\ g(x)=ax-1$로 놓으면

$f'(x)=\dfrac{1}{x},\ g'(x)=a$

접점의 x좌표를 t라 하면

$f(t)=g(t)$에서 $\ln t=at-1$ ...... ㉠

$f'(t)=g'(t)$에서 $\dfrac{1}{t}=a$ ...... ㉡

㉡을 ㉠에 대입하면

$\ln t=\dfrac{1}{t}\times t-1,\ \ln t=0$

$\therefore\ t=1$

$\therefore\ a=1$

따라서 두 점에서 만날 때는

$0<a<1$

(2) $2x-4\sqrt{x-1}=k$에서 $4\sqrt{x-1}=2x-k$

  (i) $y=2x-k$는 기울기가 2인 직선.

  직선을 평행이동하여 곡선과 만나는 상황을 포

  착한다.

  (ii) 오른쪽 그림과 같은

  상황.

  접할 때와 점 $(1,\,0)$

  을 지날 때를 경계로

  교점의 개수가 바뀜

  을 알 수 있다.

  직선이 점 $(1,\,0)$을 지날 때

  $0=2-k$ $\therefore\ k=2$

  (iii) 따라서 접할 때의 k의 값만 구하면 끝.

  곡선과 직선이 접할 때는

  무조건 그냥 같다. 미분해서 같다.

  $f(x)=4\sqrt{x-1},\ g(x)=2x-k$로 놓으면

  $f'(x)=\dfrac{2}{\sqrt{x-1}},\ g'(x)=2$

  접점의 x좌표를 t라 하면

  $f(t)=g(t)$에서 $4\sqrt{t-1}=2t-k$ ...... ㉠

  $f'(t)=g'(t)$에서 $\dfrac{2}{\sqrt{t-1}}=2$ $\therefore\ t=2$

  $t=2$를 ㉠에 대입하면 $4=4-k$

  $\therefore\ k=0$

따라서 주어진 방정식의 실근은 $k<0$일 때 0개,

$k=0$ 또는 $k>2$일 때 1개, $0<k\leq 2$일 때 2개이다.

답 (1) $0<a<1$

(2) $k<0$일 때 0개,

$k=0$ 또는 $k>2$일 때 1개,

$0<k\leq 2$일 때 2개

342

$x-ae^x=0$에서 $\dfrac{x}{e^x}=a$이므로 두 함수 $y=\dfrac{x}{e^x}$와 $y=a$

의 그래프의 교점을 조사한다.

$f(x)=\dfrac{x}{e^x}$로 놓으면 $f'(x)=\dfrac{e^x-xe^x}{e^{2x}}=\dfrac{1-x}{e^x}$

$f'(x)=0$에서 $x=1$

함수 $f(x)$의 증가와 감소를 표로 나타내면 다음과 같다.

x	$\cdots$	1	$\cdots$
$f'(x)$	$+$	0	$-$
$f(x)$	↗	$\dfrac{1}{e}$	↘

또, $\lim\limits_{x\to-\infty}f(x)=-\infty$,

$\lim\limits_{x\to\infty}f(x)=0$이므로 함수

$y=f(x)$의 그래프는 오른쪽 그림과 같다.

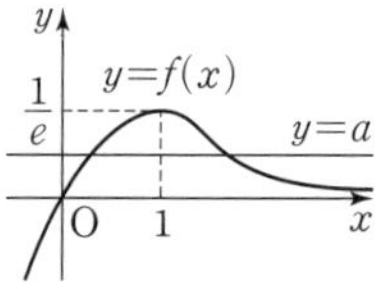

따라서 주어진 방정식이 서로 다른 두 실근을 가지려면

두 함수 $y=\dfrac{x}{e^x}$와 $y=a$의 그래프가 서로 다른 두 점에

서 만나야 하므로 위의 그림에서 $0<a<\dfrac{1}{e}$

답 $0<a<\dfrac{1}{e}$

344

⑴ $x>\ln x-1$에서 $x-\ln x+1>0$

$f(x)=x-\ln x+1$로 놓으면

$f'(x)=1-\dfrac{1}{x}=\dfrac{x-1}{x}$

$f'(x)=0$에서 $x=1$

$x>0$에서 함수 $f(x)$의 증가와 감소를 표로 나타내면 다음과 같다.

x	(0)	$\cdots$	1	$\cdots$
$f'(x)$		$-$	0	$+$
$f(x)$		↘	2	↗

즉, 함수 $f(x)$는 $x=1$에서 극소이면서 최소이므로

$f(x)$의 최솟값은 $f(1)=2$

이때 최솟값이 0보다 크므로 다른 값도 0보다 크다.

따라서 $x>0$일 때 부등식 $f(x)>0$, 즉

$x-\ln x+1>0$이 성립한다.

$\therefore x>\ln x-1$

⑵ $e^x>x+1$에서 $e^x-x-1>0$

$f(x)=e^x-x-1$로 놓으면 $f'(x)=e^x-1$

$x>0$일 때 $e^x>1$이므로 $f'(x)>0$이다.

따라서 함수 $f(x)$는 $x>0$에서 증가한다.

그런데 $f(0)=0$이므로 $x>0$일 때 부등식 $f(x)>0$

즉, $e^x-x-1>0$이 성립한다.

$\therefore e^x>x+1$

⑶ $\ln(1+x)>x-\dfrac{1}{2}x^2$에서

$\ln(1+x)-x+\dfrac{1}{2}x^2>0$

$f(x)=\ln(1+x)-x+\dfrac{1}{2}x^2$으로 놓으면

$f'(x)=\dfrac{1}{1+x}-1+x=\dfrac{x^2}{1+x}$

이므로 $x>0$일 때 $f'(x)>0$이다.

따라서 함수 $f(x)$는 $x>0$에서 증가한다.

그런데 $f(0)=0$이므로 $x>0$일 때 부등식 $f(x)>0$

즉, $\ln(1+x)-x+\dfrac{1}{2}x^2>0$이 성립한다.

$\therefore \ln(1+x)>x-\dfrac{1}{2}x^2$

답 ⑴ 풀이 참조 ⑵ 풀이 참조 ⑶ 풀이 참조

346

⑴ 로그의 진수는 0보다 크므로

$ax>0$ $\therefore a>0$ ...... ㉠

$f(x)=x-\ln ax$로 놓으면

$f'(x)=1-\dfrac{1}{x}=\dfrac{x-1}{x}$

$f'(x)=0$에서 $x=1$

$x>0$에서 함수 $f(x)$의 증가와 감소를 표로 나타내면 다음과 같다.

x	(0)	$\cdots$	1	$\cdots$
$f'(x)$		$-$	0	$+$
$f(x)$		↘	$1-\ln a$	↗

즉, 함수 $f(x)$는 $x=1$에서 극소이면서 최소이므로

$f(x)$의 최솟값은 $f(1)=1-\ln a$

따라서 $x>0$일 때 $f(x)>0$이려면

$1-\ln a>0$ $\therefore a<e$ ...... ㉡

㉠, ㉡의 공통부분은

$0<a<e$

⑵ $\cos x>a-x^2$에서 $\cos x-a+x^2>0$

$f(x)=\cos x-a+x^2$으로 놓으면

$f'(x)=-\sin x+2x$

$f''(x)=-\cos x+2$

$x>0$일 때 $-1\le\cos x\le1$이므로 $f''(x)>0$이다.

즉, 함수 $f'(x)$는 $x>0$에서 증가한다.

그런데 $f'(0)=0$이므로 $x>0$일 때 $f'(x)>0$이다.

따라서 함수 $f(x)$는 $x>0$에서 증가한다.

그러므로 $x>0$일 때 $f(x)>0$이려면

$f(0)=1-a\geq0$

$\therefore a\leq1$

답 (1) $0<a<e$ (2) $a\leq1$

348

(1) $f(t)=\sin t\pi+\cos t\pi-1$이라 하자.

시각 $t=a$에서 $t=b$ 사이의 평균속도는

$\dfrac{\Delta x}{\Delta t}=\dfrac{f(b)-f(a)}{b-a}$이므로

$\dfrac{\Delta x}{\Delta t}=\dfrac{f(4)-f(2)}{4-2}=\dfrac{0-0}{2}=0$

(2) 속도 $v=\lim\limits_{\Delta t\to0}\dfrac{\Delta x}{\Delta t}=\dfrac{dx}{dt}=f'(t)$이므로

$f'(t)=\pi\cos t\pi-\pi\sin t\pi=\pi(\cos t\pi-\sin t\pi)$

$\therefore v(t)=\pi(\cos t\pi-\sin t\pi)$

$t=\dfrac{2}{3}$이므로

$v\left(\dfrac{2}{3}\right)=\pi\left(\cos\dfrac{2}{3}\pi-\sin\dfrac{2}{3}\pi\right)=\pi\left(-\dfrac{1}{2}-\dfrac{\sqrt{3}}{2}\right)$

$=-\dfrac{\pi}{2}(1+\sqrt{3})$

가속도 $a=\lim\limits_{\Delta t\to0}\dfrac{\Delta v}{\Delta t}=\dfrac{dv}{dt}=v'(t)$이므로

$v'(t)=\pi(-\pi\sin t\pi-\pi\cos t\pi)$

$=-\pi^2(\sin t\pi+\cos t\pi)$

$\therefore a(t)=-\pi^2(\sin t\pi+\cos t\pi)$

$t=\dfrac{2}{3}$이므로

$a\left(\dfrac{2}{3}\right)=-\pi^2\left(\sin\dfrac{2}{3}\pi+\cos\dfrac{2}{3}\pi\right)$

$=-\pi^2\left(\dfrac{\sqrt{3}}{2}-\dfrac{1}{2}\right)$

$=-\dfrac{\pi^2}{2}(\sqrt{3}-1)$

(3) 점 P가 운동 방향을 바꾸는 경우는 속도가 0인 경우이다.

앞서 시간 t에 따른 속도 v는

$v(t)=\pi(\cos t\pi-\sin t\pi)$

이므로 $v(t)=0$에서

$\pi(\cos t\pi-\sin t\pi)=0$

$\cos t\pi=\sin t\pi$

$\therefore \tan t\pi=1$

이때 출발한 이후이므로 $t\neq0$이고

$0<t\pi\leq4\pi$이므로 $\pi t=\dfrac{\pi}{4},\dfrac{5}{4}\pi,\dfrac{9}{4}\pi,\dfrac{13}{4}\pi$

$\therefore t=\dfrac{1}{4},\dfrac{5}{4},\dfrac{9}{4},\dfrac{13}{4}$

답 (1) 0

(2) 속도: $-\dfrac{\pi}{2}(1+\sqrt{3})$, 가속도: $-\dfrac{\pi^2}{2}(\sqrt{3}-1)$

(3) $t=\dfrac{1}{4},\dfrac{5}{4},\dfrac{9}{4},\dfrac{13}{4}$

350

(1) $\dfrac{dx}{dt}=-6\sin3t$, $\dfrac{dy}{dt}=6\cos3t$이므로 속도 $\vec{v}$는

$\vec{v}=(-6\sin3t,\ 6\cos3t)$

따라서 속력 $|\vec{v}|$는

$|\vec{v}|=\sqrt{(-6\sin3t)^2+(6\cos3t)^2}$

$=\sqrt{36\sin^2 3t+36\cos^2 3t}$

$=\sqrt{36(\sin^2 3t+\cos^2 3t)}$

$=\sqrt{36}=6$

(2) $\dfrac{d^2x}{dt^2}=-18\cos3t$, $\dfrac{d^2y}{dt^2}=-18\sin3t$이므로

가속도 $\vec{a}$는 $\vec{a}=(-18\cos3t,\ -18\sin3t)$

따라서 가속도의 크기 $|\vec{a}|$는

$|\vec{a}|=\sqrt{(-18\cos3t)^2+(-18\sin3t)^2}$

$=\sqrt{324\cos^2 3t+324\sin^2 3t}$

$=\sqrt{324(\sin^2 3t+\cos^2 3t)}$

$=\sqrt{324}=18$

답 (1) $\vec{v}=(-6\sin3t,\ 6\cos3t)$, $|\vec{v}|=6$

(2) $\vec{a}=(-18\cos3t,\ -18\sin3t)$, $|\vec{a}|=18$

352

$\dfrac{dx}{dt}=1-\cos t$, $\dfrac{dy}{dt}=\sin t$이므로 속도 $\vec{v}$는

$\vec{v}=(1-\cos t,\ \sin t)$

즉, 속력 $|\vec{v}|$는

$|\vec{v}|=\sqrt{(1-\cos t)^2+\sin^2 t}=\sqrt{2-2\cos t}$

$0\leq t\leq2\pi$에서 $-1\leq\cos t\leq1$이므로

$0\leq2-2\cos t\leq4$

$\therefore 0\leq|\vec{v}|\leq2$

이때 속력 $|\vec{v}|$가 최대가 되는 것은 $2-2\cos t=4$, 즉

$\cos t=-1$일 때이다.

따라서 속력이 최대가 되는 시각은 $t=\pi$이고

그때의 속력은 2이다.

답 시각: $t=\pi$, 속력: 2

354

(ⅰ) 말이 길다고 당황하지 말고 차분히 상황을 파악하자.

· 주어진 변화율 ➡ 자동차의 속도

· 구하라는 변화율 ➡ θ의 변화율

(ⅱ) 결국, 다음 그림에서 $x'=30$일 때 θ'을 구하라는 소리.

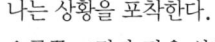

x와 θ 사이의 관계식을 구하면

직각삼각형 PQR에서 $\tan\theta=\dfrac{x}{300}$

이 식의 양변을 t에 대하여 미분하면

$\sec^2\theta \times \theta'=\dfrac{x'}{300}$ ······ ㉠

(ⅲ) 이제 $\overline{PQ}=600$일 때의 값들을 구해 대입하면 끝.

$x=600$일 때 $\tan\theta=\dfrac{600}{300}=2$

$\therefore \sec^2\theta=1+\tan^2\theta=1+2^2=5$

이 값과 $x'=30$을 ㉠에 대입하면

$5 \times \theta'=\dfrac{30}{300}$

$\therefore \theta'=\dfrac{1}{50}$ (라디안/초)

탑 $\dfrac{1}{50}$ 라디안/초

355

두 함수 $y=\ln x$와 $y=ax$의 그래프의 교점을 조사한다.

(ⅰ) $y=ax$는 원점을 지나는 직선.

원점을 중심으로 직선을 빙글빙글 돌리며 곡선과 만나는 상황을 포착한다.

(ⅱ) 오른쪽 그림과 같은 상황.

x축일 때와 접할 때를 경계로 교점의 개수가 바뀜을 알 수 있다.

x축일 때는 $a=0$

(ⅲ) 따라서 접할 때의 a의 값만 구하면 끝.

곡선과 직선이 접할 때는

무조건 그냥 같다. 미분해서 같다.

$f(x)=\ln x$, $g(x)=ax$로 놓으면

$f'(x)=\dfrac{1}{x}$, $g'(x)=a$

이므로 접점의 x좌표를 t라 하면

$f(t)=g(t)$에서 $\ln t=at$ ······ ㉠

$f'(t)=g'(t)$에서 $\dfrac{1}{t}=a$ ······ ㉡

㉡을 ㉠에 대입하면 $\ln t=\dfrac{1}{t} \times t$

$\ln t=1$ $\quad\therefore t=e$

$\therefore a=\dfrac{1}{e}$

ㄱ. $a\leq 0$일 때, 두 함수 $y=\ln x$와 $y=ax$의 그래프는 한 점에서 만나므로 주어진 방정식은 오직 한 개의 실근을 갖는다. (참)

ㄴ. $0<a<\dfrac{1}{e}$일 때, 두 함수 $y=\ln x$와 $y=ax$의 그래프는 두 점에서 만나므로 주어진 방정식은 서로 다른 두 개의 실근을 갖는다. (참)

ㄷ. $a=\dfrac{1}{e}$일 때, 두 함수 $y=\ln x$와 $y=ax$의 그래프는 한 점에서 만나므로 주어진 방정식은 한 개의 실근을 갖는다. (거짓)

따라서 옳은 것은 ㄱ, ㄴ이다.

탑 ㄱ, ㄴ

356

$e^{2ax-1}=x$에서 $2ax-1=\ln x$

(ⅰ) $y=2ax-1$은 점 $(0, -1)$을 지나는 직선.

점 $(0, -1)$을 중심으로 직선을 빙글빙글 돌리며 두 점에서 만나는 상황을 포착한다.

(ⅱ) 오른쪽 그림과 같은 상황.

x축에 평행할 때와 접할 때를 경계로 교점의 개수가 바뀜을 알 수 있다.

x축에 평행할 때는 $2a=0$

$\therefore a=0$

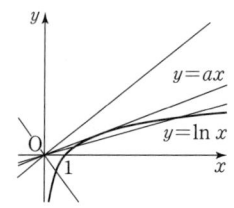

(ⅲ) 따라서 접할 때의 a의 값만 구하면 끝.

곡선과 직선이 접할 때는

무조건 그냥 같다. 미분해서 같다.

$f(x)=2ax-1$, $g(x)=\ln x$로 놓으면

$f'(x)=2a$, $g'(x)=\dfrac{1}{x}$

접점의 x좌표를 t라 하면

$f(t)=g(t)$에서 $2at-1=\ln t$ ······ ㉠

$f'(t)=g'(t)$에서 $2a=\dfrac{1}{t}$ ······ ㉡

ⓒ을 ㉠에 대입하면 $\dfrac{1}{t} \times t - 1 = \ln t$

$\ln t = 0$　　$\therefore t = 1$

$\therefore a = \dfrac{1}{2}$

따라서 두 점에서 만날 때는 $0 < a < \dfrac{1}{2}$

　　　　　　　　　　　　답 $0 < a < \dfrac{1}{2}$

357

$f(x) = \cos 2x - 2 \cos x$로 놓으면 $f(x)$는 주기가 2π인 주기함수이므로 $0 \le x \le 2\pi$에서 부등식 $f(x) \le a$를 만족시키는 a의 최솟값을 구하면 된다.

$f(x) = \cos 2x - 2\cos x$에서

$f'(x) = -2 \sin 2x + 2 \sin x$

$\qquad = -4 \sin x \cos x + 2 \sin x$

$\qquad = -2 \sin x (2 \cos x - 1)$

$f'(x) = 0$에서 $\sin x = 0$ 또는 $\cos x = \dfrac{1}{2}$

$\therefore x = 0$ 또는 $x = \dfrac{\pi}{3}$ 또는 $x = \pi$

　 또는 $x = \dfrac{5}{3}\pi$ 또는 $x = 2\pi$ $(\because 0 \le x \le 2\pi)$

$0 \le x \le 2\pi$에서 함수 $f(x)$의 증가와 감소를 표로 나타내면 다음과 같다.

x	0	$\cdots$	$\dfrac{\pi}{3}$	$\cdots$	π	$\cdots$	$\dfrac{5}{3}\pi$	$\cdots$	2π
$f'(x)$	0	$-$	0	$+$	0	$-$	0	$+$	0
$f(x)$	-1	↘	$-\dfrac{3}{2}$	↗	3	↘	$-\dfrac{3}{2}$	↗	-1

즉, 함수 $f(x)$의 최댓값은 $f(\pi) = 3$이므로 부등식 $f(x) \le a$가 항상 성립하려면 $a \ge 3$

따라서 실수 a의 최솟값은 3이다.

　　　　　　　　　　　　　　　　답 3

358

$0 < x < \dfrac{\pi}{4}$일 때, 부등식

$\tan 2x > ax$가 성립하려면 오른쪽 그림과 같이 곡선 $y = \tan 2x$가 직선 $y = ax$보다 위쪽에 있어야 한다.

$f(x) = \tan 2x$로 놓으면

$f'(x) = 2 \sec^2 2x$

$y = ax$는 원점을 지나는 직선이고

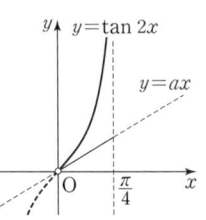

$f'(0) = 2 \sec^2 0 = 2$이므로 $0 < x < \dfrac{\pi}{4}$에서 주어진 부등식이 성립하려면 $a \le 2$

　　　　　　　　　　　　　　답 $a \le 2$

359

$\dfrac{dx}{dt} = \dfrac{1}{2\sqrt{t}}$, $\dfrac{dy}{dt} = \dfrac{2}{t}$이므로 속도 $\vec{v}$는

$\vec{v} = \left(\dfrac{1}{2\sqrt{t}}, \ \dfrac{2}{t} \right)$

즉, 시각 $t = 4$에서의 속도 $\vec{v}$는 $\vec{v} = \left(\dfrac{1}{4}, \ \dfrac{1}{2} \right)$

따라서 시각 $t = 4$에서의 속력 $|\vec{v}|$는

$|\vec{v}| = \sqrt{\left(\dfrac{1}{4} \right)^2 + \left(\dfrac{1}{2} \right)^2} = \sqrt{\dfrac{5}{16}} = \dfrac{\sqrt{5}}{4}$

　　　　　　　　　　　　　　답 $\dfrac{\sqrt{5}}{4}$

360

$\dfrac{dx}{dt} = 2$, $\dfrac{dy}{dt} = t - \dfrac{1}{t}$이므로 속도 $\vec{v}$는

$\vec{v} = \left(2, \ t - \dfrac{1}{t} \right)$

$|\vec{v}| = \sqrt{2^2 + \left(t - \dfrac{1}{t} \right)^2} = \sqrt{t^2 + 2 + \dfrac{1}{t^2}}$

$\qquad = \sqrt{\left(t + \dfrac{1}{t} \right)^2} = t + \dfrac{1}{t} \ (\because t > 0)$

$t > 0$, $\dfrac{1}{t} > 0$이므로 산술평균과 기하평균의 관계에 의해

$t + \dfrac{1}{t} \ge 2 \sqrt{t \times \dfrac{1}{t}} = 2$

이때 등호는 $t = \dfrac{1}{t}$일 때 성립하므로

$t^2 = 1$　　$\therefore t = 1 \ (\because t > 0)$

따라서 점 P의 속력이 최소가 되는 순간의 속도는 시각 $t = 1$일 때의 속도이므로 $\vec{v} = (2, 0)$

　　　　　　　　　　　　　　답 $(2, 0)$

361

$x + 2y - 1 = 0$에서 $y = -\dfrac{1}{2}x + \dfrac{1}{2}$이므로

이 직선에 수직인 직선의 기울기는 2이다.

$f(x) = x - \sin x$로 놓으면 $f'(x) = 1 - \cos x$

접점의 좌표를 $(a, \ a - \sin a)$로 놓으면 접선의 기울기가 2이므로

$f'(a) = 1 - \cos a = 2$, $\cos a = -1$

$\therefore a = \pi \ (\because 0 < a < 2\pi)$

즉, 접점의 좌표는 $(\pi, \ \pi)$이다.

기울기가 2이고 점 (π, π)를 지나는 접선의 방정식은
$$y-\pi=2(x-\pi) \qquad \therefore y=2x-\pi$$
따라서 구하는 y절편은 $-\pi$이다.

답 $-\pi$

362

접선이 점 $(1, 0)$을 지나므로 $y=m(x-1)$로 놓으면 주어진 문제는 다음과 같이 변신한다.

> 곡선 $y=xe^x$과 직선 $y=m(x-1)$이 접할 때, 모든 m의 값의 곱은?

$f(x)=xe^x$, $g(x)=m(x-1)$로 놓으면
$$f'(x)=e^x+xe^x, \quad g'(x)=m$$
접점의 x좌표를 t라 하면
$f(t)=g(t)$에서 $te^t=m(t-1)$ $\qquad \cdots\cdots$ ㉠
$f'(t)=g'(t)$에서 $e^t+te^t=m$ $\qquad \cdots\cdots$ ㉡
㉡을 ㉠에 대입하면 $te^t=(e^t+te^t)(t-1)$
$t=(1+t)(t-1)$ $\qquad \therefore t^2-t-1=0$
이 이차방정식의 두 근을 α, β라 하면
근과 계수의 관계에 의해
$$\alpha+\beta=1, \ \alpha\beta=-1$$
㉡에서 $m_1=e^\alpha+\alpha e^\alpha$, $m_2=e^\beta+\beta e^\beta$이라 하면
$$\begin{aligned}
m_1 m_2 &=e^\alpha(1+\alpha)\times e^\beta(1+\beta) \\
&=e^{\alpha+\beta}\{1+(\alpha+\beta)+\alpha\beta\} \\
&=e^1(1+1-1)=e
\end{aligned}$$

답 e

363

$f(x)=(2x+a)e^{-x}$으로 놓으면
$$f'(x)=2e^{-x}-(2x+a)e^{-x}=(2-2x-a)e^{-x}$$
접점의 좌표를 $(t, (2t+a)e^{-t})$으로 놓으면
접선의 기울기가 $f'(t)=(2-2t-a)e^{-t}$이므로
접선의 방정식은
$$y-(2t+a)e^{-t}=(2-2t-a)e^{-t}(x-t)$$
이 직선이 원점을 지나므로
$$0-(2t+a)e^{-t}=(2-2t-a)e^{-t}\times(0-t)$$
$$e^{-t}(2t^2+at+a)=0$$
$$\therefore 2t^2+at+a=0 \ (\because e^{-t}>0) \qquad \cdots\cdots$$ ㉠
원점에서 곡선 $y=f(x)$에 오직 하나의 접선을 그을 수 있으려면 이차방정식 ㉠이 중근을 가져야 하므로 ㉠의 판별식을 D라 하면

$$D=a^2-4\times 2\times a=0, \ a(a-8)=0$$
$$\therefore a=8 \ (\because a\neq 0)$$

답 8

364

$f(x)=\cos 3x-ax$에서
$$f'(x)=-3\sin 3x-a$$
함수 $f(x)$가 실수 전체의 집합에서 감소하려면
$f'(x)\leq 0$이어야 하므로
$$-3\sin 3x-a\leq 0, \ 3\sin 3x\geq -a$$
이때 $-3\leq 3\sin 3x\leq 3$이므로
$$-a\leq -3 \qquad \therefore a\geq 3$$
따라서 구하는 실수 a의 최솟값은 3이다.

답 3

365

$f(x)=x+a\cos x$에서
$$f'(x)=1-a\sin x$$
$f'(x)=0$에서 $\sin x=\dfrac{1}{a}$ $\qquad \cdots\cdots$ ㉠
함수 $f(x)$가 극값을 가지려면 ㉠의 근이 존재하고, 그 점의 좌우에서 $f'(x)$의 부호가 바뀌어야 한다.
즉, $\dfrac{1}{|a|}<1$이어야 하므로 $|a|>1$
$$\therefore a<-1 \ \text{또는} \ a>1$$
따라서 a의 값으로 적당하지 않은 것은 ②이다.

답 ②

366

$f(x)=\ln(x^2+4)$에서
$$f'(x)=\frac{2x}{x^2+4}$$
$$\begin{aligned}
f''(x)&=\frac{2(x^2+4)-2x\times 2x}{(x^2+4)^2}=\frac{-2(x^2-4)}{(x^2+4)^2} \\
&=\frac{-2(x+2)(x-2)}{(x^2+4)^2}
\end{aligned}$$
$f''(x)=0$에서 $x=-2$ 또는 $x=2$
이때 $x<-2$ 또는 $x>2$일 때 $f''(x)<0$이고,
$-2<x<2$일 때 $f''(x)>0$이다.
즉, $x=-2$, $x=2$의 좌우에서 $f''(x)$의 부호가 바뀌므로 변곡점의 좌표는 $(-2, \ln 8)$, $(2, \ln 8)$이다.
따라서 두 점 사이의 거리는
$$2-(-2)=4$$

답 4

367

$f(x)=(\ln ax)^2$으로 놓으면 $x>0$이고

$f'(x)=2\ln ax \times \dfrac{a}{ax}=\dfrac{2\ln ax}{x}$

$f''(x)=\dfrac{\dfrac{2a}{ax}\times x-2\ln ax \times 1}{x^2}=\dfrac{2(1-\ln ax)}{x^2}$

$f''(x)=0$에서 $1-\ln ax=0$, $ax=e$

$\therefore x=\dfrac{e}{a}$

$x=\dfrac{e}{a}$의 좌우에서 $f''(x)$의 부호가 바뀌므로 변곡점의 좌표는 $\left(\dfrac{e}{a},\ 1\right)$이고, 이 점이 직선 $y=3x-2$ 위에 있으므로

$1=\dfrac{3e}{a}-2$, $\dfrac{3e}{a}=3$ $\quad\therefore a=e$

답 e

368

$f(x)=\dfrac{x}{x^2+1}$에서

$f'(x)=\dfrac{1\times(x^2+1)-x\times 2x}{(x^2+1)^2}=-\dfrac{(x+1)(x-1)}{(x^2+1)^2}$

$f'(x)=0$에서 $x=-1$ 또는 $x=1$

$-2\le x\le 2$에서 함수 $f(x)$의 증가와 감소를 표로 나타내면 다음과 같다.

x	-2	$\cdots$	-1	$\cdots$	1	$\cdots$	2
$f'(x)$		$-$	0	$+$	0	$-$	
$f(x)$	$-\dfrac{2}{5}$	$\searrow$	$-\dfrac{1}{2}$	$\nearrow$	$\dfrac{1}{2}$	$\searrow$	$\dfrac{2}{5}$

따라서 최댓값은 $f(1)=\dfrac{1}{2}$, 최솟값은 $f(-1)=-\dfrac{1}{2}$

이므로 최댓값과 최솟값의 합은

$\dfrac{1}{2}+\left(-\dfrac{1}{2}\right)=0$

답 0

369

$f(x)=x\ln x-3x+a$에서 $x>0$이고

$f'(x)=\ln x+x\times\dfrac{1}{x}-3=\ln x-2$

$f'(x)=0$에서 $\ln x=2$

$\therefore x=e^2$

$x>0$에서 함수 $f(x)$의 증가와 감소를 표로 나타내면 다음과 같다.

x	(0)	$\cdots$	e^2	$\cdots$
$f'(x)$		$-$	0	$+$
$f(x)$		$\searrow$	$a-e^2$	$\nearrow$

따라서 함수 $f(x)$는 $x=e^2$에서 극소이면서 최소이고, 최솟값이 0이므로

$f(e^2)=a-e^2=0$ $\quad\therefore a=e^2$

답 e^2

370

$y=2\sin^3 x+3\cos^2 x=2\sin^3 x+3(1-\sin^2 x)$

$\quad=2\sin^3 x-3\sin^2 x+3$

여기서 $\sin x=t$로 치환하면 $y=2t^3-3t^2+3$이고,

$0\le x\le\dfrac{\pi}{2}$에서 $0\le\sin x\le 1$이므로 $0\le t\le 1$

이제 다음과 같은 문제로 변신한다.

> $y=2t^3-3t^2+3$ $(0\le t\le 1)$의 최댓값을 M, 최솟값을 m이라 할 때, $M-m$의 값은?

$f(t)=2t^3-3t^2+3$으로 놓으면

$f'(t)=6t^2-6t=6t(t-1)$

$f'(t)=0$에서 $t=0$ 또는 $t=1$

이때 함수 $y=f(t)$의 그래프의 개형은 오른쪽 그림과 같다.

따라서 최댓값은 $f(0)=3$, 최솟값은 $f(1)=2$이므로

$M=3,\ m=2$

$\therefore M-m=3-2=1$

답 1

371

$f(x)=ax-a\sin 2x$에서

$f'(x)=a-2a\cos 2x=a(1-2\cos 2x)$

$f'(x)=0$에서 $\cos 2x=\dfrac{1}{2}$

$\therefore x=\dfrac{\pi}{6}$ $\left(\because 0\le x\le\dfrac{\pi}{2}\right)$

$0\le x\le\dfrac{\pi}{2}$에서 함수 $f(x)$의 증가와 감소를 표로 나타내면 다음과 같다.

x	0	$\cdots$	$\dfrac{\pi}{6}$	$\cdots$	$\dfrac{\pi}{2}$
$f'(x)$		$-$	0	$+$	
$f(x)$	0	$\searrow$	$\dfrac{a}{6}\pi-\dfrac{\sqrt{3}}{2}a$	$\nearrow$	$\dfrac{a}{2}\pi$

이때 함수 $f(x)$의 최댓값이 $f\left(\dfrac{\pi}{2}\right)=\dfrac{a}{2}\pi$이므로

$\dfrac{a}{2}\pi=3\pi$ $\quad\therefore a=6$

따라서 함수 $f(x)$의 최솟값은

$$f\left(\frac{\pi}{6}\right) = \pi - 3\sqrt{3}$$

답 $\pi - 3\sqrt{3}$

372

$\dfrac{1}{2} \leq x \leq 1$이므로 $\dfrac{a}{x} \leq e^{2x} \leq \dfrac{b}{x}$의 각 변에 x를 곱하면

$a \leq xe^{2x} \leq b$

이때 $f(x) = xe^{2x}$으로 놓으면

$f'(x) = e^{2x} + 2xe^{2x} = (1+2x)e^{2x}$

$\dfrac{1}{2} \leq x \leq 1$에서 $f'(x) > 0$이므로 이 구간에서 함수

$f(x)$는 증가한다.

따라서 함수 $f(x)$는 $x = \dfrac{1}{2}$에서 최솟값 $\dfrac{e}{2}$를 갖고,

$x = 1$에서 최댓값 e^2을 가지므로

$a \leq \dfrac{e}{2}$, $b \geq e^2$

따라서 $M = \dfrac{e}{2}$, $m = e^2$이므로

$$\frac{m}{M} = \frac{e^2}{\dfrac{e}{2}} = 2e$$

답 $2e$

373

$f(x) = a \ln x$와 그 역함수의 그래프는 직선 $y = x$에 대하여 대칭이고, $f(x) = a \ln x$와 그 역함수의 그래프가 서로 접하므로 접점에서 그은 접선의 방정식은 $y = x$이다.

$f(x) = a \ln x$에서 $f'(x) = \dfrac{a}{x}$

두 함수 $y = \ln x$, $y = x$의 그래프의 접점의 좌표를 $(t, a \ln t)$로 놓으면 이 점은 직선 $y = x$ 위에 있으므로

$a \ln t = t$ ...... ㉠

또, $x = t$에서의 접선의 기울기는 1이므로

$f'(t) = \dfrac{a}{t} = 1$ $\quad \therefore t = a$

$t = a$를 ㉠에 대입하면 $a \ln a = a$

$\ln a = 1$ $\quad \therefore a = e$

답 e

374

$f(x) = \dfrac{2}{x} + a \ln x - 2x$에서

$f'(x) = -\dfrac{2}{x^2} + \dfrac{a}{x} - 2 = \dfrac{-2x^2 + ax - 2}{x^2}$

$f'(x) = 0$에서 $2x^2 - ax + 2 = 0$ ...... ㉠

함수 $f(x)$가 극댓값과 극솟값을 모두 가지려면 이차방정식 ㉠이 서로 다른 두 실근을 가져야 한다.

이때 로그의 진수 조건에 의하여 $x > 0$이므로 ㉠의 서로 다른 두 근 α, β가 모두 양수이어야 한다.

㉠의 판별식을 D라 하면

(i) $D = a^2 - 16 > 0$

$\quad (a+4)(a-4) > 0$ $\quad \therefore a < -4$ 또는 $a > 4$

(ii) $\alpha + \beta = -\dfrac{-a}{2} > 0$ $\quad \therefore a > 0$

(iii) $\alpha\beta = \dfrac{2}{2} = 1 > 0$

(i), (ii), (iii)의 공통부분을 구하면 $a > 4$

따라서 자연수 a의 최솟값은 5이다.

답 5

375

$f(x) = (ax^2 - 1)e^x$으로 놓으면

$f'(x) = 2axe^x + (ax^2 - 1)e^x$

$\qquad = (ax^2 + 2ax - 1)e^x$

$f''(x) = (2ax + 2a)e^x + (ax^2 + 2ax - 1)e^x$

$\qquad = (ax^2 + 4ax + 2a - 1)e^x$

곡선 $y = f(x)$가 변곡점을 갖지 않으려면 방정식 $f''(x) = 0$이 실근을 갖지 않거나 $f''(x) = 0$의 실근의 좌우에서 $f''(x)$의 부호가 바뀌지 않아야 한다.

(i) $a = 0$일 때

$\quad f''(x) = -e^x < 0$이므로 $f''(x) = 0$을 만족시키는 x의 값이 존재하지 않는다.

(ii) $a \neq 0$일 때

$\quad e^x > 0$이므로 이차방정식 $ax^2 + 4ax + 2a - 1 = 0$이 중근을 갖거나 허근을 가져야 한다.

이차방정식 $ax^2 + 4ax + 2a - 1 = 0$의 판별식을 D라 하면

$\dfrac{D}{4} = (2a)^2 - a(2a-1) \leq 0$, $2a^2 + a \leq 0$

$a(2a+1) \leq 0$ $\quad \therefore -\dfrac{1}{2} \leq a \leq 0$

그런데 $a \neq 0$이므로 $-\dfrac{1}{2} \leq a < 0$

(i), (ii)에서 $-\dfrac{1}{2} \leq a \leq 0$이므로 구하는 a의 최솟값은 $-\dfrac{1}{2}$이다.

답 $-\dfrac{1}{2}$

376

$y=\ln x$에서 $y'=\dfrac{1}{x}$이므로 곡선 $y=\ln x$ 위의

점 $\mathrm{P}(t,\ln t)$에서의 접선의 방정식은

$y-\ln t=\dfrac{1}{t}(x-t)$

이 접선이 x축, y축과 만나는 점 Q, R의 좌표는 각각

$\mathrm{Q}(t(1-\ln t),0)$, $\mathrm{R}(0,\ln t-1)$

$\triangle\mathrm{ORQ}$의 넓이를 $S(t)$라 하면

$S(t)=\dfrac{1}{2}t(1-\ln t)^2$

$S'(t)=\dfrac{1}{2}(1-\ln t)^2+\dfrac{1}{2}t\times 2(1-\ln t)\times\left(-\dfrac{1}{t}\right)$

$\quad\ \ =\dfrac{1}{2}(\ln t+1)(\ln t-1)$

$S'(t)=0$에서 $\ln t=-1$ $(\because 0<t<1)$

$\therefore t=\dfrac{1}{e}$

$0<t<1$에서 함수 $S(t)$의 증가와 감소를 표로 나타내면 다음과 같다.

x	(0)	$\cdots$	$\dfrac{1}{e}$	$\cdots$	(1)
$S'(t)$		$+$	0	$-$	
$S(t)$		$\nearrow$	극대	$\searrow$	

따라서 $S(t)$는 $t=\dfrac{1}{e}$에서 극대이면서 최대이므로

$\triangle\mathrm{ORQ}$의 넓이를 최대로 하는 t의 값은 $\dfrac{1}{e}$이다.

답 $\dfrac{1}{e}$

377

두 방정식 $\ln x=ax$,

$e^{2x}=ax$가 모두 실근을 갖지

않으려면 직선 $y=ax$가 두 곡

선 $y=\ln x$, $y=e^{2x}$과 만나지

않아야 한다.

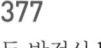

(i) 직선 $y=ax$가 곡선

$y=\ln x$에 접할 때:

$y=\ln x$에서 $y'=\dfrac{1}{x}$이므로 곡선 $y=\ln x$ 위의

점 $(t,\ln t)$에서의 접선의 방정식은

$y-\ln t=\dfrac{1}{t}(x-t)$

이 직선이 원점을 지나므로 $-\ln t=-1$

$\therefore t=e$

따라서 직선 $y=ax$가 점 $(e,1)$을 지나므로

$1=ea$ $\quad\therefore a=\dfrac{1}{e}$

(ii) 직선 $y=ax$가 곡선 $y=e^{2x}$에 접할 때:

$y=e^{2x}$에서 $y'=2e^{2x}$이므로 곡선 $y=e^{2x}$ 위의

점 (p,e^{2p})에서의 접선의 방정식은

$y-e^{2p}=2e^{2p}(x-p)$

이 직선이 원점을 지나므로

$-e^{2p}=-2pe^{2p}$ $\quad\therefore p=\dfrac{1}{2}$

따라서 직선 $y=ax$가 점 $\left(\dfrac{1}{2},e\right)$를 지나므로

$e=\dfrac{1}{2}a$ $\quad\therefore a=2e$

(i), (ii)에서 구하는 a의 값의 범위는 $\dfrac{1}{e}<a<2e$

답 $\dfrac{1}{e}<a<2e$

378

$\dfrac{dx}{dt}=e^t\cos t-e^t\sin t$, $\dfrac{dy}{dt}=e^t\sin t+e^t\cos t$

이므로 속도 $\vec{v}$는

$\vec{v}=(e^t\cos t-e^t\sin t,\ e^t\sin t+e^t\cos t)$

즉, 속력 $|\vec{v}|$는

$|\vec{v}|=\sqrt{(e^t\cos t-e^t\sin t)^2+(e^t\sin t+e^t\cos t)^2}$

$\quad\ \ =\sqrt{2e^{2t}(\sin^2 t+\cos^2 t)}$

$\quad\ \ =\sqrt{2e^{2t}}$

점 P의 속력이 $\sqrt{2e}$일 때의 시각이 t_1이므로

$\sqrt{2e^{2t_1}}=\sqrt{2e}$ $\quad\therefore t_1=\dfrac{1}{2}$

$\dfrac{d^2x}{dt^2}=(e^t\cos t-e^t\sin t)-(e^t\sin t+e^t\cos t)$

$\quad\ \ =-2e^t\sin t$

$\dfrac{d^2y}{dt^2}=(e^t\sin t+e^t\cos t)+(e^t\cos t-e^t\sin t)$

$\quad\ \ =2e^t\cos t$

이므로 가속도 $\vec{a}$는 $\vec{a}=(-2e^t\sin t,\ 2e^t\cos t)$

즉, 가속도의 크기 $|\vec{a}|$는

$|\vec{a}|=\sqrt{(-2e^t\sin t)^2+(2e^t\cos t)^2}$

$\quad\ \ =\sqrt{4e^{2t}(\sin^2 t+\cos^2 t)}$

$\quad\ \ =\sqrt{4e^{2t}}=2e^t$

점 P의 가속도의 크기가 $2e\sqrt{e}$일 때의 시각이 t_2이므로

$2e^{t_2}=2e\sqrt{e}$ $\quad\therefore t_2=\dfrac{3}{2}$

$\therefore t_1+t_2=\dfrac{1}{2}+\dfrac{3}{2}=2$

답 2

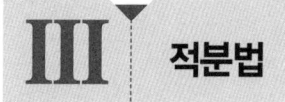

1 여러 가지 적분법

380

(1) $\displaystyle\int \frac{1}{x\sqrt{x}}\,dx = \int x^{-\frac{3}{2}}\,dx = -2x^{-\frac{1}{2}} + C$

$\qquad = -\dfrac{2}{\sqrt{x}} + C$

(2) $\displaystyle\int \frac{x+1}{\sqrt{x}}\,dx = \int (x^{\frac{1}{2}} + x^{-\frac{1}{2}})\,dx$

$\qquad = \dfrac{2}{3}x^{\frac{3}{2}} + 2x^{\frac{1}{2}} + C$

$\qquad = \dfrac{2}{3}x\sqrt{x} + 2\sqrt{x} + C$

답 (1) $-\dfrac{2}{\sqrt{x}} + C$ (2) $\dfrac{2}{3}x\sqrt{x} + 2\sqrt{x} + C$

382

(1) $\displaystyle\int \left(x^{10} - \frac{10}{x} + \frac{1}{x^{10}}\right)dx$

$\qquad = \displaystyle\int \left(x^{10} - \frac{10}{x} + x^{-10}\right)dx$

$\qquad = \dfrac{1}{11}x^{11} - 10\ln|x| - \dfrac{1}{9}x^{-9} + C$

$\qquad = \dfrac{1}{11}x^{11} - 10\ln|x| - \dfrac{1}{9x^9} + C$

(2) $\displaystyle\int \frac{4x^3 - 3x + 1}{x^2}\,dx = \int \left(4x - \frac{3}{x} + x^{-2}\right)dx$

$\qquad\qquad = 2x^2 - 3\ln|x| - x^{-1} + C$

$\qquad\qquad = 2x^2 - 3\ln|x| - \dfrac{1}{x} + C$

(3) $\displaystyle\int \frac{(x - 3\sqrt{x})^2}{\sqrt{x}}\,dx = \int \frac{x^2 - 6x\sqrt{x} + 9x}{\sqrt{x}}\,dx$

$\qquad\qquad = \displaystyle\int (x^{\frac{3}{2}} - 6x + 9x^{\frac{1}{2}})\,dx$

$\qquad\qquad = \dfrac{2}{5}x^{\frac{5}{2}} - 3x^2 + 6x^{\frac{3}{2}} + C$

$\qquad\qquad = \dfrac{2}{5}x^2\sqrt{x} - 3x^2 + 6x\sqrt{x} + C$

답 (1) $\dfrac{1}{11}x^{11} - 10\ln|x| - \dfrac{1}{9x^9} + C$

$\qquad$ (2) $2x^2 - 3\ln|x| - \dfrac{1}{x} + C$

$\qquad$ (3) $\dfrac{2}{5}x^2\sqrt{x} - 3x^2 + 6x\sqrt{x} + C$

384

(1) $\displaystyle\int (e^{x+2} + 5^{x-1})\,dx = \int \left(e^2 \times e^x + \frac{5^x}{5}\right)dx$

$\qquad\qquad = e^2 \times e^x + \dfrac{1}{5} \times \dfrac{5^x}{\ln 5} + C$

$\qquad\qquad = e^{x+2} + \dfrac{5^{x-1}}{\ln 5} + C$

(2) $\displaystyle\int \frac{16^x}{4^x}\,dx = \int 4^x\,dx = \frac{4^x}{\ln 4} + C$

(3) $\displaystyle\int (3^x - 3^{-x})^2\,dx = \int (3^{2x} - 2 + 3^{-2x})\,dx$

$\qquad\qquad = \displaystyle\int \left\{9^x - 2 + \left(\frac{1}{9}\right)^x\right\}dx$

$\qquad\qquad = \dfrac{9^x}{\ln 9} - 2x + \dfrac{\left(\dfrac{1}{9}\right)^x}{\ln\dfrac{1}{9}} + C$

$\qquad\qquad = \dfrac{9^x}{\ln 9} - 2x - \dfrac{9^{-x}}{\ln 9} + C$

(4) $\displaystyle\int \frac{e^{3x}+1}{e^x+1}\,dx = \int \frac{(e^x+1)(e^{2x}-e^x+1)}{e^x+1}\,dx$

$\qquad\qquad = \displaystyle\int (e^{2x} - e^x + 1)\,dx$

$\qquad\qquad = \dfrac{e^{2x}}{\ln e^2} - e^x + x + C$

$\qquad\qquad = \dfrac{e^{2x}}{2} - e^x + x + C$

답 (1) $e^{x+2} + \dfrac{5^{x-1}}{\ln 5} + C$

$\qquad$ (2) $\dfrac{4^x}{\ln 4} + C$

$\qquad$ (3) $\dfrac{9^x}{\ln 9} - 2x - \dfrac{9^{-x}}{\ln 9} + C$

$\qquad$ (4) $\dfrac{e^{2x}}{2} - e^x + x + C$

386

(1) $\displaystyle\int (2\sin x - 3\cos x)\,dx = -2\cos x - 3\sin x + C$

(2) $\displaystyle\int \frac{\cos^2 x}{1 - \sin x}\,dx = \int \frac{1 - \sin^2 x}{1 - \sin x}\,dx$

$\qquad\qquad = \displaystyle\int \frac{(1 + \sin x)(1 - \sin x)}{1 - \sin x}\,dx$

$\qquad\qquad = \displaystyle\int (1 + \sin x)\,dx$

$\qquad\qquad = x - \cos x + C$

(3) $\displaystyle\int \csc x(\csc x + 2\cot x)\,dx$

$\qquad = \displaystyle\int (\csc^2 x + 2\csc x \cot x)\,dx$

$\qquad = -\cot x - 2\csc x + C$

(4) $\displaystyle\int \frac{1 + 2\sin x}{\cos^2 x}\,dx = \int \left(\frac{1}{\cos^2 x} + \frac{2\sin x}{\cos^2 x}\right)dx$

$$=\int\left(\sec^2 x+\frac{2}{\cos x}\times\frac{\sin x}{\cos x}\right)dx$$

$$=\int(\sec^2 x+2\sec x\tan x)dx$$

$$=\tan x+2\sec x+C$$

(5) $1+\cot^2 x=\csc^2 x$에서 $\cot^2 x=\csc^2 x-1$

$$\therefore \int\cot^2 x\,dx=\int(\csc^2 x-1)dx$$

$$=-\cot x-x+C$$

(6) $(\tan x+\cot x)^2=\tan^2 x+2\tan x\cot x+\cot^2 x$

$$=(\sec^2 x-1)+2+(\csc^2 x-1)$$

$$=\sec^2 x+\csc^2 x$$

$$\therefore \int(\tan x+\cot x)^2 dx=\int(\sec^2 x+\csc^2 x)dx$$

$$=\tan x-\cot x+C$$

답 (1) $-2\cos x-3\sin x+C$

(2) $x-\cos x+C$

(3) $-\cot x-2\csc x+C$

(4) $\tan x+2\sec x+C$

(5) $-\cot x-x+C$

(6) $\tan x-\cot x+C$

387

$$F(x)=\int\frac{x-4}{\sqrt{x}+2}dx=\int\frac{(\sqrt{x}+2)(\sqrt{x}-2)}{\sqrt{x}+2}dx$$

$$=\int(\sqrt{x}-2)dx=\int(x^{\frac{1}{2}}-2)dx$$

$$=\frac{2}{3}x^{\frac{3}{2}}-2x+C=\frac{2}{3}x\sqrt{x}-2x+C$$

$F(9)=3$이므로 $\dfrac{2}{3}\times 9\times 3-2\times 9+C=3$

$$\therefore C=3$$

$$\therefore F(x)=\frac{2}{3}x\sqrt{x}-2x+3$$

답 $F(x)=\dfrac{2}{3}x\sqrt{x}-2x+3$

388

$$f(x)=\int\frac{x^3-e^{3x}}{x^2+xe^x+e^{2x}}dx$$

$$=\int\frac{x^3-(e^x)^3}{x^2+xe^x+e^{2x}}dx$$

$$=\int\frac{(x-e^x)(x^2+xe^x+e^{2x})}{x^2+xe^x+e^{2x}}dx$$

$$=\int(x-e^x)dx=\frac{1}{2}x^2-e^x+C$$

$f(2)=5-e^2$이므로 $2-e^2+C=5-e^2$

$$\therefore C=3$$

따라서 $f(x)=\dfrac{1}{2}x^2-e^x+3$이므로

$$f(0)=0-1+3=2$$

답 2

389

$$f'(x)=e^{\left|\frac{x}{2}\right|}=\begin{cases}e^{\frac{x}{2}} & (x>0)\\ e^{-\frac{x}{2}} & (x<0)\end{cases}$$이므로

$$f(x)=\int e^{\left|\frac{x}{2}\right|}dx=\begin{cases}2e^{\frac{x}{2}}+C_1 & (x\geq 0)\\ -2e^{-\frac{x}{2}}+C_2 & (x<0)\end{cases}$$

$f(2)=2e+C_1=e+1$이므로 $C_1=1-e$

이때 $f(x)$는 연속함수이므로

$$f(0)=2+C_1=-2+C_2$$

$$\therefore C_2=5-e$$

$$\therefore f(-2)=-2e+5-e=5-3e$$

답 $5-3e$

390

$$\lim_{h\to 0}\frac{f(x+h)-f(x)}{h}=f'(x)$$이므로

$$f'(x)=\frac{8^x-2^x}{2^x+1}=\frac{2^x(4^x-1)}{2^x+1}$$

$$=\frac{2^x(2^x+1)(2^x-1)}{2^x+1}$$

$$=2^x(2^x-1)=4^x-2^x$$

$$\therefore f(x)=\int(4^x-2^x)dx=\frac{4^x}{\ln 4}-\frac{2^x}{\ln 2}+C$$

$f(1)=0$이므로 $\dfrac{4}{\ln 4}-\dfrac{2}{\ln 2}+C=0$

$$\therefore C=0$$

따라서 $f(x)=\dfrac{4^x}{\ln 4}-\dfrac{2^x}{\ln 2}$이므로

$$f(2)=\frac{16}{\ln 4}-\frac{4}{\ln 2}=\frac{8}{\ln 2}-\frac{4}{\ln 2}=\frac{4}{\ln 2}$$

답 $\dfrac{4}{\ln 2}$

391

$$f'(x)=\frac{1}{1-\sin x}$$이므로

$$f(x)=\int\frac{1}{1-\sin x}dx$$

$$=\int\frac{1+\sin x}{(1-\sin x)(1+\sin x)}dx$$

$$=\int\frac{1+\sin x}{1-\sin^2 x}dx$$

$$= \int \frac{1+\sin x}{\cos^2 x} dx$$

$$= \int (\sec^2 x + \sec x \tan x) dx$$

$$= \tan x + \sec x + C$$

$f\left(\dfrac{\pi}{3}\right) = \sqrt{3}$이므로 $\sqrt{3} + 2 + C = \sqrt{3}$

$\therefore C = -2$

따라서 $f(x) = \tan x + \sec x - 2$이므로

$f\left(\dfrac{\pi}{4}\right) = 1 + \sqrt{2} - 2 = -1 + \sqrt{2}$

답 $-1+\sqrt{2}$

392

$$f(x) = \int (1 + \cos x) dx = x + \sin x + C$$
$$\left(\because 2\cos^2 \frac{1}{2}x = 1 + \cos x\right)$$

$f(0) = C = 0$이므로 $f(x) = x + \sin x$

$$\therefore \sum_{k=1}^{10} f(k^2\pi) = \sum_{k=1}^{10} (k^2\pi + \sin k^2\pi) = \pi \sum_{k=1}^{10} k^2$$
$$= \pi \times \frac{10 \times 11 \times 21}{6} = 385\pi$$

답 385π

394

(1) $\dfrac{1}{2}x + 3 = t$로 놓으면

$$\frac{1}{2} \times \frac{dx}{dt} = 1 \qquad \therefore dx = 2dt$$

$$\therefore \int \left(\frac{1}{2}x + 3\right)^4 dx = \int t^4 \times 2dt = \int 2t^4 dt$$
$$= \frac{2}{5}t^5 + C$$
$$= \frac{2}{5}\left(\frac{1}{2}x + 3\right)^5 + C$$

(2) $x^3 - 3x^2 + 1 = t$로 놓으면

$$(3x^2 - 6x)\frac{dx}{dt} = 1 \qquad \therefore dx = \frac{1}{3(x^2 - 2x)}dt$$

$$\therefore \int (x^2 - 2x)(x^3 - 3x^2 + 1)^2 dx$$
$$= \int (x^2 - 2x) \times t^2 \times \frac{1}{3(x^2 - 2x)}dt$$
$$= \int \frac{1}{3}t^2 dt = \frac{1}{9}t^3 + C$$
$$= \frac{1}{9}(x^3 - 3x^2 + 1)^3 + C$$

답 (1) $\dfrac{2}{5}\left(\dfrac{1}{2}x + 3\right)^5 + C$

(2) $\dfrac{1}{9}(x^3 - 3x^2 + 1)^3 + C$

396

(1) $\sqrt{x^2 + 2x} = t$로 놓고 양변을 제곱하면

$$x^2 + 2x = t^2$$

$$(2x + 2)\frac{dx}{dt} = 2t \qquad \therefore dx = \frac{t}{x+1}dt$$

$$\therefore \int (x+1)\sqrt{x^2 + 2x}\, dx$$
$$= \int (x+1) \times t \times \frac{t}{x+1}dt$$
$$= \int t^2 dt = \frac{1}{3}t^3 + C$$
$$= \frac{1}{3}(\sqrt{x^2 + 2x})^3 + C$$
$$= \frac{1}{3}(x^2 + 2x)\sqrt{x^2 + 2x} + C$$

(2) $\sqrt{2x+1} = t$로 놓고 양변을 제곱하면

$$2x + 1 = t^2$$

$2x = t^2 - 1$이고 $2\dfrac{dx}{dt} = 2t$

$$\therefore dx = t\, dt$$

$$\therefore \int \frac{2x-1}{\sqrt{2x+1}}dx$$
$$= \int \frac{t^2 - 2}{t} \times t\, dt = \int (t^2 - 2)dt$$
$$= \frac{1}{3}t^3 - 2t + C$$
$$= \frac{1}{3}(\sqrt{2x+1})^3 - 2\sqrt{2x+1} + C$$
$$= \frac{1}{3}(2x+1)\sqrt{2x+1} - 2\sqrt{2x+1} + C$$
$$= \frac{1}{3}(2x - 5)\sqrt{2x+1} + C$$

답 (1) $\dfrac{1}{3}(x^2 + 2x)\sqrt{x^2 + 2x} + C$

(2) $\dfrac{1}{3}(2x - 5)\sqrt{2x+1} + C$

398

(1) $-3x + 5 = t$로 놓으면

$$-3\frac{dx}{dt} = 1 \qquad \therefore dx = -\frac{1}{3}dt$$

$$\therefore \int e^{-3x+5}dx = \int e^t \times \left(-\frac{1}{3}\right)dt$$
$$= \int \left(-\frac{1}{3}e^t\right)dt$$
$$= -\frac{1}{3}e^t + C$$
$$= -\frac{1}{3}e^{-3x+5} + C$$

(2) $e^x+1=t$로 놓으면

$$e^x\frac{dx}{dt}=1 \qquad \therefore dx=\frac{1}{e^x}dt$$

$$\therefore \int e^x\sqrt{e^x+1}\,dx=\int e^x\times\sqrt{t}\times\frac{1}{e^x}dt$$

$$=\int t^{\frac{1}{2}}dt=\frac{2}{3}t^{\frac{3}{2}}+C$$

$$=\frac{2}{3}(e^x+1)^{\frac{3}{2}}+C$$

$$=\frac{2}{3}(e^x+1)\sqrt{e^x+1}+C$$

(3) $\ln x=t$로 놓으면

$$\frac{1}{x}\times\frac{dx}{dt}=1 \qquad \therefore dx=x\,dt$$

$$\therefore \int\frac{\ln x}{x}dx=\int\frac{t}{x}\times x\,dt=\int t\,dt$$

$$=\frac{1}{2}t^2+C=\frac{1}{2}(\ln x)^2+C$$

(4) $\ln(x^2+1)=t$로 놓으면

$$\frac{2x}{x^2+1}\times\frac{dx}{dt}=1 \qquad \therefore dx=\frac{x^2+1}{2x}dt$$

$$\therefore \int\frac{x}{x^2+1}\ln(x^2+1)dx$$

$$=\int\frac{x}{x^2+1}\times t\times\frac{x^2+1}{2x}dt$$

$$=\int\frac{1}{2}t\,dt=\frac{1}{4}t^2+C$$

$$=\frac{1}{4}\{\ln(x^2+1)\}^2+C$$

$$\text{달 (1) } -\frac{1}{3}e^{-3x+5}+C$$

$$\text{(2) } \frac{2}{3}(e^x+1)\sqrt{e^x+1}+C$$

$$\text{(3) } \frac{1}{2}(\ln x)^2+C$$

$$\text{(4) } \frac{1}{4}\{\ln(x^2+1)\}^2+C$$

400

(1) $3x-2=t$로 놓으면

$$3\frac{dx}{dt}=1 \qquad \therefore dx=\frac{1}{3}dt$$

$$\therefore \int\cos(3x-2)dx=\int\cos t\times\frac{1}{3}dt=\frac{1}{3}\sin t+C$$

$$=\frac{1}{3}\sin(3x-2)+C$$

(2) $\tan x=t$로 놓으면

$$\sec^2 x\frac{dx}{dt}=1 \qquad \therefore dx=\frac{1}{\sec^2 x}dt$$

$$\therefore \int\tan x\sec^2 x\,dx=\int t\times\sec^2 x\times\frac{1}{\sec^2 x}dt$$

$$=\int t\,dt=\frac{1}{2}t^2+C$$

$$=\frac{1}{2}\tan^2 x+C$$

(3) $2\cos x+1=t$로 놓으면

$$-2\sin x\frac{dx}{dt}=1 \qquad \therefore dx=\frac{1}{-2\sin x}dt$$

$$\therefore \int(2\cos x+1)^3\sin x\,dx$$

$$=\int t^3\times\sin x\times\frac{1}{-2\sin x}dt$$

$$=\int\left(-\frac{1}{2}t^3\right)dt=-\frac{1}{8}t^4+C$$

$$=-\frac{1}{8}(2\cos x+1)^4+C$$

(4) $\cos^3 x=\cos^2 x\times\cos x=(1-\sin^2 x)\cos x$

$\sin x=t$로 놓으면

$$\cos x\frac{dx}{dt}=1 \qquad \therefore dx=\frac{1}{\cos x}dt$$

$$\therefore \int\cos^3 x\,dx=\int(1-\sin^2 x)\cos x\,dx$$

$$=\int(1-t^2)\times\cos x\times\frac{1}{\cos x}dt$$

$$=\int(1-t^2)dt=-\frac{1}{3}t^3+t+C$$

$$=-\frac{1}{3}\sin^3 x+\sin x+C$$

$$\text{달 (1) } \frac{1}{3}\sin(3x-2)+C$$

$$\text{(2) } \frac{1}{2}\tan^2 x+C$$

$$\text{(3) } -\frac{1}{8}(2\cos x+1)^4+C$$

$$\text{(4) } -\frac{1}{3}\sin^3 x+\sin x+C$$

402

(1) $x^3+4x+1=t$로 놓으면

$$(3x^2+4)\frac{dx}{dt}=1 \qquad \therefore dx=\frac{1}{3x^2+4}dt$$

$$\therefore \int\frac{3x^2+4}{x^3+4x+1}dx=\int\frac{3x^2+4}{t}\times\frac{1}{3x^2+4}dt$$

$$=\int\frac{1}{t}dt=\ln|t|+C$$

$$=\ln|x^3+4x+1|+C$$

(2) $e^x+e^{-x}=t$로 놓으면

$$(e^x-e^{-x})\frac{dx}{dt}=1 \qquad \therefore dx=\frac{1}{e^x-e^{-x}}dt$$

$$\therefore \int\frac{e^x-e^{-x}}{e^x+e^{-x}}dx=\int\frac{e^x-e^{-x}}{t}\times\frac{1}{e^x-e^{-x}}dt$$

$$=\int \frac{1}{t}dt=\ln|t|+C$$

$$=\ln\left(e^{x}+e^{-x}\right)+C$$

$$(\because e^{x}+e^{-x}>0)$$

(3) $\ln(x+1)=t$로 놓으면

$$\frac{1}{x+1}\times\frac{dx}{dt}=1 \qquad \therefore dx=(x+1)dt$$

$$\therefore \int \frac{1}{(x+1)\ln(x+1)}dx$$

$$=\int \frac{1}{(x+1)\times t}\times(x+1)dt$$

$$=\int \frac{1}{t}dt=\ln|t|+C$$

$$=\ln|\ln(x+1)|+C$$

(4) $\cos x+2=t$로 놓으면

$$-\sin x\frac{dx}{dt}=1 \qquad \therefore dx=\frac{1}{-\sin x}dt$$

$$\therefore \int \frac{\sin x}{\cos x+2}dx=\int \frac{\sin x}{t}\times\frac{1}{-\sin x}dt$$

$$=\int\left(-\frac{1}{t}\right)dt=-\ln|t|+C$$

$$=-\ln(\cos x+2)+C$$

$$(\because \cos x+2>0)$$

(5) $\cot x=\frac{\cos x}{\sin x}$이므로 $\sin x=t$로 놓으면

$$\cos x\frac{dx}{dt}=1 \qquad \therefore dx=\frac{1}{\cos x}dt$$

$$\therefore \int \cot x\,dx=\int \frac{\cos x}{\sin x}dx$$

$$=\int \frac{\cos x}{t}\times\frac{1}{\cos x}dt$$

$$=\int \frac{1}{t}dt=\ln|t|+C$$

$$=\ln|\sin x|+C$$

답 (1) $\ln|x^3+4x+1|+C$

(2) $\ln\left(e^{x}+e^{-x}\right)+C$

(3) $\ln|\ln(x+1)|+C$

(4) $-\ln(\cos x+2)+C$

(5) $\ln|\sin x|+C$

404

(1) $\int \frac{x^3-1}{x-1}dx=\int \frac{(x-1)(x^2+x+1)}{x-1}dx$

$$=\int (x^2+x+1)dx$$

$$=\frac{1}{3}x^3+\frac{1}{2}x^2+x+C$$

(2) $\int \frac{x^2+3x+5}{x+3}dx=\int \frac{x(x+3)+5}{x+3}dx$

$$=\int\left(x+\frac{5}{x+3}\right)dx$$

$$=\frac{1}{2}x^2+5\ln|x+3|+C$$

(3) $\int \frac{6}{x^2-x-2}dx=\int \frac{6}{(x-2)(x+1)}dx$

$$=\int 2\left(\frac{1}{x-2}-\frac{1}{x+1}\right)dx$$

$$=2(\ln|x-2|-\ln|x+1|)+C$$

$$=2\ln\left|\frac{x-2}{x+1}\right|+C$$

(4) $\frac{5x+1}{x^2-2x-3}=\frac{5x+1}{(x+1)(x-3)}=\frac{a}{x+1}+\frac{b}{x-3}$

로 놓으면

$$\frac{5x+1}{x^2-2x-3}=\frac{a(x-3)+b(x+1)}{(x+1)(x-3)}$$

$$=\frac{(a+b)x+(-3a+b)}{(x+1)(x-3)}$$

위 식은 x에 대한 항등식이므로

$a+b=5,\ -3a+b=1$

두 식을 연립하여 풀면 $a=1,\ b=4$

$$\therefore \int \frac{5x+1}{x^2-2x-3}dx=\int\left(\frac{1}{x+1}+\frac{4}{x-3}\right)dx$$

$$=\ln|x+1|+4\ln|x-3|+C$$

답 (1) $\frac{1}{3}x^3+\frac{1}{2}x^2+x+C$

(2) $\frac{1}{2}x^2+5\ln|x+3|+C$

(3) $2\ln\left|\frac{x-2}{x+1}\right|+C$

(4) $\ln|x+1|+4\ln|x-3|+C$

406

(1) [1단계] 이삼정로

$$f(x)=x,\ g'(x)=e^{-x}으로 놓으면$$

$$f'(x)=1,\ g(x)=-e^{-x}$$

[2단계] 공식 적용

$$\int xe^{-x}dx=-xe^{-x}-\int 1\times(-e^{-x})dx$$

$$=-xe^{-x}+\int e^{-x}dx$$

$$=-xe^{-x}-e^{-x}+C$$

$$=-(x+1)e^{-x}+C$$

(2) [1단계] 이삼정로

$$f(x)=2x+1,\ g'(x)=\sin 2x로 놓으면$$

$$f'(x)=2,\ g(x)=-\frac{1}{2}\cos 2x$$

[2단계] 공식 적용

$$\int (2x+1)\sin 2x\, dx$$

$$=(2x+1)\times\left(-\frac{1}{2}\cos 2x\right)$$

$$\qquad\qquad -\int 2\times\left(-\frac{1}{2}\cos 2x\right)dx$$

$$=-\frac{1}{2}(2x+1)\cos 2x+\int\cos 2x\, dx$$

$$=-\frac{1}{2}(2x+1)\cos 2x+\frac{1}{2}\sin 2x+C$$

(3) [1단계] 이삼정로

$$f(x)=\ln x,\ g'(x)=x \text{로 놓으면}$$

$$f'(x)=\frac{1}{x},\ g(x)=\frac{1}{2}x^2$$

[2단계] 공식 적용

$$\int x\ln x\, dx=\ln x\times\frac{1}{2}x^2-\int\frac{1}{x}\times\frac{1}{2}x^2 dx$$

$$=\frac{1}{2}x^2\ln x-\frac{1}{2}\int x\, dx$$

$$=\frac{1}{2}x^2\ln x-\frac{1}{4}x^2+C$$

(4) [1단계] 이삼정로

$$f(x)=\ln(x+1),\ g'(x)=1 \text{로 놓으면}$$

$$f'(x)=\frac{1}{x+1},\ g(x)=x$$

[2단계] 공식 적용

$$\int\ln(x+1)dx$$

$$=\ln(x+1)\times x-\int\frac{1}{x+1}\times x\, dx$$

$$=x\ln(x+1)-\int\left(1-\frac{1}{x+1}\right)dx$$

$$=x\ln(x+1)-x+\ln|x+1|+C$$

$$=(x+1)\ln(x+1)-x+C$$

답 (1) $-(x+1)e^{-x}+C$

(2) $-\frac{1}{2}(2x+1)\cos 2x+\frac{1}{2}\sin 2x+C$

(3) $\frac{1}{2}x^2\ln x-\frac{1}{4}x^2+C$

(4) $(x+1)\ln(x+1)-x+C$

408

(1) (i) $\int e^x\cos x\, dx$에서

$$f(x)=\cos x,\ g'(x)=e^x \text{으로 놓으면}$$

$$f'(x)=-\sin x,\ g(x)=e^x$$

$$\therefore\int e^x\cos x\, dx$$

$$=e^x\cos x-\int e^x\times(-\sin x)dx$$

$$=e^x\cos x+\int e^x\sin x\, dx \qquad \cdots\cdots \text{㉠}$$

(ii) $\int e^x\sin x\, dx$에서

$$u(x)=\sin x,\ v'(x)=e^x \text{으로 놓으면}$$

$$u'(x)=\cos x,\ v(x)=e^x$$

$$\therefore\int e^x\sin x\, dx$$

$$=e^x\sin x-\int e^x\cos x\, dx \qquad \cdots\cdots \text{㉡}$$

(iii) ㉡을 ㉠에 대입하면

$$\int e^x\cos x\, dx$$

$$=e^x\cos x+\left(e^x\sin x-\int e^x\cos x\, dx\right)$$

$$=e^x\cos x+e^x\sin x-\int e^x\cos x\, dx$$

$$2\int e^x\cos x\, dx=e^x\cos x+e^x\sin x+C_1$$

$$\therefore\int e^x\cos x\, dx=\frac{1}{2}e^x(\cos x+\sin x)+C$$

(2) (i) $\int e^{-x}\sin x\, dx$에서

$$f(x)=\sin x,\ g'(x)=e^{-x} \text{으로 놓으면}$$

$$f'(x)=\cos x,\ g(x)=-e^{-x}$$

$$\therefore\int e^{-x}\sin x\, dx$$

$$=-e^{-x}\sin x-\int(-e^{-x})\cos x\, dx$$

$$=-e^{-x}\sin x+\int e^{-x}\cos x\, dx \qquad \cdots\cdots \text{㉠}$$

(ii) $\int e^{-x}\cos x\, dx$에서

$$u(x)=\cos x,\ v'(x)=e^{-x} \text{으로 놓으면}$$

$$u'(x)=-\sin x,\ v(x)=-e^{-x}$$

$$\therefore\int e^{-x}\cos x\, dx$$

$$=-e^{-x}\cos x-\int\{(-e^{-x})\times(-\sin x)\}dx$$

$$=-e^{-x}\cos x-\int e^{-x}\sin x\, dx \qquad \cdots\cdots \text{㉡}$$

(iii) ㉡을 ㉠에 대입하면

$$\int e^{-x}\sin x\, dx$$

$$=-e^{-x}\sin x+\left(-e^{-x}\cos x-\int e^{-x}\sin x\, dx\right)$$

$$=-e^{-x}\sin x-e^{-x}\cos x-\int e^{-x}\sin x\, dx$$

$$2\int e^{-x}\sin x\, dx=-e^{-x}\sin x-e^{-x}\cos x+C_1$$

$$\therefore\int e^{-x}\sin x\, dx=-\frac{1}{2}e^{-x}(\sin x+\cos x)+C$$

(3)(i) $\int (x^2+1)e^x dx$에서

$\quad f(x)=x^2+1,\ g'(x)=e^x$으로 놓으면

$\quad f'(x)=2x,\ g(x)=e^x$

$\quad \therefore \int (x^2+1)e^x dx$

$\quad\quad =(x^2+1)e^x-\int 2xe^x dx$

$\quad\quad =(x^2+1)e^x-2\int xe^x dx \quad \cdots\cdots\ \bigcirc$

(ii) $\int xe^x dx$에서

$\quad u(x)=x,\ v'(x)=e^x$으로 놓으면

$\quad u'(x)=1,\ v(x)=e^x$

$\quad \therefore \int xe^x dx=xe^x-\int e^x dx$

$\quad\quad\quad =xe^x-e^x+C_1 \quad \cdots\cdots\ \bigcirc\!\!\!\bigcirc$

(iii) $\bigcirc\!\!\!\bigcirc$을 $\bigcirc$에 대입하면

$\quad \int (x^2+1)e^x dx$

$\quad =(x^2+1)e^x-2(xe^x-e^x+C_1)$

$\quad =(x^2-2x+3)e^x+C$

(4)(i) $\int (\ln x)^2 dx$에서

$\quad f(x)=(\ln x)^2,\ g'(x)=1$로 놓으면

$\quad f'(x)=2(\ln x)\times \dfrac{1}{x}=\dfrac{2}{x}\ln x,\ g(x)=x$

$\quad \therefore \int (\ln x)^2 dx$

$\quad\quad =x(\ln x)^2-\int 2\ln x\, dx$

$\quad\quad =x(\ln x)^2-2\int \ln x\, dx \quad \cdots\cdots\ \bigcirc$

(ii) $\int \ln x\, dx$에서

$\quad u(x)=\ln x,\ v'(x)=1$로 놓으면

$\quad u'(x)=\dfrac{1}{x},\ v(x)=x$

$\quad \therefore \int \ln x\, dx=x\ln x-\int dx$

$\quad\quad\quad =x\ln x-x+C_1 \quad \cdots\cdots\ \bigcirc\!\!\!\bigcirc$

(iii) $\bigcirc\!\!\!\bigcirc$을 $\bigcirc$에 대입하면

$\quad \int (\ln x)^2 dx=x(\ln x)^2-2(x\ln x-x+C_1)$

$\quad\quad =x(\ln x)^2-2x\ln x+2x+C$

답 (1) $\dfrac{1}{2}e^x(\cos x+\sin x)+C$

$\quad$ (2) $-\dfrac{1}{2}e^{-x}(\sin x+\cos x)+C$

$\quad$ (3) $(x^2-2x+3)e^x+C$

$\quad$ (4) $x(\ln x)^2-2x\ln x+2x+C$

409

$f(x)=\int f'(x)dx=\int x\sqrt{1-x^2}\, dx$

$\sqrt{1-x^2}=t$로 놓고 양변을 제곱하면 $1-x^2=t^2$

$-2x\dfrac{dx}{dt}=2t \quad \therefore dx=-\dfrac{t}{x}dt$

$\therefore f(x)=\int x\sqrt{1-x^2}\, dx$

$\quad\quad =\int x\times t\times \left(-\dfrac{t}{x}\right)dt$

$\quad\quad =-\int t^2 dt=-\dfrac{1}{3}t^3+C$

$\quad\quad =-\dfrac{1}{3}(1-x^2)\sqrt{1-x^2}+C$

이때 $f(1)=\dfrac{1}{6}$이므로 $C=\dfrac{1}{6}$

따라서 $f(x)=-\dfrac{1}{3}(1-x^2)\sqrt{1-x^2}+\dfrac{1}{6}$이므로

$f\left(\dfrac{\sqrt{3}}{2}\right)=-\dfrac{1}{3}\left(1-\dfrac{3}{4}\right)\sqrt{1-\dfrac{3}{4}}+\dfrac{1}{6}$

$\quad\quad =-\dfrac{1}{3}\times \dfrac{1}{4}\times \dfrac{1}{2}+\dfrac{1}{6}=\dfrac{1}{8}$

답 $\dfrac{1}{8}$

410

$x^2-4=t$로 놓으면

$2x\dfrac{dx}{dt}=1 \quad \therefore dx=\dfrac{1}{2x}dt$

$\therefore f(x)=\int 4xe^{x^2-4}dx=\int 4xe^t\times \dfrac{1}{2x}dt$

$\quad\quad =\int 2e^t dt=2e^t+C=2e^{x^2-4}+C$

이때 $f(\sqrt{5})=e$이므로 $2e+C=e$

$\therefore C=-e$

따라서 $f(x)=2e^{x^2-4}-e$이므로

$f(-2)=2-e$

답 $2-e$

411

$f(x)=\int \dfrac{\cos^3 x}{1-\sin x}dx$

$\quad =\int \dfrac{\cos^2 x\times \cos x}{1-\sin x}dx$

$\quad =\int \dfrac{(1-\sin^2 x)\cos x}{1-\sin x}dx$

$\quad =\int \dfrac{(1+\sin x)(1-\sin x)\cos x}{1-\sin x}dx$

$\quad =\int (1+\sin x)\cos x\, dx$

이때 $1+\sin x=t$로 놓으면

$\cos x\dfrac{dx}{dt}=1 \qquad \therefore dx=\dfrac{1}{\cos x}dt$

$\therefore \displaystyle\int (1+\sin x)\cos x\,dx=\int t\times\cos x\times\dfrac{1}{\cos x}dt$

$\qquad\qquad\qquad\qquad =\displaystyle\int t\,dt=\dfrac{1}{2}t^2+C$

$\qquad\qquad\qquad\qquad =\dfrac{1}{2}(1+\sin x)^2+C$

곡선 $y=f(x)$가 점 $\left(0,\ -\dfrac{1}{2}\right)$을 지나므로

$f(0)=-\dfrac{1}{2}$에서 $\dfrac{1}{2}+C=-\dfrac{1}{2}$

$\therefore C=-1$

따라서 $f(x)=\dfrac{1}{2}(1+\sin x)^2-1$이므로

$f\left(\dfrac{\pi}{2}\right)=\dfrac{1}{2}\left(1+\sin\dfrac{\pi}{2}\right)^2-1=\dfrac{1}{2}(1+1)^2-1=1$

답 1

412

$F(x)=\displaystyle\int f(x)dx=\int\dfrac{x-2}{x^2-4x+5}dx$

$x^2-4x+5=t$로 놓으면

$(2x-4)\dfrac{dx}{dt}=1 \qquad \therefore dx=\dfrac{1}{2(x-2)}dt$

$\therefore F(x)=\displaystyle\int\dfrac{x-2}{x^2-4x+5}dx$

$\qquad\quad =\displaystyle\int\dfrac{x-2}{t}\times\dfrac{1}{2(x-2)}dt$

$\qquad\quad =\displaystyle\int\dfrac{1}{2t}dt=\dfrac{1}{2}\ln|t|+C$

$\qquad\quad =\dfrac{1}{2}\ln(x^2-4x+5)+C$

$\qquad\qquad\qquad\qquad (\because x^2-4x+5>0)$

$F(2)=0$이므로 $C=0$

$\therefore F(x)=\dfrac{1}{2}\ln(x^2-4x+5)$

답 $F(x)=\dfrac{1}{2}\ln(x^2-4x+5)$

413

$f(x)=\displaystyle\int\dfrac{x+3}{x^2-3x-10}dx+\int\dfrac{4-x}{x^2-3x-10}dx$

$\qquad =\displaystyle\int\left(\dfrac{x+3}{x^2-3x-10}+\dfrac{4-x}{x^2-3x-10}\right)dx$

$\qquad =\displaystyle\int\dfrac{7}{x^2-3x-10}dx$

$\qquad =\displaystyle\int\dfrac{7}{(x-5)(x+2)}dx$

$\qquad =\displaystyle\int\left(\dfrac{1}{x-5}-\dfrac{1}{x+2}\right)dx$

$\qquad =\ln|x-5|-\ln|x+2|+C$

$\qquad =\ln\left|\dfrac{x-5}{x+2}\right|+C$

$f\left(\dfrac{3}{2}\right)=0$이므로 $C=0$

따라서 $f(x)=\ln\left|\dfrac{x-5}{x+2}\right|$이므로

$f(1)+f(2)=\ln\dfrac{4}{3}+\ln\dfrac{3}{4}$

$\qquad\qquad\quad =\ln\left(\dfrac{4}{3}\times\dfrac{3}{4}\right)=\ln 1=0$

답 0

414

$f'(x)=3x^2\ln x$이므로

$f(x)=\displaystyle\int f'(x)dx=\int 3x^2\ln x\,dx$

$u(x)=\ln x,\ v'(x)=3x^2$으로 놓으면

$u'(x)=\dfrac{1}{x},\ v(x)=x^3$

$\therefore f(x)=\displaystyle\int 3x^2\ln x\,dx$

$\qquad\quad =\ln x\times x^3-\displaystyle\int\dfrac{1}{x}\times x^3 dx$

$\qquad\quad =x^3\ln x-\displaystyle\int x^2 dx$

$\qquad\quad =x^3\ln x-\dfrac{1}{3}x^3+C$

곡선 $y=f(x)$가 점 $\left(1,\ \dfrac{2}{3}\right)$를 지나므로

$f(1)=\dfrac{2}{3}$에서 $-\dfrac{1}{3}+C=\dfrac{2}{3}$

$\therefore C=1$

따라서 $f(x)=x^3\ln x-\dfrac{1}{3}x^3+1$이므로

$f(e)=e^3-\dfrac{1}{3}e^3+1=\dfrac{2}{3}e^3+1$

답 $\dfrac{2}{3}e^3+1$

415

(i) $\displaystyle\int e^{-x}\cos x\,dx$에서

$u(x)=\cos x,\ v'(x)=e^{-x}$으로 놓으면

$u'(x)=-\sin x,\ v(x)=-e^{-x}$

$\therefore \displaystyle\int e^{-x}\cos x\,dx$

$\qquad =-e^{-x}\cos x-\displaystyle\int e^{-x}\sin x\,dx \qquad\cdots\cdots ㉠$

(ii) $\int e^{-x}\sin x\,dx$에서

$p(x)=\sin x,\ q'(x)=e^{-x}$으로 놓으면

$p'(x)=\cos x,\ q(x)=-e^{-x}$

$\therefore \int e^{-x}\sin x\,dx$

$\quad =-e^{-x}\sin x+\int e^{-x}\cos x\,dx \quad \cdots\cdots \text{ⓛ}$

(iii) ⓛ을 ㉠에 대입하면

$\int e^{-x}\cos x\,dx$

$=-e^{-x}\cos x-\left(-e^{-x}\sin x+\int e^{-x}\cos x\,dx\right)$

$=-e^{-x}\cos x+e^{-x}\sin x-\int e^{-x}\cos x\,dx$

$2\int e^{-x}\cos x\,dx=-e^{-x}\cos x+e^{-x}\sin x+C_1$

$\therefore \int e^{-x}\cos x\,dx=\dfrac{1}{2}e^{-x}(\sin x-\cos x)+C$

$\therefore f(x)=\dfrac{1}{2}e^{-x}(\sin x-\cos x)+C$

$f(0)=\dfrac{1}{2}$이므로 $-\dfrac{1}{2}+C=\dfrac{1}{2}$

$\therefore C=1$

따라서 $f(x)=\dfrac{1}{2}e^{-x}(\sin x-\cos x)+1$이므로 상수항은 1이다.

$\boxed{답}\ 1$

416

① $\int \sqrt[3]{x}\,dx=\int x^{\frac{1}{3}}\,dx=\dfrac{3}{4}x^{\frac{4}{3}}+C=\dfrac{3}{4}x\sqrt[3]{x}+C$

② $\int \dfrac{4x-\sqrt{x}+1}{x}\,dx=\int\left(4-x^{-\frac{1}{2}}+\dfrac{1}{x}\right)dx$

$\qquad\qquad\qquad\qquad =4x-2\sqrt{x}+\ln|x|+C$

③ $\int \dfrac{9^x-1}{3^x-1}\,dx=\int \dfrac{(3^x+1)(3^x-1)}{3^x-1}\,dx$

$\qquad\qquad =\int(3^x+1)\,dx$

$\qquad\qquad =\dfrac{3^x}{\ln 3}+x+C$

④ $\int \dfrac{1+\sin^2 x}{\cos^2 x}\,dx=\int(\sec^2 x+\tan^2 x)\,dx$

$\qquad\qquad\qquad =\int(2\sec^2 x-1)\,dx$

$\qquad\qquad\qquad =2\tan x-x+C$

⑤ $\int 2\sin\dfrac{x}{2}\cos\dfrac{x}{2}\,dx=\int \sin x\,dx=-\cos x+C$

따라서 부정적분의 계산이 옳지 않은 것은 ⑤이다.

$\boxed{답}\ ⑤$

417

$f(x)=\int\left(x-\dfrac{2}{x}-\dfrac{1}{x^2}\right)dx$

$\qquad =\dfrac{1}{2}x^2-2\ln|x|+\dfrac{1}{x}+C$

$f(1)=\dfrac{1}{2}+1+C=\dfrac{1}{2}$이므로 $C=-1$

따라서 $f(x)=\dfrac{1}{2}x^2-2\ln|x|+\dfrac{1}{x}-1$이므로

$f(-1)=\dfrac{1}{2}-2\ln|-1|-1-1=-\dfrac{3}{2}$

$\boxed{답}\ -\dfrac{3}{2}$

418

곡선 $y=f(x)$ 위의 점 $(x,\ y)$에서의 접선의 기울기가

$\dfrac{(1-x)(1+x)}{x}$이므로

$f'(x)=\dfrac{(1-x)(1+x)}{x}=\dfrac{1-x^2}{x}=\dfrac{1}{x}-x$

$\therefore f(x)=\int f'(x)\,dx=\int\left(\dfrac{1}{x}-x\right)dx$

$\qquad\qquad =\ln|x|-\dfrac{1}{2}x^2+C$

곡선 $y=f(x)$가 점 $\left(1,\ \dfrac{1}{2}\right)$을 지나므로

$f(1)=0-\dfrac{1}{2}+C=\dfrac{1}{2}$

$\therefore C=1$

따라서 $f(x)=\ln|x|-\dfrac{1}{2}x^2+1$이므로

$f(e)=1-\dfrac{1}{2}e^2+1=2-\dfrac{1}{2}e^2$

$\boxed{답}\ 2-\dfrac{1}{2}e^2$

419

$\sqrt{3x+1}=t$로 놓고 양변을 제곱하면

$3x+1=t^2$에서 $3x=t^2-1$

$3\dfrac{dx}{dt}=2t \qquad \therefore dx=\dfrac{2}{3}t\,dt$

$\therefore \int \dfrac{3x-2}{\sqrt{3x+1}}\,dx=\int \dfrac{t^2-3}{t}\times\dfrac{2}{3}t\,dt$

$\qquad\qquad\qquad =\int\left(\dfrac{2}{3}t^2-2\right)dt$

$\qquad\qquad\qquad =\dfrac{2}{9}t^3-2t+C$

$\qquad\qquad\qquad =\dfrac{2}{9}(\sqrt{3x+1})^3-2\sqrt{3x+1}+C$

$$=\frac{2}{9}(3x+1)\sqrt{3x+1}-2\sqrt{3x+1}+C$$

$$=\frac{2}{9}(3x-8)\sqrt{3x+1}+C$$

따라서 $a=3$, $b=-8$이므로

$$ab=3\times(-8)=-24$$

답 -24

420

$\sin x=t$라 하면

$$\cos x\frac{dx}{dt}=1 \qquad \therefore\ dx=\frac{1}{\cos x}dt$$

$$f(x)=\int(1+\sin x)^2\cos x\,dx$$

$$=\int(1+t)^2\times\cos x\times\frac{1}{\cos x}dt$$

$$=\int(1+t)^2dt=\frac{1}{3}(1+t)^3+C$$

$$\therefore\ f(x)=\frac{1}{3}(1+\sin x)^3+C$$

이때 $f(0)=\frac{1}{3}+C=\frac{2}{3}$이므로 $C=\frac{1}{3}$

따라서 $f(x)=\frac{1}{3}(1+\sin x)^3+\frac{1}{3}$이므로

$$f\left(\frac{\pi}{2}\right)=\frac{1}{3}(1+1)^3+\frac{1}{3}=3$$

답   3

421

$$\int\sec x\,dx=\int\frac{\cos x}{\cos^2 x}dx=\int\frac{\cos x}{1-\sin^2 x}dx$$

이때 $\sin x=t$라 하면

$$\cos x\frac{dx}{dt}=1 \qquad \therefore\ dx=\frac{1}{\cos x}dt$$

$$\int\sec x\,dx=\int\frac{\cos x}{1-\sin^2 x}dx=\int\frac{\cos x}{1-t^2}\times\frac{1}{\cos x}dt$$

$$=\int\frac{1}{1-t^2}dt=\int\frac{1}{(1-t)(1+t)}dt$$

$$=\frac{1}{2}\int\left(\frac{1}{1-t}+\frac{1}{1+t}\right)dt$$

$$=\frac{1}{2}(-\ln|1-t|+\ln|1+t|)+C$$

$$=\frac{1}{2}\ln\left|\frac{1+t}{1-t}\right|+C$$

$$=\frac{1}{2}\ln\left|\frac{1+\sin x}{1-\sin x}\right|+C$$

$$=\frac{1}{2}\ln\frac{(1+\sin x)^2}{|1-\sin^2 x|}+C$$

$$=\ln\frac{1+\sin x}{|\cos x|}+C$$

답   ①

422

$$f(x)=F'(x)=f(x)+xf'(x)-2xe^x-x^2e^x$$

$$\therefore\ f'(x)=(2+x)e^x$$

이때 $u(x)=2+x$, $v'(x)=e^x$이라 하면

$$u'(x)=1,\ v(x)=e^x$$

$$\therefore\ f(x)=\int(2+x)e^x dx$$

$$=(2+x)e^x-\int e^x dx$$

$$=(2+x)e^x-e^x+C$$

$$=(1+x)e^x+C$$

$f(0)=1+C=1$이므로 $C=0$

따라서 $f(x)=(1+x)e^x$이므로

$$f(3)=4e^3$$

답   ②

423

$u(x)=\ln x$, $v'(x)=\dfrac{3}{(x+3)^2}$으로 놓으면

$$u'(x)=\frac{1}{x},\ v(x)=-\frac{3}{x+3}$$

$$f(x)=-\frac{3\ln x}{x+3}+\int\frac{3}{x(x+3)}dx$$

$$=-\frac{3\ln x}{x+3}+\int\left(\frac{1}{x}-\frac{1}{x+3}\right)dx$$

$$=-\frac{3\ln x}{x+3}+\ln|x|-\ln|x+3|+C$$

$$=-\frac{3\ln x}{x+3}+\ln\left|\frac{x}{x+3}\right|+C$$

$f(1)=\ln\dfrac{1}{4}+C=-\ln 4$이므로 $C=0$

따라서 $f(x)=-\dfrac{3\ln x}{x+3}+\ln\left|\dfrac{x}{x+3}\right|$이므로 상수항은

0이다.

답   ①

424

$F'(x)=f(x)$이므로

$F(x)=xf(x)+\ln x-\sqrt{x}$의 양변을 x에 대하여 미분

하면

$$f(x)=f(x)+xf'(x)+\frac{1}{x}-\frac{1}{2\sqrt{x}}$$

$$xf'(x)=\frac{1}{2\sqrt{x}}-\frac{1}{x} \qquad \therefore f'(x)=\frac{1}{2x\sqrt{x}}-\frac{1}{x^2}$$

$$\therefore f(x)=\int\left(\frac{1}{2x\sqrt{x}}-\frac{1}{x^2}\right)dx$$

$$=\int\left(\frac{1}{2}x^{-\frac{3}{2}}-x^{-2}\right)dx$$

$$=-x^{-\frac{1}{2}}+x^{-1}+C$$

$$=\frac{1}{x}-\frac{1}{\sqrt{x}}+C$$

$f(1)=1$이므로 $1-1+C=1$

$$\therefore C=1$$

따라서 $f(x)=\frac{1}{x}-\frac{1}{\sqrt{x}}+1$이므로

$$f(4)=\frac{1}{4}-\frac{1}{2}+1=\frac{3}{4}$$

답 $\dfrac{3}{4}$

425

$\dfrac{d}{dx}\{f(x)+g(x)\}=1+2\sin x$에서

$$f(x)+g(x)=\int(1+2\sin x)dx$$

$$=x-2\cos x+C_1$$

$f(0)=1,\ g(0)=0$에서 $f(0)+g(0)=1$이므로

$-2+C_1=1 \qquad \therefore C_1=3$

$\therefore f(x)+g(x)=x-2\cos x+3 \qquad \cdots\cdots \text{㉠}$

$\dfrac{d}{dx}\{f(x)-g(x)\}=1-2\cos x$에서

$$f(x)-g(x)=\int(1-2\cos x)dx$$

$$=x-2\sin x+C_2$$

$f(0)=1,\ g(0)=0$에서 $f(0)-g(0)=1$이므로

$C_2=1$

$\therefore f(x)-g(x)=x-2\sin x+1 \qquad \cdots\cdots \text{㉡}$

㉠, ㉡을 연립하여 풀면

$$f(x)=x-\sin x-\cos x+2,$$

$$g(x)=\sin x-\cos x+1$$

이므로 $f\left(\dfrac{\pi}{2}\right)=\dfrac{\pi}{2}+1,\ g\left(\dfrac{\pi}{2}\right)=2$

$$\therefore f\left(\frac{\pi}{2}\right)g\left(\frac{\pi}{2}\right)=\left(\frac{\pi}{2}+1\right)\times 2=\pi+2$$

답 $\pi+2$

426

(i) $x>0$일 때, $f'(x)=e^{\sin x}\cos x$이므로

$$f(x)=\int e^{\sin x}\cos x\,dx$$

$\sin x=t$로 놓으면

$$\cos x\frac{dx}{dt}=1 \qquad \therefore dx=\frac{1}{\cos x}dt$$

$$\therefore f(x)=\int e^{\sin x}\cos x\,dx$$

$$=\int e^t\times\cos x\times\frac{1}{\cos x}dt$$

$$=\int e^t dt=e^t+C_1$$

$$=e^{\sin x}+C_1$$

(ii) $x<0$일 때, $f'(x)=3x^2(x^3+2)^3$이므로

$$f(x)=\int 3x^2(x^3+2)^3 dx$$

$x^3+2=s$로 놓으면

$$3x^2\frac{dx}{ds}=1 \qquad \therefore dx=\frac{1}{3x^2}ds$$

$$\therefore f(x)=\int 3x^2(x^3+2)^3 dx$$

$$=\int 3x^2\times s^3\times\frac{1}{3x^2}ds$$

$$=\int s^3 ds=\frac{1}{4}s^4+C_2$$

$$=\frac{1}{4}(x^3+2)^4+C_2$$

(i), (ii)에서 $f(x)=\begin{cases} e^{\sin x}+C_1 & (x\geq 0) \\ \dfrac{1}{4}(x^3+2)^4+C_2 & (x<0) \end{cases}$

$f(-1)=-\dfrac{3}{4}$이므로 $\dfrac{1}{4}+C_2=-\dfrac{3}{4}$

$$\therefore C_2=-1$$

또, $f(x)$는 $x=0$에서 연속이므로

$1+C_1=4+C_2 \qquad \therefore C_1=2$

따라서 $x\geq 0$에서 $f(x)=e^{\sin x}+2$이므로

$$f\left(\frac{\pi}{2}\right)=e+2$$

답 $e+2$

427

$xf'(x)=(\ln x)^3$에서 $f'(x)=\dfrac{(\ln x)^3}{x}$이므로

$$f(x)=\int\frac{(\ln x)^3}{x}dx$$

$\ln x=t$로 놓으면

$$\frac{1}{x}\times\frac{dx}{dt}=1 \qquad \therefore dx=x\,dt$$

$$\therefore f(x)=\int\frac{(\ln x)^3}{x}dx$$

$$=\int\frac{t^3}{x}\times x\,dt$$

$$=\int t^3 dt$$

$$=\frac{1}{4}t^4+C=\frac{1}{4}(\ln x)^4+C$$

$f(1)=-4$이므로 $C=-4$

$$\therefore f(x)=\frac{1}{4}(\ln x)^4-4$$

방정식 $f(x)=0$에서

$$\frac{1}{4}(\ln x)^4-4=0, \ (\ln x)^4-16=0$$

$$\{(\ln x)^2+4\}(\ln x+2)(\ln x-2)=0$$

$\ln x=-2$ 또는 $\ln x=2$

$$\therefore x=\frac{1}{e^2} \ 또는 \ x=e^2$$

따라서 모든 실수 x의 값의 곱은

$$\frac{1}{e^2}\times e^2=1$$

답 1

428

$$f'(x)=\sin x-\cos 2x$$

$$=\sin x-(1-2\sin^2 x)$$

$$=2\sin^2 x+\sin x-1$$

$$=(\sin x+1)(2\sin x-1)$$

$f'(x)=0$에서 $\sin x=-1$ 또는 $\sin x=\frac{1}{2}$

$$\therefore x=\frac{\pi}{6} \ 또는 \ x=\frac{5}{6}\pi \ (\because 0<x<\pi)$$

$0<x<\pi$에서 함수 $f(x)$의 증가와 감소를 표로 나타내면 다음과 같다.

x	(0)	$\cdots$	$\dfrac{\pi}{6}$	$\cdots$	$\dfrac{5}{6}\pi$	$\cdots$	(π)
$f'(x)$		$-$	0	$+$	0	$-$	
$f(x)$		$\searrow$	극소	$\nearrow$	극대	$\searrow$	

따라서 함수 $f(x)$는 $x=\frac{\pi}{6}$에서 극솟값을 갖고,

$x=\frac{5}{6}\pi$에서 극댓값을 갖는다.

이때

$$f(x)=\int(\sin x-\cos 2x)dx$$

$$=-\cos x-\frac{1}{2}\sin 2x+C$$

이고 극솟값이 $-\sqrt{3}$이므로 $f\left(\frac{\pi}{6}\right)=-\sqrt{3}$에서

$$-\frac{\sqrt{3}}{2}-\frac{1}{2}\times\frac{\sqrt{3}}{2}+C=-\sqrt{3}$$

$$\therefore C=-\frac{\sqrt{3}}{4}$$

따라서 $f(x)=-\cos x-\frac{1}{2}\sin 2x-\frac{\sqrt{3}}{4}$이므로

극댓값은

$$f\left(\frac{5}{6}\pi\right)=-\left(-\frac{\sqrt{3}}{2}\right)-\frac{1}{2}\times\left(-\frac{\sqrt{3}}{2}\right)-\frac{\sqrt{3}}{4}$$

$$=\frac{\sqrt{3}}{2}$$

답 $\dfrac{\sqrt{3}}{2}$

429

$f'(x)=-f(x)$에서 $\dfrac{f'(x)}{f(x)}=-1$이므로

$$\int\frac{f'(x)}{f(x)}dx=\int(-1)dx$$

$\ln f(x)=-x+C \ (\because f(x)>0)$

$$\therefore f(x)=e^{-x+C}$$

이때 $f(1)=1$이므로 $e^{-1+C}=1$

$-1+C=0 \quad \therefore C=1$

따라서 $f(x)=e^{-x+1}$이므로

$$f(2)=e^{-2+1}=\frac{1}{e}$$

답 $\dfrac{1}{e}$

430

$\dfrac{2}{x^2-1}=\dfrac{2}{(x-1)(x+1)}=\dfrac{1}{x-1}-\dfrac{1}{x+1}$이므로

$$f(x)=\int\frac{2}{x^2-1}dx$$

$$=\int\left(\frac{1}{x-1}-\frac{1}{x+1}\right)dx$$

$$=\ln|x-1|-\ln|x+1|+C$$

$$=\ln\left|\frac{x-1}{x+1}\right|+C$$

이때 $f(0)=0$이므로 $C=0$

따라서 $f(x)=\ln\left|\dfrac{x-1}{x+1}\right|$이므로

$$\sum_{k=2}^{10}f(k)=\ln\frac{1}{3}+\ln\frac{2}{4}+\ln\frac{3}{5}+\cdots+\ln\frac{8}{10}+\ln\frac{9}{11}$$

$$=\ln\left(\frac{1}{3}\times\frac{2}{4}\times\frac{3}{5}\times\cdots\times\frac{8}{10}\times\frac{9}{11}\right)$$

$$=\ln\frac{1\times2}{10\times11}$$

$$=\ln\frac{1}{55}$$

$$=-\ln 55$$

답 $-\ln 55$

431

$e^x = t$로 놓으면 $e^x \dfrac{dx}{dt} = 1$ $\quad \therefore dx = \dfrac{1}{e^x} dt$

$\begin{aligned}
\therefore f(x) &= \int f'(x)\,dx = \int \frac{1}{1+e^x}\,dx \\
&= \int \frac{1}{1+t} \times \frac{1}{e^x}\,dt \\
&= \int \frac{1}{t(t+1)}\,dt \quad (\because e^x = t) \\
&= \int \left(\frac{1}{t} - \frac{1}{t+1} \right) dt \\
&= \ln|t| - \ln|t+1| + C \\
&= \ln \left| \frac{t}{t+1} \right| + C \\
&= \ln \frac{e^x}{e^x+1} + C \quad \left(\because \frac{e^x}{e^x+1} > 0 \right)
\end{aligned}$

$\begin{aligned}
\therefore f(3) - f(1) &= \ln \frac{e^3}{e^3+1} + C - \left(\ln \frac{e}{e+1} + C \right) \\
&= \ln \frac{e^3}{e^3+1} - \ln \frac{e}{e+1} \\
&= \ln \left(\frac{e^3}{e^3+1} \times \frac{e+1}{e} \right) \\
&= \ln \left\{ \frac{e^3}{(e+1)(e^2-e+1)} \times \frac{e+1}{e} \right\} \\
&= \ln \frac{e^2}{e^2-e+1}
\end{aligned}$

답 $\ln \dfrac{e^2}{e^2-e+1}$

432

$f(x) = \int f'(x)\,dx = \int (x+2)e^{-x}\,dx$

$u(x) = x+2,\ v'(x) = e^{-x}$으로 놓으면

$u'(x) = 1,\ v(x) = -e^{-x}$

$\begin{aligned}
\therefore f(x) &= \int (x+2)e^{-x}\,dx \\
&= -(x+2)e^{-x} - \int (-e^{-x})\,dx \\
&= -(x+2)e^{-x} + \int e^{-x}\,dx \\
&= -(x+2)e^{-x} - e^{-x} + C \\
&= -(x+3)e^{-x} + C
\end{aligned}$

$f'(x) = 0$에서 $x = -2$

$-3 \le x \le 0$에서 함수 $f(x)$의 증가와 감소를 표로 나타내면 다음과 같다.

x	-3	$\cdots$	-2	$\cdots$	0
$f'(x)$		$-$	0	$+$	
$f(x)$		$\searrow$	극소	$\nearrow$	

함수 $f(x)$는 $x = -2$에서 극소이면서 최소이므로

$f(-2) = -e^2$에서 $-e^2 + C = -e^2$

$\therefore C = 0$

따라서 $f(x) = -(x+3)e^{-x}$에서 $f(-3) = 0$,

$f(0) = -3$이므로 함수 $f(x)$는 $x = -3$에서 최댓값 0을 갖는다.

답 0

433

$\{xf(x)\}' = xf'(x) + f(x) = \sin\sqrt{x}$이므로

$xf(x) = \int \sin\sqrt{x}\,dx$

이때 $\sqrt{x} = t$라 하면 $x = t^2$

$\dfrac{dx}{dt} = 2t$ $\quad \therefore dx = 2t\,dt$

$\begin{aligned}
xf(x) &= \int \sin\sqrt{x}\,dx \\
&= \int \sin t \times 2t\,dt \\
&= 2\int t \sin t\,dt
\end{aligned}$

이때 $u(t) = t,\ v'(t) = \sin t$로 놓으면

$u'(t) = 1,\ v(t) = -\cos t$이므로

$\begin{aligned}
xf(x) &= 2\int t \sin t\,dt \\
&= 2\left(-t\cos t + \int \cos t\,dt \right) \\
&= -2t\cos t + 2\int \cos t\,dt \\
&= -2t\cos t + 2\sin t + C \\
&= -2\sqrt{x}\cos\sqrt{x} + 2\sin\sqrt{x} + C
\end{aligned}$

이때 $\dfrac{\pi^2}{4} f\left(\dfrac{\pi^2}{4} \right) = 2 + C$이므로

$\dfrac{\pi^2}{4} \times \dfrac{8}{\pi^2} = 2 + C$ $\quad \therefore C = 0$

따라서 $xf(x) = -2\sqrt{x}\cos\sqrt{x} + 2\sin\sqrt{x}$이므로

$\pi^2 f(\pi^2) = -2\pi \times (-1) = 2\pi$

$\therefore f(\pi^2) = \dfrac{2}{\pi}$

답 ②

435

(1) $\displaystyle\int_4^9 \frac{1}{\sqrt{x}}dx=\int_4^9 x^{-\frac{1}{2}}dx=\left[2x^{\frac{1}{2}}\right]_4^9=6-4=2$

(2) $\displaystyle\int_0^1 (1+\sqrt{x})^2 dx=\int_0^1 (1+2\sqrt{x}+x)dx$

$\qquad =\left[x+\frac{4}{3}x^{\frac{3}{2}}+\frac{1}{2}x^2\right]_0^1$

$\qquad =1+\frac{4}{3}+\frac{1}{2}=\frac{17}{6}$

(3) $\displaystyle\int_1^e \frac{3x+1}{x^2}dx=\int_1^e \left(\frac{3x}{x^2}+\frac{1}{x^2}\right)dx$

$\qquad =\int_1^e \left(\frac{3}{x}+x^{-2}\right)dx$

$\qquad =\left[3\ln|x|-\frac{1}{x}\right]_1^e$

$\qquad =\left(3\ln e-\frac{1}{e}\right)-(3\ln 1-1)$

$\qquad =4-\frac{1}{e}$

(4) $\dfrac{1}{x^2+3x+2}=\dfrac{1}{(x+1)(x+2)}=\dfrac{1}{x+1}-\dfrac{1}{x+2}$

이므로

$\displaystyle\int_0^1 \frac{1}{x^2+3x+2}dx=\int_0^1 \left(\frac{1}{x+1}-\frac{1}{x+2}\right)dx$

$\qquad =\left[\ln|x+1|-\ln|x+2|\right]_0^1$

$\qquad =(\ln 2-\ln 3)-(\ln 1-\ln 2)$

$\qquad =2\ln 2-\ln 3=\ln\frac{4}{3}$

답 (1) 2 (2) $\dfrac{17}{6}$ (3) $4-\dfrac{1}{e}$ (4) $\ln\dfrac{4}{3}$

437

(1) $\displaystyle\int_0^2 e^{x+2}dx=\left[e^{x+2}\right]_0^2=e^4-e^2$

(2) $\displaystyle\int_0^1 (2^x-2^{-x})^2 dx$

$\qquad =\int_0^1 (4^x-2+4^{-x})dx$

$\qquad =\left[\frac{4^x}{\ln 4}-2x-\frac{4^{-x}}{\ln 4}\right]_0^1$

$\qquad =\left(\frac{4}{\ln 4}-2-\frac{1}{4\ln 4}\right)-\left(\frac{1}{\ln 4}-\frac{1}{\ln 4}\right)$

$\qquad =\frac{15}{4\ln 4}-2=\frac{15}{8\ln 2}-2$

(3) $\dfrac{1}{1-\sin^2 x}=\dfrac{1}{\cos^2 x}=\sec^2 x$이므로

$\displaystyle\int_{\frac{\pi}{4}}^{\frac{\pi}{3}} \frac{1}{1-\sin^2 x}dx=\int_{\frac{\pi}{4}}^{\frac{\pi}{3}} \sec^2 x\,dx$

$\qquad =\left[\tan x\right]_{\frac{\pi}{4}}^{\frac{\pi}{3}}$

$\qquad =\tan\frac{\pi}{3}-\tan\frac{\pi}{4}=\sqrt{3}-1$

(4) $\displaystyle\int_0^{\frac{\pi}{4}} \cos^2 x\,dx$

$\qquad =\int_0^{\frac{\pi}{4}} \frac{1+\cos 2x}{2}dx$

$\qquad =\frac{1}{2}\left[x+\frac{1}{2}\sin 2x\right]_0^{\frac{\pi}{4}}$

$\qquad =\frac{1}{2}\left\{\left(\frac{\pi}{4}+\frac{1}{2}\sin\frac{\pi}{2}\right)-\left(0+\frac{1}{2}\sin 0\right)\right\}$

$\qquad =\frac{\pi}{8}+\frac{1}{4}$

답 (1) e^4-e^2 (2) $\dfrac{15}{8\ln 2}-2$ (3) $\sqrt{3}-1$ (4) $\dfrac{\pi}{8}+\dfrac{1}{4}$

439

(1) (주어진 식)

$\qquad =\int_{\frac{\pi}{2}}^{\pi} \{(\sin x+\cos x)^2+(\sin x-\cos x)^2\}dx$

$\qquad =\int_{\frac{\pi}{2}}^{\pi} 2(\sin^2 x+\cos^2 x)dx$

$\qquad =\int_{\frac{\pi}{2}}^{\pi} 2\,dx=\left[2x\right]_{\frac{\pi}{2}}^{\pi}$

$\qquad =2\pi-\pi=\pi$

(2) (주어진 식)$=\displaystyle\int_0^1 x(1-\sqrt{x})dx$

$\qquad =\int_0^1 (x-x^{\frac{3}{2}})dx$

$\qquad =\left[\frac{1}{2}x^2-\frac{2}{5}x^{\frac{5}{2}}\right]_0^1$

$\qquad =\frac{1}{2}-\frac{2}{5}=\frac{1}{10}$

(3) (주어진 식)$=\displaystyle\int_1^2 \frac{e^{3x}}{e^x-1}dx-\int_1^2 \frac{1}{e^x-1}dx$

$\qquad =\int_1^2 \frac{e^{3x}-1}{e^x-1}dx$

$\qquad =\int_1^2 \frac{(e^x-1)(e^{2x}+e^x+1)}{e^x-1}dx$

$\qquad =\int_1^2 (e^{2x}+e^x+1)dx$

$\qquad =\left[\frac{1}{2}e^{2x}+e^x+x\right]_1^2$

$\qquad =\left(\frac{1}{2}e^4+e^2+2\right)-\left(\frac{1}{2}e^2+e+1\right)$

$\qquad =\frac{1}{2}e^4+\frac{1}{2}e^2-e+1$

답 (1) π (2) $\dfrac{1}{10}$ (3) $\dfrac{1}{2}e^4+\dfrac{1}{2}e^2-e+1$

441

$$\int_0^3 f(x)dx = \int_0^1 f(x)dx + \int_1^3 f(x)dx$$
$$= \int_0^1 e^x dx + \int_1^3 ex\,dx$$
$$= \left[e^x\right]_0^1 + \left[\frac{e}{2}x^2\right]_1^3$$
$$= (e-1) + \frac{e}{2}(9-1)$$
$$= 5e-1$$

답 $5e-1$

443

(1) $x-1=0$에서 $x=1$

$$|x-1| = \begin{cases} x-1 & (x \geq 1) \\ -x+1 & (x \leq 1) \end{cases}$$

$$\therefore \int_0^5 \sqrt{|x-1|}\,dx$$
$$= \int_0^1 \sqrt{-x+1}\,dx + \int_1^5 \sqrt{x-1}\,dx$$
$$= \int_0^1 (-x+1)^{\frac{1}{2}}dx + \int_1^5 (x-1)^{\frac{1}{2}}dx$$
$$= \left[-\frac{2}{3}(-x+1)^{\frac{3}{2}}\right]_0^1 + \left[\frac{2}{3}(x-1)^{\frac{3}{2}}\right]_1^5$$
$$= \frac{2}{3} + \frac{2}{3} \times 8 = 6$$

(2) $\cos x - \sin x = 0$에서 $x = \frac{\pi}{4}$ $\left(\because 0 \leq x \leq \frac{\pi}{2}\right)$

$$|\cos x - \sin x| = \begin{cases} \cos x - \sin x & \left(0 \leq x \leq \frac{\pi}{4}\right) \\ -\cos x + \sin x & \left(\frac{\pi}{4} \leq x \leq \frac{\pi}{2}\right) \end{cases}$$

$$\therefore \int_0^{\frac{\pi}{2}} |\cos x - \sin x|\,dx$$
$$= \int_0^{\frac{\pi}{4}} (\cos x - \sin x)dx$$
$$\qquad + \int_{\frac{\pi}{4}}^{\frac{\pi}{2}} (-\cos x + \sin x)dx$$
$$= \left[\sin x + \cos x\right]_0^{\frac{\pi}{4}} + \left[-\sin x - \cos x\right]_{\frac{\pi}{4}}^{\frac{\pi}{2}}$$
$$= (\sqrt{2}-1) + (-1+\sqrt{2})$$
$$= 2(\sqrt{2}-1)$$

답 (1) 6 (2) $2(\sqrt{2}-1)$

445

(1) $f(x) = 2x^6 \tan x$라 하면

$$f(-x) = 2(-x)^6 \tan(-x)$$
$$= -2x^6 \tan x$$
$$= -f(x)$$

이므로 $f(x)$는 기함수이다.

$$\therefore \text{(주어진 식)}$$
$$= \int_{-1}^1 (6x^2 - 7)dx + \int_{-1}^1 2x^6 \tan x\,dx$$
$$= 2\int_0^1 (6x^2 - 7)dx + 0$$
$$= 2\left[2x^3 - 7x\right]_0^1 = -10$$

(2) $f(x) = (5x^5 - 3x^3 + x)e^{x^2}$이라 하면

$$f(-x) = \{5(-x)^5 - 3(-x)^3 + (-x)\}e^{(-x)^2}$$
$$= -(5x^5 - 3x^3 + x)e^{x^2}$$
$$= -f(x)$$

이므로 $f(x)$는 기함수이다.

$$\therefore \text{(주어진 식)} = 0$$

답 (1) -10 (2) 0

447

$f(x+3) = f(x)$에서 $f(x)$는 주기함수이므로

$$\int_1^4 f(x)dx = \int_4^7 f(x)dx = \int_7^{10} f(x)dx = 3$$

$$\therefore \int_1^{10} f(x)dx = \int_1^4 f(x)dx + \int_4^7 f(x)dx + \int_7^{10} f(x)dx$$
$$= 3\int_1^4 f(x)dx = 3 \times 3 = 9$$

답 9

449

$f(x) = |\sin 3x|$로 놓으면

$f(x)$는 주기가 $\frac{\pi}{3}$인 주기함수이므로

$$\int_0^{\frac{\pi}{3}} |\sin 3x|\,dx = \int_{\frac{\pi}{3}}^{\frac{2}{3}\pi} |\sin 3x|\,dx$$
$$= \int_{\frac{2}{3}\pi}^{\pi} |\sin 3x|\,dx$$

$$\therefore \int_0^{\pi} |\sin 3x|\,dx = 3\int_0^{\frac{\pi}{3}} \sin 3x\,dx$$
$$= 3\left[-\frac{1}{3}\cos 3x\right]_0^{\frac{\pi}{3}}$$
$$= 3\left(\frac{1}{3} + \frac{1}{3}\right) = 2$$

답 2

451

(1) $x^2 - 2x + 2 = t$로 놓으면

$(2x-2)\dfrac{dx}{dt} = 1$에서 $dx = \dfrac{1}{2(x-1)}dt$

$x=1$일 때 $t=1$, $x=2$일 때 $t=2$이므로

$$\int_1^2 \frac{x-1}{x^2-2x+2}dx=\int_1^2 \frac{x-1}{t}\times\frac{1}{2(x-1)}dt$$
$$=\frac{1}{2}\int_1^2 \frac{1}{t}dt$$
$$=\frac{1}{2}\Big[\ln|t|\Big]_1^2$$
$$=\frac{1}{2}\ln 2$$

(2) $\sqrt{x^2-1}=t$로 놓으면 $x^2-1=t^2$이므로

$2x\dfrac{dx}{dt}=2t$에서 $dx=\dfrac{t}{x}dt$

$x=1$일 때 $t=0$, $x=2$일 때 $t=\sqrt{3}$이므로

$$\int_1^2 x\sqrt{x^2-1}\,dx=\int_0^{\sqrt{3}} x\times t\times\frac{t}{x}dt$$
$$=\int_0^{\sqrt{3}} t^2 dt$$
$$=\Big[\frac{1}{3}t^3\Big]_0^{\sqrt{3}}$$
$$=\sqrt{3}$$

(3) $1+e^x=t$로 놓으면

$e^x\dfrac{dx}{dt}=1$에서 $dx=\dfrac{1}{e^x}dt$

$x=0$일 때 $t=2$, $x=2$일 때 $t=1+e^2$이므로

$$\int_0^2 \frac{e^x}{1+e^x}dx=\int_2^{1+e^2} \frac{e^x}{t}\times\frac{1}{e^x}dt$$
$$=\int_2^{1+e^2} \frac{1}{t}dt$$
$$=\Big[\ln|t|\Big]_2^{1+e^2}$$
$$=\ln(1+e^2)-\ln 2$$
$$=\ln\frac{1+e^2}{2}$$

(4) $\ln x=t$로 놓으면

$\dfrac{1}{x}\times\dfrac{dx}{dt}=1$에서 $dx=x\,dt$

$x=1$일 때 $t=0$, $x=e$일 때 $t=1$이므로

$$\int_1^e \frac{(\ln x)^2}{x}dx=\int_0^1 \frac{t^2}{x}\times x\,dt$$
$$=\int_0^1 t^2 dt$$
$$=\Big[\frac{1}{3}t^3\Big]_0^1=\frac{1}{3}$$

(5) $\sin x=t$로 놓으면

$\cos x\dfrac{dx}{dt}=1$에서 $dx=\dfrac{1}{\cos x}dt$

$x=0$일 때 $t=0$, $x=\dfrac{\pi}{2}$일 때 $t=1$이므로

$$\int_0^{\frac{\pi}{2}}(1+\sin^3 x)\cos x\,dx$$
$$=\int_0^1 (1+t^3)\cos x\times\frac{1}{\cos x}dt$$

$$=\int_0^1 (1+t^3)dt$$
$$=\Big[t+\frac{1}{4}t^4\Big]_0^1=\frac{5}{4}$$

답 (1) $\dfrac{1}{2}\ln 2$ (2) $\sqrt{3}$ (3) $\ln\dfrac{1+e^2}{2}$ (4) $\dfrac{1}{3}$ (5) $\dfrac{5}{4}$

453

(1) $x=2\sin\theta\left(-\dfrac{\pi}{2}\le\theta\le\dfrac{\pi}{2}\right)$로 놓으면

$\dfrac{dx}{d\theta}=2\cos\theta$에서 $dx=2\cos\theta\,d\theta$

$x=0$일 때 $\theta=0$, $x=1$일 때 $\theta=\dfrac{\pi}{6}$이므로

$$\int_0^1 \frac{1}{\sqrt{4-x^2}}dx=\int_0^{\frac{\pi}{6}}\frac{1}{\sqrt{4(1-\sin^2\theta)}}\times 2\cos\theta\,d\theta$$
$$=\int_0^{\frac{\pi}{6}}\frac{1}{\sqrt{4\cos^2\theta}}\times 2\cos\theta\,d\theta$$
$$=\int_0^{\frac{\pi}{6}}\frac{1}{2\cos\theta}\times 2\cos\theta\,d\theta$$
$$=\int_0^{\frac{\pi}{6}}d\theta$$
$$=\Big[\theta\Big]_0^{\frac{\pi}{6}}=\frac{\pi}{6}$$

(2) $x=\tan\theta\left(-\dfrac{\pi}{2}<\theta<\dfrac{\pi}{2}\right)$로 놓으면

$\dfrac{dx}{d\theta}=\sec^2\theta$에서 $dx=\sec^2\theta\,d\theta$

$x=0$일 때 $\theta=0$, $x=\sqrt{3}$일 때 $\theta=\dfrac{\pi}{3}$이므로

$$\int_0^{\sqrt{3}}\frac{1}{x^2+1}dx=\int_0^{\frac{\pi}{3}}\frac{1}{\tan^2\theta+1}\times\sec^2\theta\,d\theta$$
$$=\int_0^{\frac{\pi}{3}}\frac{1}{\sec^2\theta}\times\sec^2\theta\,d\theta$$
$$=\int_0^{\frac{\pi}{3}}d\theta$$
$$=\Big[\theta\Big]_0^{\frac{\pi}{3}}=\frac{\pi}{3}$$

답 (1) $\dfrac{\pi}{6}$ (2) $\dfrac{\pi}{3}$

455

(1) $f(x)=x$, $g'(x)=e^{-x}$으로 놓으면

$f'(x)=1$, $g(x)=-e^{-x}$이므로

$$\int_0^1 xe^{-x}dx=\Big[-xe^{-x}\Big]_0^1-\int_0^1 (-e^{-x})dx$$
$$=-\frac{1}{e}+\Big[-e^{-x}\Big]_0^1=1-\frac{2}{e}$$

(2) $\ln x^2=2\ln x$이고

$f(x)=\ln x$, $g'(x)=1$로 놓으면

$f'(x)=\dfrac{1}{x}$, $g(x)=x$이므로

$$\int_1^2 \ln x^2 \, dx = 2\int_1^2 \ln x \, dx$$
$$= 2\Big[x \ln x \Big]_1^2 - 2\int_1^2 dx$$
$$= 4 \ln 2 - 2\Big[x \Big]_1^2$$
$$= 4 \ln 2 - 2$$

(3) (ⅰ) $f(x) = \sin x$, $g'(x) = e^x$으로 놓으면
$f'(x) = \cos x$, $g(x) = e^x$이므로

$$\int_0^\pi e^x \sin x \, dx = \Big[e^x \sin x \Big]_0^\pi - \int_0^\pi e^x \cos x \, dx$$
$$= 0 - \int_0^\pi e^x \cos x \, dx$$
$$= -\int_0^\pi e^x \cos x \, dx \quad \cdots\cdots ㉠$$

(ⅱ) $\int_0^\pi e^x \cos x \, dx$에서

$u(x) = \cos x$, $v'(x) = e^x$으로 놓으면
$u'(x) = -\sin x$, $v(x) = e^x$이므로

$$\int_0^\pi e^x \cos x \, dx = \Big[e^x \cos x \Big]_0^\pi - \int_0^\pi e^x (-\sin x) dx$$
$$= (-e^\pi - 1) + \int_0^\pi e^x \sin x \, dx \quad \cdots\cdots ㉡$$

(ⅲ) ㉡을 ㉠에 대입하면

$$\int_0^\pi e^x \sin x \, dx = (e^\pi + 1) - \int_0^\pi e^x \sin x \, dx$$
$$2\int_0^\pi e^x \sin x \, dx = e^\pi + 1$$
$$\therefore \int_0^\pi e^x \sin x \, dx = \frac{1}{2} e^\pi + \frac{1}{2}$$

답 (1) $1 - \dfrac{2}{e}$ (2) $4 \ln 2 - 2$ (3) $\dfrac{1}{2} e^\pi + \dfrac{1}{2}$

456

(1)
$$\int_1^e \frac{5x-1}{x^2} dx = \int_1^e \Big(\frac{5}{x} - x^{-2} \Big) dx$$
$$= \Big[5 \ln |x| + \frac{1}{x} \Big]_1^e$$
$$= \Big(5 \ln e + \frac{1}{e} \Big) - (5 \ln 1 + 1)$$
$$= 4 + \frac{1}{e}$$

(2)
$$\int_0^{\frac{\pi}{2}} \sin^2 \frac{x}{2} \, dx = \int_0^{\frac{\pi}{2}} \frac{1 - \cos x}{2} dx$$
$$= \frac{1}{2} \int_0^{\frac{\pi}{2}} (1 - \cos x) dx$$
$$= \frac{1}{2} \Big[x - \sin x \Big]_0^{\frac{\pi}{2}}$$
$$= \frac{1}{2} \Big(\frac{\pi}{2} - 1 \Big)$$

(3)
$$\int_0^1 (2^x + 1)(4^x - 2^x + 1) dx = \int_0^1 (8^x + 1) dx$$
$$= \Big[\frac{8^x}{\ln 8} + x \Big]_0^1$$
$$= \Big(\frac{8}{\ln 8} + 1 \Big) - \frac{1}{\ln 8}$$
$$= \frac{7}{\ln 8} + 1$$

(4)
$$\int_0^2 \sqrt{e^{2x} + 6e^x + 9} \, dx = \int_0^2 \sqrt{(e^x + 3)^2} \, dx$$
$$= \int_0^2 (e^x + 3) dx$$
$$= \Big[e^x + 3x \Big]_0^2$$
$$= (e^2 + 6) - 1 = e^2 + 5$$

답 (1) $4 + \dfrac{1}{e}$ (2) $\dfrac{1}{2}\Big(\dfrac{\pi}{2} - 1 \Big)$

(3) $\dfrac{7}{\ln 8} + 1$ (4) $e^2 + 5$

457

$$\int_5^{10} \frac{1}{\sqrt{x-2}} dx - \int_6^{10} \frac{1}{\sqrt{y-2}} dy + \int_3^5 \frac{1}{\sqrt{z-2}} dz$$
$$= \int_3^5 \frac{1}{\sqrt{x-2}} dx + \int_5^{10} \frac{1}{\sqrt{x-2}} dx - \int_6^{10} \frac{1}{\sqrt{x-2}} dx$$
$$= \int_3^{10} \frac{1}{\sqrt{x-2}} dx + \int_{10}^6 \frac{1}{\sqrt{x-2}} dx$$
$$= \int_3^6 \frac{1}{\sqrt{x-2}} dx = \int_3^6 (x-2)^{-\frac{1}{2}} dx$$
$$= \Big[2\sqrt{x-2} \Big]_3^6 = 4 - 2 = 2$$

답 2

458

$f(x) = 2^x + 2^{-x}$이라 하면 $f(-x) = 2^{-x} + 2^x$
즉, $f(-x) = f(x)$이므로 $f(x)$는 우함수이다.
또, $g(x) = 3^x - 3^{-x}$이라 하면
$g(-x) = 3^{-x} - 3^x = -(3^x - 3^{-x})$
즉, $g(-x) = -g(x)$이므로 $g(x)$는 기함수이다.

$$\therefore \int_{-1}^1 (2^x + 3^x + 2^{-x} - 3^{-x}) dx$$
$$= \int_{-1}^1 (2^x + 2^{-x}) dx + \int_{-1}^1 (3^x - 3^{-x}) dx$$
$$= 2\int_0^1 (2^x + 2^{-x}) dx = 2\Big[\frac{2^x}{\ln 2} - \frac{2^{-x}}{\ln 2} \Big]_0^1$$
$$= 2\Big(\frac{2}{\ln 2} - \frac{1}{2 \ln 2} \Big) = 2 \times \frac{3}{2 \ln 2} = \frac{3}{\ln 2}$$

답 $\dfrac{3}{\ln 2}$

459

$\sqrt{x^2+3}=t$로 놓으면 $x^2+3=t^2$이므로

$2x\dfrac{dx}{dt}=2t$ $\therefore dx=\dfrac{t}{x}dt$

$x=1$일 때 $t=2$, $x=3$일 때 $t=2\sqrt{3}$이므로

$\displaystyle\int_1^3 \frac{x}{\sqrt{x^2+3}}dx=\int_2^{2\sqrt{3}}\frac{x}{t}\times\frac{t}{x}dt=\int_2^{2\sqrt{3}}dt$

$\qquad\qquad\qquad\quad=\Big[t\Big]_2^{2\sqrt{3}}=2\sqrt{3}-2$

따라서 $m=2$, $n=-2$이므로

$mn=2\times(-2)=-4$

답 -4

460

$x=4\sin\theta\left(-\dfrac{\pi}{2}\le\theta\le\dfrac{\pi}{2}\right)$로 놓으면

$\dfrac{dx}{d\theta}=4\cos\theta$ $\therefore dx=4\cos\theta\,d\theta$

$x=0$일 때 $\theta=0$, $x=4$일 때 $\theta=\dfrac{\pi}{2}$이므로

$\displaystyle\int_0^4 \sqrt{16-x^2}dx=\int_0^{\frac{\pi}{2}}\sqrt{16(1-\sin^2\theta)}\times4\cos\theta\,d\theta$

$\qquad\qquad\qquad=\displaystyle\int_0^{\frac{\pi}{2}}\sqrt{16\cos^2\theta}\times4\cos\theta\,d\theta$

$\qquad\qquad\qquad=\displaystyle\int_0^{\frac{\pi}{2}}4\cos\theta\times4\cos\theta\,d\theta$

$\qquad\qquad\qquad=16\displaystyle\int_0^{\frac{\pi}{2}}\cos^2\theta\,d\theta$

$\qquad\qquad\qquad=16\displaystyle\int_0^{\frac{\pi}{2}}\frac{1+\cos2\theta}{2}d\theta$

$\qquad\qquad\qquad=8\Big[\theta+\dfrac{1}{2}\sin2\theta\Big]_0^{\frac{\pi}{2}}$

$\qquad\qquad\qquad=8\times\dfrac{\pi}{2}=4\pi$

따라서 반지름의 길이가 r인 원의 넓이가 4π이므로

$\pi r^2=4\pi$, $r^2=4$

$\therefore r=2\ (\because r>0)$

답 2

461

(1) (i) $f(x)=x^2$, $g'(x)=\cos x$로 놓으면

$f'(x)=2x$, $g(x)=\sin x$이므로

$\displaystyle\int_0^\pi x^2\cos x\,dx=\Big[x^2\sin x\Big]_0^\pi-\int_0^\pi 2x\sin x\,dx$

$\qquad\qquad\qquad=0-2\displaystyle\int_0^\pi x\sin x\,dx$

$\qquad\qquad\qquad=-2\displaystyle\int_0^\pi x\sin x\,dx$ ...... ㉠

(ii) $\displaystyle\int_0^\pi x\sin x\,dx$에서

$u(x)=x$, $v'(x)=\sin x$로 놓으면

$u'(x)=1$, $v(x)=-\cos x$이므로

$\displaystyle\int_0^\pi x\sin x\,dx=\Big[-x\cos x\Big]_0^\pi-\int_0^\pi(-\cos x)dx$

$\qquad\qquad\qquad=\pi+\Big[\sin x\Big]_0^\pi=\pi$ ...... ㉡

(iii) ㉡을 ㉠에 대입하면

$\displaystyle\int_0^\pi x^2\cos x\,dx=-2\pi$

(2) (i) $f(x)=(\ln x)^2$, $g'(x)=1$로 놓으면

$f'(x)=\dfrac{2\ln x}{x}$, $g(x)=x$이므로

$\displaystyle\int_e^{e^2}(\ln x)^2 dx=\Big[x(\ln x)^2\Big]_e^{e^2}-\int_e^{e^2}2\ln x\,dx$

$\qquad\qquad\qquad=(4e^2-e)-2\displaystyle\int_e^{e^2}\ln x\,dx$ ...... ㉠

(ii) $\displaystyle\int_e^{e^2}\ln x\,dx$에서

$u(x)=\ln x$, $v'(x)=1$로 놓으면

$u'(x)=\dfrac{1}{x}$, $v(x)=x$이므로

$\displaystyle\int_e^{e^2}\ln x\,dx=\Big[x\ln x\Big]_e^{e^2}-\int_e^{e^2}dx$

$\qquad\qquad\quad=(2e^2-e)-\Big[x\Big]_e^{e^2}=e^2$ ...... ㉡

(iii) ㉡을 ㉠에 대입하면

$\displaystyle\int_e^{e^2}(\ln x)^2 dx=(4e^2-e)-2e^2=2e^2-e$

답 (1) -2π (2) $2e^2-e$

463

(1) $\displaystyle\int_1^e f(t)dt=a\ (a는 상수)$ ...... ㉠

로 놓으면

$f(x)=\ln x+a$ ...... ㉡

㉡을 ㉠에 대입하면

$a=\displaystyle\int_1^e f(t)dt=\int_1^e(\ln t+a)dt$

$\quad=\Big[t\ln t-t+at\Big]_1^e$

$\quad=(e\ln e-e+ea)-(\ln 1-1+a)$

$\quad=ea+1-a$

즉, $a=ea+1-a$에서 $(2-e)a=1$

$\therefore a=\dfrac{1}{2-e}$

$\therefore f(x)=\ln x+\dfrac{1}{2-e}$

(2) $\displaystyle\int_0^{\frac{\pi}{3}} f(t)\sin t\,dt=a$ (a는 상수) $\quad$……㉠

로 놓으면

$f(x)=\cos x-a$ $\quad$……㉡

㉡을 ㉠에 대입하면

$\displaystyle a=\int_0^{\frac{\pi}{3}} f(t)\sin t\,dt$

$\displaystyle\quad=\int_0^{\frac{\pi}{3}}(\cos t-a)\sin t\,dt$

$\displaystyle\quad=\int_0^{\frac{\pi}{3}}\cos t\sin t\,dt-a\int_0^{\frac{\pi}{3}}\sin t\,dt$

$\displaystyle\quad=\int_0^{\frac{\pi}{3}}\frac{1}{2}\sin 2t\,dt-a\int_0^{\frac{\pi}{3}}\sin t\,dt$

$\displaystyle\quad=\left[-\frac{1}{4}\cos 2t\right]_0^{\frac{\pi}{3}}-a\left[-\cos t\right]_0^{\frac{\pi}{3}}$

$\displaystyle\quad=\frac{3}{8}-\frac{1}{2}a$

즉, $a=\dfrac{3}{8}-\dfrac{1}{2}a$에서 $\dfrac{3}{2}a=\dfrac{3}{8}$

$\therefore a=\dfrac{1}{4}$

$\therefore f(x)=\cos x-\dfrac{1}{4}$

답 (1) $f(x)=\ln x+\dfrac{1}{2-e}$ (2) $f(x)=\cos x-\dfrac{1}{4}$

465

(1) [1단계] 주어진 식의 양변을 x에 대하여 미분하면

$\qquad f(x)=2e^{2x}+ae^x$

[2단계] 주어진 식의 양변에 $x=0$을 대입하면

$\qquad 0=1+a \quad \therefore a=-1$

$\qquad \therefore f(x)=2e^{2x}-e^x$

(2) [1단계] 주어진 식의 양변을 x에 대하여 미분하면

$\qquad f(x)+xf'(x)=\dfrac{1}{x}+f(x)$

$\qquad \therefore f'(x)=\dfrac{1}{x^2}$

$\qquad \therefore f(x)=\displaystyle\int\frac{1}{x^2}dx=-\frac{1}{x}+C$ $\quad$……㉠

[2단계] 주어진 식의 양변에 $x=1$을 대입하면

$\qquad f(1)=0$

㉠의 양변에 $x=1$을 대입하면

$\qquad f(1)=-1+C$

따라서 $-1+C=0$이므로 $C=1$

$\qquad \therefore f(x)=-\dfrac{1}{x}+1$

답 (1) $f(x)=2e^{2x}-e^x$ (2) $f(x)=-\dfrac{1}{x}+1$

467

$e^x=z$, 즉 $x=\ln z$로 치환하면

$\displaystyle\int_a^z f(t)dt=\ln z-1$ $\quad$……㉠

㉠의 양변을 z에 대하여 미분하면

$f(z)=\dfrac{1}{z} \quad \therefore f(x)=\dfrac{1}{x}$

㉠의 양변에 $z=a$를 대입하면

$0=\ln a-1 \quad \therefore a=e$

답 $a=e,\ f(x)=\dfrac{1}{x}$

469

$\displaystyle\int_\pi^x (x-t)f(t)dt=ax+b\sin x+\pi$에서

$\displaystyle x\int_\pi^x f(t)dt-\int_\pi^x tf(t)dt=ax+b\sin x+\pi$ $\quad$……㉠

㉠의 양변을 x에 대하여 미분하면

$\displaystyle\int_\pi^x f(t)dt+xf(x)-xf(x)=a+b\cos x$

$\therefore \displaystyle\int_\pi^x f(t)dt=a+b\cos x$ $\quad$……㉡

㉡의 양변을 x에 대하여 미분하면

$f(x)=-b\sin x$ $\quad$……㉢

㉡의 양변에 $x=\pi$를 대입하면 $0=a-b$

㉠의 양변에 $x=\pi$를 대입하면 $0=a\pi+\pi$

$\therefore a=-1,\ b=-1$

따라서 ㉢에서 $f(x)=\sin x$

답 $a=-1,\ b=-1,\ f(x)=\sin x$

471

(1) $f(x)=\displaystyle\int_0^x (1+\sin t)\cos t\,dt$의 양변을

x에 대하여 미분하면

$f'(x)=(1+\sin x)\cos x$

$f'(x)=0$에서 $\sin x=-1$ 또는 $\cos x=0$

$\therefore x=\dfrac{\pi}{2}$ $(\because 0<x<\pi)$

$0<x<\pi$에서 함수 $f(x)$의 증가와 감소를 표로 나타내면 다음과 같다.

x	(0)	$\cdots$	$\dfrac{\pi}{2}$	$\cdots$	(π)
$f'(x)$		$+$	0	$-$	
$f(x)$		$\nearrow$	극대	$\searrow$	

따라서 함수 $f(x)$는 $x=\dfrac{\pi}{2}$일 때 극대이므로 극댓값
은

$$f\left(\dfrac{\pi}{2}\right)=\int_0^{\frac{\pi}{2}}(1+\sin t)\cos t\,dt$$
$$=\int_0^{\frac{\pi}{2}}(\cos t+\sin t\cos t)dt$$
$$=\int_0^{\frac{\pi}{2}}\left(\cos t+\dfrac{1}{2}\sin 2t\right)dt$$
$$=\left[\sin t-\dfrac{1}{4}\cos 2t\right]_0^{\frac{\pi}{2}}$$
$$=\left(1+\dfrac{1}{4}\right)-\left(-\dfrac{1}{4}\right)=\dfrac{3}{2}$$

(2) $f(x)=\displaystyle\int_1^x(2-e^t)dt$의 양변을 x에 대하여 미분하면

$$f'(x)=2-e^x$$
$$f'(x)=0 에서 e^x=2 \qquad \therefore x=\ln 2$$

함수 $f(x)$의 증가와 감소를 표로 나타내면 다음과
같다.

x	$\cdots$	$\ln 2$	$\cdots$
$f'(x)$	$+$	0	$-$
$f(x)$	↗	극대	↘

따라서 함수 $f(x)$는 $x=\ln 2$일 때 극대이면서 최대
이므로 최댓값은

$$f(\ln 2)=\int_1^{\ln 2}(2-e^t)dt=\left[2t-e^t\right]_1^{\ln 2}$$
$$=(2\ln 2-2)-(2-e)$$
$$=2\ln 2-4+e$$

답 (1) $\dfrac{3}{2}$ (2) $2\ln 2-4+e$

473

(1) $f(t)=3^t+\ln t$의 한 부정적분을 $F(t)$라 하면

$$\int_1^x(3^t+\ln t)dt=\left[F(t)\right]_1^x=F(x)-F(1)$$
$$\therefore \lim_{x\to 1}\dfrac{1}{x^3-1}\int_1^x f(t)dt$$
$$=\lim_{x\to 1}\dfrac{F(x)-F(1)}{x^3-1}$$
$$=\lim_{x\to 1}\left\{\dfrac{F(x)-F(1)}{x-1}\times\dfrac{1}{x^2+x+1}\right\}$$
$$=\dfrac{1}{3}F'(1)=\dfrac{1}{3}f(1)$$
$$=\dfrac{1}{3}\times 3=1$$

(2) $f(t)=\sin \pi t+\cos \pi t$의 한 부정적분을 $F(t)$라 하
면

$$\int_1^{1+2x}(\sin \pi t+\cos \pi t)dt=\left[F(t)\right]_1^{1+2x}$$
$$=F(1+2x)-F(1)$$
$$\therefore \lim_{x\to 0}\dfrac{1}{x}\int_1^{1+2x}(\sin \pi t+\cos \pi t)dt$$
$$=\lim_{x\to 0}\dfrac{F(1+2x)-F(1)}{x}$$
$$=\lim_{x\to 0}\dfrac{F(1+2x)-F(1)}{2x}\times 2$$
$$=2F'(1)=2f(1)$$
$$=2\times(-1)=-2$$

답 (1) 1 (2) -2

474

$$\int_0^1 e^t f(t)dt=a\ (a는 상수) \qquad \cdots\cdots ㉠$$

로 놓으면

$$f(x)=x-a \qquad \cdots\cdots ㉡$$

㉡을 ㉠에 대입하면

$$a=\int_0^1 e^t(t-a)dt$$

$u(t)=t-a$, $v'(t)=e^t$으로 놓으면

$u'(t)=1$, $v(t)=e^t$이므로

$$a=\int_0^1 e^t(t-a)dt$$
$$=\left[e^t(t-a)\right]_0^1-\int_0^1 e^t dt$$
$$=e(1-a)+a-\left[e^t\right]_0^1$$
$$=e-ea+a-e+1$$
$$=-ea+a+1$$

즉, $a=-ea+a+1$에서 $ea=1$

$$\therefore a=\dfrac{1}{e}$$

$$\therefore f(x)=x-\dfrac{1}{e}$$

답 $f(x)=x-\dfrac{1}{e}$

475

$$f(x)=\sin x+x-\int_0^x f'(t)\cos t\,dt \qquad \cdots\cdots ㉠$$

[1단계] ㉠의 양변을 x에 대하여 미분하면

$$f'(x)=\cos x+1-f'(x)\cos x$$
$$(\cos x+1)f'(x)=\cos x+1$$
$$\therefore f'(x)=1$$
$$\therefore f(x)=\int dx=x+C \qquad \cdots\cdots ㉡$$

[2단계] ㉠의 양변에 $x=0$을 대입하면 $f(0)=0$

㉡의 양변에 $x=0$을 대입하면 $f(0)=C=0$

따라서 $f(x)=x$이므로 $f(\pi)=\pi$

답 π

476

$\dfrac{1}{x}=z$로 치환하면 $x=\dfrac{1}{z}$이므로

$\displaystyle\int_a^z f(t)dt=\dfrac{1}{z}-2$ ...... ㉠

㉠의 양변에 $z=a$를 대입하면

$0=\dfrac{1}{a}-2$ $\quad\therefore a=\dfrac{1}{2}$

㉠의 양변을 z에 대하여 미분하면

$f(z)=-\dfrac{1}{z^2}$

따라서 $f(x)=-\dfrac{1}{x^2}$이므로 $f(1)=-1$

$\therefore af(1)=\dfrac{1}{2}\times(-1)=-\dfrac{1}{2}$

답 $-\dfrac{1}{2}$

477

$\displaystyle\int_1^x (x-t)f(t)dt=x^2\ln x+ax+b$에서

$x\displaystyle\int_1^x f(t)dt-\int_1^x tf(t)dt=x^2\ln x+ax+b$ ...... ㉠

㉠의 양변을 x에 대하여 미분하면

$\displaystyle\int_1^x f(t)dt+xf(x)-xf(x)=2x\ln x+x+a$

$\therefore \displaystyle\int_1^x f(t)dt=2x\ln x+x+a$ ...... ㉡

㉡의 양변에 $x=1$을 대입하면

$0=1+a$ $\quad\therefore a=-1$

㉠의 양변에 $x=1$을 대입하면

$a+b=0$ $\quad\therefore b=-a=1$

$\therefore ab=(-1)\times 1=-1$

답 -1

478

$f(x)=\displaystyle\int_{-2}^x (t^2+t-2)dt$에서

$f'(x)=\dfrac{d}{dx}\displaystyle\int_{-2}^x (t^2+t-2)dt$

$\qquad=x^2+x-2=(x+2)(x-1)$

$f'(x)=0$에서 $x=-2$ 또는 $x=1$

함수 $f(x)$의 증가와 감소를 표로 나타내면 다음과 같다.

x	$\cdots$	-2	$\cdots$	1	$\cdots$
$f'(x)$	$+$	0	$-$	0	$+$
$f(x)$	↗	극대	↘	극소	↗

따라서 $f(x)$는

$x=-2$일 때, 극댓값을 가지므로

$\alpha=f(-2)=\displaystyle\int_{-2}^{-2}(t^2+t-2)dt=0$

$x=1$일 때, 극솟값을 가지므로

$\beta=f(1)=\displaystyle\int_{-2}^{1}(t^2+t-2)dt$

$\qquad=\left[\dfrac{1}{3}t^3+\dfrac{1}{2}t^2-2t\right]_{-2}^{1}=-\dfrac{9}{2}$

$\therefore \alpha+\beta=-\dfrac{9}{2}$

답 $-\dfrac{9}{2}$

479

$f(t)=\dfrac{1}{1+t^2}$의 한 부정적분을 $F(t)$라 하면

$\displaystyle\int_2^x \dfrac{1}{1+t^2}dt=\Big[F(t)\Big]_2^x=F(x)-F(2)$

$\therefore \displaystyle\lim_{x\to 2}\dfrac{1}{x-2}\int_2^x \dfrac{1}{1+t^2}dt=\lim_{x\to 2}\dfrac{F(x)-F(2)}{x-2}$

$\qquad\qquad\qquad\qquad=F'(2)=f(2)$

$\qquad\qquad\qquad\qquad=\dfrac{1}{1+2^2}=\dfrac{1}{5}$

답 $\dfrac{1}{5}$

481

오른쪽 그림과 같이 구간 $[0,1]$을 n등분하면 양 끝 점을 포함한 각 분점의 x좌표는 다음과 같다.

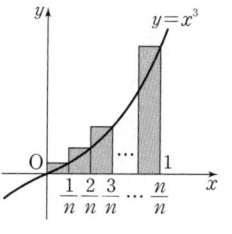

$0=\dfrac{0}{n}, \dfrac{1}{n}, \dfrac{2}{n}, \dfrac{3}{n},$

$\cdots, \dfrac{n}{n}=1$

또, n등분한 소구간의 오른쪽 끝점을 기준으로 직사각형을 세우면 각 직사각형의 높이는

$\left(\dfrac{1}{n}\right)^3, \left(\dfrac{2}{n}\right)^3, \left(\dfrac{3}{n}\right)^3, \cdots, \left(\dfrac{n}{n}\right)^3$

이들 직사각형의 넓이의 합을 S_n이라 하면

$$S_n = \frac{1}{n} \times \left(\frac{1}{n}\right)^3 + \frac{1}{n} \times \left(\frac{2}{n}\right)^3 + \frac{1}{n} \times \left(\frac{3}{n}\right)^3 + \cdots$$
$$+ \frac{1}{n} \times \left(\frac{n}{n}\right)^3$$

$$= \frac{1}{n^4} (1^3 + 2^3 + 3^3 + \cdots + n^3)$$

$$= \frac{1}{n^4} \times \left\{\frac{n(n+1)}{2}\right\}^2 = \frac{(n+1)^2}{4n^2}$$

따라서 구하는 넓이는

$$\lim_{n\to\infty} S_n = \lim_{n\to\infty} \frac{(n+1)^2}{4n^2} = \frac{1}{4}$$

달 $\dfrac{1}{4}$

483

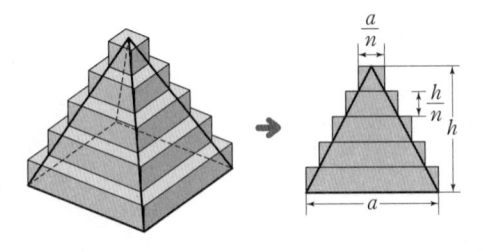

위의 그림과 같이 정사각뿔의 높이를 n등분하여 n개의 정사각기둥을 만들면 각 정사각기둥의 높이는 $\frac{h}{n}$이고, 밑면인 정사각형의 한 변의 길이는 위에서부터 차례로

$$\frac{a}{n}, \frac{2a}{n}, \frac{3a}{n}, \cdots, \frac{na}{n}$$

이들 정사각기둥의 부피의 합을 V_n이라 하면

$$V_n = \left(\frac{a}{n}\right)^2 \times \frac{h}{n} + \left(\frac{2a}{n}\right)^2 \times \frac{h}{n} + \left(\frac{3a}{n}\right)^2 \times \frac{h}{n} + \cdots$$
$$+ \left(\frac{na}{n}\right)^2 \times \frac{h}{n}$$

$$= \frac{a^2 h}{n^3} (1^2 + 2^2 + 3^2 + \cdots + n^2)$$

$$= \frac{a^2 h}{n^3} \times \frac{n(n+1)(2n+1)}{6}$$

$$= \frac{a^2 h (n+1)(2n+1)}{6n^2}$$

따라서 구하는 부피는

$$\lim_{n\to\infty} V_n = \lim_{n\to\infty} \frac{a^2 h (n+1)(2n+1)}{6n^2} = \frac{1}{3} a^2 h$$

달 $\dfrac{1}{3} a^2 h$

485

(1) ( ) 안의 k의 계수가 $\frac{2}{n}$이다.

( ) 밖에도 반드시 $\frac{2}{n}$가 있어야 한다.

따라서 ( ) 밖의 $\frac{7}{n}$을 $\frac{2}{n}$로 조정해 주어야 한다.

$1 + \frac{2k}{n}$를 x로 바꾸면 $\frac{2}{n}$는 dx가 되고

적분구간은 구간 $[1, 3]$이 되므로

$$\lim_{n\to\infty} \sum_{k=1}^{n} \left(1 + \frac{2k}{n}\right)^3 \times \frac{7}{n}$$

$$= \lim_{n\to\infty} \sum_{k=1}^{n} \left(1 + \frac{2k}{n}\right)^3 \times \frac{2}{n} \times \frac{7}{2}$$

$$= \frac{7}{2} \lim_{n\to\infty} \sum_{k=1}^{n} \left(1 + \frac{2k}{n}\right)^3 \times \frac{2}{n}$$

$$= \frac{7}{2} \int_{1}^{3} x^3 dx$$

$$= \frac{7}{2} \left[\frac{1}{4} x^4\right]_{1}^{3} = 70$$

(2) $\frac{3k}{n}$를 x로 바꾸면 $\frac{3}{n}$이 dx가 되고

적분구간은 구간 $[0, 3]$이 되므로

$$\lim_{n\to\infty} \sum_{k=1}^{n} \left(\frac{3k}{n}\right)^2 \times \frac{2}{n}$$

$$= \lim_{n\to\infty} \sum_{k=1}^{n} \left(\frac{3k}{n}\right)^2 \times \frac{3}{n} \times \frac{2}{3}$$

$$= \frac{2}{3} \int_{0}^{3} x^2 dx$$

$$= \frac{2}{3} \left[\frac{1}{3} x^3\right]_{0}^{3} = 6$$

(3) $\lim_{n\to\infty} \frac{1}{n^2} \sum_{k=1}^{n} k \sqrt[n]{e^k} = \lim_{n\to\infty} \sum_{k=1}^{n} \frac{k}{n} e^{\frac{k}{n}} \times \frac{1}{n}$에서

$\frac{k}{n}$를 x로 바꾸면 $\frac{1}{n}$은 dx가 되고

적분구간은 구간 $[0, 1]$이 되므로

$$(\text{주어진 식}) = \int_{0}^{1} x e^x dx$$

$$= \left[x e^x\right]_{0}^{1} - \int_{0}^{1} e^x dx$$

$$= e - \left[e^x\right]_{0}^{1} = 1$$

(4) $\lim_{n\to\infty} \frac{1}{n^2} \sum_{k=1}^{n} k \cos \frac{k\pi}{n} = \lim_{n\to\infty} \sum_{k=1}^{n} \frac{k}{n} \cos \frac{k\pi}{n} \times \frac{1}{n}$

에서 $\frac{k}{n}$를 x로 바꾸면 $\frac{1}{n}$은 dx가 되고

적분구간은 구간 $[0, 1]$이 되므로

$$(\text{주어진 식}) = \int_{0}^{1} x \cos \pi x \, dx$$

$$= \left[\frac{1}{\pi} x \sin \pi x\right]_{0}^{1} - \int_{0}^{1} \frac{1}{\pi} \sin \pi x \, dx$$

$$= 0 - \left[-\frac{1}{\pi^2} \cos \pi x\right]_{0}^{1}$$

$$= -\frac{2}{\pi^2}$$

달 (1) 70 (2) 6 (3) 1 (4) $-\dfrac{2}{\pi^2}$

487

(1) (주어진 식)$=\lim\limits_{n\to\infty}\sum\limits_{k=1}^{n}k^5\times\dfrac{1}{n^6}$

$\qquad=\lim\limits_{n\to\infty}\sum\limits_{k=1}^{n}\left(\dfrac{k}{n}\right)^5\times\dfrac{1}{n}$

$\qquad=\displaystyle\int_0^1 x^5 dx$

$\qquad=\left[\dfrac{1}{6}x^6\right]_0^1=\dfrac{1}{6}$

(2) $(3n+1)^3+(3n+2)^3+(3n+3)^3+\cdots+(4n)^3$

$=\sum\limits_{k=1}^{n}(3n+k)^3$

이므로

(주어진 식)$=\lim\limits_{n\to\infty}\sum\limits_{k=1}^{n}(3n+k)^3\times\dfrac{1}{n^4}$

$\qquad=\lim\limits_{n\to\infty}\sum\limits_{k=1}^{n}\dfrac{(3n+k)^3}{n^3}\times\dfrac{1}{n}$

$\qquad=\lim\limits_{n\to\infty}\sum\limits_{k=1}^{n}\left(3+\dfrac{k}{n}\right)^3\times\dfrac{1}{n}$

$\qquad=\displaystyle\int_3^4 x^3 dx=\left[\dfrac{1}{4}x^4\right]_3^4=\dfrac{175}{4}$

(3) (주어진 식)$=\lim\limits_{n\to\infty}\sum\limits_{k=1}^{n}\dfrac{k}{n^2+k^2}$

$\qquad=\lim\limits_{n\to\infty}\sum\limits_{k=1}^{n}\dfrac{\dfrac{k}{n}}{1+\left(\dfrac{k}{n}\right)^2}\times\dfrac{1}{n}$

$\qquad=\displaystyle\int_0^1\dfrac{x}{1+x^2}dx$

$1+x^2=y$로 놓으면 $2x\dfrac{dx}{dy}=1$

$\therefore dx=\dfrac{1}{2x}dy$

$x=0$일 때 $y=1$, $x=1$일 때 $y=2$이므로

(주어진 식)$=\displaystyle\int_1^2\dfrac{x}{y}\times\dfrac{1}{2x}dy$

$\qquad=\dfrac{1}{2}\left[\ln|y|\right]_1^2=\dfrac{1}{2}\ln 2$

답 (1) $\dfrac{1}{6}$ (2) $\dfrac{175}{4}$ (3) $\dfrac{1}{2}\ln 2$

488

[1단계] S_n을 구한다.

아랫변을 n등분한 후 직사각형을 세워 준다.

여기서 주의할 건 도형의 아랫변의 길이가 2라는 것!

이걸 같은 길이로 n조각을 내면 모든 직사각형의 가로의 길이는 $\dfrac{2}{n}$이고 세로의 길이는 $\left(\dfrac{2}{n}\times k\right)^2$이다.

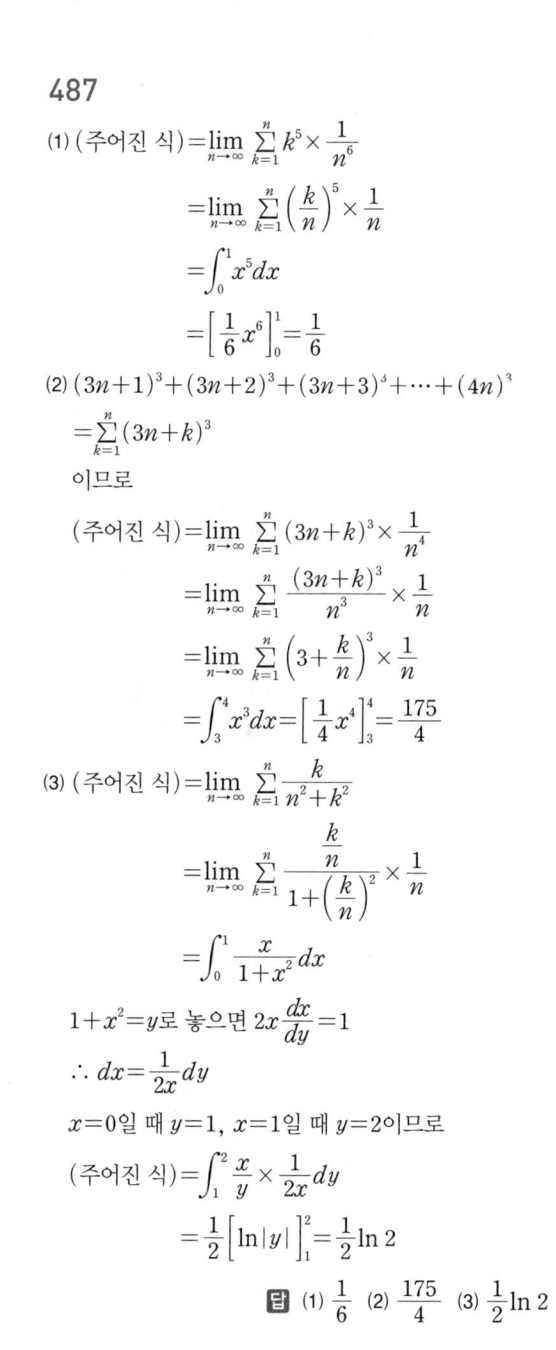

$\therefore S_n=\dfrac{2}{n}\times\left(\dfrac{2}{n}\right)^2+\dfrac{2}{n}\times\left(\dfrac{2}{n}\times 2\right)^2$

$\qquad+\dfrac{2}{n}\times\left(\dfrac{2}{n}\times 3\right)^2+\cdots+\dfrac{2}{n}\times\left(\dfrac{2}{n}\times n\right)^2$

$\quad=\left(\dfrac{2}{n}\right)^3\times(1^2+2^2+3^2+\cdots+n^2)$

$\quad=\dfrac{8}{n^3}\times\dfrac{n(n+1)(2n+1)}{6}$

$\quad=\dfrac{4(n+1)(2n+1)}{3n^2}$

[2단계] $\lim\limits_{n\to\infty}S_n$을 구한다.

$\lim\limits_{n\to\infty}S_n=\lim\limits_{n\to\infty}\dfrac{4(n+1)(2n+1)}{3n^2}=\dfrac{8}{3}$

답 $\dfrac{8}{3}$

489

①은 $\lim\limits_{n\to\infty}\sum\limits_{k=1}^{n}f\left(\dfrac{k}{n}\right)\dfrac{1}{n}=\displaystyle\int_0^1 f(x)dx$를 적용한 것.

④는 $\lim\limits_{n\to\infty}\sum\limits_{k=1}^{n}f\left(a+\dfrac{pk}{n}\right)\dfrac{p}{n}=\displaystyle\int_a^{a+p}f(x)dx$를 적용한 것. 즉,

(주어진 식)$=\lim\limits_{n\to\infty}\sum\limits_{k=1}^{n}f\left(2+\dfrac{3k}{n}\right)\dfrac{3}{n}\times\dfrac{5}{3}$

$\qquad=\dfrac{5}{3}\displaystyle\int_2^5 f(x)dx$

②는 ④를 x축의 방향으로 -2만큼 평행이동한 것.

⑤는 ①을 x축의 방향으로 2만큼 평행이동한 것.

따라서 옳지 않은 것은 ③이다.

답 ③

490

$\lim\limits_{n\to\infty}\sum\limits_{k=1}^{n}f\left(\dfrac{k}{n}\right)\times\dfrac{4}{n}=4\displaystyle\int_0^1 f(x)dx$

$\qquad=4\displaystyle\int_0^1 e^{2x}dx$

$\qquad=4\left[\dfrac{1}{2}e^{2x}\right]_0^1$

$\qquad=2(e^2-1)$

답 $2(e^2-1)$

491

$f(x)=ax(x-3)=ax^2-3ax$에서

$f'(x)=2ax-3a$

이때 $f'(1)=1$이므로 $2a-3a=1$　　$\therefore a=-1$

$\therefore f(x)=-x^2+3x$

$\therefore \displaystyle\lim_{n\to\infty}\frac{6}{n}\sum_{k=1}^{n}f\left(\frac{k}{n}\right)=6\int_0^1 f(x)dx=6\int_0^1(-x^2+3x)dx$

$\qquad\qquad\qquad\qquad=6\left[-\frac{1}{3}x^3+\frac{3}{2}x^2\right]_0^1$

$\qquad\qquad\qquad\qquad=6\left(-\frac{1}{3}+\frac{3}{2}\right)=7$

답 7

492

$\displaystyle\lim_{n\to\infty}\frac{1}{n}\sum_{k=1}^{n}f\left(\frac{2}{n}k\right)=\frac{1}{2}\int_0^2 f(x)dx=\frac{1}{2}\int_0^2(2e^x-ax)dx$

$\qquad\qquad\qquad\qquad=\frac{1}{2}\left[2e^x-\frac{1}{2}ax^2\right]_0^2=\frac{1}{2}(2e^2-2a-2)$

$\qquad\qquad\qquad\qquad=e^2-a-1$

즉, $e^2-a-1=f(2)$이므로

$e^2-a-1=2e^2-2a$

$\therefore a=e^2+1$

답 e^2+1

493

$\displaystyle\int_0^2 f(x)dx-\int_\pi^2 f(x)dx=\int_0^2 f(x)dx+\int_2^\pi f(x)dx$

$\qquad\qquad\qquad\qquad\qquad=\int_0^\pi f(x)dx$

$\qquad\qquad\qquad\qquad\qquad=\int_0^\pi x\cos 2x\,dx$

$u(x)=x,\ v'(x)=\cos 2x$로 놓으면

$u'(x)=1,\ v(x)=\frac{1}{2}\sin 2x$

$\therefore \displaystyle\int_0^\pi x\cos 2x\,dx=\left[\frac{1}{2}x\sin 2x\right]_0^\pi-\int_0^\pi\frac{1}{2}\sin 2x\,dx$

$\qquad\qquad\qquad\qquad=0-\left[-\frac{1}{4}\cos 2x\right]_0^\pi$

$\qquad\qquad\qquad\qquad=-\left(-\frac{1}{4}+\frac{1}{4}\right)=0$

답 0

494

$\displaystyle\int_0^a\frac{e^{2x}}{e^x-1}dx+\int_a^0\frac{1}{e^x-1}dx$

$=\displaystyle\int_0^a\frac{e^{2x}}{e^x-1}dx-\int_0^a\frac{1}{e^x-1}dx$

$=\displaystyle\int_0^a\frac{e^{2x}-1}{e^x-1}dx$

$=\displaystyle\int_0^a\frac{(e^x+1)(e^x-1)}{e^x-1}dx$

$=\displaystyle\int_0^a(e^x+1)dx$

$=\left[e^x+x\right]_0^a=e^a+a-1$

따라서 $e^a+a-1=e^3+2$이므로 $a=3$

답 3

495

$\displaystyle\int_{-\pi}^{\frac{\pi}{2}}f(x)dx=\int_{-\pi}^0 f(x)dx+\int_0^{\frac{\pi}{2}}f(x)dx$

$\qquad\qquad\quad=\displaystyle\int_{-\pi}^0 e^{-x}dx+\int_0^{\frac{\pi}{2}}(1-\sin 2x)dx$

$\qquad\qquad\quad=\left[-e^{-x}\right]_{-\pi}^0+\left[x+\frac{1}{2}\cos 2x\right]_0^{\frac{\pi}{2}}$

$\qquad\qquad\quad=\{-1-(-e^\pi)\}+\left\{\left(\frac{\pi}{2}-\frac{1}{2}\right)-\frac{1}{2}\right\}$

$\qquad\qquad\quad=(-1+e^\pi)+\left(\frac{\pi}{2}-1\right)$

$\qquad\qquad\quad=e^\pi+\frac{\pi}{2}-2$

답 $e^\pi+\frac{\pi}{2}-2$

496

$\sin 2x-\cos x=0$에서

$2\sin x\cos x-\cos x=0$

$\cos x(2\sin x-1)=0$

$\cos x=0$ 또는 $\sin x=\frac{1}{2}$

$\therefore x=\frac{\pi}{2}$ 또는 $x=\frac{\pi}{6}$ $\left(\because 0\le x\le\frac{\pi}{2}\right)$

즉, $|\sin 2x-\cos x|=\begin{cases}-\sin 2x+\cos x & \left(0\le x\le\frac{\pi}{6}\right)\\ \sin 2x-\cos x & \left(\frac{\pi}{6}\le x\le\frac{\pi}{2}\right)\end{cases}$

이므로

$\displaystyle\int_0^{\frac{\pi}{2}}|\sin 2x-\cos x|dx$

$=\displaystyle\int_0^{\frac{\pi}{6}}(-\sin 2x+\cos x)dx+\int_{\frac{\pi}{6}}^{\frac{\pi}{2}}(\sin 2x-\cos x)dx$

$=\left[\frac{1}{2}\cos 2x+\sin x\right]_0^{\frac{\pi}{6}}+\left[-\frac{1}{2}\cos 2x-\sin x\right]_{\frac{\pi}{6}}^{\frac{\pi}{2}}$

$=\left\{\left(\frac{1}{4}+\frac{1}{2}\right)-\frac{1}{2}\right\}+\left\{\left(\frac{1}{2}-1\right)-\left(-\frac{1}{4}-\frac{1}{2}\right)\right\}$

$=\frac{1}{2}$

답 $\frac{1}{2}$

497

$$\int_{-\pi}^{\pi}(-x|x|+\sin 2x+3x^2)dx$$

$$=\int_{-\pi}^{0}x^2dx+\int_{0}^{\pi}(-x^2)dx+2\int_{0}^{\pi}3x^2dx$$

$$=\left[\frac{1}{3}x^3\right]_{-\pi}^{0}+\left[-\frac{1}{3}x^3\right]_{0}^{\pi}+2\left[x^3\right]_{0}^{\pi}$$

$$=\frac{\pi^3}{3}-\frac{\pi^3}{3}+2\times\pi^3=2\pi^3$$

탑 ⑤

498

x, $\sin 2x$는 기함수이고 $\cos 3x$는 우함수이므로
$x\cos 3x$, $\sin 2x\cos 3x$는 기함수이다.

$$\therefore \int_{-\frac{\pi}{6}}^{\frac{\pi}{6}}(x-\sin 2x+k)\cos 3x\, dx$$

$$=\int_{-\frac{\pi}{6}}^{\frac{\pi}{6}}(x\cos 3x-\sin 2x\cos 3x+k\cos 3x)dx$$

$$=\int_{-\frac{\pi}{6}}^{\frac{\pi}{6}}(x\cos 3x-\sin 2x\cos 3x)dx$$

$$\qquad\qquad\qquad\qquad +k\int_{-\frac{\pi}{6}}^{\frac{\pi}{6}}\cos 3x\, dx$$

$$=0+2k\int_{0}^{\frac{\pi}{6}}\cos 3x\, dx$$

$$=2k\left[\frac{1}{3}\sin 3x\right]_{0}^{\frac{\pi}{6}}$$

$$=2k\times\frac{1}{3}=\frac{2}{3}k$$

따라서 $\frac{2}{3}k=2$이므로 $k=3$

탑 3

499

(나)에서 함수 $f(x)$는 주기함수이므로

$$\int_{-10}^{-6}f(x)dx=\int_{-6}^{-2}f(x)dx=\int_{-2}^{2}f(x)dx$$

$$=\int_{2}^{6}f(x)dx=\int_{6}^{10}f(x)dx$$

(가)에서 함수 $f(x)$는 우함수이므로 그 그래프는 y축에 대하여 대칭이다.
따라서 주어진 $y=f(x)$의 그래프에서

$$\int_{-2}^{2}f(x)dx=2\int_{0}^{2}f(x)dx=2\times\frac{1}{2}(2+1)\times 1=3$$

$$\therefore \int_{-10}^{10}f(x)dx=\int_{-10}^{-6}f(x)dx+\int_{-6}^{-2}f(x)dx$$

$$+\int_{-2}^{2}f(x)dx+\int_{2}^{6}f(x)dx$$

$$+\int_{6}^{10}f(x)dx$$

$$=5\int_{-2}^{2}f(x)dx=5\times 3=15$$

탑 15

500

$G(x)=x\int_{0}^{x}f'(t)dt-\int_{0}^{x}tf'(t)dt$이므로

양변을 x에 대하여 미분하면

$$G'(x)=\int_{0}^{x}f'(t)dt+xf'(x)-xf'(x)$$

$$=\int_{0}^{x}f'(t)dt=\left[f(t)\right]_{0}^{x}$$

$$=f(x)-f(0)$$

$$=(x^2+2\cos x)-(0^2+2\cos 0)$$

$$=x^2+2\cos x-2$$

탑 $G'(x)=x^2+2\cos x-2$

501

$f(x)=e^x+\ln x+\sin\frac{\pi}{2}x$라 하고,

$f(x)$의 한 부정적분을 $F(x)$라 하면

$$\lim_{x\to 1}\frac{1}{x-1}\int_{1}^{x^2}\left(e^t+\ln t+\sin\frac{\pi}{2}t\right)dt$$

$$=\lim_{x\to 1}\frac{1}{x-1}\left[F(x)\right]_{1}^{x^2}$$

$$=\lim_{x\to 1}\frac{F(x^2)-F(1)}{x-1}\times\frac{1}{x+1}\times(x+1)$$

$$=\lim_{x\to 1}\frac{F(x^2)-F(1)}{x^2-1}\times(x+1)$$

$$=2f(1)=2(e+1)$$

탑 ⑤

502

$$\lim_{n\to\infty}\sum_{k=1}^{n}\frac{k}{n^3}\sqrt{n^2-k^2}=\lim_{n\to\infty}\sum_{k=1}^{n}\frac{k}{n}\sqrt{1-\left(\frac{k}{n}\right)^2}\times\frac{1}{n}$$

여기서 $\frac{k}{n}$를 x로 바꾸면 $\frac{1}{n}$은 dx가 되고

적분구간은 구간 $[0, 1]$이 되므로

$$(주어진\ 식)=\int_{0}^{1}x\sqrt{1-x^2}\, dx$$

$\sqrt{1-x^2}=t$로 놓으면 $1-x^2=t^2$에서

$$-2x\frac{dx}{dt}=2t\qquad\therefore dx=-\frac{t}{x}dt$$

$x=0$일 때 $t=1$, $x=1$일 때 $t=0$이므로

$$(\text{주어진 식}) = \int_1^0 x \times t \times \left(-\frac{t}{x}\right) dt$$
$$= \int_1^0 (-t^2) dt$$
$$= \int_0^1 t^2 dt = \left[\frac{1}{3}t^3\right]_0^1 = \frac{1}{3}$$

답 $\frac{1}{3}$

503

$f(x) = |\sin 2x|$ 로 놓으면

$f(x)$ 는 주기가 $\frac{\pi}{2}$ 인 주기함수이므로

$$\int_a^{a+\pi} |\sin 2x| dx = 2 \int_0^{\frac{\pi}{2}} \sin 2x \, dx$$
$$= 2\left[-\frac{1}{2}\cos 2x\right]_0^{\frac{\pi}{2}}$$
$$= 2\left(\frac{1}{2} + \frac{1}{2}\right) = 2$$

답 2

504

$2x - 3 = t$ 로 놓으면

$2\dfrac{dx}{dt} = 1$ 에서 $dx = \dfrac{1}{2}dt$

$x = 2$ 일 때 $t = 1$, $x = 3$ 일 때 $t = 3$ 이므로

$$\int_2^3 f(2x-3)dx = \int_1^3 f(t) \times \frac{1}{2}dt = \frac{1}{2}\int_1^3 f(t)dt$$

이때 주어진 $y = f(x)$ 의 그래프에서

$$\int_1^3 f(t)dt = 2 \times \frac{1}{2}(2+3) \times 1 = 5$$

$$\therefore \int_2^3 f(2x-3)dx = \frac{1}{2}\int_1^3 f(t)dt = \frac{5}{2}$$

답 $\frac{5}{2}$

505

$x = k\tan\theta \left(-\dfrac{\pi}{2} < \theta < \dfrac{\pi}{2}\right)$ 로 놓으면

$\dfrac{dx}{d\theta} = k\sec^2\theta \qquad \therefore dx = k\sec^2\theta \, d\theta$

$x = 0$ 일 때 $\theta = 0$, $x = k$ 일 때 $\theta = \dfrac{\pi}{4}$ 이므로

$$\int_0^k \frac{1}{k^2 + x^2}dx = \int_0^{\frac{\pi}{4}} \frac{1}{k^2(1+\tan^2\theta)} \times k\sec^2\theta \, d\theta$$
$$= \int_0^{\frac{\pi}{4}} \frac{1}{k^2\sec^2\theta} \times k\sec^2\theta \, d\theta$$
$$= \frac{1}{k}\int_0^{\frac{\pi}{4}} d\theta$$
$$= \frac{1}{k}\left[\theta\right]_0^{\frac{\pi}{4}} = \frac{\pi}{4k}$$

따라서 $\dfrac{\pi}{4k} = \dfrac{\pi}{16}$ 이므로 $k = 4$

답 4

506

(i) $\displaystyle\int_0^1 f(t)dt = a$, $\displaystyle\int_0^2 f(t)dt = b$ (a, b는 상수)로

놓으면

$$f(x) = e^x + a + b$$

(ii) $f(x) = e^x + a + b$ 를

$\displaystyle\int_0^1 f(t)dt = a$, $\displaystyle\int_0^2 f(t)dt = b$ 에 각각 대입하면

$$\int_0^1 (e^t + a + b)dt = a, \quad \int_0^2 (e^t + a + b)dt = b$$

(iii) 두 식을 풀어 연립하면 끝난다.

$$\int_0^1 (e^t + a + b)dt = \left[e^t + at + bt\right]_0^1$$
$$= e + a + b - 1 = a$$
$$\int_0^2 (e^t + a + b)dt = \left[e^t + at + bt\right]_0^2$$
$$= e^2 + 2a + 2b - 1 = b$$

$$\therefore a = \frac{e - e^2}{2}, \ b = 1 - e$$

$$\therefore f(x) = e^x + \frac{2 - e - e^2}{2}$$

답 $f(x) = e^x + \dfrac{2-e-e^2}{2}$

507

[1단계] 주어진 식의 양변을 x 에 대하여 미분하면

$$f(x) + xf'(x) + 3 = f(x)$$
$$xf'(x) = -3 \qquad \therefore f'(x) = -\frac{3}{x}$$
$$\therefore f(x) = \int\left(-\frac{3}{x}\right)dx$$
$$= -3\ln|x| + C \qquad \cdots\cdots \text{㉠}$$

[2단계] 주어진 식의 양변에 $x = e$ 를 대입하면

$$ef(e) + 3e = 0 \qquad \therefore f(e) = -3$$

㉠의 양변에 $x = e$ 를 대입하면

$$f(e) = -3\ln e + C = -3 + C$$

즉, $-3 + C = -3$ 이므로 $C = 0$

따라서 $f(x) = -3\ln|x|$ 이므로

$$f\left(\frac{1}{e}\right) = -3\ln\frac{1}{e} = 3$$

답 3

508

$u(t)=\ln t$, $v'(t)=\dfrac{1}{t^2}$로 놓으면

$u'(t)=\dfrac{1}{t}$, $v(t)=-\dfrac{1}{t}$ 이므로

$$
\begin{aligned}
f(x)&=\int_{e^x}^{e^{2x}}\frac{\ln t}{t^2}dt\\
&=\left[-\frac{1}{t}\ln t\right]_{e^x}^{e^{2x}}-\int_{e^x}^{e^{2x}}\left(-\frac{1}{t^2}\right)dt\\
&=\left(-\frac{2x}{e^{2x}}+\frac{x}{e^x}\right)+\left[-\frac{1}{t}\right]_{e^x}^{e^{2x}}\\
&=\left(-\frac{2x}{e^{2x}}+\frac{x}{e^x}\right)+\left(-\frac{1}{e^{2x}}+\frac{1}{e^x}\right)\\
&=-(2x+1)e^{-2x}+(x+1)e^{-x}
\end{aligned}
$$

$$
\begin{aligned}
f'(x)&=-2e^{-2x}+2(2x+1)e^{-2x}+e^{-x}-(x+1)e^{-x}\\
&=4xe^{-2x}-xe^{-x}=xe^{-x}(4e^{-x}-1)
\end{aligned}
$$

$f'(x)=0$에서 $x=\ln 4$ $(\because x>0)$

함수 $f(x)$의 증가와 감소를 표로 나타내면 다음과 같다.

x	0	$\cdots$	$\ln 4$	$\cdots$
$f'(x)$		$+$	0	$-$
$f(x)$		↗	극대	↘

따라서 함수 $f(x)$는 $x=\ln 4$에서 극댓값을 가지므로 $a=\ln 4$

답 $\ln 4$

509

$$f(x)=\int_0^x(1-2\sin t)\cos t\,dt \quad \cdots\cdots ㉠$$

㉠의 양변을 x에 대하여 미분하면

$f'(x)=(1-2\sin x)\cos x$

$f'(x)=0$에서 $\sin x=\dfrac{1}{2}$ 또는 $\cos x=0$

$\therefore x=\dfrac{\pi}{6}$ 또는 $x=\dfrac{\pi}{2}$ 또는 $x=\dfrac{5}{6}\pi$ $(\because 0<x<\pi)$

$0<x<\pi$에서 함수 $f(x)$의 증가와 감소를 표로 나타내면 다음과 같다.

x	(0)	$\cdots$	$\dfrac{\pi}{6}$	$\cdots$	$\dfrac{\pi}{2}$	$\cdots$	$\dfrac{5}{6}\pi$	$\cdots$	(π)
$f'(x)$		$+$	0	$-$	0	$+$	0	$-$	
$f(x)$		↗	극대	↘	극소	↗	극대	↘	

따라서 함수 $f(x)$는 $x=\dfrac{\pi}{6}$, $\dfrac{5}{6}\pi$일 때 극댓값,

$x=\dfrac{\pi}{2}$일 때 극솟값을 가진다.

$$
\begin{aligned}
f(x)&=\int_0^x(1-2\sin t)\cos t\,dt\\
&=\int_0^x(\cos t-2\sin t\cos t)dt\\
&=\int_0^x(\cos t-\sin 2t)dt\\
&=\left[\sin t+\frac{1}{2}\cos 2t\right]_0^x\\
&=\sin x+\frac{1}{2}\cos 2x-\frac{1}{2}
\end{aligned}
$$

이므로

$f\left(\dfrac{\pi}{6}\right)=\sin\dfrac{\pi}{6}+\dfrac{1}{2}\cos\dfrac{\pi}{3}-\dfrac{1}{2}=\dfrac{1}{4}$

$f\left(\dfrac{\pi}{2}\right)=\sin\dfrac{\pi}{2}+\dfrac{1}{2}\cos\pi-\dfrac{1}{2}=0$

$f\left(\dfrac{5}{6}\pi\right)=\sin\dfrac{5}{6}\pi+\dfrac{1}{2}\cos\dfrac{5}{3}\pi-\dfrac{1}{2}=\dfrac{1}{4}$

따라서 $M=\dfrac{1}{4}$, $m=0$이므로 $M+m=\dfrac{1}{4}$

답 $\dfrac{1}{4}$

510

[1단계] $\overline{B_kC_k}$의 값을 구한다.

$\overline{AB}$를 n등분했으므로

$\overline{AB_1}=\dfrac{2}{n}$, $\overline{AB_2}=\dfrac{4}{n}$, $\overline{AB_3}=\dfrac{6}{n}$, $\cdots$,

$\overline{AB_k}=\dfrac{2k}{n}$, $\cdots$, $\overline{AB_{n-1}}=\dfrac{2(n-1)}{n}$

오른쪽 그림에서 닮음에 의해

$\overline{AB_k}:\overline{B_kC_k}=\overline{AB}:\overline{BC}$

이므로

$\dfrac{2k}{n}:\overline{B_kC_k}=2:1$

$2\overline{B_kC_k}=\dfrac{2k}{n}$

$\therefore \overline{B_kC_k}=\dfrac{k}{n}$

[2단계] $\displaystyle\lim_{n\to\infty}\dfrac{2\pi}{n}\sum_{k=1}^{n-1}\overline{B_kC_k}^2$의 값을 구한다.

$$
\begin{aligned}
\therefore \lim_{n\to\infty}\frac{2\pi}{n}\sum_{k=1}^{n-1}\overline{B_kC_k}^2&=\lim_{n\to\infty}\frac{2\pi}{n}\sum_{k=1}^{n-1}\left(\frac{k}{n}\right)^2\\
&=2\pi\lim_{n\to\infty}\sum_{k=1}^{n-1}\left(\frac{k}{n}\right)^2\frac{1}{n}\\
&=2\pi\int_0^1 x^2dx\\
&=2\pi\left[\frac{1}{3}x^3\right]_0^1=\frac{2}{3}\pi
\end{aligned}
$$

답 $\dfrac{2}{3}\pi$

3 정적분의 활용

512

(1) 구하는 값은 오른쪽 그림의 색칠한 부분의 넓이.

그래프가 x축의 아래쪽에 있을 때이므로

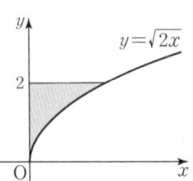

$$S = -\int_{-1}^{3}(-\sqrt{x+1})dx$$
$$= \int_{-1}^{3}(x+1)^{\frac{1}{2}}dx$$
$$= \left[\frac{2}{3}(x+1)^{\frac{3}{2}}\right]_{-1}^{3} = \frac{16}{3}$$

(2) 구하는 값은 오른쪽 그림의 색칠한 부분의 넓이.

$$S_1 = -\int_{\frac{1}{e}}^{1}\ln x\,dx$$
$$= -\left[x\ln x - x\right]_{\frac{1}{e}}^{1}$$
$$= 1 - \frac{2}{e}$$
$$S_2 = \int_{1}^{e}\ln x\,dx = \left[x\ln x - x\right]_{1}^{e} = 1$$
$$\therefore S = S_1 + S_2 = 2 - \frac{2}{e}$$

답 (1) $\dfrac{16}{3}$ (2) $2 - \dfrac{2}{e}$

514

(1) 구하는 값은 오른쪽 그림의 색칠한 부분의 넓이.

그래프가 y축의 오른쪽에 있을 때이다.

이때 $y = \sqrt{2x}$에서

$$y^2 = 2x \qquad \therefore x = \frac{1}{2}y^2$$
$$\therefore S = \int_{0}^{2}\frac{1}{2}y^2 dy = \left[\frac{1}{6}y^3\right]_{0}^{2} = \frac{4}{3}$$

(2) 구하는 값은 오른쪽 그림의 색칠한 부분의 넓이.

그래프가 y축의 왼쪽에 있을 때이다.

이때 $y = -\dfrac{1}{x}$에서 $x = -\dfrac{1}{y}$

$$\therefore S = -\int_{1}^{3}\left(-\frac{1}{y}\right)dy = \int_{1}^{3}\frac{1}{y}dy$$
$$= \left[\ln|y|\right]_{1}^{3} = \ln 3$$

답 (1) $\dfrac{4}{3}$ (2) $\ln 3$

516

(1) 구하는 값은 오른쪽 그림의 색칠한 부분의 넓이.

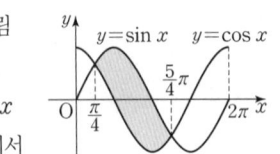

$$S_1 = \int_{-1}^{0}(e^{-x} - e^{x})dx$$
$$= \left[-e^{-x} - e^{x}\right]_{-1}^{0}$$
$$= e + \frac{1}{e} - 2$$
$$S_2 = \int_{0}^{2}(e^{x} - e^{-x})dx = \left[e^{x} + e^{-x}\right]_{0}^{2}$$
$$= e^2 + \frac{1}{e^2} - 2$$
$$\therefore S = S_1 + S_2$$
$$= e^2 + e + \frac{1}{e^2} + \frac{1}{e} - 4$$

(2) 구하는 값은 오른쪽 그림의 색칠한 부분의 넓이.

이때 두 곡선의 교점의 x 좌표는 $\sin x = \cos x$에서

$$x = \frac{\pi}{4} \text{ 또는 } x = \frac{5}{4}\pi \ (\because 0 \le x \le 2\pi)$$
$$\therefore S = \int_{\frac{\pi}{4}}^{\frac{5}{4}\pi}(\sin x - \cos x)dx$$
$$= \left[-\cos x - \sin x\right]_{\frac{\pi}{4}}^{\frac{5}{4}\pi}$$
$$= \left(\frac{\sqrt{2}}{2} + \frac{\sqrt{2}}{2}\right) - \left(-\frac{\sqrt{2}}{2} - \frac{\sqrt{2}}{2}\right)$$
$$= 2\sqrt{2}$$

답 (1) $e^2 + e + \dfrac{1}{e^2} + \dfrac{1}{e} - 4$ (2) $2\sqrt{2}$

518

오른쪽 그림에서 곡선 $y = \sqrt{x}$와 x축 및 직선 $x = 1$로 둘러싸인 도형의 넓이를 S_1이라 하면

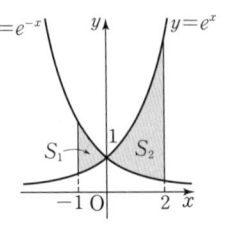

$$S_1 = \int_{0}^{1}\sqrt{x}\,dx = \left[\frac{2}{3}x^{\frac{3}{2}}\right]_{0}^{1} = \frac{2}{3}$$

$y = \sqrt{ax}$와 x축 및 직선 $x = 1$로 둘러싸인 도형의 넓이를 S_2라 하면

$$S_2 = \int_{0}^{1}\sqrt{ax}\,dx = \left[\frac{2}{3}\sqrt{a}\,x^{\frac{3}{2}}\right]_{0}^{1} = \frac{2}{3}\sqrt{a}$$

$S_2 = \dfrac{1}{2}S_1$이므로 $\dfrac{2}{3}\sqrt{a} = \dfrac{1}{3}$

$$\sqrt{a} = \frac{1}{2} \qquad \therefore a = \frac{1}{4}$$

❯ 다른 풀이

$$S_2 = \int_{0}^{1}\sqrt{ax}\,dx = \sqrt{a}\int_{0}^{1}\sqrt{x}\,dx$$

$S_2 = \dfrac{1}{2} S_1$이므로

$$\sqrt{a}\int_0^1 \sqrt{x}\,dx = \dfrac{1}{2}\int_0^1 \sqrt{x}\,dx$$

$$\sqrt{a} = \dfrac{1}{2} \qquad \therefore a = \dfrac{1}{4}$$

답 $\dfrac{1}{4}$

520

$y = e^{x+1}$에서 $y' = e^{x+1}$

따라서 곡선 위의 점 $(1,\, e^2)$에서의
접선의 방정식은

$y - e^2 = e^2(x-1)$, 즉 $y = e^2 x$

이고 오른쪽 그림과 같은 상황.

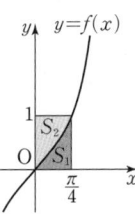

$$\therefore S = \int_0^1 (e^{x+1} - e^2 x)\,dx$$

$$= \left[e^{x+1} - \dfrac{e^2}{2} x^2 \right]_0^1 = \dfrac{e^2}{2} - e$$

답 $\dfrac{e^2}{2} - e$

522

(i) $f(0) = 0,\ f\!\left(\dfrac{\pi}{4}\right) = 1$

이므로 $y = f(x)$의 그래프는 오
른쪽 그림과 같다.

$$\therefore \int_0^{\frac{\pi}{4}} f(x)\,dx = S_1$$

(ii) $y = f(x)$의 그래프의 x축을 y축
으로, y축을 x축으로 보면 $y = g(x)$의 그래프가 된
다.

$$\therefore \int_0^1 g(x)\,dx = S_2$$

(i), (ii)에서

$$\int_0^{\frac{\pi}{4}} f(x)\,dx + \int_0^1 g(x)\,dx = S_1 + S_2$$

$$= (\text{직사각형의 넓이})$$

$$= \dfrac{\pi}{4} \times 1 = \dfrac{\pi}{4}$$

[참고]

공식을 이용하면 $f(0) = 0,\ f\!\left(\dfrac{\pi}{4}\right) = 1$이므로

$$\int_0^{\frac{\pi}{4}} f(x)\,dx + \int_0^1 g(x)\,dx = (\text{위끝의 곱}) - (\text{아래끝의 곱})$$

$$= \dfrac{\pi}{4} \times 1 = \dfrac{\pi}{4}$$

답 $\dfrac{\pi}{4}$

524

두 함수 $y = 2\sqrt{x},\ x = 2\sqrt{y}$는 서로 역함수 관계이다.
따라서 구하는 넓이는 곡선 $y = 2\sqrt{x}$와 직선 $y = x$로 둘
러싸인 도형의 넓이의 2배이다.

곡선 $y = 2\sqrt{x}$와 직선
$y = x$의 교점의 x좌표는

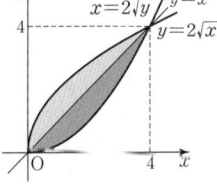

$2\sqrt{x} = x$에서 $4x = x^2$

$x^2 - 4x = 0,\ x(x-4) = 0$

$\therefore x = 0$ 또는 $x = 4$

따라서 구하는 넓이는

$$S = 2\int_0^4 (2\sqrt{x} - x)\,dx = 2\left[\dfrac{4}{3} x^{\frac{3}{2}} - \dfrac{1}{2} x^2 \right]_0^4 = \dfrac{16}{3}$$

답 $\dfrac{16}{3}$

525

(1) 구하는 값은 오른쪽 그림의
색칠한 부분의 넓이.

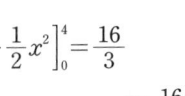

$$S_1 = -\int_{-1}^0 (e^x - 1)\,dx$$

$$= -\left[e^x - x \right]_{-1}^0 = \dfrac{1}{e}$$

$$S_2 = \int_0^1 (e^x - 1)\,dx = \left[e^x - x \right]_0^1 = e - 2$$

$$\therefore S = S_1 + S_2 = \dfrac{1}{e} + e - 2$$

(2) 구하는 값은 오른쪽 그림의
색칠한 부분의 넓이.

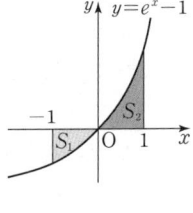

$$S_1 = \int_0^{\frac{\pi}{4}} \cos 2x\,dx$$

$$= \left[\dfrac{1}{2} \sin 2x \right]_0^{\frac{\pi}{4}} = \dfrac{1}{2}$$

$$S_2 = -\int_{\frac{\pi}{4}}^{\frac{\pi}{2}} \cos 2x\,dx = -\left[\dfrac{1}{2} \sin 2x \right]_{\frac{\pi}{4}}^{\frac{\pi}{2}} = \dfrac{1}{2}$$

$$\therefore S = S_1 + S_2 = 1$$

답 (1) $\dfrac{1}{e} + e - 2$ (2) 1

526

(1) 구하는 값은 오른쪽 그림
의 색칠한 부분의 넓이.
그래프가 y축의 오른쪽에
있을 때이다.
이때 $y = \sqrt{x-1}$에서

$y^2 = x - 1 \qquad \therefore x = y^2 + 1$

$$\therefore S=\int_0^1(y^2+1)dy=\left[\frac{1}{3}y^3+y\right]_0^1=\frac{4}{3}$$

(2) 구하는 값은 오른쪽 그림의
색칠한 부분의 넓이.
그래프가 y축의 오른쪽에
있을 때이다.
이때 $y=\ln(x-1)$에서
$x-1=e^y$　$\therefore x=e^y+1$

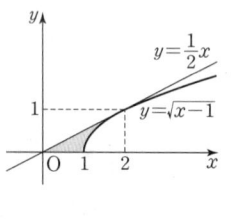

$$\therefore S=\int_{-1}^1(e^y+1)dy$$
$$=\left[e^y+y\right]_{-1}^1=e-\frac{1}{e}+2$$

답 (1) $\dfrac{4}{3}$　(2) $e-\dfrac{1}{e}+2$

527

(1) 구하는 값은 오른쪽 그림의 색
칠한 부분의 넓이.
두 곡선의 교점의 x좌표는
$x^2=\sqrt{x}$에서 $x^4=x$
$x^4-x=0$
$x(x-1)(x^2+x+1)=0$
$\therefore x=0$ 또는 $x=1$

$$\therefore S=\int_0^1(\sqrt{x}-x^2)dx=\left[\frac{2}{3}x\sqrt{x}-\frac{1}{3}x^3\right]_0^1=\frac{1}{3}$$

(2) 구하는 값은 오른쪽 그림의
색칠한 부분의 넓이.
$y=\ln x$에서 $x=e^y$,
$y=x$에서 $x=y$

$$\therefore S=\int_{-1}^1(e^y-y)dy$$
$$=\left[e^y-\frac{1}{2}y^2\right]_{-1}^1=e-\frac{1}{e}$$

답 (1) $\dfrac{1}{3}$　(2) $e-\dfrac{1}{e}$

528

오른쪽 그림에서 곡선 $y=\dfrac{1}{x}$과
x축 및 두 직선 $x=1$, $x=3$으
로 둘러싸인 도형의 넓이를 S_1
이라 하면

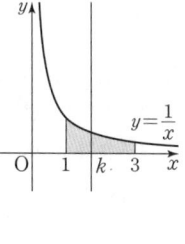

$$S_1=\int_1^3\frac{1}{x}\,dx$$
$$=\left[\ln|x|\right]_1^3=\ln 3$$

곡선 $y=\dfrac{1}{x}$과 x축 및 두 직선 $x=1$, $x=k$로 둘러싸인
도형의 넓이를 S_2라 하면

$$S_2=\int_1^k\frac{1}{x}dx=\left[\ln|x|\right]_1^k=\ln k$$

$S_2=\dfrac{1}{2}S_1$이므로 $\ln k=\dfrac{1}{2}\ln 3=\ln\sqrt{3}$

$$\therefore k=\sqrt{3}$$

답 $\sqrt{3}$

529

[1단계] 원점에서 곡선 $y=\sqrt{x-1}$에 그은 접선의 방정식
을 $y=ax$로 놓고 접점의 x좌표를 t라 하면 곡선
과 직선이 접할 때는

(i) $\sqrt{t-1}=at$ ← 그냥 같다.

(ii) $\dfrac{1}{2\sqrt{t-1}}=a$ ← 미분해서 같다.

$\therefore t=2$, $a=\dfrac{1}{2}$

따라서 접선의 방정
식은 $y=\dfrac{1}{2}x$이고 오
른쪽 그림과 같은 상
황.

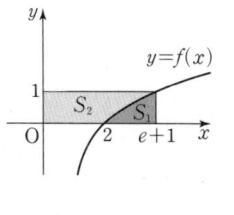

[2단계] 위의 그림을 보니 x축 적분보다는 y축 적분이
좀 더 적합한 상황.
$y=\sqrt{x-1}$에서 $x=y^2+1$
$y=\dfrac{1}{2}x$에서 $x=2y$

$$\therefore S=\int_0^1\{(y^2+1)-2y\}dy$$
$$=\left[\frac{1}{3}y^3+y-y^2\right]_0^1=\frac{1}{3}$$

답 $\dfrac{1}{3}$

530

(i) $f(2)=0$, $f(e+1)=1$
이므로 $y=f(x)$의 그래
프는 오른쪽 그림과 같
다.

$$\therefore \int_2^{e+1}f(x)dx=S_1$$

(ii) $y=f(x)$의 그래프의 x축을 y축으로, y축을 x축으
로 보면 $y=g(x)$의 그래프가 된다.

$$\therefore \int_0^1 g(x)dx=S_2$$

(i), (ii)에서

$$\int_2^{e+1} f(x)dx+\int_0^1 g(x)dx=S_1+S_2$$
$$=(직사각형의 넓이)$$
$$=e+1$$

[참고]

공식을 이용하면 $f(2)=0$, $f(e+1)=1$이므로

$$\int_2^{e+1} f(x)dx+\int_0^1 g(x)dx$$
$$=(위끝의 곱)-(아래끝의 곱)$$
$$=(e+1)\times1-2\times0$$
$$=e+1$$

답 $e+1$

532

(1) [1단계] x축 설정하기

오른쪽 그림과 같이 물의 깊이가 0인 점을 원점 O로 하고 입체도형에 수직인 직선을 x축으로 정한다.

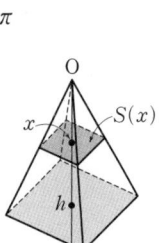

[2단계] 단면의 넓이 구하기

물의 깊이가 x인 부분의 수면의 넓이 $S(x)$는
$$S(x)=\pi(\sqrt{2-x^2})^2=\pi(2-x^2)$$

[3단계] 부피 구하기

$$\therefore V=\int_0^1 S(x)dx=\int_0^1 \pi(2-x^2)dx$$
$$=\pi\left[2x-\frac{1}{3}x^3\right]_0^1=\frac{5}{3}\pi$$

(2) [1단계] x축 설정하기

오른쪽 그림과 같이 정사각뿔의 꼭짓점을 원점 O로 하고 점 O에서 밑면에 수직으로 내린 직선을 x축으로 정한다.

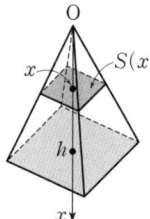

[2단계] 단면의 넓이 구하기

작은 정사각뿔과 큰 정사각뿔의 닮음비는 $x:h$이고 넓이의 비는 닮음비의 제곱의 비이므로 높이가 x인 정사각뿔의 밑면의 넓이 $S(x)$는
$$S(x):a^2=x^2:h^2$$
$$\therefore S(x)=\frac{a^2}{h^2}x^2$$

[3단계] 부피 구하기

$$\therefore V=\int_0^h S(x)dx=\int_0^h \frac{a^2}{h^2}x^2dx$$
$$=\frac{a^2}{h^2}\left[\frac{1}{3}x^3\right]_0^h=\frac{1}{3}a^2h$$

답 (1) $\dfrac{5}{3}\pi$ (2) $\dfrac{1}{3}a^2h$

534

(i) x축에 수직인 평면으로 자른 단면이 직각이등변삼각형이므로 이 직각이등변삼각형의 넓이가 $S(x)$가 된다.

이 넓이를 구해 $\int_0^1 S(x)dx$를 계산하면 끝.

(ii) $S(x)=\dfrac{1}{2}\times\sqrt{1-x^2}\times\sqrt{1-x^2}=\dfrac{1}{2}(1-x^2)$

(iii) $V=\int_0^1 S(x)dx=\int_0^1 \dfrac{1}{2}(1-x^2)dx$
$$=\frac{1}{2}\left[x-\frac{1}{3}x^3\right]_0^1=\frac{1}{3}$$

답 $\dfrac{1}{3}$

535

물의 깊이가 x일 때, 수면의 넓이를 $S(x)$라 하면
$$S(x)=\pi\cos^2 x$$
$$\therefore V=\int_0^{2\pi} S(x)dx=\int_0^{2\pi} \pi\cos^2 x\,dx$$
$$=\pi\int_0^{2\pi} \frac{1+\cos 2x}{2}dx$$
$$=\frac{\pi}{2}\left[x+\frac{1}{2}\sin 2x\right]_0^{2\pi}=\pi^2$$

답 π^2

536

한 변의 길이가 $\sqrt{e^{\frac{x}{2}}+1}$인 정사각형의 수면의 넓이는 $e^{\frac{x}{2}}+1$이므로 물통의 부피는

$$\int_0^4 \left(e^{\frac{x}{2}}+1\right)dx=\left[2e^{\frac{x}{2}}+x\right]_0^4=2e^2+4-2=2e^2+2$$

답 $2e^2+2$

537

[1단계] x축 설정하기

밑면의 중심을 원점, 밑면의 지름을 x축으로 정한다.

[2단계] 단면의 넓이 구하기

x일 때, 단면은 밑면과 45°의 각을 이루는 직각삼각형이므로 삼각형의 넓이 $S(x)$는

$$S(x)=\frac{1}{2}(\sqrt{4-x^2})^2=\frac{1}{2}(4-x^2)$$

[3단계] 부피 구하기

따라서 작은 입체도형의 부피는

$$V=2\int_0^2 S(x)dx=2\int_0^2 \frac{1}{2}(4-x^2)dx$$
$$=\int_0^2(4-x^2)dx=\left[4x-\frac{1}{3}x^3\right]_0^2$$
$$=8-\frac{8}{3}=\frac{16}{3}$$

답 $\dfrac{16}{3}$

538

(i) x축에 수직인 평면으로 자른 단면이 직각이등변삼 각형이므로 이 직각이등변삼각형의 넓이가 $S(x)$가 된다.

이 넓이를 구해 $\displaystyle\int_0^{\frac{\pi}{2}} S(x)dx$를 계산하면 끝.

(ii) $S(x)=\dfrac{1}{2}\times\sqrt{\sin 2x}\times\sqrt{\sin 2x}=\dfrac{1}{2}\sin 2x$

(iii) $V=\displaystyle\int_0^{\frac{\pi}{2}} S(x)dx=\int_0^{\frac{\pi}{2}}\frac{1}{2}\sin 2x\,dx$
$$=\left[-\frac{1}{4}\cos 2x\right]_0^{\frac{\pi}{2}}=\frac{1}{4}+\frac{1}{4}=\frac{1}{2}$$

답 $\dfrac{1}{2}$

540

(1) 시각 $t=0$에서 점 P의 위치가 $x=0$이므로 구하는 위치 x는

$$x=0+\int_0^t te^{-t}dt=\left[-te^{-t}\right]_0^t-\int_0^t(-e^{-t})dt$$
$$=-te^{-t}+\int_0^t e^{-t}dt=-te^{-t}+\left[-e^{-t}\right]_0^t$$
$$=-(t+1)e^{-t}+1$$

(2) $\displaystyle\int_1^2 te^{-t}dt=\left[-te^{-t}\right]_1^2-\int_1^2(-e^{-t})dt$
$$=\left[-te^{-t}\right]_1^2-\left[e^{-t}\right]_1^2$$
$$=-2e^{-2}+e^{-1}-e^{-2}+e^{-1}=\frac{2e-3}{e^2}$$

답 (1) $-(t+1)e^{-t}+1$ (2) $\dfrac{2e-3}{e^2}$

542

$\dfrac{dx}{dt}=3\cos t-4\sin t$, $\dfrac{dy}{dt}=4\cos t+3\sin t$이므로

시각 $t=0$에서 $t=\pi$까지 점 P가 움직인 거리는

$$\int_0^\pi \sqrt{\left(\frac{dx}{dt}\right)^2+\left(\frac{dy}{dt}\right)^2}\,dt$$
$$=\int_0^\pi \sqrt{(3\cos t-4\sin t)^2+(4\cos t+3\sin t)^2}\,dt$$
$$=\int_0^\pi \sqrt{25(\cos^2 t+\sin^2 t)}\,dt$$
$$=\int_0^\pi 5\,dt=\left[5t\right]_0^\pi=5\pi$$

답 5π

544

(1) $\dfrac{dx}{d\theta}=-12\cos^2\theta\sin\theta$, $\dfrac{dy}{d\theta}=12\sin^2\theta\cos\theta$

이므로 구하는 곡선의 길이는

$$\int_0^{\frac{\pi}{2}}\sqrt{(-12\cos^2\theta\sin\theta)^2+(12\sin^2\theta\cos\theta)^2}\,d\theta$$
$$=\int_0^{\frac{\pi}{2}}\sqrt{(12\cos\theta\sin\theta)^2(\cos^2\theta+\sin^2\theta)}\,d\theta$$
$$=\int_0^{\frac{\pi}{2}}\sqrt{(12\cos\theta\sin\theta)^2}\,d\theta$$
$$=\int_0^{\frac{\pi}{2}}|12\cos\theta\sin\theta|\,d\theta$$
$$=\int_0^{\frac{\pi}{2}}12\cos\theta\sin\theta\,d\theta$$

◀ $0\le\theta\le\dfrac{\pi}{2}$에서 $\cos\theta\sin\theta\ge 0$

$$=\int_0^{\frac{\pi}{2}}6\sin 2\theta\,d\theta$$ ◀ $2\sin\theta\cos\theta=\sin 2\theta$
$$=\left[-3\cos 2\theta\right]_0^{\frac{\pi}{2}}=6$$

(2) $y'=\dfrac{1}{4}x-\dfrac{1}{x}$이므로

구하는 곡선의 길이는

$$\int_1^3\sqrt{1+\left(\frac{1}{4}x-\frac{1}{x}\right)^2}\,dx=\int_1^3\sqrt{\left(\frac{1}{4}x+\frac{1}{x}\right)^2}\,dx$$
$$=\int_1^3\left(\frac{1}{4}x+\frac{1}{x}\right)dx$$
$$=\left[\frac{1}{8}x^2+\ln|x|\right]_1^3$$
$$=1+\ln 3$$

답 (1) 6   (2) $1+\ln 3$

545

$\dfrac{dx}{dt}=e^t\cos t-e^t\sin t$, $\dfrac{dy}{dt}=e^t\sin t+e^t\cos t$이므로

$$\sqrt{\left(\frac{dx}{dt}\right)^2+\left(\frac{dy}{dt}\right)^2}$$
$$=\sqrt{(e^t\cos t-e^t\sin t)^2+(e^t\sin t+e^t\cos t)^2}$$
$$=\sqrt{2}e^t$$

따라서 시각 $t=0$에서 $t=2\pi$까지 점 P가 움직인 거리는

$$\int_0^{2\pi}\sqrt{\left(\frac{dx}{dt}\right)^2+\left(\frac{dy}{dt}\right)^2}\,dt=\int_0^{2\pi}\sqrt{2}\,e^t dt$$
$$=\left[\sqrt{2}\,e^t\right]_0^{2\pi}$$
$$=\sqrt{2}(e^{2\pi}-1)$$

답 $\sqrt{2}(e^{2\pi}-1)$

546

점 P의 x좌표가 0이 되는 것은

$\frac{1}{2}t^2-t=0$에서 $t^2-2t=0$

$t(t-2)=0$ ∴ $t=2$ ($\because t>1$)

이때 $\frac{dx}{dt}=t-1$, $\frac{dy}{dt}=2\sqrt{t}$ 이므로

시각 $t=1$에서 $t=2$까지 점 P가 움직인 거리는

$$\int_1^2\sqrt{\left(\frac{dx}{dt}\right)^2+\left(\frac{dy}{dt}\right)^2}\,dt=\int_1^2\sqrt{(t-1)^2+(2\sqrt{t})^2}\,dt$$
$$=\int_1^2\sqrt{t^2+2t+1}\,dt$$
$$=\int_1^2\sqrt{(t+1)^2}\,dt$$
$$=\int_1^2(t+1)\,dt$$
$$=\left[\frac{1}{2}t^2+t\right]_1^2$$
$$=\frac{5}{2}$$

답 $\frac{5}{2}$

547

$\frac{dx}{dt}=\frac{1}{t}$, $\frac{dy}{dt}=\frac{1}{2}-\frac{1}{2t^2}$ 이므로

구하는 곡선의 길이는

$$\int_1^e\sqrt{\left(\frac{dx}{dt}\right)^2+\left(\frac{dy}{dt}\right)^2}\,dt=\int_1^e\sqrt{\left(\frac{1}{t}\right)^2+\left(\frac{1}{2}-\frac{1}{2t^2}\right)^2}\,dt$$
$$=\int_1^e\sqrt{\frac{1}{4}+\frac{1}{2t^2}+\frac{1}{4t^4}}\,dt$$
$$=\int_1^e\sqrt{\left(\frac{1}{2}+\frac{1}{2t^2}\right)^2}\,dt$$
$$=\int_1^e\left(\frac{1}{2}+\frac{1}{2t^2}\right)dt$$
$$=\left[\frac{t}{2}-\frac{1}{2t}\right]_1^e$$
$$=\frac{e}{2}-\frac{1}{2e}$$

답 $\frac{e}{2}-\frac{1}{2e}$

548

$y'=\frac{\sqrt{2(x-2)}}{2}$ 이므로 구하는 곡선의 길이는

$$\int_4^9\sqrt{1+\left\{\frac{\sqrt{2(x-2)}}{2}\right\}^2}\,dx=\int_4^9\sqrt{1+\frac{1}{2}(x-2)}\,dx$$
$$=\frac{\sqrt{2}}{2}\int_4^9\sqrt{x}\,dx$$
$$=\frac{\sqrt{2}}{2}\left[\frac{2}{3}x^{\frac{3}{2}}\right]_4^9$$
$$=\frac{19\sqrt{2}}{3}$$

답 $\frac{19\sqrt{2}}{3}$

549

$y'=\frac{1}{4}x^2-\frac{1}{x^2}$ 이므로 구하는 곡선의 길이는

$$\int_1^2\sqrt{1+\left(\frac{1}{4}x^2-\frac{1}{x^2}\right)^2}\,dx$$
$$=\int_1^2\sqrt{\left(\frac{1}{4}x^2\right)^2+\frac{1}{2}+\left(\frac{1}{x^2}\right)^2}\,dx$$
$$=\int_1^2\sqrt{\left(\frac{1}{4}x^2+\frac{1}{x^2}\right)^2}\,dx$$
$$=\int_1^2\left(\frac{1}{4}x^2+\frac{1}{x^2}\right)dx$$
$$=\left[\frac{1}{12}x^3-\frac{1}{x}\right]_1^2$$
$$=\frac{13}{12}$$

답 $\frac{13}{12}$

550

$$y=\frac{x}{x+1}=\frac{(x+1)-1}{x+1}$$
$$=1-\frac{1}{x+1}$$

이므로 구하는 값은 오른쪽
그림의 색칠한 부분의 넓이.
그래프가 x축의 위쪽에 있을
때이므로

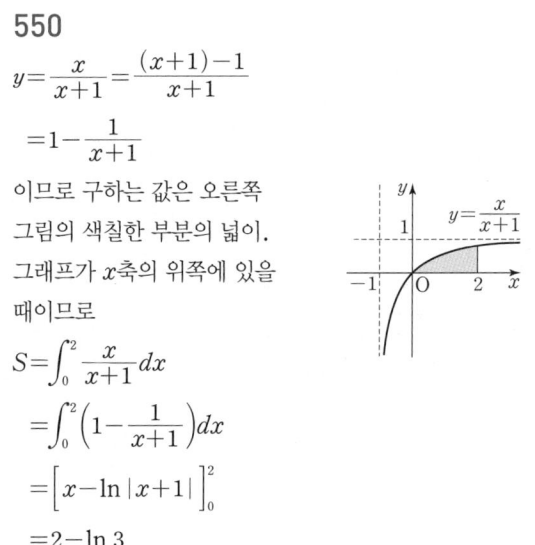

$$S=\int_0^2\frac{x}{x+1}\,dx$$
$$=\int_0^2\left(1-\frac{1}{x+1}\right)dx$$
$$=\left[x-\ln|x+1|\right]_0^2$$
$$=2-\ln 3$$

답 $2-\ln 3$

551

구하는 값은 오른쪽 그림
의 색칠한 부분의 넓이.

$y=(x-1)^2$에서

$-\sqrt{y}=x-1$ $(\because x\leq 1)$

$\therefore x=1-\sqrt{y}$

$S_1=\int_0^1 (1-\sqrt{y})dy=\left[y-\dfrac{2}{3}y^{\frac{3}{2}}\right]_0^1=\dfrac{1}{3}$

$S_2=-\int_1^4 (1-\sqrt{y})dy=-\left[y-\dfrac{2}{3}y^{\frac{3}{2}}\right]_1^4=\dfrac{5}{3}$

$\therefore S=S_1+S_2=\dfrac{1}{3}+\dfrac{5}{3}=2$

답 2

552

곡선 $y=\dfrac{2}{x}$와 직선 $y=-x+3$의 교점의 x좌표는

$\dfrac{2}{x}=-x+3$에서 $x^2-3x+2=0$

$(x-1)(x-2)=0$

$\therefore x=1$ 또는 $x=2$

구하는 값은 오른쪽 그림의 색
칠한 부분의 넓이.

$\therefore S=\int_1^2 \left\{(-x+3)-\dfrac{2}{x}\right\}dx$

$=\left[-\dfrac{1}{2}x^2+3x-2\ln|x|\right]_1^2$

$=\dfrac{3}{2}-2\ln 2$

답 $\dfrac{3}{2}-2\ln 2$

553

곡선 $y=e^x$과 x축, y축 및 직선
$x=\ln 2$로 둘러싸인 도형의 넓
이는

$\int_0^{\ln 2} e^x dx=\left[e^x\right]_0^{\ln 2}=e^{\ln 2}-1$

$=2-1=1$

따라서 곡선 $y=e^x$과 x축, y축 및 직선 $x=a$로 둘러싸
인 도형의 넓이는 $\dfrac{1}{2}$이므로

$\int_0^a e^x dx=\left[e^x\right]_0^a=e^a-1=\dfrac{1}{2}$

$e^a=1+\dfrac{1}{2}=\dfrac{3}{2}$ $\therefore a=\ln\dfrac{3}{2}$

답 $\ln\dfrac{3}{2}$

554

$f(\ln 3)=e^{\ln 3}-1=3-1=2$

$A=\int_0^{\ln 3} f(x)dx$

$B=\int_0^{f(\ln 3)} g(x)dx$

$\therefore$ (주어진 식)$=A+B$

$=2\ln 3$

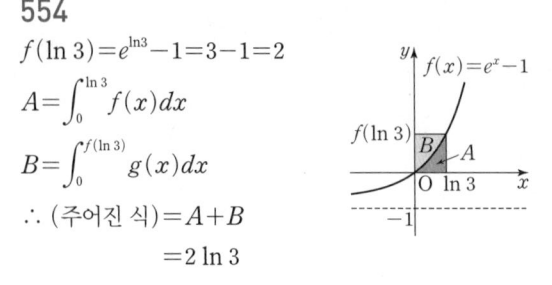

답 $2\ln 3$

555

단면의 넓이 $S(x)=xe^{-\frac{1}{2}x}$에서

$S'(x)=e^{-\frac{1}{2}x}-\dfrac{1}{2}xe^{-\frac{1}{2}x}=\left(1-\dfrac{1}{2}x\right)e^{-\frac{1}{2}x}$

$S'(x)=0$에서 $1-\dfrac{1}{2}x=0$ $\left(\because e^{-\frac{1}{2}x}>0\right)$

$\therefore x=2$

$0\leq x\leq 4$에서 $S(x)$의 증가와 감소를 표로 나타내면 다
음과 같다.

x	0	$\cdots$	2	$\cdots$	4
$S'(x)$		$+$	0	$-$	
$S(x)$		↗	극대	↘	

따라서 $S(x)$는 $x=2$일 때 극대이면서 최대이므로 구
하는 물의 부피는

$V=\int_0^2 S(x)dx=\int_0^2 xe^{-\frac{1}{2}x}dx$

$=\left[-2xe^{-\frac{1}{2}x}\right]_0^2-\int_0^2 \left(-2e^{-\frac{1}{2}x}\right)dx$

$=-\dfrac{4}{e}+\left[-4e^{-\frac{1}{2}x}\right]_0^2$

$=-\dfrac{4}{e}+\left(-\dfrac{4}{e}+4\right)$

$=4-\dfrac{8}{e}$

답 $4-\dfrac{8}{e}$

556

(i) x축에 수직인 평면으로 자른 단면이 정사각형이므로
이 정사각형의 넓이가 $S(x)$가 된다.

이 넓이를 구해 $\int_0^\pi S(x)dx$를 계산하면 끝.

(ii) $S(x)=3\sqrt{\sin x}\times 3\sqrt{\sin x}=9\sin x$

(iii) $V=\int_0^\pi S(x)dx=\int_0^\pi 9\sin x\,dx$

$\qquad =9\Big[-\cos x\Big]_0^\pi=18$

답 18

557

$\int_0^1\sqrt{1+f'(x)^2}\,dx$는 $y=f(x)$의 $0\le x\le 1$에서 곡선의 길이이므로 최소인 경우는 원점 O와 점 $(1,\sqrt{3})$을 직선으로 연결할 때이다.

따라서 구하는 최솟값은 $\sqrt{1^2+(\sqrt{3})^2}=2$

답 ②

558

$y'=\dfrac{1}{3}\times\dfrac{3}{2}(x^2+2)^{\frac{1}{2}}\times 2x=x(x^2+2)^{\frac{1}{2}}$이므로

구하는 곡선의 길이는

$\int_0^6\sqrt{1+x^2(x^2+2)}\,dx=\int_0^6(x^2+1)dx$

$\qquad\qquad\qquad =\Big[\dfrac{1}{3}x^3+x\Big]_0^6=78$

답 78

559

$y=\sin x+\sqrt{3}\cos x$

$\quad =2\Big(\dfrac{1}{2}\sin x+\dfrac{\sqrt{3}}{2}\cos x\Big)$

$\quad =2\sin\Big(x+\dfrac{\pi}{3}\Big)$

이므로 구하는 값은 오른쪽 그림의 색칠한 부분의 넓이. 그래프가 x축의 위쪽에 있을 때이므로

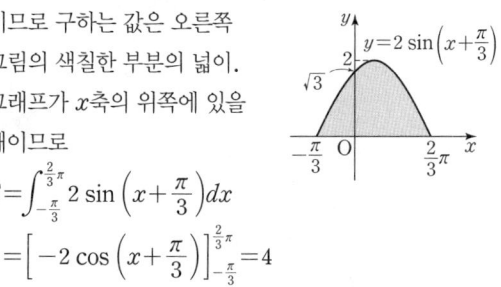

$S=\int_{-\frac{\pi}{3}}^{\frac{2}{3}\pi}2\sin\Big(x+\dfrac{\pi}{3}\Big)dx$

$\quad =\Big[-2\cos\Big(x+\dfrac{\pi}{3}\Big)\Big]_{-\frac{\pi}{3}}^{\frac{2}{3}\pi}=4$

답 4

560

구하는 값은 오른쪽 그림의 색칠한 부분의 넓이.

그래프가 y축의 오른쪽에 있을 때이다.

이때 $y=\sqrt{\dfrac{x}{a}}$에서 $x=ay^2$

$\therefore S=\int_0^3 ay^2dy$

$\qquad =\Big[\dfrac{a}{3}y^3\Big]_0^3=9a$

따라서 $9a=18$이므로

$a=2$

답 2

561

두 곡선의 교점의 x좌표는

$xe^x=e^x$에서 $(x-1)e^x=0$

$\therefore x=1$

이때 $x>1$이면 $xe^x>e^x$, $x<1$ 이면 $xe^x<e^x$이므로 오른쪽 그림과 같은 상황.

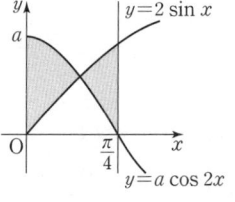

$\therefore S=\int_0^1(e^x-xe^x)dx$

$\quad =\int_0^1(1-x)e^xdx$

$\quad =\Big[(1-x)e^x\Big]_0^1-\int_0^1(-e^x)dx$

$\quad =-1+\Big[e^x\Big]_0^1$

$\quad =e-2$

답 $e-2$

562

두 곡선 $y=2\sin x$, $y=a\cos 2x$와 y축 및 직선 $x=\dfrac{\pi}{4}$로 둘러싸인 부분은 오른쪽 그림의 색칠한 부분과 같다.

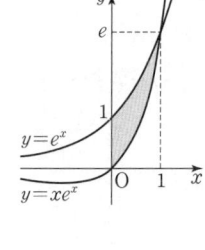

이때 색칠한 두 부분의 넓이가 서로 같으므로

$\int_0^{\frac{\pi}{4}}(2\sin x-a\cos 2x)dx$

$=\Big[-2\cos x-\dfrac{1}{2}a\sin 2x\Big]_0^{\frac{\pi}{4}}$

$=\Big(-\sqrt{2}-\dfrac{1}{2}a\Big)-(-2)$

$=0$

따라서 $\dfrac{1}{2}a=2-\sqrt{2}$이므로

$a=4-2\sqrt{2}$

답 $4-2\sqrt{2}$

563

오른쪽 그림과 같이 밑면의 중심을 원점 O, 밑면의 지름을 x축으로 잡는다.

x축 위의 점 $P(x, 0)$ $(-1 \leq x \leq 1)$을 지나고 x축에 수직인 평면으로 입체도형을 자른 단면을 $\triangle PQR$라 하면

$$\overline{PQ} = \sqrt{\overline{OQ}^2 - \overline{OP}^2} = \sqrt{1-x^2}$$

$$\overline{RQ} = \overline{PQ} \tan 60° = \sqrt{3}\sqrt{1-x^2}$$

$\triangle PQR$의 넓이를 $S(x)$라 하면

$$S(x) = \frac{1}{2}\overline{PQ} \times \overline{RQ}$$

$$= \frac{1}{2}\sqrt{1-x^2} \times \sqrt{3}\sqrt{1-x^2}$$

$$= \frac{\sqrt{3}}{2}(1-x^2)$$

따라서 구하는 부피는

$$V = \int_{-1}^{1} S(x)dx$$

$$= \int_{-1}^{1} \frac{\sqrt{3}}{2}(1-x^2)dx$$

$$= \sqrt{3}\int_{0}^{1}(1-x^2)dx$$

$$= \sqrt{3}\left[x - \frac{1}{3}x^3\right]_{0}^{1}$$

$$= \frac{2}{3}\sqrt{3}$$

답 $\dfrac{2}{3}\sqrt{3}$

564

오른쪽 그림과 같이 지름 AB의 중점을 원점, 지름 AB를 x축으로 잡고, 호 AB 위의 점 P에서 x축에 내린 수선의 발을 $H(x, 0)$ $(-2 \leq x \leq 2)$이라 하면

$$\overline{PH} = \sqrt{\overline{OP}^2 - \overline{OH}^2} = \sqrt{4-x^2}$$

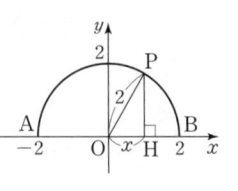

점 P를 지나고 x축에 수직인 평면으로 입체도형을 자른 단면의 넓이를 $S(x)$라 하면 $S(x)$는 반지름의 길이가 $\dfrac{\overline{PH}}{2}$인 반원의 넓이이므로

$$S(x) = \frac{1}{2} \times \pi\left(\frac{\overline{PH}}{2}\right)^2 = \frac{\pi}{2}\left(\frac{\sqrt{4-x^2}}{2}\right)^2$$

$$= \frac{\pi}{8}(4-x^2)$$

따라서 구하는 부피는

$$V = \int_{-2}^{2} S(x)dx$$

$$= \int_{-2}^{2} \frac{\pi}{8}(4-x^2)dx$$

$$= \frac{\pi}{4}\int_{0}^{2}(4-x^2)dx$$

$$= \frac{\pi}{4}\left[4x - \frac{1}{3}x^3\right]_{0}^{2}$$

$$= \frac{4}{3}\pi$$

$$\therefore k = \frac{4}{3}$$

답 $\dfrac{4}{3}$

565

$$\frac{dx}{dt} = -9\sin t + 9\sin 9t, \quad \frac{dy}{dt} = 9\cos t - 9\cos 9t$$

이므로

$$\sqrt{\left(\frac{dx}{dt}\right)^2 + \left(\frac{dy}{dt}\right)^2}$$

$$= 18\sqrt{\frac{1-\cos 8t}{2}}$$

$$= 18\sqrt{\sin^2 4t} \quad \Leftarrow \quad \sin^2\frac{\alpha}{2} = \frac{1-\cos\alpha}{2}$$

따라서 시각 $t=0$에서 $t=\dfrac{\pi}{8}$까지 점 P가 움직인 거리는

$$\int_{0}^{\frac{\pi}{8}} \sqrt{\left(\frac{dx}{dt}\right)^2 + \left(\frac{dy}{dt}\right)^2}\,dt = \int_{0}^{\frac{\pi}{8}} 18\sqrt{\sin^2 4t}\,dt$$

$$= \int_{0}^{\frac{\pi}{8}} 18\sin 4t\,dt$$

$$= \left[-\frac{9}{2}\cos 4t\right]_{0}^{\frac{\pi}{8}}$$

$$= \frac{9}{2}$$

답 $\dfrac{9}{2}$